# LE CINQUIÈME TÉMOIN

## DU MÊME AUTEUR

*Les Égouts de Los Angeles*
Prix Calibre 38, 1993
Calmann-Lévy,
l'intégrale Connelly, 2012

*La Glace noire*
Seuil, 1995 ; Points, n° P269

*La Blonde en béton*
Prix Calibre 38, 1996
Seuil, 1996 ; Points, n° P390

*Le Poète*
Prix Mystère, 1998
Seuil, 1997 ; Points, n° P534 ;
et Point Deux

*Le Cadavre dans la Rolls*
Seuil, 1998 ; Points, n° P646

*Créance de sang*
Grand Prix de littérature policière, 1999
Seuil, 1999 ; Points, n° P835

*Le Dernier Coyote*
Seuil, 1999 ; Points, n° P781

*La lune était noire*
Calmann-Lévy,
l'intégrale Connelly, 2012 ;
Le Livre de Poche, 2012

*L'Envol des anges*
Calmann-Lévy,
l'intégrale Connelly, 2012 ;
Le Livre de Poche, 2012

*L'Oiseau des ténèbres*
Calmann-Lévy,
l'intégrale Connelly, 2012 ;
Le Livre de Poche, 2011

*Wonderland Avenue*
Seuil, 2002 ; Points, n° P1088

*Darling Lilly*
Seuil, 2003 ; Points, n° P1230

*Lumière morte*
Seuil, 2003 ; Points, n° P1271

*Los Angeles River*
Seuil, 2004 ; Points, n° P1359

*Deuil interdit*
Seuil, 2005 ; Points, n° P1476

*La Défense Lincoln*
Seuil, 2006 ; Points, n° P1690

*Chroniques du crime*
Seuil, 2006 ; Points, n° P1761

*Echo Park*
Seuil, 2007 ; Points, n° P1932

*À genoux*
Seuil, 2008 ; Points, n° P2157

*Le Verdict du plomb*
Seuil, 2009 ; Points, n° P2397

*L'Épouvantail*
Seuil, 2010 ; Points, n° P2623

*Les Neuf Dragons*
Seuil, 2011

*Volte-Face*
Calmann-Lévy, 2012 ;
Le Livre de Poche, 2013

Michael **CONNELLY**

# LE CINQUIÈME TÉMOIN

Roman traduit de l'anglais par Robert Pépin

*Titre original (États-Unis) :*
THE FIFTH WITNESS



*Couverture :*
Rémi Pépin, 2013
*Photo de couverture :*
© Mihaela Ninic/Plainpicture.

ISBN 978-2-7021-4154-0
ISSN 2115-2640

*Celui-ci est pour Dennis Wojciechowski,*
*avec tous mes remerciements.*

# PREMIÈRE PARTIE

## LA FORMULE MAGIQUE

# 1

Mme Pena me regarda par-dessus le dossier de son siège et leva les mains en un geste de supplication. Elle parlait avec un fort accent, mais avait choisi l'anglais pour me lancer son dernier appel.

— S'il vous plaît, vous m'aidez, monsieur Mickey ?

Je jetai un coup d'œil à Rojas, qui s'était retourné alors que je n'avais pas besoin de sa traduction. Puis je regardai par-dessus l'épaule de Mme Pena, là-bas, de l'autre côté de la vitre, la maison à laquelle elle s'accrochait désespérément. Deux pièces, murs d'un rose délavé, petit jardin misérable derrière une barrière en fil de fer. L'escalier en béton qui conduisait à la véranda était couvert de bombages indéchiffrables à l'exception du nombre 13. Rien à voir avec une adresse. Mais tout avec un serment d'allégeance.

Je finis par reposer les yeux sur elle. Âgée de quarante-quatre ans, elle avait du charme, d'un genre un rien fané. Mère célibataire de trois adolescents, elle n'avait pas payé ses traites depuis neuf mois. La banque venait de saisir ses avoirs et s'apprêtait à vendre sa maison. La vente aux enchères devait avoir lieu trois mois plus tard. Peu importait que son bien ne vaille pas grand-chose ou qu'il se trouve au cœur d'un quartier de South L. A. infesté de gangs. Quelqu'un en ferait l'acquisition et Mme Pena en deviendrait locataire au lieu de propriétaire – à condition que ce dernier ne l'expulse pas… Cela faisait des années qu'elle comptait sur la protection de la *Florencia 13*. Mais les temps avaient changé. Plus aucune allégeance à un gang quelconque ne pouvait l'aider à présent. C'était d'un avocat qu'elle avait besoin. Moi.

— Dis-lui que je ferai de mon mieux, lançai-je. Dis-lui que je suis à peu près certain de pouvoir arrêter la vente aux enchères et de contester la validité de la saisie. Cela permettra au moins de ralentir la procédure. Et de bâtir un plan à long terme. Peut-être même de la remettre sur pied.

Je hochai la tête et attendis que Rojas traduise. Il me servait de chauffeur et de traducteur depuis que j'avais souscrit au package publicitaire proposé par les stations de radio espagnoles.

Je sentis mon portable vibrer dans ma poche. Le haut de ma cuisse comprit qu'il s'agissait d'un texto, au contraire d'un appel téléphonique qui déclenchait une vibration plus longue. Mais ceci ou cela, je les ignorai. Et lorsque Rojas eut fini, je repris la parole avant même que Mme Pena ait le temps de réagir.

— Dis-lui de bien comprendre que ce n'est pas la solution à tous ses problèmes. Je peux faire traîner pour négocier avec sa banque. Mais je ne peux pas lui garantir qu'elle ne perdra pas sa maison. Et d'ailleurs, elle l'a déjà perdue. Je vais la récupérer, mais il faudra qu'elle se débrouille avec la banque.

Rojas traduisit, en faisant des gestes là où je n'en avais pas fait. La vérité était bien que Mme Pena allait finir par devoir s'en aller. La seule question était de savoir jusqu'à quand elle voulait que je tienne. Si elle se mettait en faillite personnelle, cela ajouterait un an à ma défense contre sa saisie. Mais elle n'avait pas à en décider tout de suite.

— Bon, et dis-lui aussi que j'ai besoin d'être payé. Donne-lui l'échéancier. Mille dollars d'acompte et les versements mensuels.

— Combien par mois et pendant combien de temps ?

Je regardai à nouveau la maison. Mme Pena m'avait invité à entrer, mais j'avais préféré la rencontrer dans ma voiture. Nous nous trouvions dans des lieux où l'on flingue depuis des véhicules en mouvement et j'étais assis dans ma Lincoln Town Car BPS – BPS comme *Ballistic Protection Series*. Je l'avais achetée à la veuve d'un homme de main du cartel de Sinaloa qui venait de se faire assassiner. Les portières étaient blindées et les vitres à l'épreuve des balles avec trois couches de verre laminé. Les fenêtres de la maison rose de Mme Pena, elles, ne l'étaient pas. Et la leçon à tirer de ce qui était arrivé au type de Sinaloa est qu'on ne quitte pas sa voiture blindée à moins d'y être obligé. Mme Pena m'avait expliqué un peu plus tôt que les mensualités qu'elle ne payait plus depuis neuf mois s'élevaient à sept cents dollars. Elle continuerait donc de suspendre tout paiement à la banque aussi longtemps que je serais sur l'affaire. Vu que pour elle, tout serait à l'œil tant que j'arriverais à tenir la banque en respect, il y avait de l'argent à se faire sur ce coup-là.

— On dit deux cent cinquante chaque mois, répondis-je à Rojas. Et je lui fais une fleur. Fais en sorte qu'elle se rende bien compte que c'est sympa de ma part et qu'il n'est pas question qu'elle paie en retard. On acceptera sa carte de crédit s'il y a du fric dessus. Et fais attention à ce qu'elle n'expire pas avant décembre 2012.

Rojas traduisit, en faisant encore plus de gestes et en utilisant bien plus de mots que moi tandis que je sortais mon portable de ma poche. Le texto était de Lorna Taylor : *Appelle dès que possible.*

J'allais devoir la rappeler après l'entretien avec ma cliente. Un cabinet d'avocats typique aurait disposé d'une réceptionniste et d'un assistant pour l'administratif. Mais comme moi, je n'avais pour tout bureau que la banquette arrière de ma Lincoln, c'était Lorna qui s'occupait de tout et répondait au téléphone depuis l'appartement de West Hollywood qu'elle partageait avec mon enquêteur principal.

Ma mère étant née mexicaine, je connaissais mieux la langue maternelle de Mme Pena que je le laissais entendre. Lorsqu'elle répondit, je saisis ce qu'elle disait – l'essentiel en tout cas. Mais je laissai Rojas tout me retraduire. Elle promettait d'aller chercher le dépôt de garantie de mille dollars cash dans la maison et de régler consciencieusement ses mensualités. À moi, pas à la banque. Je pensais pouvoir tirer un total de quatre mille dollars de l'affaire si j'arrivais à prolonger de un an son droit d'occuper les lieux. Ça n'était pas si mal, vu tout ce que ça demanderait de boulot. Il était probable que je ne la revoie plus jamais. J'allais déposer une requête en annulation de saisie et ferais traîner les choses. Il y avait de fortes chances pour que je ne sois même pas obligé de me montrer au tribunal. Ma jeune associée s'occuperait du côté procès de l'affaire. Mme Pena serait contente, et moi aussi. Cela dit, la sentence finirait par tomber. On n'y échappe pas.

Je pensais avoir un dossier viable alors même que Mme Pena n'avait rien de sympathique à offrir à la justice. La plupart de mes clients cessent de payer la banque après la perte de leur emploi ou une catastrophe médicale. Mme Pena, elle, avait mis fin à ses paiements lorsque, ses trois fils étant incarcérés pour trafic de drogue, le soutien financier qu'ils lui fournissaient avait brusquement pris fin. Ce n'était pas le genre d'histoire qui suscitait beaucoup de compréhension. Cela dit, la banque lui avait fait des coups en traître. J'avais consulté son dossier sur mon portable. Tout y était : la pièce attestant les mises en demeure de règlements, puis la saisie. Sauf que ces mises en demeure, Mme Pena disait ne les avoir jamais reçues. Et je la croyais. Elle n'habitait pas un quartier où les huissiers ont la réputation de se balader librement. Pour moi, ces mises en demeure avaient terminé à la poubelle et l'huissier avait menti, tout simplement. Que j'arrive à le prouver et j'aurais le moyen d'obliger la banque à lâcher ma cliente.

Telle serait donc ma stratégie : la pauvre femme n'avait jamais été avertie comme il convient des périls qui la guettaient. La banque avait profité d'elle, puis décrété la saisie sans jamais lui fournir la possibilité de rembourser ses arriérés – en conséquence de quoi la cour se devait de rappeler la banque à l'ordre.

— OK, repris-je, marché conclu. Dis-lui d'aller chercher l'argent chez elle pendant que je lui imprime un contrat et son reçu. On démarre tout de suite.

Je hochai la tête et souris à Mme Pena. Rojas traduisit, puis sauta de la voiture et en fit le tour pour lui ouvrir la portière.

Dès qu'elle fut dehors, j'ouvris mon modèle de contrat en langue espagnole sur mon ordinateur et y entrai les noms et montants nécessaires. Puis j'envoyai tout ça à l'imprimante posée sur la console électronique à l'avant de la voiture. Après quoi, je m'attaquai au reçu des sommes devant être déposées sur le compte en fidéicommis de ma cliente. Rien de caché là-dedans. Comme toujours. C'est la meilleure façon d'empêcher le barreau de Californie de me renifler l'arrière-train. J'ai peut-être une voiture à l'épreuve des balles, mais c'est du barreau que je me méfie le plus.

L'année n'avait pas été rose pour le cabinet Michael Haller and Associates. La défense au pénal s'était presque tarie depuis la crise.

Mais bien sûr, le crime, lui, n'avait pas dépéri. À Los Angeles, le crime se moque bien de l'état de l'économie. Néanmoins, les clients qui paient se faisaient rares. À croire que plus personne n'avait de quoi s'offrir les services d'un avocat. Conséquence logique, le bureau des avocats commis d'office était au bord de l'explosion tant il avait d'affaires alors que les types dans mon genre crevaient de faim.

J'avais des frais et une fille de quatorze ans, qui non seulement suivait les cours d'une école privée, mais parlait université de Californie du Sud chaque fois qu'on abordait le sujet des études supérieures. Je devais trouver une solution, j'avais donc fait ce que je considérais jadis comme impensable : j'étais passé au civil. Le seul secteur du droit à être florissant était la défense contre les saisies immobilières. J'avais suivi quelques séminaires du barreau, m'étais remis à niveau et avais commencé à passer des annonces en deux langues. J'avais aussi lancé quelques sites Web et acheté les listes de requêtes en saisie enregistrées au greffe du comté. C'était comme ça que j'avais trouvé Mme Pena. Par courrier. Son nom se trouvant sur la liste, je lui avais envoyé une lettre – en espagnol – pour lui offrir mes services. Elle m'avait dit que ç'avait été le premier signal lui indiquant qu'elle était victime d'une saisie.

À suivre le proverbe, il suffirait de s'y mettre pour qu'on vienne à vous. C'était vrai. Je récoltais plus d'affaires que je ne pouvais en traiter – j'avais, rien que ce jour-là, encore six rendez-vous après Mme Pena –, et j'avais dû pour la première fois de ma carrière engager un associé de plus au cabinet. L'épidémie nationale de saisies de biens immobiliers connaissait certes une baisse, mais était loin de s'apaiser. Rien que dans le comté de Los Angeles, j'avais de quoi manger à ce râtelier pendant des années et des années.

Cela ne rapportait que quatre ou cinq mille dollars par affaire, mais l'heure était à la quantité plutôt qu'à la qualité. J'avais plus de quatre-vingt-dix clients victimes de saisie dans mon portefeuille. Plus aucun doute possible : ma fille pouvait envisager d'aller à l'université de Californie du Sud. Que diable, elle pouvait même songer à y passer une maîtrise !

Il y avait des gens pour qui je faisais partie intégrante du problème, pour qui je ne faisais qu'aider des crevards à blouser le système et ainsi repousser à plus tard le redressement économique du pays. C'était probablement le cas de certains de mes clients. Mais pour la plupart, je voyais en eux des victimes à répétition. Des gens qu'on avait commencé par tromper sur le rêve américain d'être propriétaire de sa maison alors qu'ils n'avaient même pas de quoi songer à contracter un emprunt. Et qu'on avait ensuite à nouveau martyrisés lorsque, la bulle spéculative éclatant, des prêteurs sans scrupule les avaient piétinés dans une véritable frénésie de saisies. Les trois quarts de ces individus, tout fiers de posséder une maison, n'avaient aucune chance de résister aux lois et aux règlements parfaitement huilés du droit de saisie en Californie. La banque n'avait même pas besoin de l'approbation de la justice pour reprendre sa maison à *x* ou *y*. D'après les grands esprits de la finance, c'était ainsi qu'il convenait d'agir. Il fallait avancer, point final. Plus vite la crise toucherait le fond, plus vite le redressement se ferait. Et moi je dis : « Allez donc raconter ça à Mme Pena. »

Il y avait aussi une théorie selon laquelle tout cela faisait partie d'une conspiration ourdie par les plus grandes banques du pays afin de subvertir les lois de la propriété privée et de saboter le système judiciaire. Cela afin de créer une industrie de la saisie en recyclage permanent et lui permettre de jouer sur les deux tableaux. Je n'y croyais pas vraiment. Mais mon bref séjour dans ces territoires du droit m'avait fait découvrir assez d'actes contraires à la déontologie – voire relevant de la véritable prédation – de la part d'hommes d'affaires censément légitimes pour que j'en vienne à regretter le bon vieux droit pénal.

Debout à côté de la voiture, Rojas attendait que Mme Pena revienne avec l'argent. Je jetai un coup d'œil à ma montre et vis que nous allions être en retard à notre rendez-vous – une saisie de bien commercial à Compton. J'essayais de regrouper mes consultations par secteurs géographiques afin de ne pas perdre de temps et d'économiser l'essence et, ce jour-là, je travaillais dans le sud. Le lendemain, je devais m'attaquer à East L. A. Je passais deux jours par semaine dans ma voiture à signer de nouveaux clients. Le reste du temps, je travaillais mes dossiers.

— Allez, madame Pena ! lui dis-je. Faut qu'on y aille !

En attendant, je décidai d'appeler Lorna. Trois mois plus tôt, j'avais commencé à masquer mon identité sur mon portable. Je ne le faisais jamais lorsque je travaillais au pénal, mais dans ce meilleur des mondes de la saisie immobilière, je n'avais en général pas envie qu'on ait ma ligne directe. Et cela incluait tout autant les avocats des créanciers que mes clients.

— Cabinet Michael Haller and Associates, lança Lorna en décrochant. Que puis-je…

— C'est moi. Qu'est-ce qu'il y a ?

— Mickey, il faut que tu files tout de suite à la Division de Van Nuys.

Il y avait de l'urgence dans sa voix. Le commissariat de la Division de Van Nuys était le poste de commandement central du LAPD pour tout ce qui était opérations dans une San Fernando Valley tentaculaire située au nord de la ville.

— Je bosse dans le sud aujourd'hui. Qu'est-ce qui se passe ?

— Ils tiennent Lisa Trammel. Elle a appelé.

Lisa Trammel était une de mes clientes. De fait, c'était même la toute première du circuit saisies immobilières. Depuis bientôt huit mois, je réussissais à la maintenir dans sa maison et pensais être en mesure de tenir encore au moins un an avant de devoir lâcher la bombe de la faillite personnelle. Cela ne l'empêchait pas d'être tellement rongée par les frustrations et l'injustice de ce qu'elle vivait qu'il était impossible de la calmer ou de la contrôler. Elle avait pris l'habitude de manifester devant la banque en brandissant un panneau vilipendant ses pratiques frauduleuses et autres actes sans pitié. Enfin… jusqu'au jour où la banque avait obtenu que le tribunal lui intime l'ordre d'arrêter.

— Elle a violé l'injonction de la cour ? Ils l'ont mise en détention ?

— Mickey, c'est pour meurtre qu'ils l'ont arrêtée.

Je ne m'y attendais pas.

— « Pour meurtre » ? répétai-je. Qui est la victime ?

— D'après elle, les flics l'accusent d'avoir assassiné Mitchell Bondurant.

Là encore, je marquai un sacré temps d'arrêt. Je regardai par la fenêtre et vis Mme Pena sortir de chez elle. Elle avait une liasse de billets à la main.

— Bon, passe les coups de fil nécessaires et ventile le reste de mes rendez-vous d'aujourd'hui. Et dis à Cisco de filer à Van Nuys. Je l'y retrouve.

— Entendu. Tu veux que Bullocks prenne tes rendez-vous de l'après-midi ?

« Bullocks » était le surnom que nous avions donné à Jennifer Aronson, l'associée que j'avais engagée à sa sortie de Southwestern, l'école de droit qui s'était installée dans le bâtiment de l'ancien grand magasin « Bullocks » de Wilshire Boulevard.

— Non, je ne veux pas qu'elle prenne les nouveaux clients. On leur fixe d'autres rendez-vous, c'est tout. Et attends... je dois avoir le dossier Trammel, mais toi, tu as nos contacts. Retrouve-moi sa sœur. Lisa a un gamin. Il est probablement à l'école et quelqu'un va devoir aller le chercher à la sortie si Lisa ne peut pas.

Nous obligions tous nos clients à nous fournir une bonne liste de contacts car nous avions parfois du mal à les joindre quand il y avait audience au tribunal... ou qu'il fallait me payer.

— Je m'y mets tout de suite, dit Lorna. Bonne chance, Mickey.

— À toi aussi.

Je fermai mon portable et réfléchis. En un sens, je n'étais pas plus surpris que ça que Lisa ait été arrêtée pour le meurtre du type qui essayait de lui reprendre sa maison. Je ne dis pas que j'aurais envisagé pareille conclusion à l'affaire. Loin s'en faut. Mais tout au fond de moi, je savais que tout cela ne pouvait que mal finir.

## 2

Je ne perdis pas de temps. Je pris l'argent de Mme Pena et lui donnai un reçu. Nous signâmes le contrat, dont elle garda un exemplaire pour ses dossiers. Je notai son numéro de carte bancaire après qu'elle m'eut promis que « pas de problème », deux cent cinquante dollars par mois pendant tout le temps que je travaillerais pour elle, ça ne poserait pas de difficultés. Je la remerciai, lui serrai la main et demandai à Rojas de la raccompagner.

Pendant ce temps-là, j'ouvris le coffre avec ma télécommande et descendis. Il était assez grand pour contenir trois cartons de dossiers et toutes mes fournitures de bureau. Je trouvai la chemise Trammel dans le troisième carton et l'en sortis. Je pris aussi la mallette chic dont je me sers chaque fois que je me rends dans un commissariat. Et refermai le coffre... et là, en plein milieu, découvris le 13 stylisé qu'on m'y avait bombé en blanc argent.

— Ah, les enfoirés ! m'écriai-je.

Je regardai autour de moi. Trois petits jardins plus bas dans la rue, deux gamins jouaient dans la poussière, mais non : ils paraissaient trop jeunes pour faire dans le graffiti artistique. Et le reste de la rue était désert. C'était à n'y rien comprendre. Non seulement je n'avais rien entendu ou remarqué pendant que je discutais avec ma cliente, mais il était à peine 13 heures et je savais que les trois quarts des membres de gang ne se lèvent pas pour embrasser la journée et tout ce qu'elle peut offrir avant la fin de l'après-midi. Ces messieurs-dames sont des créatures de la nuit.

Je regagnai la voiture avec mon dossier. Debout dans la véranda, Rojas bavardait avec Mme Pena. Je sifflai un coup et lui fis signe de revenir. Il fallait qu'on y aille.

Je montai dans la Lincoln. Message bien reçu, Rojas revint au trot et y monta à son tour.

— Compton ? lança-t-il.

— Non, changement de plan. Il faut qu'on aille à Van Nuys. Vite.

— OK, patron.

Il déboîta et fila vers la 110. Il n'y a pas d'autoroute directe pour Van Nuys. Nous allions devoir rejoindre le centre-ville par la 110 et prendre la 101 vers le nord. Même si nous l'avions voulu, nous n'aurions pas pu choisir pire point de départ.

— Qu'est-ce qu'elle racontait devant sa porte ? demandai-je à Rojas.

— Elle me posait des questions sur vous.

— Comment ça ?

— Elle disait que vous aviez l'air de ne pas avoir besoin de traducteur, vous savez ?

J'acquiesçai. Ce n'était pas la première fois. Les gènes de ma mère me donnaient l'air d'un monsieur du sud de la frontière plutôt que du nord.

— Hé, patron, reprit-il, elle voulait aussi savoir si vous étiez marié. Je lui ai dit que oui. Mais si vous voulez faire demi-tour et en profiter, c'est toujours possible. Cela étant, elle pourrait vouloir négocier les tarifs.

— Merci, Rojas, lui renvoyai-je sèchement. Un bon prix, elle en a déjà eu un, mais je garde ça dans un coin de ma tête.

Puis, avant d'ouvrir mon dossier, je passai en revue les numéros de téléphone enregistrés dans mon portable. Je cherchais un inspecteur de Van Nuys qui serait prêt à partager des renseignements avec moi. Je ne trouvai personne. J'allais attaquer cette affaire de meurtre en aveugle. Et ça non plus, ce n'est pas partir sur de bonnes bases. Je refermai mon portable, le mis en charge et ouvris le dossier. Lisa Trammel était devenue ma cliente après avoir répondu à la lettre générique que j'adressais aux propriétaires de maisons menacés de saisie. Je pensais bien ne pas être le seul avocat à le faire à Los Angeles, mais pour une raison ou pour une autre, c'était à ma lettre et pas à celle d'un autre qu'elle avait répondu.

En droit privé, l'avocat peut la plupart du temps choisir son client. Mais parfois il choisit mal. Lisa faisait partie des mauvais choix. J'avais pourtant très envie de me lancer dans ce nouveau genre de travail. Je cherchais des clients dans le pétrin ou dont on avait abusé. Des gens trop naïfs pour connaître leurs droits ou leurs options. Je cherchais des losers et pensais en avoir trouvé un en elle. Aucun doute : elle remplissait toutes les conditions. Elle était en train de perdre sa maison après une série de circonstances qui lui étaient tombées dessus comme des dominos fous. Et son créancier s'était tourné vers une boîte de saisie qui avait arrondi les angles et même violé certains règlements. J'avais pris Lisa comme cliente, lui avais donné un échéancier de traites et commencé à me battre pour elle. L'affaire était bonne et j'étais tout excité. Ce n'est qu'après que Lisa était devenue enquiquinante.

Lisa Trammel avait trente-cinq ans. Mariée, elle était la mère d'un gamin de neuf ans, Tyler, et leur maison se trouvait dans Melba Avenue, dans les Woodland Hills. C'est en 2005 que son mari Jeffrey et elle l'avaient achetée, Lisa enseignant alors la sociologie au lycée de Grant High tandis que Jeffrey vendait des BMW chez le concessionnaire de Calabasas.

Avec ses trois chambres, la maison valait dans les neuf cent mille dollars, le total de son emprunt s'élevant à sept cent cinquante mille dollars. À ce moment-là, le marché de l'immobilier était en pleine expansion et emprunter ne posait pas de problèmes. Ils s'étaient adressés à un courtier en hypothèques indépendant qui avait fait circuler leur demande et leur avait décroché un prêt *in fine* à faible taux d'intérêt sur cinq ans. Leur créance avait alors été incorporée dans un regroupement d'emprunts qui avait élu domicile permanent à la Westland Financial, cet établissement n'étant autre que la branche Los Angeles de la Westland National Bank sise à Sherman Oaks.

Tout allait pour le mieux dans le meilleur des mondes pour notre petite famille de trois personnes jusqu'au moment où Jeff avait décidé qu'il n'avait plus envie d'être mari et père. Quelques mois avant que le remboursement des sept cent cinquante mille dollars ne vienne à échéance, il avait filé en laissant sa BMW M3 de démonstration sur le parking de la gare d'Union Station et Lisa avec son échéance *in fine* sur les bras.

Se retrouvant alors avec ses seules ressources et un enfant à élever, Lisa avait regardé la situation en face et fait des choix. Pendant ce temps-là, l'économie avait eu des ratés tel l'avion qui cahote dans le ciel parce qu'il ne va plus assez vite. Avec son salaire de prof, aucun établissement n'était disposé à refinancer le prêt *in fine* de Lisa Trammel. Elle avait cessé de payer et ignoré tous les courriers de la banque. Le moment étant venu de régler la note, sa maison avait fait l'objet d'une saisie et c'était là que j'étais entré en scène. J'avais envoyé un courrier à Lisa et à Jeff sans me rendre compte que ce dernier ne faisait plus partie du tableau.

Et Lisa m'avait répondu.

J'appelle « enquiquineur » un client qui ne comprend pas les limites de notre relation, même après que je les lui ai bien précisées, voire répétées jusqu'à plus soif. Lisa était venue me voir avec son premier avis de saisie. J'avais accepté son affaire et lui avais dit de se détendre en attendant que je me mette au travail. Sauf que Lisa était incapable de se détendre. Et qu'elle ne pouvait pas davantage attendre. Elle s'était mise à m'appeler tous les jours. Une fois ma requête en annulation transmise au juge, elle avait même commencé à se pointer au tribunal lors des audiences de routine, celles des dépôts de requêtes et des reports d'audiences. Il fallait qu'elle y assiste, qu'elle soit au courant de toutes mes décisions, qu'elle voie toutes les lettres que j'envoyais et que je lui fasse un rapport sur tous les coups de fil que je recevais. Elle m'appelait sans arrêt et me hurlait dessus dès que, à ses yeux, je ne consacrais pas toute mon attention à son affaire. J'avais rapidement compris pourquoi son mari avait filé. S'éloigner d'elle était une nécessité.

J'avais aussi commencé à me poser des questions sur sa santé mentale et à me demander si elle n'était pas maniaco-dépressive. Ses appels incessants avaient quelque chose de cyclique. Il pouvait se passer des semaines entières sans que j'entende parler d'elle, et d'autres où elle appelait tous les jours et plusieurs fois, jusqu'à m'avoir en ligne.

Nous nous battions depuis trois mois lorsqu'elle m'avait annoncé qu'elle avait perdu son travail au Los Angeles County School District à cause d'absences non justifiées. C'est à ce moment-là qu'elle avait parlé d'attaquer en dommages et intérêts la banque qui s'apprêtait à saisir sa maison. Un côté « c'est mon droit » se glissait peu à peu dans son discours. La banque était responsable de tout : du départ de son mari, de la perte de son travail, de la saisie de sa maison.

J'avais commis une erreur en lui révélant une partie de ma stratégie et de ce que je savais de son affaire. Je l'avais fait pour l'apaiser et qu'elle dégage de ma ligne téléphonique. L'examen de son dossier nous avait permis de relever des incohérences et des problèmes dans la manière dont son hypothèque avait été baladée d'une société de crédit à une autre. Il y avait là des choses qui disaient la fraude et que je pensais pouvoir utiliser pour faire pencher la balance en sa faveur lorsque l'heure viendrait de trouver une sortie négociée.

Mais ces informations n'avaient fait que la renforcer dans l'idée que la banque la martyrisait. Jamais elle ne reconnaissait avoir signé un emprunt, qu'elle était pourtant tenue de rembourser. Pour elle, la banque était la source de tous ses malheurs.

Sa première action avait été de créer un site Web. Elle s'était servie du site www.californiaforeclosurefighters.com[1] pour lancer une organisation baptisée *Foreclosure Litigants Against Greed*[2]. L'acronyme FLAG[3] sonnant mieux, elle faisait bon usage du drapeau américain sur ses pancartes. Le message était clair : lutter contre les saisies était aussi américain que la tarte aux pommes l'est au dessert.

Elle s'était ensuite mise à manifester devant le siège de la Westland, dans Ventura Boulevard. Parfois seule, parfois avec son jeune fils, parfois encore avec des gens qu'elle avait acquis à sa cause. Elle brandissait des panneaux montrant comment la banque procédait à des saisies frauduleuses et expulsait des familles entières de chez elles pour les jeter à la rue. Et elle était toujours prompte à avertir les médias de ses actions à venir. Elle passait régulièrement à la télé et avait toujours une formule à la bouche pour dire le sort de ceux qui se trouvaient dans sa situation – et ces personnes, elle les présentait immanquablement comme les victimes d'une épidémie de saisies, et jamais comme de mauvais payeurs tout ce qu'il y a de plus ordinaires. J'avais remarqué qu'à Channel 5, elle faisait même partie des séquences préenregistrées qu'on balançait à l'antenne dès qu'il y avait du nouveau côté saisies immobilières ou statistiques nationales. La Californie était le troisième État du pays où l'on procédait à de telles saisies, Los Angeles en étant le foyer principal. Dès que la télé en parlait, Lisa et son groupe de manifestants brandissant des panneaux NE ME PRENEZ PAS MA MAISON ! et STOP AUX SAISIES ILLÉGALES ! apparaissaient à l'écran.

Alléguant que ces manifestations donnaient lieu à des rassemblements illégaux qui bloquaient la circulation et mettaient en danger

1. « Combattons les saisies en Californie ». *(Toutes les notes sont du traducteur.)*

2. « Contre les saisies et la cupidité ».

3. « Drapeau ».

la vie des piétons, la Westland avait demandé à la justice, et obtenu d'elle, un référé interdisant à Lisa de se trouver à moins de cent mètres de tout établissement bancaire et de ses employés. Sans se démonter, Lisa s'était aussitôt dirigée avec ses panneaux et ses manifestants jusqu'au tribunal du comté, où des affaires de saisies étaient jugées tous les jours.

Mitchell Bondurant était un des vice-présidents de la Westland, son nom figurant comme tel sur les documents du prêt de la maison de Lisa Trammel. C'est en cette qualité qu'il apparaissait également dans toutes mes requêtes. Je lui avais aussi écrit une lettre, dans laquelle je lui décrivais ce qui, à mes yeux, constituait des actes frauduleux commis par la société de crédit que la Westland avait chargée par contrat de faire le sale boulot – à savoir saisir les maisons et autres biens de ses clients en défaut de paiement.

Lisa avait le droit de consulter tous les documents ayant trait à son affaire. Je l'avais mise en copie pour cette lettre et pour tout le reste. Bondurant était certes la face humaine de tous les efforts destinés à lui prendre sa maison, mais il restait au-dessus de la mêlée et se cachait derrière l'équipe d'avocats de la banque. Il n'avait jamais répondu à mon courrier et je ne l'avais jamais rencontré. Et je n'avais connaissance d'aucune rencontre ou entretien entre Trammel et lui. Sauf que maintenant, il était mort, et que la police avait arrêté Lisa.

Nous quittâmes la 101 à Van Nuys Boulevard et prîmes vers le nord. Le Civic Center de Van Nuys est une esplanade entourée par deux tribunaux, une bibliothèque, les bâtiments de City Hall North et ceux du Valley Bureau de la police, dont la Division de Van Nuys. D'autres agences gouvernementales se regroupent aussi autour de ce noyau. Se garer pose toujours problème, mais ça ne m'inquiétait pas. Je pris mon portable et appelai mon enquêteur, Dennis Wojciechowski.

— Cisco, c'est moi. T'es encore loin ?

Dans sa jeunesse, Wojciechowski avait traîné avec un club de motards, mais il y avait déjà un « Dennis » dans la bande. Personne n'étant capable de prononcer Wojciechowski, on l'avait surnommé le Cisco Kid à cause de sa moustache et de ses airs sombres[1]. La moustache avait disparu, mais le surnom était resté.

— Je suis arrivé. Je te retrouve sur le banc près de l'escalier du commissariat.

— J'y serai dans cinq minutes. T'as déjà parlé avec quelqu'un ? Parce que moi, j'ai rien.

— Oui, c'est ton vieux pote Kurlen qui dirige l'enquête sur ce coup-là. La victime, Mitchell Bondurant, a été retrouvée dans le parking du siège de la Westland de Ventura Boulevard aux environs de 9 heures du matin. Il était étendu par terre entre deux voitures. On ne sait pas trop depuis combien de temps, mais il était bien mort.

— On connaît la cause du décès ?

— C'est là que ça devient un peu flou. Les flics ont commencé par dire qu'il s'était fait flinguer parce qu'une employée qui se trouvait à un autre étage du parking a dit aux deux officiers de police arrivés sur les lieux qu'elle avait entendu comme deux coups de feu. Mais quand ils ont examiné le corps, ces deux officiers ont plutôt eu l'impression que Bondurant avait été battu à mort. Qu'on l'avait cogné avec quelque chose.

— C'est là que Lisa a été arrêtée ?

— Non, d'après ce que je comprends, elle a été arrêtée dans sa maison des Woodland Hills. J'ai encore des coups de fil à passer, mais c'est à peu près tout ce que je sais pour l'instant. Désolé, Mick.

— T'inquiète pas. On saura tout bien assez tôt. Kurlen est sur la scène de crime ou avec le suspect ?

— On m'a dit que c'est lui et sa coéquipière qui ont cueilli Trammel et l'ont amenée au commissariat. La coéquipière s'appelle Cynthia Longstreth. C'est une inspectrice de classe 1. Je n'ai jamais entendu parler d'elle.

Moi non plus, mais vu qu'elle était de classe 1, je me dis qu'on l'avait affectée aux Homicides depuis peu et mise en équipe avec Kurlen, un classe 3, pour la former. Je regardai par la vitre. Nous passions devant un concessionnaire BMW, je songeai à l'époux manquant qui avait vendu des BM avant de mettre fin à son mariage

1. Personnage de bande dessinée inventé par l'écrivain O'Henry en 1907.

et de disparaître. Je me demandai si Jeff Trammel allait refaire surface maintenant que sa femme venait d'être arrêtée pour meurtre. Allait-il s'occuper du fils qu'il avait abandonné ?

— Tu veux que je demande à Valenzuela de passer ? reprit Cisco. Il n'est qu'à une rue d'ici.

Fernando Valenzuela était un garant de caution auquel j'avais recours pour les affaires de la Valley. Mais je savais qu'on n'aurait pas besoin de lui cette fois.

— Moi, j'attendrais. S'ils ont serré Lisa pour meurtre, elle ne risque pas d'avoir droit à une caution.

— C'est juste.

— Sais-tu si on a mis un district attorney sur l'affaire ?

Je pensais à mon ex qui travaillait pour celui de Van Nuys. Elle pourrait être une bonne source de renseignements internes, à moins qu'on ne lui ait assigné le dossier. Dans ce cas-là, il y aurait conflit d'intérêts. C'était déjà arrivé. Et Maggie McPherson n'apprécierait pas.

— J'ai rien de ce côté-là, répondit Cisco.

Je songeai au peu que nous savions et me demandai quelle était la meilleure façon de procéder. J'avais l'impression que dès qu'elle saurait à quoi elle avait affaire – en l'occurrence à un meurtre qui pouvait attirer pas mal d'attention sur une des grandes catastrophes financières de l'époque –, la police la fermerait et mettrait un couvercle sur toutes les sources d'information. C'était maintenant qu'il fallait agir.

— Cisco ? J'ai changé d'idée. Ne m'attends pas. Rejoins la scène de crime et vois ce que tu peux y glaner. Parle aux gens avant qu'ils ne décident de la boucler.

— T'es sûr ?

— Oui. Je me charge des flics et je t'appellerai si j'ai besoin de quelque chose.

— Bien. Bonne chance.

— À toi aussi.

Je refermai mon portable et regardai la nuque de mon chauffeur.

— Rojas, lui dis-je, tourne à Delano Street et remonte Sylmar Avenue.

— Pas de problème.

— Je ne sais pas combien de temps cela va me prendre mais... Je veux que tu me lâches au commissariat et que tu reprennes Van Nuys Boulevard pour me trouver un atelier de carrosserie. Essaie de voir si on ne pourrait pas m'enlever ce bombage du coffre.

Il me regarda dans le rétroviseur.

— Quel bombage ?

## 3

Le bâtiment de la police de Van Nuys compte quatre étages et sert à beaucoup de choses. On y trouve le commissariat de la division, le quartier général du Valley Bureau et la prison principale des quartiers nord de la ville. Je m'y étais déjà rendu pour plusieurs affaires et savais que, comme dans la plupart des commissariats de Los Angeles – grands ou petits –, les obstacles ne manqueraient pas entre ma cliente et moi.

Je soupçonne depuis toujours les flics de service à l'accueil d'être choisis pour cette tâche à cause de leur talent inné pour la désinformation et l'art de tout embrouiller. Si vous en doutez, entrez donc dans n'importe quel commissariat de la ville et dites au flic de service que vous souhaitez déposer plainte contre un de ses collègues. Vous verrez combien de temps il lui faudra pour trouver le formulaire adéquat. C'est pourquoi les flics à l'accueil sont généralement jeunes, idiots et d'une ignorance toute involontaire, ou vieux, entêtés et parfaitement réfléchis dans leurs actes.

À l'accueil de Van Nuys, je tombai sur un officier dont l'uniforme impeccable s'ornait du nom CRIMMINS. Cheveux poivre et sel, c'était un vétéran des plus habiles à vous regarder d'un œil mort. Il m'en gratifia dès que je lui signifiai que j'étais avocat de la défense et avais une cliente qui attendait de me voir à la salle des inspecteurs. Pour toute réponse, j'eus droit à une moue et à un doigt m'indiquant une rangée de chaises en plastique où j'étais censé aller m'asseoir humblement en attendant qu'il juge l'heure venue de passer un coup de fil à l'étage.

Les gars dans son genre sont habitués à ce qu'on s'abaisse devant eux, à ce qu'on fasse très exactement ce qu'ils veulent parce qu'on est trop intimidé pour agir autrement. Je ne faisais pas partie de ces gens-là.

— Non, lui lançai-je, c'est pas comme ça que ça marche.

Il cligna des paupières. Personne ne l'avait défié de toute la journée – encore moins un défenseur au criminel, le terme « criminel » ayant son importance. Sa première réaction ? Envoyer les sarcasmes.

— Tiens donc ! s'exclama-t-il.

— Eh non. Et donc, vous décrochez votre téléphone et vous appelez l'inspecteur Kurlen. Et vous lui dites que Mickey Haller va monter et que si je ne vois pas ma cliente dans les dix minutes, je vais traverser l'esplanade pour aller dire bonjour au juge Mills au tribunal.

Je marquai une pause pour qu'il enregistre bien le nom.

— Je suis sûr que vous connaissez le juge Roger Mills, repris-je. Heureusement pour moi, lui aussi a été défenseur au pénal avant de devenir juge. À l'époque déjà, il n'aimait pas trop se faire balader par les flics et aujourd'hui, il n'aime toujours pas trop entendre parler de ce genre de pratiques. Il vous fera passer au tribunal, vous et Kurlen, et vous devrez lui expliquer pourquoi vous jouiez au petit jeu qui consiste à empêcher une citoyenne d'exercer le droit de consulter un avocat, droit qui lui est accordé par la Constitution. La dernière fois que ça s'est produit, le juge Mills n'a pas goûté les réponses qu'on lui faisait et a collé une amende de cinq cents dollars au type assis exactement là où vous l'êtes.

Crimmins me donna l'impression d'avoir eu du mal à suivre ce que je disais. Ce devait être un monsieur qui faisait dans la phrase courte. Il cligna deux fois des paupières et décrocha son téléphone. Je l'entendis conférer directement avec Kurlen, puis raccrocher.

— Vous connaissez le chemin, hein, le p'tit malin ?

— Je le connais. Merci pour votre aide, officier Crimmins.

— À plus.

Et de pointer le doigt sur moi comme si c'était une arme et qu'il m'en tirait la dernière balle pour pouvoir se dire qu'il l'avait bien géré, cet enfoiré d'avocat. Je quittai son comptoir et gagnai l'alcôve voisine où, je le savais, se trouvait l'ascenseur.

Au deuxième étage, je tombai sur l'inspecteur Howard Kurlen qui m'attendait avec le sourire. Pas exactement amical, ce sourire. On aurait dit celui du chat qui vient de bouffer le canari.

— Alors maître, on s'est bien amusé en bas ? me lança-t-il.

— Oh que oui !

— Eh bien, c'est dommage qu'ici, vous arriviez trop tard...

— Comment ça ? Vous l'avez inculpée ?

Il écarta les mains comme pour me dire « vraiment désolé ».

— C'est drôle, enchaîna-t-il. Ma coéquipière vient de lui faire quitter le bâtiment juste avant qu'on m'appelle d'en bas.

— Waouh, en voilà une coïncidence ! Mais bon, je veux toujours lui parler.

— Il faudra que vous passiez par la prison.

Cela m'aurait probablement coûté une heure d'attente de plus. C'était pour ça qu'il souriait.

— Vous êtes sûr de ne pas pouvoir demander à votre coéquipière de faire demi-tour et de me ramener ma cliente ? Je n'en aurai pas pour longtemps.

J'avais dit ça en pensant pisser dans un violon. Mais Kurlen me surprit en décrochant son portable de sa ceinture. Et en appuyant sur une touche de numérotation rapide. Ou bien il s'agissait d'un canular de première, ou bien il faisait vraiment ce que je lui demandais. Kurlen et moi avions un lourd passif. Nous nous étions déjà affrontés dans plusieurs affaires. Et j'avais tenté, et plus d'une fois, de le décrédibiliser à la barre. Je n'avais jamais tout à fait réussi, mais cela n'aidait pas à entretenir des relations cordiales. Sauf que là, il me rendait un service et je ne savais pas pourquoi.

— C'est moi, dit-il. Ramène-la. (Il attendit un moment.) Parce que je te le demande. Ramène-la tout de suite.

Puis il referma son portable sans un mot de plus et me regarda.

— À charge de revanche, Haller. J'aurais pu vous faire poireauter deux ou trois heures. Autrefois, c'est ce que j'aurais fait.

— Je sais. Et j'apprécie.

Il repartit vers la salle des inspecteurs et me fit signe de le suivre. Et se mit à parler d'un ton désinvolte en marchant.

— Et donc, quand elle nous a demandé de vous appeler, elle nous a dit que c'était vous qui gériez son dossier de saisie.

— C'est exact.

— Ma sœur a divorcé et se retrouve dans le même genre de merdier, dit-il.

Nous y étions. Un prêté pour un rendu.

— Vous voulez que je lui parle ?

— Non, je veux juste savoir s'il vaut mieux se battre ou en terminer au plus vite.

La salle des inspecteurs donnait l'impression d'être restée figée dans le temps. Du pur années 70 avec lino par terre, murs ton sur ton et bureaux gris style administration avec bandes de caoutchouc sur les bords. Kurlen avait décidé de rester debout en attendant que sa coéquipière revienne avec ma cliente.

Je sortis une carte de visite professionnelle de ma poche et la lui tendis.

— Moi, je me bats, lui dis-je, et c'est ma réponse à la question. Mais je ne pourrai pas m'occuper de son affaire parce qu'il y aurait conflit d'intérêts entre vous et moi. Mais dites-lui d'appeler mon cabinet et on lui indiquera quelqu'un de bon. Assurez-vous qu'elle mentionne bien votre nom.

Il acquiesça d'un signe de tête, sortit un étui de DVD du tiroir de son bureau et me le tendit.

— Bon, dit-il, je ferais aussi bien de vous donner ça maintenant.

Je regardai le DVD.

— Qu'est-ce que c'est ?

— L'entrevue avec votre cliente. Vous y verrez clairement que nous avons cessé de parler avec elle dès qu'elle a prononcé la formule magique : « Je veux un avocat. »

— Vous pouvez être sûr que je vais vérifier, inspecteur. Vous voulez me dire pourquoi vous la suspectez ?

— Bien sûr. Nous la suspectons et l'accusons parce que c'est elle qui a fait le coup et qu'elle a reconnu certains faits avant d'exiger la présence de son avocat. Désolé, maître, mais nous avons respecté le règlement.

Je montrai le DVD comme s'il s'agissait de ma cliente.

— Vous êtes en train de me dire qu'elle reconnaît avoir tué Bondurant ?

— Elle ne l'a pas dit ouvertement. Mais elle a reconnu certaines choses et s'est contredite. Je n'en dirai pas plus.

— A-t-elle dit expressément pourquoi ?

— Ce n'était pas nécessaire. La victime était en train de lui prendre sa maison. Côté mobile, ça suffit amplement. Pour nous, c'est de l'or en barre.

J'aurais pu lui dire qu'il se trompait et que j'étais en train d'arrêter la saisie. Mais je la fermai. Mon boulot consistait à recueillir des renseignements, pas à en donner.

— Autre chose, inspecteur ?

— Rien que j'aurais envie de partager avec vous pour l'instant, me répondit-il. Pour avoir le reste, vous devrez attendre l'échange des pièces entre les deux parties.

— Je n'y manquerai pas. Un district attorney a-t-il été désigné ?

— Pas que je sache.

Kurlen m'indiquant le fond de la salle d'un signe de tête, je me retournai et vis qu'on emmenait Lisa Trammel vers une salle d'interrogatoire. Elle avait le regard classique du faon aveuglé par des phares de voiture.

— Vous avez un quart d'heure, m'informa Kurlen. Et ça, c'est uniquement parce que je suis gentil. Je me dis qu'il n'y a pas besoin d'ouvrir les hostilités.

*Enfin... pas tout de suite*, pensai-je en me dirigeant vers Lisa.

— Hé, minute ! cria Kurlen dans mon dos. Faut que je vérifie la mallette. Le règlement, vous savez bien.

C'était de ma mallette en cuir et aluminium qu'il parlait. J'aurais pu lui en remontrer – cette fouille attentait à la confidentialité des relations entre l'avocat et son client –, mais j'avais envie de parler avec Lisa. Je revins vers lui, posai ma mallette sur un comptoir et l'ouvris. Elle ne contenait que le dossier de Lisa Trammel, un bloc-notes neuf, les nouveaux contrats et les procurations que j'avais imprimés en montant à Van Nuys. J'avais besoin que Lisa me signe de nouveaux papiers étant donné qu'on passait d'une représentation au civil à une défense au pénal.

Kurlen jeta un coup d'œil rapide à ma mallette et me fit signe de la refermer.

— Cuir italien travaillé main ! s'exclama-t-il. On dirait une super-mallette de dealer. Vous auriez pas de mauvaises fréquentations, hein, Haller ?

Et de me resservir son sourire du chat qui a mangé le canari. L'humour flic est vraiment unique.

— Ben justement, elle appartenait à une mule, lui renvoyai-je. Un client. Mais comme il n'en aura plus besoin là où il est, je me suis remboursé en nature. Vous voulez voir le compartiment secret ? C'est un peu chiant à ouvrir, mais...

— Non, je vais passer mon tour. Vous êtes bon, vous !

Je refermai ma mallette et repris le chemin de la salle d'interrogatoire.

— Et c'est du cuir de Colombie ! lui précisai-je.

La coéquipière de Kurlen m'attendait à la porte. Je ne la connaissais pas, mais je ne me donnai pas la peine de me présenter. Nous ne serions jamais amis et pour moi, elle était du genre à refuser de me serrer la main rien que pour impressionner Kurlen.

Elle m'ouvrit la porte, je m'arrêtai sur le seuil.

— Tous les appareils d'écoute et d'enregistrement sont bien éteints, n'est-ce pas ? lui demandai-je.

— C'est bien ça.

— Parce que s'ils ne l'étaient pas, il y aurait violation des droits de ma cliente et...

— Nous connaissons la marche à suivre.

— Oui, mais des fois, quand ça vous arrange, vous oubliez, pas vrai ?

— Il ne vous reste plus que quatorze minutes, maître, me renvoya-t-elle. Vous voulez lui parler ou continuer de discuter avec moi ?

— Bien vu.

J'entrai, on referma la porte derrière moi. Du trois mètres sur deux, cette pièce. Je regardai Lisa et me mis un doigt en travers des lèvres.

— Quoi ?

— Ça, ça signifie qu'on ne dit rien avant que je vous y autorise.

Sa réaction fut de fondre en larmes et de pousser un long et fort gémissement qui se termina par une phrase parfaitement inintelligible. Elle avait pris place à une table carrée, avec une chaise en face d'elle. Je m'installai vite sur la chaise libre et posai ma mallette sur la table. Je savais qu'on avait installé Lisa de façon à ce qu'elle soit pile en face de la caméra cachée, je ne fis même pas l'effort de la chercher. J'ouvris ma mallette et la serrai contre moi en espérant que mon dos serve d'obstacle à la caméra. Je devais tenir pour acquis que Kurlen et sa coéquipière nous écoutaient et nous regardaient. Raison de plus pour être « gentil » avec moi. Pendant que, l'un après l'autre, je sortais mon bloc-notes et mes documents d'une main, de l'autre j'ouvris le compartiment secret de ma mallette et appuyai sur le bouton de mise en marche du brouilleur acoustique Paquin 2 000. L'appareil émet un signal radio en basse fréquence qui noie tout dispositif d'écoute dans un rayon de sept mètres sous un déluge de fausses informations électroniques. Si Kurlen et sa coéquipière nous écoutaient de manière illégale, ils n'auraient maintenant plus droit qu'à du bruit blanc.

Ma mallette et son appareil caché avaient presque dix ans et, pour ce que j'en savais, son propriétaire était toujours en pénitencier fédéral. Je m'étais payé sur la bête au moins sept ans auparavant, à l'époque où les affaires de drogue faisaient bouillir ma marmite. Je savais que les flics essayaient toujours d'améliorer leurs pièges et qu'en dix ans les écoutes électroniques avaient dû subir aux moins deux révolutions. Je n'étais donc pas tout à fait rassuré. Il allait quand même falloir faire attention à ce que je dirais, et j'espérai que ma cliente en fasse autant.

— Lisa, lui dis-je, nous n'allons pas beaucoup parler ici parce que nous ne savons pas qui pourrait nous écouter. Vous comprenez ?

— Je crois, oui. Mais qu'est-ce qui se passe ? Je ne comprends pas ce qui SE PASSE !

Sa voix était montée au fur et à mesure qu'elle parlait, ses derniers mots n'étant plus qu'un cri. C'était là un genre de schéma vocal émotionnel dont elle avait déjà usé avec moi lorsque je ne faisais

encore que m'occuper de son dossier de saisie. Maintenant, les enjeux étaient nettement plus importants et il fallait que j'y mette le holà.

— Pas de ça ! lui lançai-je fermement. Vous ne me criez pas dessus. C'est compris ? Si je dois vous représenter dans cette affaire, vous ne me criez pas dessus.

— D'accord, d'accord, désolée, mais ils disent que j'ai fait un truc que j'ai pas fait.

— Je sais et nous allons nous battre. Mais pas de hurlements.

Parce qu'ils l'avaient ramenée au commissariat avant son incarcération, elle avait toujours ses habits à elle. Elle portait un tee-shirt blanc avec un motif floral sur le devant. Je n'y vis aucune goutte de sang, ni là ni ailleurs. Elle avait le visage strié de larmes et ses cheveux bruns bouclés étaient tout emmêlés. Lisa Trammel était petite et le paraissait encore plus dans la lumière crue de la pièce.

— J'ai besoin de vous poser quelques questions, repris-je. Où étiez-vous quand les flics vous ont trouvée ?

— J'étais chez moi. POURQUOI ILS ME FONT ÇA ?

— Lisa, écoutez-moi. Il va falloir vous calmer et me laisser vous poser mes questions. C'est très important.

— Mais qu'est-ce qui se passe ? Personne ne me dit rien. On m'a dit qu'on m'arrêtait pour le meurtre de Mitchell Bondurant. Quand ? Où ? Je ne me suis jamais approchée de ce type ! Je n'ai pas violé l'injonction en référé.

Je me rendis compte que j'aurais mieux fait de visionner le DVD de Kurlen avant de parler avec elle. Mais il est assez classique de prendre une affaire avec un handicap.

— Lisa, vous êtes effectivement arrêtée pour le meurtre de Mitchell Bondurant. D'après l'inspecteur Kurlen, vous avez reconnu devant eux certains…

Elle poussa un hurlement et porta ses mains à son visage. Je découvris qu'elle était menottée et eus droit à un nouveau flot de larmes.

— Je n'ai rien reconnu du tout ! JE N'AI RIEN FAIT !

— Calmez-vous, Lisa. C'est pour ça que je suis ici. Pour vous défendre. Mais nous n'avons pas beaucoup de temps pour le moment. On m'a donné dix minutes et ils vont vous écrouer. J'ai besoin de…

— Je vais aller en prison ?

Je le lui confirmai à contrecœur.

— Hé mais… et une caution ?

— Il est très difficile d'avoir droit à une caution quand on est accusé de meurtre. Et même si on pouvait, vous n'auriez pas…

Un autre cri perçant remplit la petite pièce. Je perdis patience.

— LISA ! ARRÊTEZ ÇA ! Et maintenant écoutez-moi ! C'est votre vie qui est en jeu, d'accord ? Donc, vous vous calmez et vous m'écoutez. Je suis votre avocat et je vais faire de mon mieux pour vous sortir de là, mais ça va prendre du temps. Alors vous écoutez bien mes questions et vous y répondez sans tous vos…

— Et mon fils ? Et Tyler ?

— Quelqu'un du cabinet est en train de contacter votre sœur et nous allons faire en sorte qu'il soit avec elle jusqu'à ce que vous puissiez sortir.

J'avais fait attention à ne pas lui donner de date précise pour sa libération. *Jusqu'à ce que vous puissiez sortir.* D'après moi, cela pouvait vouloir dire des jours, des semaines, voire des années. Voire jamais. Mais je n'avais pas besoin d'être trop précis. Lisa hocha la tête, comme légèrement soulagée de savoir que son fils serait avec sa sœur.

— Et votre mari ? Vous avez un numéro où l'appeler ?

— Non, je ne sais pas où il est et je ne veux pas que vous le contactiez de toute façon.

— Même pas pour votre fils ?

— Surtout pas pour ça. Ma sœur s'en occupera.

J'acquiesçai et laissai filer. Ce n'était pas le moment de l'interroger sur son mariage raté.

— OK, on se calme et on parle de ce qui s'est passé ce matin. J'ai le DVD des flics, mais je veux revoir tout ça moi-même. Vous dîtes que vous étiez chez vous quand l'inspecteur Kurlen et sa coéquipière sont arrivés. Que faisiez-vous ?

— Je… J'étais à l'ordinateur. J'envoyais des e-mails.

— D'accord. À qui ?

— À mes amis. Ceux de FLAG. Je leur disais qu'on allait se retrouver demain matin à 10 heures devant le tribunal et qu'il fallait apporter les panneaux.

— Bon, et quand les inspecteurs se sont pointés, qu'est-ce qu'ils ont dit exactement ?

— C'est le type qui parlait. Il a...

— Kurlen.

— Voilà. Ils sont entrés et il m'a posé des questions. Puis il m'a demandé si ça ne me gênerait pas de descendre au commissariat pour répondre à d'autres questions. Je lui ai demandé « des questions sur quoi ? » et il m'a répondu « Mitchell Bondurant ». Mais il ne m'a rien dit comme quoi il était mort ou qu'on l'avait abattu. Alors j'ai dit que ça ne me gênait pas. Je pensais qu'ils avaient peut-être fini par décider d'enquêter sur lui. Je ne savais pas que c'était sur moi.

— Bien, vous a-t-il dit que vous aviez le droit de ne pas lui parler et de contacter un avocat ?

— Oui, comme à la télé. Il m'a dit mes droits.

— Quand exactement ?

— On était déjà ici quand il m'a dit que j'étais en état d'arrestation.

— Êtes-vous venue ici en voiture avec lui ?

— Oui.

— Avez-vous parlé dans la voiture ?

— Non, il a passé presque tout son temps à téléphoner. Je l'ai entendu dire des trucs du genre : « Je l'ai avec moi. »

— Étiez-vous menottée ?

— Dans la voiture ? Non.

Malin, le Kurlen. Il avait pris le risque de descendre en voiture avec une femme qu'il soupçonnait de meurtre, mais sans la menotter de façon à ce qu'elle ne se doute de rien et accepte de parler avec lui. Il n'y a pas mieux comme piège. Cela permettrait aussi à l'accusation de démontrer que Lisa n'était toujours pas en état d'arrestation et qu'en conséquence, toutes ses déclarations étaient volontaires.

— On vous a donc amenée ici et vous avez accepté de lui parler ?

— Oui. Je ne me doutais absolument pas qu'ils allaient m'arrêter. Je croyais les aider dans leur enquête.

— Sauf que Kurlen ne vous a pas dit de quelle affaire il s'agissait.

— Non. Et il ne l'a jamais fait. Jusqu'au moment où il m'a informée que j'étais en état d'arrestation et que je pouvais passer un coup de fil. C'est à ce moment-là qu'ils m'ont menotté.

Kurlen avait eu recours à toutes les astuces les plus éculées, mais elles marchent toujours. Il allait falloir que je visionne le DVD pour savoir exactement ce que Lisa avait reconnu, si tant est qu'elle ait reconnu quoi que ce soit. Lui poser des questions là-dessus alors qu'elle était toute chamboulée n'était pas ce qu'il y avait de mieux à faire dans le temps qui m'était imparti. Comme pour le souligner, soudain, quelqu'un frappa fort à la porte, une voix étouffée me rappelant qu'il ne me restait plus que deux minutes.

— Bien, je vais me mettre au travail, repris-je à l'adresse de Lisa. Mais j'ai besoin que vous commenciez par me signer quelques papiers. Le premier est un nouveau contrat pour couvrir l'aspect défense au pénal.

Je lui glissai la pièce qui ne faisait qu'une page et posai un stylo dessus. Elle se mit à l'éplucher.

— Tous ces trucs à payer ! s'écria-t-elle. Cent cinquante mille dollars pour un procès ? Je peux pas vous payer tout ça. J'ai pas les moyens.

— Ce sont les honoraires standard et c'est seulement si on va au procès. Pour ce qui est de ce que vous pouvez payer, c'est ce à quoi servent les autres documents. Celui-ci me donne procuration, ce qui me permettra de démarcher votre affaire pour des livres ou des films, ce genre de choses. J'ai un agent avec qui j'y travaille. Le dernier document gage toutes ces sommes de façon à ce que ce soit l'avocat de la défense qui soit payé le premier.

Je savais que l'affaire allait attirer l'attention. L'épidémie de saisies immobilières était la plus grande catastrophe financière du pays, et ça continuait. Cela pouvait donner lieu à un livre, voire un film qui, peut-être, me permettrait d'être payé.

Elle s'empara du stylo et signa les papiers sans les examiner davantage. Je les repris et les rangeai.

— Bien, Lisa, enchaînai-je, ce que je vais vous dire maintenant est le conseil le plus important au monde. Et donc, on écoute et on me dit qu'on a compris.

— D'accord.

— Vous ne parlez de cette affaire à personne d'autre qu'à moi. Vous ne dites rien aux inspecteurs, aux gardiens, à vos codétenus, vous n'en parlez même pas à votre sœur ou à votre fils. Si on vous demande quoi que ce soit et, croyez-moi, on le fera, vous dites tout simplement que vous n'avez pas le droit de parler de votre affaire.

— Mais je n'ai rien fait de mal ! s'exclama-t-elle. Je suis innocente ! Ce sont les coupables qui ne disent rien !

Je levai un doigt en l'air pour l'avertir.

— Non, vous vous trompez, et j'ai l'impression que vous ne prenez pas ce que je vous dis au sérieux.

— Si, si, je le prends au sérieux.

— Alors, faites ce que je vous demande. Ne parlez à personne. Et ça vaut aussi pour le téléphone de la prison. Toutes les communications sont enregistrées, Lisa. Ne parlez pas de votre affaire au téléphone, même pas à moi.

— OK, OK, j'ai compris.

— Si ça peut vous aider, vous pouvez répondre à toutes ces questions en disant : « Je suis innocente des charges retenues contre moi, mais sur les conseils de mon avocat, je ne parlerai pas de cette affaire. » Qu'est-ce que vous en pensez ?

— Ça ira, je pense.

La porte s'ouvrit sur Kurlen. Il me regarda d'un œil soupçonneux, ce qui m'indiqua que j'avais bien fait d'apporter le brouilleur Paquin avec moi. Je me retournai vers Lisa.

— OK, Lisa, lui dis-je, ça ira mal avant d'aller mieux. Tenez bon et n'oubliez pas la règle d'or : on ne parle à personne.

Je me levai.

— La prochaine fois qu'on se verra, ce sera à la première comparution et nous pourrons parler. Allez, je vous laisse avec l'inspecteur Kurlen.

# 4

Le lendemain matin, Lisa comparut pour la première fois devant la Cour supérieure, qui l'inculpa de meurtre avec préméditation. Le district attorney précisa qu'il y avait eu embuscade, ce qui permettait de condamner Lisa à perpétuité et sans possibilité de libération conditionnelle, voire à la peine capitale. Cela donnait aussi à l'accusation de quoi argumenter dans le cas d'une possible négociation de peine. Je voyais bien le district attorney essayer d'étouffer l'affaire grâce à un plaider-coupable avant que Lisa ne commence à gagner la sympathie du public. Que pouvait-il y avoir de mieux pour y arriver que de laisser planer la menace d'une perpète sans possibilité de conditionnelle ou de la peine capitale sur la tête de l'accusée ?

La salle était pleine de gens debout rien qu'avec les médias et les membres et sympathisants de FLAG. Du jour au lendemain, l'affaire avait grandi de manière exponentielle au fur et à mesure que se répandait la théorie de la police et de l'accusation, théorie selon laquelle la saisie d'une maison était sans doute à l'origine du meurtre d'un banquier. Cela avait donné un côté sang et tripes à un fléau financier national, le résultat étant un prétoire absolument noir de monde.

Lisa s'était beaucoup calmée après avoir passé presque vingt-quatre heures en prison. Tel un zombie, elle se tenait debout dans la cellule des prévenus en attendant son audience de deux minutes. Je commençai par lui assurer que son fils était en sécurité chez sa sœur, puis je lui annonçai que le cabinet Haller and Associates ferait tout son possible pour lui garantir la meilleure et la plus rigoureuse des défenses. Son premier souci était maintenant de sortir de prison au plus vite afin de s'occuper de son fils et d'aider son équipe d'avocats.

Que cette première comparution ne soit essentiellement que l'énoncé des charges et le point de départ du processus judiciaire n'empêchait pas qu'on puisse y saisir l'occasion de demander une libération sous caution et d'argumenter dans ce sens. C'était ce que j'avais prévu de faire, ma philosophie générale étant de ne jamais rien laisser au hasard, bonne occasion ou point de droit. Cela dit, je n'étais pas très optimiste quant au résultat. Légalité oblige, il y aurait caution. Mais la réalité des faits voulait que dans les affaires de meurtre, celle-ci se chiffre en millions de dollars, ce qui la rendait inaccessible au commun des mortels. Mère célibataire, ma cliente était sans emploi et sa maison en passe d'être saisie. Une caution de plusieurs millions voulait dire que Lisa Trammel ne sortirait pas de prison.

Afin de faire plaisir aux médias, le juge Stephen Fluharty avait fait passer l'affaire avant toutes les autres au rôle des causes. Andrea Freeman, l'avocate de l'accusation assignée au dossier, ayant lu les charges, le juge reporta la date de la mise en accusation officielle à la semaine suivante. Lisa ne pourrait donc pas demander de plaider-coupable avant cette date. Toutes ces procédures de routine ayant été expédiées rapidement, le juge Fluharty s'apprêtait à lever la séance pour quelques instants de façon à ce que les médias puissent remballer leurs affaires et partir *en masse*[1] lorsque je l'interrompis et requis qu'il fixe une caution pour ma cliente. Ma deuxième raison de procéder de la sorte était de voir comment l'accusation allait réagir. De temps en temps, j'avais de la chance et celle-ci se voyait contrainte de dévoiler des éléments de preuve ou de stratégie en plaidant pour que le montant soit élevé.

Mais Freeman était bien trop méfiante pour commettre ce genre d'erreur. Elle argua que Lisa Trammel était un danger pour la société et devait rester en prison sans possibilité de caution jusqu'à plus ample informé dans la procédure. Elle fit remarquer que la victime n'était pas l'unique individu impliqué dans la saisie qui affectait ma cliente, mais seulement un maillon de la chaîne. D'autres personnes et institutions pouvaient donc se retrouver en danger si on libérait Lisa Trammel.

La révélation n'avait rien de fracassant. Il était évident depuis le début que l'accusation utiliserait la saisie comme mobile du meurtre.

1. En français, dans le texte original.

Freeman en avait dit juste assez pour convaincre le juge de ne pas accorder de caution, mais n'avait pas dévoilé grand-chose du dossier qu'elle était en train de bâtir. Elle était douée et nous nous étions déjà affrontés dans plusieurs affaires. Et d'après les souvenirs que j'en avais, ces affaires, je les avais toutes perdues.

Lorsque mon tour arriva, j'arguai que rien n'indiquait, et encore moins prouvait, que Lisa Trammel aurait représenté un danger pour quiconque ou soit susceptible de s'enfuir. À preuve du contraire, le juge ne pouvait donc pas refuser de caution à ma cliente. Fluharty coupa la poire en deux en concédant à la défense qu'il y avait effectivement lieu de fixer une caution et en donnant la victoire à l'accusation en en estimant le montant à deux millions de dollars. Résultat des courses : Lisa ne risquait pas de filer. Elle allait devoir se trouver deux millions de dollars ou un garant de caution. Et à dix pour cent minimum à verser audit garant, cela lui coûterait deux cent mille dollars cash, ce qui était totalement exclu. Lisa Trammel allait rester en prison.

Le juge levant enfin la séance, j'eus encore quelques minutes avec Lisa avant que les gardes ne l'emmènent. Les médias partant à la queue leu leu, je l'avertis une fois de plus de la fermer.

— C'est encore plus important maintenant, lui dis-je. Avec tous les médias qui s'intéressent à votre affaire… Il se peut même qu'ils essaient de vous contacter en prison… directement ou par l'intermédiaire d'autres détenus ou de visiteurs en qui vous penseriez avoir confiance. Alors, n'oubliez pas…

— On ne parle à personne. J'ai compris.

— Bien. Je tiens aussi à vous faire savoir que toute mon équipe se réunira dès cet après-midi pour passer en revue la totalité de votre dossier et commencer à élaborer une stratégie. Avez-vous quelque chose dont vous voudriez qu'on s'occupe ou discute tout de suite ? Quelque chose qui pourrait nous aider ?

— Non, j'ai juste une question et elle s'adresse à vous.

— Oui, allez-y.

— Comment se fait-il que vous ne m'ayez pas demandé si j'ai fait le coup ou pas ?

Je vis un des gardes du prétoire entrer dans la cellule et se poster derrière ma cliente. Il était prêt à la ramener en prison.

— Parce que je n'ai pas besoin de vous le demander, Lisa. Je n'ai pas besoin de le savoir pour faire mon travail.

— C'est donc bien que notre système est lamentable. Et je ne sais pas trop si j'ai envie d'avoir un avocat qui ne croit pas en moi.

— Eh bien mais, c'est à vous de choisir et je suis sûr qu'il y a devant le tribunal une tripotée de confrères qui adoreraient vous défendre. Sauf qu'aucun d'entre eux ne connaît mieux que moi les circonstances et de cette affaire et de votre saisie et que ce n'est pas parce qu'Untel vous dira avoir confiance en vous qu'il croira vraiment en ce qu'il raconte. Avec moi, vous n'aurez pas droit à ce genre de conneries. Chez moi, c'est « on ne pose pas de questions et on se tait ». Et ça vaut pour vous comme pour moi. Ne me demandez pas si je vous crois parce que je ne vous le dirai pas.

Je marquai un temps d'arrêt pour voir si elle voulait répondre. Elle ne le voulait pas.

— Et donc, on est bon ? insistai-je. Je n'ai aucune envie de faire du surplace dans ce dossier si vous avez décidé de chercher quelqu'un qui vous croie pour me remplacer.

— Non, on est bon… je pense.

— Bien. Je passe vous voir dès demain pour discuter de l'affaire et réfléchir à la direction à prendre. J'espère que mon enquêteur aura déjà un aperçu de ce que montrent les éléments de preuve. Il…

— Mickey, dit-elle, je peux vous poser une question ?

— Bien sûr !

— Vous pourriez pas me prêter l'argent de la caution ?

Je ne fus pas surpris de la question. Il y a longtemps que je ne compte plus le nombre de clients qui essayent de me taxer pour leur caution. Le montant de celle-là était peut-être le plus élevé pour l'instant, mais je doutais que ce soit la dernière fois qu'on veuille m'emprunter du fric.

— Je ne peux pas faire ça, lui répondis-je. Et d'un, je ne dispose pas de ce genre de sommes et de deux, il y aurait conflit d'intérêts si jamais un avocat payait la caution de son client. Bref, je ne peux pas vous aider de ce côté-là. À mes yeux, ce dont vous avez besoin maintenant, c'est de vous faire à l'idée que vous allez rester en prison au minimum jusqu'à la fin du procès. La caution étant fixée à deux millions de dollars, vous avez besoin d'au moins deux cent mille dollars rien que pour trouver un garant. Ça fait beaucoup d'argent, Lisa, et si vous l'aviez, j'en voudrais la moitié pour payer la défense. Ce qui fait que vous seriez en prison de toute façon.

Je souris, mais elle ne vit aucun humour dans ce que je lui disais.

— Est-ce qu'on récupère ce genre de dépôt de garantie après le procès ? me demanda-t-elle.

— Non, la somme revient au garant pour couvrir les risques qu'il prend. Ne pas oublier que c'est lui qui devrait payer ces deux millions de dollars si jamais vous preniez la poudre d'escampette.

Elle eut l'air outrée.

— Comme si j'allais m'enfuir ! Non, je vais rester ici et me battre ! Je veux juste être avec mon fils. Il a besoin de sa mère.

— Lisa, ce n'est pas à vous en particulier que je faisais allusion. J'essayais seulement de vous expliquer comment ça marche. Et le garde derrière vous s'est montré très patient. Il faut que vous partiez avec lui et moi, que je rentre travailler à votre défense. On reparle de tout ça demain.

J'adressai un signe de tête au garde qui s'approcha d'elle pour la conduire à la prison du tribunal. Au moment où ils franchissaient la porte en acier de la cellule, Lisa se retourna vers moi et me regarda d'un œil affolé. Elle n'avait aucun moyen de savoir ce qui l'attendait, et ce n'était que le début de ce qui serait l'expérience la plus pénible de sa vie.

Andrea Freeman s'étant arrêtée pour parler avec un autre procureur, j'eus le temps de la rattraper au moment où elle quittait le prétoire.

— Vous voulez prendre un café, qu'on cause un peu ? lui demandai-je.

— Vous n'auriez pas plutôt besoin de parler avec vos gens ? me renvoya-t-elle.

— Mes gens ?

— Oui, tous ces gens avec des caméras. Ils font sûrement la queue dehors.

— Je préférerais bavarder avec vous. Tenez, nous pourrions même discuter des limites à respecter par les médias… si vous voulez.

— Je pense pouvoir vous consacrer quelques minutes. Vous voulez qu'on descende au sous-sol ou qu'on retourne à mon bureau pour y boire un café « district attorney » ?

— Allons au sous-sol. Je passerais trop de temps à regarder par-dessus mon épaule si on allait chez vous.

— Pourquoi ? Votre ex ?

— Elle et pas mal d'autres, même si mon ex et moi sommes plutôt en bons termes en ce moment.

— Heureuse de l'apprendre.

— Vous connaissez Maggie ?

Il y avait au moins huit adjoints au district attorney qui travaillaient à Van Nuys.

— De vue.

Nous quittâmes le prétoire et nous tînmes côte à côte devant les médias pour leur annoncer que nous ne dirions rien à ce stade de l'affaire. Alors que nous gagnions les ascenseurs, au moins six reporters, la plupart travaillant hors de Los Angeles, me glissèrent leurs cartes de visite. *New York Times*, CNN, *Dateline*, *Salon* et, Saint des Saints d'entre eux, *Sixty Minutes.* En moins de vingt-quatre heures, j'étais passé du statut d'avocaillon qui traite des affaires de saisies à South L. A. pour deux cent cinquante dollars le coup à celui d'avocat de la défense en charge d'un dossier qui menaçait d'être emblématique de cette époque de la finance.

J'appréciai.

— Ils sont partis, reprit Freeman dès que nous fûmes dans l'ascenseur. Vous pouvez effacer le sourire satisfait de votre visage.

Je la regardai et lui souris vraiment.

— Ça se voyait donc tant que ça ?

— Oh que oui ! Et moi, je vous le dis : profitez-en tant que vous pourrez.

Voilà qui me rappelait, et pas très subtilement, le problème auquel j'étais confronté dans cette affaire. Freeman était nouvelle au Bureau du district attorney et, pour certains, c'était quelqu'un qui, un jour, se présenterait au poste suprême. La sagesse conventionnelle était d'attribuer son ascension et sa réputation à l'intérieur du Bureau à la couleur de sa peau et à des magouilles politiciennes. On laissait entendre qu'elle ne récoltait les bonnes affaires que parce qu'elle était membre d'une minorité, protégée par une autre. Je savais, moi, qu'il s'agissait là d'une erreur fatale. Andrea Freeman était sacrément douée dans son boulot et j'en avais la preuve dans toutes les affaires que j'avais perdues contre elle. Lorsque la veille au soir j'avais appris que c'était elle qu'on avait mise sur l'affaire Trammel, j'avais ressenti comme un coup de poing dans les côtes. C'était douloureux, mais je ne pouvais rien y faire.

Arrivés à la cafétéria du sous-sol, nous prîmes du café aux grosses bouilloires et trouvâmes une table dans un coin tranquille. Elle prit le siège qui lui permettait de voir l'entrée. C'était un tic des gens des forces de l'ordre, et cela allait du simple flic de patrouille à tous les procureurs. Ne jamais tourner le dos à un agresseur potentiel.

— Et donc..., lançai-je. Nous y voilà. Vous êtes en position de devoir poursuivre une possible héroïne du peuple américain.

Elle se mit à rire comme si j'étais cinglé.

— Ben voyons ! Aux dernières nouvelles, nous n'avons pas l'habitude de transformer nos assassins en héros !

J'aurais pu lui rappeler un verdict douteux prononcé dans la région et mettre ainsi en doute sa déclaration, mais je laissai filer.

— Là, vous vous avancez peut-être un peu, lui dis-je. Disons seulement qu'à mon avis, la sympathie du public sera forte et se portera plutôt du côté de l'accusée. Et qu'attiser la flamme des médias ne fera que renforcer cette tendance.

— Pour le moment, c'est évident. Mais dès que les preuves commenceront à sortir et que les détails seront connus, je ne pense pas que la sympathie du public posera problème. Enfin... je pense. Mais... qu'êtes-vous en train de me dire, Haller ? On voudrait causer plaider-coupable avant même que l'affaire soit vieille d'un jour ?

Je hochai la tête.

— Non, non, pas du tout. Je n'ai aucune envie de parler de ce genre de choses. Ma cliente dit qu'elle est innocente. Je mentionne l'aspect sympathie uniquement à cause de l'intérêt que suscite l'affaire. Un producteur de *Sixty Minutes* vient de me donner sa carte. Bref, j'aimerais qu'on s'entende sur la façon de procéder avec les médias. Vous venez de parler éléments de preuves et de me dire comment ils fuitent dans le domaine public. J'espère que c'est bien des éléments de preuves présentés à la cour que vous parliez et pas de ceux qu'on choisirait de filer au *L. A. Times* ou à un quelconque représentant du quatrième pouvoir.

— Hé ! mais je ne demanderais pas mieux que d'établir une *no-fly zone* dès maintenant ! Quelles que soient les circonstances, personne ne cause aux médias.

Je fis la grimace.

— Je ne suis pas prêt à aller aussi loin pour l'instant.

Elle me gratifia d'un petit hochement de tête entendu.

— Je ne le pensais pas non plus, me lâcha-t-elle. Et donc, je ne dirai qu'une chose : faisons attention. Tous les deux. Sachez que moi, je n'hésiterai pas à aller voir le juge si je pense que vous essayez d'influencer le pool des jurés.

— Même chose de mon côté.

— Bien. La question est donc réglée pour l'instant. Quoi d'autre ?

— Quand vais-je commencer à voir des pièces de votre dossier ?

Elle avala une grande gorgée de son café avant de répondre.

— Vu le nombre d'affaires que nous avons traitées ensemble, vous savez comment je travaille. Je ne suis pas du genre je-vous-montre-mes-pièces-si-vous-me-montrez-les-vôtres. C'est toujours à sens unique parce que la défense ne montre jamais rien. C'est pour ça que j'aime bien jouer dans les règles.

— Allons, maître, je pense qu'on devrait trouver un accord.

— Eh bien… dès que nous aurons un juge, vous pourrez lui en parler. En attendant, moi, je ne fais pas amie-amie avec une meurtrière et ce, quel que soit son avocat. Et pour votre gouverne : j'ai sacrément enguirlandé votre copain Kurlen pour le DVD qu'il vous a donné hier. Ça n'aurait jamais dû se produire et il a de la chance que je ne l'aie pas viré. Prenez ça comme un cadeau de l'accusation. Mais c'est le seul que vous recevrez... maître.

C'était la réponse à laquelle je m'attendais. Freeman était sacrément douée, mais pour moi, elle n'était pas fair-play. Tout procès est censé être une vive remise en cause de tout ce qui est faits et éléments de preuves, chacune des deux parties s'en tenant à la loi et respectant les règles du jeu. Sauf que se servir de ces règles pour cacher ou taire des faits et des éléments de preuves lui était routinier. Elle aimait biaiser. Pas question pour elle de faire la lumière sur quoi que ce soit. Elle n'en voyait même pas la nécessité.

— Oh allons, Andrea. Les flics ont piqué l'ordinateur de ma cliente et tous ses dossiers. Tout ça était à elle et j'en ai besoin pour commencer à bâtir ma défense. Vous ne pouvez pas inclure ça dans les pièces à échanger entre accusation et défense.

Elle se mordit les lèvres, et fit mine d'envisager un compromis. J'aurais dû voir que c'était pure comédie.

— Que je vous dise... Dès que nous aurons un juge, vous irez le voir et vous le lui demanderez. S'il me dit de vous passer tout ça, je le ferai. Sinon, c'est à moi et non, je partage pas.

— Merci beaucoup, dis-je.

Elle sourit.

— De rien.

La façon qu'elle avait eue de réagir à ma demande de coopération et le sourire qu'elle m'avait servi avec sa réponse ne firent que renforcer une idée qui ne cessait de grandir en moi depuis que j'avais appris qu'elle était sur l'affaire. Il fallait que je trouve le moyen de l'éclairer.

# 5

Cette après-midi-là, le cabinet Michael Haller and Associates se réunit au grand complet dans le salon de l'appartement de Lorna Taylor à West Hollywood. Étaient présents Lorna, évidemment, ainsi que mon enquêteur, Cisco Wojciechowski (c'était son living à lui aussi) et la jeune associée de la société, Jennifer Aronson. Je remarquai qu'elle n'avait pas l'air à l'aise dans ce décor et dois reconnaître qu'il n'avait rien de très professionnel. J'avais loué un bureau temporaire l'année précédente pour l'affaire Jason Jessup[1] et cela avait bien marché. Je savais qu'il aurait mieux valu avoir un vrai bureau au lieu du salon de deux membres de mon équipe pour cette affaire. Le seul problème était que cela me faisait une dépense de plus à avaler avant de pouvoir toucher des droits sur le film ou sur le livre… à condition que j'arrive à décrocher un contrat de ce genre. C'était ce qui m'avait fait hésiter à enclencher le processus, mais voir la déception d'Aronson emporta la décision.

— Bon, commençons, dis-je après que Lorna eut servi des sodas ou du thé glacé à tout le monde. Je sais que ce n'est pas la manière la plus professionnelle de gérer un cabinet d'avocats, mais nous allons commencer à chercher un local dès que ce sera possible. En attendant…

— Vraiment ? s'exclama Lorna, très clairement surprise par la nouvelle.

— Oui, je viens juste de le décider, en fait.

— Eh bien, moi, je suis vraiment contente que tu apprécies autant mon appartement !

— Ce n'est pas ce que je voulais dire, Lorna. Ça fait un moment que je me dis que, tu vois… avec Bullocks qu'on vient d'engager, c'est comme si… on avait un vrai cabinet d'avocats et que peut-être on devrait avoir une adresse digne de ce nom. Tu sais bien…

1. Cf. *Volte-Face* paru dans cette même collection.

une adresse où les clients pourraient venir au lieu que ce soit nous qui nous déplacions.

— Mais pour moi c'est parfait ! Du moment que je n'ai pas besoin d'ouvrir la boutique avant 10 heures et que je peux porter mes chaussons au boulot… Même que j'y suis habituée…

Je voyais bien que je l'avais insultée. Nous avions été mariés un temps et les signaux, je les connaissais. Mais je ne pourrais m'occuper de ça que plus tard. Pour le moment, c'était sur la défense de Lisa Trammel qu'il fallait se concentrer.

— Bon, bref, parlons de Lisa Trammel, repris-je. J'ai eu mon premier rendez-vous avec l'accusation juste après la comparution de ce matin, et ça n'a pas super bien marché. J'ai déjà dansé le tango avec Andrea Freeman et elle est du genre pas-de-quartier ! S'il y a le moindre truc dont tirer argument, elle en tirera argument. S'il y a des pièces sur lesquelles elle peut s'asseoir jusqu'à ce que le juge lui ordonne de les communiquer à la partie adverse, elle s'assoira dessus. D'une certaine manière, je l'admire, mais pas quand nous sommes sur la même affaire. Résultat des courses : lui soutirer des pièces à échanger tiendra de l'arrachage de dents.

— Bon, mais est-ce qu'il y aura même seulement procès ? voulut savoir Lorna.

— Vaut mieux y compter, répondis-je. Dans la brève conversation que j'ai eue avec ma cliente, elle n'a parlé que de son désir de se battre. Elle affirme ne pas avoir fait le coup. Pour l'instant, cela interdit tout accord sur un plaider-coupable. On compte sur le procès, mais on reste ouvert à d'autres possibilités.

— Attendez une minute ! me lança Aronson. Hier soir, vous m'avez envoyé un mail pour me demander de regarder la vidéo de l'interrogatoire. Ça n'entre pas dans le cadre de l'échange des pièces entre les parties ? Ce n'est pas l'accusation qui vous l'a donnée ?

De petite taille et âgée de vingt-cinq ans, elle avait les cheveux courts et veillait toujours à paraître artistement décoiffée. Des lunettes de style rétro cachaient en partie ses yeux d'un vert éclatant. Elle sortait d'une école de droit qui ne faisait pas tourner les têtes dans les cabinets feutrés du centre-ville, mais à l'entretien, j'avais senti qu'elle était mue par des pulsions toutes négatives. Elle était là pour prouver à tous ces trous-du-cul en bas de soie qu'ils se trompaient. Je l'avais engagée sur-le-champ.

— Non, la vidéo vient de l'inspecteur en charge de l'affaire et notre procureur n'était pas très content. Et donc, ne s'attendre à rien d'autre. Si nous voulons quelque chose, ou bien nous allons voir le juge ou bien nous le trouvons par nous-mêmes. Ce qui nous amène à Cisco. Allez, Big Man, dis-nous donc ce que tu as pour l'instant.

Tous les regards se tournèrent vers mon enquêteur, qui avait pris place dans un fauteuil pivotant en cuir, près d'une cheminée envahie de plantes en pot. Il s'était habillé ce jour-là, ce qui signifie qu'il portait un tee-shirt à manches longues. Mais cela ne faisait pas grand-chose pour masquer son grand étalage de tatouages et de biscoteaux. Et ses biceps rembourrés lui donnaient plus l'air d'un videur de club de strip-tease que d'un enquêteur averti et plein de finesse.

Il m'avait fallu pas mal de temps pour me faire à l'idée que ce grand quartier de bœuf m'avait remplacé auprès de Lorna. Mais j'y avais travaillé, et j'avais réussi. Sans parler du fait que je ne connaissais pas meilleur enquêteur pour la défense. Dans sa jeunesse, quand il traînait encore avec les *Road Saints*, les flics avaient par deux fois essayé de le coincer pour des histoires de drogue. Cela avait fait naître chez lui une méfiance inusable à l'endroit de la police. La plupart des gens accordent le bénéfice du doute aux flics. Pas lui, et ça le rendait très bon dans ce qu'il faisait.

— Bien, dit-il, je vais vous diviser ça en deux rapports : la scène de crime et la maison de la cliente que la police a fouillée plusieurs heures hier. Commençons par la scène de crime.

Sans notes, il se mit en devoir de nous détailler tout ce qu'il avait trouvé au siège de la Westland National. Mitchell Bondurant avait été surpris par son assaillant au moment où il descendait de sa voiture pour rejoindre son poste. Il avait été frappé au moins deux fois à la tête avec un objet inconnu, l'agresseur l'attaquant à peu près sûrement par-derrière. Bondurant ne présentait aucune blessure défensive aux bras et aux mains, ce qui semblait indiquer qu'il avait été frappé d'incapacité presque aussitôt. Un gobelet de café de Chez

Joe Joe avait été retrouvé par terre près de lui, ainsi que sa mallette ouverte juste à côté du pneu arrière de sa voiture.

— Et les coups de feu que quelqu'un dit avoir entendus ? demandai-je.

Il haussa les épaules.

— Je pense que pour les flics, il s'agirait plutôt d'une pétarade de voiture.

— Quoi ? Deux ratés d'allumage ?

— Ou alors un seul et son écho. De toute façon, il n'y a pas eu de tir.

Il reprit son compte rendu. Les résultats de l'autopsie n'étaient pas encore rentrés, mais il penchait pour un traumatisme par instrument contondant comme cause de la mort. Pour l'instant, l'heure du décès était comprise entre 8 h 30 et 8 h 50 du matin. On avait retrouvé dans la poche de Bondurant un reçu de Chez Joe Joe, cet établissement se trouvant à quatre rues de là. Il portait la mention 8 h 21 et les enquêteurs pensaient que Bondurant aurait pu couvrir la distance séparant la cafète du parking de la banque au plus vite en neuf minutes. L'appel passé au 911[1] par l'employée de la banque qui avait découvert le corps avait été reçu à 8 h 52.

Il y avait donc près de vingt minutes de flottement dans l'heure du décès. Ça n'était pas grand-chose, mais quand il est question de préciser les mouvements d'un accusé aux fins d'établir son alibi, c'est presque une éternité. Les flics avaient interrogé tous les gens qui s'étaient garés au même niveau du garage ainsi que toutes les personnes travaillant dans le même service que Bondurant à la banque. Le nom de Lisa Trammel avait surgi très tôt et à plus d'une reprise lors de ces interrogatoires. On voyait en elle un individu par qui Bondurant s'était dit menacé. Son service détenait un dossier dit d'« étendue des menaces » et Lisa y figurait en première place. Comme nous le savions tous, elle avait déjà fait l'objet d'un référé lui interdisant de se trouver près de la banque.

1. Équivalent américain de notre police secours.

Les flics avaient décroché le gros lot lorsqu'une employée de la Westland National avait déclaré avoir vu Lisa Trammel s'éloigner de la banque par Ventura Boulevard quelques minutes après le meurtre.

— Qui est ce témoin ? demandai-je en me concentrant sur l'élément le plus dommageable de son rapport.

— Il s'agit d'une certaine Margo Schafer. Elle est caissière. D'après mes sources, elle n'a jamais eu le moindre contact avec Trammel. Elle travaille à la banque, mais pas au service des emprunts. Cela dit, la photo de Trammel avait été distribuée à tous les employés après le référé. Tout le monde avait été averti de faire attention à elle et de la signaler si jamais elle mettait le pied dans l'établissement. C'est comme ça qu'elle l'a reconnue.

— Et elle l'a reconnue à l'intérieur du périmètre de la banque ?

— Non, sur le trottoir, à quelques dizaines de mètres de là. Lisa se trouvait dans Ventura Boulevard et s'éloignait de la banque en marchant vers l'est.

— On a quelque chose sur cette Margo Schafer ?

— Pas pour l'instant, mais ça viendra. J'y travaille.

Je hochai la tête. D'habitude je n'avais pas à me soucier de dire à Cisco sur quoi il devait enquêter. Il passa à la deuxième partie de son rapport, à savoir la fouille du domicile de Lisa Trammel. Cette fois, il se référa à un document qu'il sortit d'une chemise.

— C'est de manière volontaire, je cite, que Lisa Trammel a accepté de descendre au commissariat de Van Nuys environ deux heures après le meurtre. Les flics prétendent qu'elle n'a pas été mise en état d'arrestation avant la fin de son interrogatoire. C'est sur la base des déclarations qu'elle aurait faites lors de cet interrogatoire et du témoignage de Margo Schafer que les flics auraient obtenu l'autorisation de fouiller la maison de Trammel. Ils y ont passé six heures à chercher des éléments de preuves, dont l'engin qui aurait servi à tuer la victime et les copies numérique et papier d'un plan qu'elle aurait bâti pour assassiner Bondurant.

Les mandats de perquisition sont très précis quant au temps pendant lequel les flics ont le droit de fouiller. Celle-ci une fois terminée, ils doivent, et le plus rapidement possible, déposer au tribunal un rapport dans lequel est dressée la liste exacte des objets saisis. Il est alors de la responsabilité du juge de vérifier que les flics se sont bien conduits, dans les limites de ce qui leur était permis. Cisco nous informa que les inspecteurs Kurlen et Longstreth avaient rendu leur rapport le matin même et qu'il en avait obtenu une copie par le greffe du tribunal. C'était à ce moment-là le point essentiel de l'affaire dans la mesure où les flics et l'accusation n'avaient pas encore à partager leurs infos avec la défense. Ça, Andrea Freeman l'avait complètement interdit. Mais la demande de mandat et le rapport de perquisition étant des documents publics, elle ne pouvait pas s'opposer à leur diffusion. C'était pour l'heure ce que j'avais de mieux pour savoir comment l'accusation allait bâtir son dossier.

— Tu nous en donnes les points saillants ? lui demandai-je. Mais je veux quand même une copie de tout le truc.

— Tiens, la voilà. Pour ce qui est…

— Je peux en avoir une, moi aussi ? demanda Aronson.

Cisco me regarda. Le moment était délicat. De fait, il me demandait sans le dire si Aronson faisait vraiment partie de l'équipe et n'était pas seulement quelqu'un que j'avais ramené de l'école de droit du grand magasin et qui n'était là que pour tenir la main des clients.

— Absolument, répondis-je.

— C'est gagné, dit-il. Et maintenant, les points saillants de l'affaire. Pour ce qui est de l'arme du crime, il semblerait que les inspecteurs soient entrés dans le garage de Lisa et y aient pris tous les outils manuels qu'ils ont pu trouver au-dessus de l'établi.

— Ce qui veut dire qu'ils ne savent pas avec quoi Bondurant a été tué, fis-je remarquer.

— Et toujours rien côté autopsie, poursuivit-il. Il faudra procéder à des comparaisons de blessures. Ça prendra du temps, mais j'ai le bureau du légiste dans la poche. Dès qu'ils sauront à quoi s'en tenir, je le saurai moi aussi.

— Bien. Autre chose ?

— Ils lui ont pris son ordinateur portable, un MacBook Pro vieux de trois ans, et divers documents ayant trait à la maison de Melba Avenue. Et ça, ça pourrait faire chier le juge. Les documents ne sont pas tous spécifiés dans leur liste, probablement parce qu'il y en a trop. Ils ne parlent que de trois dossiers intitulés FLAG, SAISIE 1 et SAISIE 2.

Je supposai que tous les documents de saisie qu'elle avait chez elle étaient ceux que je lui avais donnés. Le dossier FLAG et la mémoire de son ordinateur pouvant contenir les noms de certains membres de son groupe, il n'était pas impossible que la police cherche des personnes ayant conspiré avec elle.

— Bien. Autre chose ?

— Ils lui ont aussi pris son téléphone portable, une paire de chaussures trouvée dans le garage et, cerise sur le gâteau, ils ont saisi un journal personnel. Ils n'en disent pas plus, surtout pas ce qu'il y a dedans. Mais je pense que si elle y déblatère contre la banque et plus particulièrement contre la victime, on va avoir un problème.

— Je lui poserai la question demain, quand j'irai la voir. Mais revenons en arrière une seconde… Le portable. Était-il spécifié dans la demande de perquise que les flics le voulaient ? Seraient-ils en train de laisser entendre qu'il y a conspiration ? Qu'elle aurait été aidée pour tuer Bondurant ?

— Non, il n'y a rien de tel dans la demande. Ils voulaient probablement être sûrs de couvrir toutes les bases.

J'acquiesçai d'un signe de tête. Voir les coups que les flics allaient porter contre ma cliente aidait beaucoup.

— Ils ont dû faire une demande séparée pour avoir tous les relevés de son fournisseur d'accès.

— Je vais vérifier, dit-il.

— Bon d'accord, autre chose sur la perquisition ?

— Les chaussures. Leur rapport fait mention d'une paire de chaussures saisies dans le garage. On ne dit pas pourquoi, seulement qu'il s'agit de chaussures de jardinage. Et ce sont des chaussures de femme.

— Pas d'autres paires saisies ?

— Aucune dont ils se vanteraient. Rien que celle-là.

— On n'a rien côté empreintes de chaussures sur la scène de crime, si ?

— Je n'ai rien là-dessus.

— Parfait.

J'étais sûr de connaître bien assez tôt la raison pour laquelle ils avaient saisi ces chaussures. Dans une demande de perquisition, la police cherche toujours à prendre le maximum de choses que lui permettra le juge. Il vaut toujours mieux s'emparer de tout ce qu'on peut plutôt que d'en laisser derrière soi. Cela signifie parfois qu'on saisit des objets qui, pour finir, n'ont rien à voir avec l'affaire.

— À propos, reprit Cisco, si jamais tu en as l'occasion, ça vaudrait le coup de lire la demande, fautes d'orthographe et de grammaire mises à part. Les flics se sont beaucoup servis de son interrogatoire, mais tout ça, on l'a vu sur la vidéo que t'a donnée Kurlen.

— C'est ça : ces prétendus aveux à elle et les exagérations de Kurlen.

Je me levai et commençai à faire les cent pas dans la pièce. Lorna se leva elle aussi et prit le mandat de perquisition des mains de Cisco pour en faire une copie. Elle disparut dans la petite salle d'à côté, où elle avait installé son bureau et où se trouvait la photocopieuse.

J'attendis qu'elle revienne et passe une copie de ces documents à Aronson avant d'attaquer.

— Bon alors, voici comment nous allons procéder. Première chose à faire : se mettre en branle pour trouver de vrais bureaux. Pas très loin du tribunal de Van Nuys, quelque part où on pourrait établir notre poste de commandement.

— Tu veux que je m'en occupe ? me demanda Lorna.

— Oui, j'aimerais bien.

— Je ferai en sorte qu'il y ait un parking et de quoi manger correctement pas très loin.

— Ce serait sympa de pouvoir aller au tribunal à pied.

— C'est entendu. Bail de courte durée ?

Je marquai une pause. J'aimais beaucoup travailler sur la banquette arrière de ma Lincoln. Ça me donnait une liberté qui m'aidait à réfléchir.

— On signe pour un an. On verra ce que ça donne.

Je passai à Aronson. Elle avait baissé la tête et écrivait des choses dans son bloc-notes.

— Bullocks, lui lançai-je, j'aurais besoin que vous teniez la main à nos clients actuels et que vous serviez la réponse classique aux nouveaux. Notre pub passant à la radio jusqu'à la fin du mois, il ne faut pas s'attendre à ce que le volume des affaires diminue. J'aurai aussi besoin de votre aide pour le dossier Trammel.

Elle releva la tête et me regarda, ses yeux brillant plus fort lorsqu'elle comprit qu'elle allait travailler sur une affaire de meurtre moins d'un an après son admission au barreau.

— Ne pas trop s'exciter, enchaînai-je. Je ne fais pas encore de vous mon assistante en titre. Vous allez vous taper pas mal de corvées. Vous vous débrouilliez comment en droit de la cause probable là-bas, à l'école du grand magasin ?

— J'étais la meilleure de la classe.

— Bien sûr, bien sûr. Eh bien... vous voyez le document que vous avez dans la main ? Je veux que vous me preniez ce mandat de perquisition et que vous me le mettiez en pièces. Omissions et déformations des faits, voilà ce qu'on cherche. Tout ce qui pourra servir à étayer une requête en annulation. Je veux qu'aucun des éléments de preuves saisis chez Lisa Trammel ne soit retenu !

Elle déglutit et tout le monde le vit. C'est vrai que ce que je lui demandais n'était pas rien.

Et c'était plus que de la simple corvée parce qu'il y avait toutes les chances que l'effort requis soit énorme pour un résultat des plus maigres. Il était rare qu'on vire toutes les pièces à conviction d'une affaire. Je ne faisais que couvrir toutes les bases et me servir d'Aronson pour l'une d'entre elles. Elle était assez futée pour le comprendre et c'était là une des raisons pour lesquelles je l'avais embauchée.

— N'oubliez pas que c'est sur une affaire de meurtre que vous travaillez, lui dis-je. Combien de vos petits camarades de promo peuvent-ils prétendre l'avoir déjà fait ?

— Probablement aucun.

— Eh bien voilà ! Vous allez donc me prendre le DVD de l'interrogatoire de Lisa et me faire exactement la même chose. On cherche toutes les bourdes de la police, tout ce qui pourrait servir à virer le DVD lui aussi. Il devrait y avoir quelque chose qu'on puisse utiliser à la lumière de l'arrêté de la Cour suprême de l'année dernière. Ça vous dit quelque chose ?

— Euh... c'est ma première affaire au pénal.

— Bon alors, prenez-en connaissance. Kurlen s'est vraiment démanché pour faire croire que c'est volontairement que Lisa est descendue se faire interroger au commissariat. Mais si nous arrivons à montrer que, menottes ou pas, il la tenait sous son contrôle, nous pourrons arguer que, de fait, elle était en état d'arrestation depuis le début. On le fait et on peut dire bye-bye à tout ce qu'elle a pu raconter avant qu'on lui lise ses droits.

— D'accord.

Elle s'était remise à prendre des notes et ne relevait pas la tête.

— Comprenez-vous ce que je vous demande ?

— Oui.

— Bien. Alors, allez-y, mais n'oubliez pas les autres clients. Ce sont eux qui paient les factures ici. Enfin... pour l'instant.

Je me tournai vers Lorna.

— Ça me fait penser... Lorna, j'ai besoin de toi pour prendre contact avec Joel Gotler... qu'il nous dégotte quelque chose pour cette affaire. Tout pourrait partir en fumée s'il y avait plaider-coupable et donc, on essaie de se trouver un bon petit contrat. Dis-lui qu'on est prêts à accepter des droits plus faibles si l'avance en cash est sérieuse. Cette défense a besoin d'être financée.

Gotler était l'agent des droits cinéma qui me représentait à Hollywood. C'était à lui que j'avais recours chaque fois que l'industrie du cinéma m'appelait. Cette fois, c'était nous qui allions l'appeler et essayer, et très activement, d'obtenir un contrat.

— Vends-lui l'idée, dis-je à Lorna. J'ai la carte de visite d'un producteur de *Sixty Minutes* dans la voiture. Voilà l'importance que ça prend, cette affaire !

— Je vais l'appeler. Je sais ce qu'il faut lui dire.

J'arrêtai d'aller et venir pour envisager tout ce qu'il nous restait à faire et quel serait mon rôle dans tout cela. Je regardai Cisco.

— Tu veux que je me renseigne sur le témoin ? me demanda-t-il.

— Exactement. Et sur la victime. Je veux un rapport complet sur les deux.

Mon injonction fut contrariée par un bourdonnement retentissant qui montait du haut-parleur de l'Interphone, près de la porte de la cuisine.

— Désolée, dit Lorna, c'est la grille de devant.

Mais elle ne fit même pas mine d'aller voir.

— Tu ne veux pas répondre ? lui demandai-je.

— Non, je n'attends personne et tous les livreurs connaissent le code. C'est probablement un mendiant. Ils se baladent dans le quartier comme des zombies.

— Bien, passons à autre chose. C'est à un contre-assassin que nous devons réfléchir.

Cela suscita l'attention complète de tout un chacun.

— Nous avons besoin de nous en trouver un, expliquai-je. Si jamais nous allons jusqu'au procès, il ne suffira pas de flinguer l'accusation. Nous aurons besoin d'une défense agressive. Nous devrons absolument détourner de Lisa l'attention des jurés. Et pour ça, il nous faut une théorie de remplacement.

Je me rendis compte qu'Aronson m'observait. J'eus l'impression de jouer au prof de droit.

— Ce qu'il nous faut, c'est lancer l'hypothèse de l'innocence. Réussissons à le faire et nous l'emporterons.

L'Interphone bourdonna de nouveau. Et deux bourdonnements de plus, et insistants, suivirent.

— Mais c'est quoi, ça ? râla Lorna.

Agacée, elle se leva et gagna l'Interphone. Puis elle appuya sur le bouton pour parler :

— Oui, qui est-ce ? demanda-t-elle.

— C'est bien ici le cabinet de Mickey Haller ?

Voix de femme, et qui me semblait familière, mais pas moyen de la situer tout de suite. Le haut-parleur était petit et le volume ramené au plus bas. Lorna se tourna vers nous et hocha la tête, l'air perplexe. Son adresse ne se trouvait sur aucun document publicitaire. Comment cette femme avait-elle fait son compte pour la connaître ?

— Oui, mais nous ne recevons que sur rendez-vous, dit Lorna. Je peux vous donner le numéro auquel appeler si vous souhaitez rencontrer maître Haller.

— S'il vous plaît ! Il faut que je lui parle tout de suite. Je m'appelle Lisa Trammel et je suis déjà une de ses clientes. Il faut que je lui parle le plus vite possible.

Je regardai le haut-parleur de l'Interphone comme si j'y voyais un pipeline direct jusqu'à la prison pour femmes de Van Nuys… où Lisa était censée se trouver. Puis je me tournai vers Lorna.

— Tu ferais sans doute mieux d'ouvrir.

# 6

Lisa Trammel n'était pas seule. Dès que Lorna ouvrit la porte d'entrée, ma cliente entra en compagnie d'un homme que je me rappelai avoir vu à la première comparution, au tribunal. Il se trouvait au premier rang des spectateurs et avait attiré mon attention parce qu'il n'avait rien d'un avocat ou d'un journaliste. Mais tout d'un type d'Hollywood. Et pas du genre bling-bling sûr de lui. Non, de l'autre genre. Du genre Hollywood ambition dévorante. Moumoute ou teinture capillaire amateur, barbiche assortie sur le menton, caroncule à la gorge… on aurait dit un type de soixante ans qui essaie, sans succès, de se faire passer pour un quadragénaire. Veste de sport en cuir par-dessus un col roulé bordeaux. Chaîne en or avec l'emblème de la paix autour du cou. Qui que ce fût, comment ne pas se douter que c'était grâce à lui que Lisa était libre.

— Ça alors ! dis-je. Ou bien vous vous êtes enfuie de la prison de Van Nuys, ou bien vous avez réglé la caution, mais j'ai comme l'impression, allez savoir pourquoi et surtout comment, que c'est de cette dernière solution qu'il est question.

— Bien vu, dit-elle. Écoutez-moi tous, je vous présente mon ami et bienfaiteur Herbert Dahl.

— Dahl, D-A-H-L, précisa le bienfaiteur, tout sourire.

— « Bienfaiteur » ? répétai-je. Vous voulez dire que vous avez versé la caution de Lisa ?

— Non, seulement le dépôt de garantie, en fait, répondit Dahl.

— À qui avez-vous fait appel ?

— À un certain Valenzuela. Il a son bureau juste à côté de la prison. C'est très commode, et il m'a dit qu'il vous connaissait.

— C'est vrai.

Je marquai une pause en me demandant comment procéder, Lisa se chargeant aussitôt de remplir ce blanc dans la conversation.

— Herb est un vrai héros, reprit-elle. M'avoir sauvée de cet horrible endroit ! Maintenant je suis dehors et libre d'aider toute l'équipe à se battre contre ces fausses accusations.

Lisa avait déjà travaillé avec Aronson, mais jamais directement avec Lorna ou Cisco. Elle s'avança et leur tendit la main en se présentant. Puis elle leur serra la leur comme si tout cela n'était que routine et que l'heure était venue de se mettre au boulot. Cisco se tourna vers moi et me lança un regard qui disait : « Mais c'est quoi, ce bordel ? » Je haussai les épaules. Je n'en savais rien.

Lisa ne m'avait jamais parlé de ce Dahl, de ce bienfaiteur et ami assez cher pour accepter de régler une caution de deux cent mille dollars. Ça, et le fait qu'elle n'avait pas puisé dans les largesses du monsieur pour payer la défense, ne m'étonnait pas. Ni non plus la manière qu'elle avait eue de débarquer ainsi, toute en fanfaronnades et boulot-boulot. Pour moi, elle était très habile dans l'art de masquer ses problèmes personnels et sentimentaux aux gens qu'elle ne connaissait pas. Elle aurait pu charmer un zèbre jusqu'à ce qu'il en perde ses rayures et je me demandai si Herb Dahl savait bien dans quoi il mettait les pieds. Je me dis aussi qu'il devait avoir un fer au feu, mais qu'il ne savait peut-être pas à quel point lui aussi se faisait manipuler.

— Lisa, dis-je, ça vous dérangerait de passer dans le bureau de Lorna, qu'on parle un peu en privé ?

— Je pense qu'Herb devrait entendre tout ce que vous avez à dire. C'est lui qui va consigner tous les détails de cette affaire.

— Sauf ceux de nos conversations parce que tout ce qu'un avocat et son client peuvent se dire est d'ordre privé et couvert par le secret. M. Dahl pourrait être contraint de témoigner à la barre sur tout ce qu'il aurait vu ou entendu.

— Ah mais… il n'y a pas moyen de le nommer suppléant ? De se débrouiller pour qu'il fasse partie de notre équipe juridique ?

— Lisa, entrons ici un instant, lui dis-je en lui montrant le petit bureau.

Enfin, elle accepta d'y aller.

— Lorna, lançai-je, et si tu offrais quelque chose à boire à M. Dahl ?

Je suivis Lisa dans la petite pièce et refermai la porte. Deux bureaux s'y trouvaient – un pour Lorna et l'autre pour Cisco. Je tirai une chaise devant celui de Lorna et dis à Lisa de s'y asseoir. Puis je passai derrière le bureau et m'assis en face d'elle.

— C'est bizarre comme cabinet d'avocats, fit-elle remarquer. On dirait l'appartement de quelqu'un.

— C'est temporaire. Parlons plutôt de votre héros, là, de l'autre côté de la porte. Depuis combien de temps le connaissez-vous ?

— Deux ou trois mois.

— Comment avez-vous fait sa connaissance ?

— Sur les marches du palais de justice. Il était venu à une manifestation de FLAG. Il m'a dit que ce que nous faisions l'intéressait en tant que réalisateur.

— Vraiment ? Alors c'est un réalisateur ? Où est sa caméra ?

— C'est-à-dire que… en fait, il arrange des trucs. Il a beaucoup de succès. Il euh… s'occupe de contrats de livres et de films. C'est lui qui va gérer tout ça. Notre affaire va énormément attirer l'attention, Mickey. À la prison, on m'a dit qu'il y avait trente-six journalistes qui voulaient m'interviewer. Naturellement, on ne m'a pas laissé leur parler, seulement à Herb.

— Herb a réussi à vous contacter en prison ? Il doit être sacrément têtu.

— Il m'a dit que dès qu'il sent un sujet, rien ne l'arrête. Vous vous rappelez la fillette qui a vécu une semaine à flanc de montagne avec son père mort après leur accident de voiture ? Eh bien, il lui a obtenu un film à la télé.

— Impressionnant, dis-je.

— Je sais. Il est brillant.

— Oui, vous l'avez déjà dit. Et donc… vous avez conclu un accord avec lui ?

— Oui. Il va tout rassembler et une fois qu'il aura récupéré la caution, nous partagerons fifty-fifty déduction faite de ses dépenses.

Parce que bon… ce n'est que justice. C'est de beaucoup d'argent qu'il parle. Je pourrais peut-être même sauver ma maison, Mickey !

— Vous avez signé quelque chose ? Un contrat ou un accord quelconque ?

— Oh oui, c'est complètement légal et ça engage tout le monde. Il devra me verser ma part.

— Vous le savez parce que vous avez montré le document à votre avocat ?

— Euh… non, mais Herb m'a dit que c'était un contrat standard. Vous savez bien… le baratin juridique classique. Mais je l'ai lu, oui.

Ben tiens. Exactement comme elle avait lu les papiers que je lui avais demandé de signer.

— Je peux le voir, ce contrat ?

— Non, c'est Herb qui l'a. Mais vous pourrez le lui demander.

— Je n'y manquerai pas. Bien, et comme ça, par hasard… lui avez-vous parlé de nos accords ?

— Nos accords ?

— Oui, les contrats que vous avez signés avec moi hier au commissariat… vous vous rappelez ? Le premier m'autorisait à vous représenter au pénal et les autres me donnaient procuration pour vous représenter dans toute négociation portant sur des droits d'auteur éventuels venant en règlement des frais de votre défense. Vous vous rappelez avoir signé ces documents qui vous engagent ?

Elle ne répondit pas.

— Lisa, avez-vous remarqué que j'ai trois personnes de l'autre côté de cette porte ? Trois personnes qui travaillent toutes sur votre affaire ? Et que pour l'instant, vous ne nous avez pas payé un sou ? Ce qui signifie que c'est moi qui dois trouver le moyen de leur payer leurs salaires et toutes leurs dépenses, semaine après semaine. C'est pour cette raison que les accords que vous avez signés hier me confèrent toute l'autorité nécessaire pour négocier des contrats de films et de livres.

— Oh… Je n'ai pas lu ce passage-là.

— Laissez-moi vous poser une question, Lisa. Qu'est-ce qui vous paraît le plus important ? Avoir la meilleure défense possible pour essayer de remporter la victoire malgré tout ce qu'ils ont contre nous ou décrocher un contrat de livre ou de film ?

Elle me gratifia d'une moue, puis s'empressa d'écarter la question.

— Mais vous ne comprenez pas, dit-elle. Je suis innocente. Je n'ai pas…

— Non, Lisa, c'est vous qui ne comprenez pas. Que vous soyez innocente ou pas n'a rien à voir avec la question. L'important, c'est ce que nous pourrons prouver ou invalider devant la cour. Et quand je dis « nous », en fait, c'est de moi que je parle, Lisa. Moi. Votre héros, c'est moi, Lisa, moi et pas ce Herb Dahl assis dans la pièce d'à côté avec sa veste en cuir et son emblème de la paix autour du cou. Question emblèmes, la part du gâteau, c'est même assez emblématique qu'il la veuille !

Elle resta longtemps sans rien dire avant d'enfin réagir.

— Non, c'est pas possible, Mickey. Il vient juste de me faire sortir de prison en payant la caution. Je viens de lui coûter deux cent mille dollars. Il faut qu'il rentre dans ses frais.

— Pendant que vos avocats, eux, n'ont rien à bouffer.

— Non, non, vous serez payés, Mickey. Je le promets. J'aurai la moitié de tout. Je vous paierai.

— Après qu'il aura récupéré ses deux cent mille dollars et réglé tous ses frais. Frais qui pourraient atteindre Dieu sait quelles sommes, j'en ai bien l'impression.

— Il m'a dit avoir touché un demi-million de dollars d'un des médecins de Michael Jackson. Et ça, ce n'était que pour un article dans un tabloïd. Nous, c'est un film qu'on pourrait décrocher !

J'étais à deux doigts de perdre patience. Lorna avait sur son bureau un jouet en mousse qu'on serre fort dans ses mains pour se débarrasser de son stress – un petit marteau de juge qu'elle envisageait de donner comme cadeau promotionnel. On pouvait y imprimer le nom et le numéro de téléphone du cabinet sur le côté. Je m'en emparai et en serrai fort le manche en me disant que c'était la trachée de ce Dahl. Au bout d'un moment, ma colère retomba. Ce truc marchait vraiment. Je me promis de dire à Lorna d'en acheter. Nous en donnerions dans tous les bureaux de garants de caution et dans toutes les foires de rues.

— Bien, dis-je. Nous reparlerons de tout ça plus tard. Pour l'instant, nous allons retourner à côté. Et vous allez quand même renvoyer

Herb chez lui parce que nous allons parler de votre affaire et ça, nous ne pouvons pas le faire devant des personnes qui n'appartiennent pas au cercle des gens protégés par le secret professionnel. Plus tard donc, vous l'appellerez pour lui dire qu'il ne doit signer aucun contrat de livre ou de film sans mon accord. Me comprenez-vous bien, Lisa ?

— Oui.

Docile et penaud, le ton de sa voix.

— Vous voulez que je m'en occupe ou vous préférez le faire vous-même ?

— Vous pouvez vous en charger ?

— Sans problème. Bien, je pense qu'on en a fini.

Nous repassâmes dans le salon, pile au moment où Dahl finissait de raconter une histoire.

— ... et ça, c'était juste avant qu'il fasse *Titanic* !

Il rit de cette chute, personne dans la pièce ne semblant faire montre du même sens de l'humour hollywoodien.

— Bien, Herb, lançai-je, nous allons nous remettre à travailler le dossier et nous avons besoin de parler avec Lisa. Je vais donc vous raccompagner à la porte tout de suite.

— Mais comment va-t-elle rentrer chez elle ?

— J'ai un chauffeur. Nous pouvons nous en occuper.

Il hésita et jeta un coup d'œil à Lisa pour qu'elle le sauve.

— Ça ira, Herb, dit-elle. Il faut qu'on parle de l'affaire. Je t'appelle dès que j'arrive à la maison.

— Promis ?

— Promis.

— Mick ? Je peux le raccompagner, me proposa Lorna.

— Non, y a pas de souci. Il fallait que j'aille à la voiture de toute façon.

Tout le monde dit au revoir à l'homme à l'emblème de la paix, et Dahl et moi quittâmes l'immeuble. Chaque appartement avait une sortie privée. Nous descendîmes l'allée qui conduisait à la grille de Kings Road. Je vis des annuaires téléphoniques posés sous la boîte aux lettres et en pris quelques-uns pour bloquer la grille afin de pouvoir réintégrer la propriété.

Nous marchâmes jusqu'à ma voiture garée en stationnement interdit le long du trottoir. Rojas s'était appuyé à l'aile avant pour fumer une cigarette. Comme j'avais laissé ma télécommande dans le porte-gobelet, je l'appelai.

— Rojas ? Le coffre.

Il sortit ses clés et l'ouvrit. J'informai Dahl que j'avais quelque chose à lui donner, il me suivit.

— Vous n'allez pas me coller là-dedans, si ?

— Pas vraiment, non, Herb. Je veux juste vous donner quelque chose.

Nous passâmes à l'arrière de la voiture et j'ouvris le coffre en grand.

— Ça alors, c'est drôlement bien organisé ! s'exclama-t-il en découvrant les boîtes à dossiers.

Je gardai le silence, pris la chemise des contrats et sortis les accords que Lisa avait signés la veille. Puis je fis le tour de la Lincoln et les copiai sur la machine multifonctions installée sur le siège avant. Et lui tendis les copies en gardant les originaux.

— Là, tenez, lisez donc ces trucs quand vous aurez quelques minutes.

— Qu'est-ce que c'est ?

— C'est mon contrat de représentation avec Lisa. Contrat standard. Il y a aussi une procuration et un gage sur toutes les sommes que pourrait générer son affaire. Vous remarquerez qu'elle a daté et signé toutes ces pièces hier. Cela signifie que votre contrat est caduc. Regardez bien les passages en petits caractères. Ils me donnent tous les droits sur tout… livres, films, télés, tout.

Je vis son regard se durcir.

— Attendez une minu…

— Non, Herb, c'est à vous d'attendre un peu. Je sais que vous venez de lâcher deux cents billets pour la caution, plus tout ce que vous avez dû payer pour pouvoir la voir en taule. Je comprends parfaitement : vous avez beaucoup investi sur ce coup-là. Et je veillerai à ce que vous rentriez dans vos frais… un jour. Mais là, vous arrivez bon second, mon pote. Vaudrait mieux l'accepter et dégager. On ne fait rien et ne conclut aucun accord sans m'en parler d'abord.

Et je tapotai le contrat qu'il regardait fixement.

— Si vous ne tenez pas compte de ce que je vous dis, vous aurez besoin d'un avocat. Et d'un bon, repris-je. Je ne vous lâcherai pas pendant deux ans et vous ne verrez pas un centime de ces deux cent mille dollars.

Et je claquai la portière pour souligner mon propos.

— Bonne journée !

Puis je le laissai là et regagnai l'arrière de la voiture pour remettre les originaux dans leur chemise. Je refermai le coffre et m'aperçus qu'on pouvait toujours voir une trace du graffiti. La peinture avait bien été enlevée, mais elle avait bousillé le vernis à jamais. Je portais encore la marque de la *Florencia 13*. Je baissai les yeux sur la plaque d'immatriculation.

IWALKEM[1]

Plus facile à dire qu'à faire ce coup-là. Je passai devant Dahl, qui n'avait toujours pas bougé du trottoir et continuait de regarder les contrats. De retour au portail de l'immeuble en copropriété, je pris un annuaire de la pile qui le maintenait ouvert. Et glissai le pouce au hasard dans le volume. Et tombai sur ma pub. Avec mon visage souriant dans le coin.

GARDEZ VOTRE MAISON !
NE VOUS LAISSEZ PAS SAISIR VOS BIENS
SANS COMBATTRE !
Michael Haller and Associates
Avocats
Tél. : 323 988 0761
www.stopfinancialruin.com
Se habla español

Je vérifiai d'autres pages pour m'assurer que mon encart figurait bien sur toutes celles que j'avais achetées, puis je laissai retomber l'annuaire sur la pile. Je ne savais même plus trop si les gens

1. « Avec moi, ils sont libres ».

se servaient encore d'un annuaire, mais mon message y était toujours, au cas où.

Tout le monde m'attendait en silence lorsque je réintégrai l'appartement. L'arrivée de Lisa accompagnée de son bienfaiteur avait plongé toute l'équipe dans l'embarras. J'essayai de faire repartir la réunion afin de lui redonner de l'unité.

— Bien, dis-je. Tout le monde a donc fait la connaissance de tout le monde. Lisa, nous étions en train de discuter de la manière dont nous allons procéder et de ce que nous aurons besoin de savoir au fur et à mesure de notre progression. Nous n'avions pas la chance de vous avoir avec nous parce que, pour être franc, j'étais assez sûr que vous ne pourriez pas sortir de prison avant que les jurés vous déclarent innocente à la fin du procès. Mais maintenant vous êtes avec nous et j'ai tout à fait envie de vous inclure dans nos réflexions stratégiques. Y a-t-il quelque chose que vous aimeriez dire à tout le monde ?

J'avais l'impression de diriger une séance de thérapie de groupe au Centre des Chênes[1]. Mais Lisa s'illumina à l'idée de pouvoir prendre la parole.

— Oui, je tiens d'abord à vous dire combien je vous suis reconnaissante de tous les efforts que vous déployez pour moi. Je sais qu'en droit la question de l'innocence et de la culpabilité n'a pas grande importance. Ce qui compte, c'est ce qu'on peut prouver. Je le comprends, mais je pense qu'il serait bon que vous entendiez ceci, même si c'est la seule fois que je vous le dirai : je suis innocente de toutes les charges retenues contre moi. Je n'ai pas tué M. Bondurant. J'espère que vous me croyez et que nous pourrons le prouver au tribunal. J'ai un petit garçon et il a besoin d'être avec sa mère.

Personne ne dit mot, mais tous hochèrent sombrement la tête.

— Bien, dis-je, avant votre arrivée, nous abordions la question de la division du travail. Qui s'occupe de quoi, qui devra faire ceci ou cela, ce genre de choses. J'aimerais vous inclure dans ce planning.

— Tout ce que vous voudrez, dit-elle.

1. The Oaks. Clinique très huppée de Los Angeles.

Elle se tenait toute droite au bord de son siège.

— La police est restée chez vous plusieurs heures après votre arrestation. Elle a fouillé votre maison de fond en comble et, vu les pouvoirs que lui accordait le mandat de perquisition, elle a saisi plusieurs objets qui pourraient servir de pièces à conviction lors du procès. Nous en avons la liste et vous êtes libre de la consulter. On y trouve votre ordinateur portable et trois dossiers intitulés FLAG, SAISIE 1 et SAISIE 2. C'est là que vous entrez en scène. Dès qu'on nous assignera un juge, nous lui demanderons par voie de requête le droit d'examiner tout de suite votre disque dur et vos dossiers, mais en attendant, je vais avoir besoin que vous me disiez ce qu'ils contenaient… au mieux de vos souvenirs. En d'autres termes, qu'y avait-il de si important dans ces documents qui aurait pu faire que les flics veuillent les saisir ? Vous comprenez ?

— Bien sûr que je comprends et oui, je peux le faire. Je m'y mettrai dès ce soir.

— Merci. Il y a encore autre chose que j'ai envie de vous demander. Si notre affaire va jusqu'au procès, je ne veux pas d'un dossier branlant. Je ne veux pas qu'un type se pointe et…

— Comment ça « si » ?

— Je vous demande pardon ?

— Vous avez dit « si ». « Si notre affaire va jusqu'au procès… » Il n'y a pas de « si » qui tienne !

— Désolé. Ma langue aura fourché. Mais ceci pour que vous le sachiez bien : tout bon avocat écoute toujours les offres de l'accusation. Parce que, très souvent, ces négociations de peines permettent de se faire une idée de ce que prépare le ministère public. Ce qui fait que si jamais je vous dis être en train de parler arrangement avec l'accusation, n'oubliez jamais que ce sera parce que j'aurai une idée derrière la tête… d'accord ?

— D'accord, mais que je vous dise tout de suite : je ne plaiderai jamais coupable de quoi que ce soit. Pendant qu'on essaie de me mettre ça sur le dos, il y a un assassin dans la nature. La nuit dernière, je n'ai pas pu dormir dans cet horrible endroit. Je n'arrêtais pas de penser à mon fils… Je ne pourrais jamais le regarder en face si je plaidais coupable pour quelque chose dont je ne suis pas cou-pa-ble !

Je crus qu'elle allait hausser le ton, mais elle se retint.

— Je comprends, dis-je doucement. Bon et maintenant, le deuxième truc dont je voulais vous parler, c'est de votre mari.

— Pourquoi ?

Je vis aussitôt tous les feux passer au rouge. Nous arrivions en terrain miné.

— Parce que lui, c'est du branlant. Quand avez-vous eu de ses nouvelles pour la dernière fois ? Va-t-il débarquer à l'improviste et nous causer des problèmes ? Pourrait-il témoigner contre vous ? Dire que vous vous êtes vengée de lui ? Il faut qu'on sache tout ce qui se trame. Que ça se matérialise ou pas n'a pas d'importance. Mais s'il y a une menace quelconque, j'ai besoin de le savoir.

— Je croyais qu'un mari ne pouvait pas témoigner contre sa femme ?

— C'est en effet un droit que vous pourriez invoquer, mais c'est une zone assez grise, surtout dans la mesure où vous ne vivez plus ensemble. Ce qui fait que je veux tout border. Avez-vous une idée de l'endroit où se trouve votre mari en ce moment ?

Je ne me montrais pas très net sur la loi, mais j'avais besoin de joindre le mari pour mieux comprendre la dynamique de leur mariage et de quelle façon elle pouvait ou ne pouvait pas affecter la défense. Les époux séparés sont imprévisibles. On peut peut-être les empêcher de déglinguer un client, mais les empêcher de coopérer avec le ministère public à l'extérieur du tribunal, il n'y a aucun moyen de le faire.

— Non, aucune, répondit-elle. Mais je pense qu'il se manifestera, tôt ou tard.

— Pourquoi ?

Elle tourna les paumes des mains en l'air comme pour me faire comprendre que la réponse était évidente.

— Il y a du fric à se faire. S'il se trouve à proximité d'une télé ou d'un journal et qu'il a vent de ce qui se passe, il se pointera. Vous pouvez y compter.

La réponse me parut bizarre – c'était comme si son mari avait un passé de grippe-sou alors même que je savais qu'il en dépensait très peu, où qu'il soit.

— Vous ne m'avez pas dit qu'il avait épuisé tout ce qu'il y avait sur votre carte au Mexique ?

— C'est exact. À Rosarito Beach. Il voulait tirer quatre mille quatre cents dollars sur la Visa et il n'y avait pas assez. J'ai dû annuler la carte et c'était la seule qu'il nous restait. Sauf que je n'avais pas compris qu'en l'annulant, je perdais tout moyen de le retrouver. Bref, la réponse à votre question est bien que je ne sais pas où il est en ce moment.

Cisco s'éclaircit la gorge et entra dans la discussion.

— Et côté contacts ? Vous avez reçu des appels téléphoniques ? Des mails ? Des textos ?

— Il y a eu deux ou trois mails au début. Puis plus rien jusqu'au jour où il a appelé notre fils pour son anniversaire. Ça remonte à six semaines.

— Votre fils ne lui a pas demandé où il était ?

Elle hésita, puis répondit que non. Elle ne mentait pas très bien. Je sus tout de suite qu'il y avait autre chose.

— Qu'est-ce qu'il y a, Lisa ? lui demandai-je.

Elle marqua une pause, puis elle céda.

— Vous allez tous penser que je suis une mauvaise mère, mais je ne l'ai pas laissé parler à Tyler. On a commencé à se disputer et j'ai… je lui ai raccroché au nez. Après, j'ai regretté, mais je n'ai pas pu le rappeler parce que le numéro avait été bloqué.

— Mais il a bien un portable, non ? demandai-je.

— Non. Il en avait un, mais le numéro n'est plus en service depuis un bon bout de temps. Et ce n'est pas avec son portable qu'il avait appelé. Il avait dû en emprunter un ou se faire attribuer un nouveau numéro, qu'il ne m'a toujours pas donné.

— Ç'aurait aussi pu être un jetable, fit remarquer Cisco. On en vend dans tous les commerces de proximité.

J'acquiesçai d'un hochement de tête. Cette histoire de couple qui se désintègre plombant l'humeur de tout un chacun, je finis par reprendre la parole.

— Lisa, dis-je, si jamais il reprend contact avec vous, vous me le faites savoir tout de suite.

— Je le ferai.

Je la laissai pour jeter un coup d'œil à mon enquêteur. Nos regards se croisant, je lui fis comprendre, mais sans mot dire, qu'il allait devoir se renseigner au maximum sur cet époux errant. Je n'avais aucune envie qu'il se pointe en plein milieu du procès. Cisco me fit oui de la tête. Il allait s'en occuper.

— Deux ou trois petits trucs encore et on en aura assez pour commencer, repris-je à l'adresse de Lisa.

— Oui ?

— Quand ils ont fouillé votre maison hier, les flics ont pris d'autres choses dont nous n'avons pas parlé. D'après eux, la première serait un journal. Vous savez de quoi il s'agit ?

— Oui, j'écrivais un livre. Un livre sur mon périple.

— Votre « périple » ?

— Oui, celui qui m'a amenée à me découvrir dans cette grande cause. Dans ce mouvement. Celui qui consiste à aider les gens à se battre pour leurs maisons.

— Bon d'accord. Et donc, c'était une espèce de journal de bord de toutes vos manifs et autres trucs de ce genre, c'est ça ?

— C'est ça.

— Vous rappelez-vous y avoir jamais écrit le nom de Bondurant ?

Elle baissa les yeux et chercha dans ses souvenirs.

— Je ne pense pas. Mais il se peut que je l'aie mentionné. Vous savez bien… que j'aie dit que c'était lui qui se trouvait derrière toute l'affaire.

— Mais jamais que vous lui vouliez du mal ?

— Non, non, rien de tel. Et je ne lui en ai pas fait ! Je ne l'ai pas tué !

— Ce n'est pas ce que je vous demande, Lisa. J'essaie seulement de deviner les éléments de preuves qu'ils pourraient avoir contre vous. Vous nous dites donc que ce journal ne devrait pas nous poser de problèmes, c'est bien ça ?

— C'est bien ça. Il n'y aura pas de problèmes. Il n'y a rien de mal dans ces pages.

— D'accord. Parfait.

Je jetai un coup d'œil aux autres membres de mon équipe. Mon petit échange avec Lisa m'avait fait oublier la question suivante. Cisco me la souffla.

— Le témoin ? dit-il.

— Ah oui. Lisa… hier matin, au moment du meurtre, vous trouviez-vous près du bâtiment de la Westland National Bank de Sherman Oaks ?

Elle ne répondit pas tout de suite – et je compris qu'on avait un problème.

— Lisa ?

— Mon fils va à l'école à Sherman Oaks. Je l'y emmène le matin et je passe devant en voiture.

— Ça, ça n'est pas gênant. Et donc, vous êtes passée devant la banque hier. À quelle heure environ ?

— Euh… vers 7 h 45.

— Vous emmeniez le gamin à l'école, c'est ça ?

— C'est ça.

— Et après l'avoir déposé ? Reprenez-vous le même chemin pour rentrer chez vous ?

— Oui, la plupart du temps.

— Et hier ? C'est d'hier qu'on parle. Êtes-vous repassée devant la banque ?

— Je crois, oui.

— Vous ne vous en souvenez pas ?

— Non, non, je suis passée devant. Je prends Ventura Boulevard jusqu'à Van Nuys et après, je remonte jusqu'à l'autoroute.

— Et donc… êtes-vous repassée devant la banque après avoir déposé Tyler à l'école ou avez-vous fait autre chose ?

— Je me suis arrêtée pour m'offrir un café et je suis rentrée chez moi. C'est là que je suis repassée devant.

— À quelle heure ?

— Je ne sais pas trop. Je ne regardais pas l'heure. Il devait être 8 h 30.

— Êtes-vous jamais descendue de votre voiture à proximité de la Westland National ?

— Non, bien sûr que non.

— Vous êtes sûre ?

— Évidemment que j'en suis sûre ! Je m'en souviendrais, vous ne pensez pas ?

— D'accord. Où vous êtes-vous arrêtée pour vous payer votre café ?

— Chez Joe Joe dans Ventura Boulevard, près de Woodman Avenue. C'est toujours là que je vais.

Je marquai une pause et regardai Cisco, puis Aronson. Cisco nous avait déjà dit que Mitchell Bondurant avait un gobelet de café de chez Joe Joe quand il avait été agressé. Je décidai de ne pas poser la question évidente pour savoir si Lisa avait vu ou s'était entretenue avec Bondurant à la cafète. En ma qualité de défenseur, j'étais lié par ce que je savais. Si jamais Lisa me disait avoir vu Bondurant ou, pire, avoir échangé quelques mots avec lui, je n'aurais plus la liberté de la laisser raconter autre chose au tribunal.

Je devais faire attention à ne pas demander de renseignements qui pouvaient me ligoter au premier stade de l'affaire. Je savais qu'il y avait là une contradiction. Ma mission était bien d'en savoir autant que faire se pouvait, mais il y avait des choses que je ne voulais pas découvrir tout de suite. Être au courant de certains faits peut limiter l'action du défenseur. Les ignorer donne plus de latitude pour bâtir une défense.

Aronson me dévisageait et se demandait clairement pourquoi j'en restais là. Je me contentai de lui adresser un léger signe de tête. J'aurais tout le temps de lui expliquer mes raisons plus tard... encore un truc qu'on ne lui avait pas enseigné à l'école de droit. Je me levai.

— Je crois que ça suffira pour aujourd'hui, dis-je à Lisa. Vous nous avez donné beaucoup de renseignements et nous allons les travailler. Je vais demander à mon chauffeur de vous ramener chez vous tout de suite.

# 7

Elle avait quatorze ans et raffolait toujours des crêpes au dîner. Ma fille et moi occupions un box au Dupar de Studio City. C'était notre petit rituel du mercredi soir. Je passais la prendre chez sa mère et nous nous arrêtions pour manger des crêpes avant de rentrer chez moi. Où elle faisait ses devoirs pendant que je travaillais à mes dossiers. C'était ma routine la plus précieuse.

Selon l'accord officiel auquel nous étions parvenus, j'avais Hayley le mercredi soir et un week-end sur deux. Nous alternions la garde pour Noël et Thanksgiving et je l'avais aussi quinze jours en été. Mais ça, ce n'était que l'accord officiel. Les choses se passant bien depuis un an, nous faisions souvent des trucs tous ensemble. À Noël, nous avions passé le réveillon en famille. De temps en temps, mon ex se joignait même à nous pour manger des crêpes. Et ça aussi, c'était précieux.

Ce soir-là cependant, il n'y avait qu'Hayley et moi. Je devais, entre autres, examiner le compte rendu d'autopsie de Mitchell Bondurant. Il comprenait des photos de la procédure et du corps à l'endroit même où il avait été découvert dans le garage de la banque. Je m'étais donc reculé au maximum dans le box pour faire en sorte que ni Hayley ni aucun autre client du restaurant ne puisse voir ces images horribles. Ça n'aurait pas vraiment collé avec les crêpes.

Pendant ce temps-là, Hayley, elle, faisait ses devoirs de science sur les transformations de la matière et les étapes du processus de combustion.

Cisco avait raison. Le rapport d'autopsie concluait que la mort de Bondurant faisait suite à une hémorragie cérébrale causée par une série de coups portés à la tête avec un instrument contondant. En trois points exactement. Le document contenait un croquis du haut du crâne. On y découvrait trois points d'impact, et si rapprochés qu'une tasse à thé aurait pu les recouvrir.

Voir ce croquis m'excita. Je revins à la première page où était décrit le corps de la victime. On y précisait que Mitchell Bondurant faisait un mètre quatre-vingt-cinq et pesait quatre-vingt-un kilos. N'ayant pas la mention de la taille de Lisa Trammel sous la main, j'appelai le numéro du portable que Cisco lui avait donné ce matin-là, le sien ayant été saisi par la police. Ma priorité était d'être sûr que le client puisse être contacté à n'importe quel moment.

— Lisa, Mickey à l'appareil. Très vite... quelle taille faites-vous ?

— Quoi ? Mickey, je suis en train de dîner avec...

— Dites-moi juste quelle taille vous faites et je vous laisse. Et ne mentez pas. Qu'est-ce qu'il y a sur votre permis de conduire ?

— Euh... un mètre soixante et un, je crois.

— C'est juste ?

— Oui. Qu'est-ce que...

— Bon, c'est tout ce dont j'avais besoin. Vous pouvez retourner dîner. Bonne nuit.

— Que...

Je raccrochai et notai sa taille sur le bloc-notes que j'avais posé sur la table. Et, juste à côté, j'inscrivis celle de Bondurant. L'excitant là-dedans était qu'il faisait quatorze centimètres de plus que son assassin supposé et que les coups qui lui avaient ouvert la tête et avaient fini par le tuer lui avaient été portés au sommet du crâne. Voilà qui soulevait ce que j'appelais un problème de physique. Le genre même de problème qui peut troubler les membres d'un jury qui doivent décider tout seuls. Le genre de problème avec lequel un bon avocat de la défense peut faire bien des choses. Tout cela était du genre si-ça-colle-pas-il-faut-acquitter, la question posée étant la suivante : comment la minuscule Lisa Trammel aurait-elle pu frapper sur le haut du crâne un Mitchell Bondurant qui faisait un mètre quatre-vingt-cinq ?

Bien sûr, la réponse dépendait et des dimensions de l'instrument contondant et d'autres facteurs, dont la position de la victime. Si Bondurant se trouvait par terre lorsque son agresseur l'avait attaqué, rien de tout cela n'avait plus d'importance. Il n'empêche : pour le moment, c'était quelque chose à quoi se raccrocher. Je m'emparai vite d'un des dossiers posés sur la table et en sortis le rapport de saisie.

— Qui viens-tu d'appeler ? me demanda Hayley.

— Ma cliente. Il fallait que je sache combien elle mesure.

— Pourquoi ?

— Parce que ça pourrait nous dire si elle a pu faire ce dont l'accusent les flics.

Je vérifiai la liste des objets saisis. Comme Cisco l'avait fait remarquer, une seule paire de chaussures y figurait, celles de jardinage et prises dans le garage. Il ne s'agissait ni de chaussures à hauts talons, ni de chaussures à semelles compensées, ni d'aucune autre sorte. Naturellement, les inspecteurs avaient procédé à cette fouille avant de connaître les résultats de l'autopsie. Je pris tout cela en compte et arrivai à la conclusion que ces chaussures de jardinage n'avaient probablement pas de très hauts talons. Même si les inspecteurs suggéraient que la meurtrière les portait lorsqu'elle avait tué Bondurant, ce dernier mesurait toujours au moins vingt centimètres de plus que ma cliente... à condition qu'il ait été debout au moment de l'agression.

Voilà qui était bon. Je soulignai trois fois les tailles dans mon bloc-notes. Puis je commençai à réfléchir au fait que les flics n'avaient saisi qu'une seule paire de chaussures. Le rapport de fouille ne disait certes pas pourquoi ils avaient choisi ces chaussures de jardinage, mais il n'en restait pas moins que leur mandat les autorisait à saisir tout ce qui aurait pu servir à commettre ce crime. Et qu'ils s'étaient concentrés sur ces chaussures de jardinage et que je ne voyais pas très bien pourquoi.

— Maman dit que tu es sur une très grosse affaire.

Je regardai ma fille. Elle me parlait rarement de mon travail. À mon avis, c'était parce qu'elle était encore assez jeune pour voir tout en blanc ou noir sans la moindre zone de gris. À ses yeux, les gens étaient ou bons ou méchants, et c'étaient les méchants que je représentais pour gagner ma vie. Du coup, on n'avait rien à se dire là-dessus.

— Vraiment ? Eh bien, c'est vrai que ça attire pas mal l'attention, répondis-je.

— C'est l'histoire de la fille qui a tué le type qui lui prenait sa maison, c'est ça ? C'est à elle que tu viens de parler ?

— Ce meurtre, elle en est seulement accusée. Elle n'a pas encore été déclarée coupable. Mais oui, c'était bien à elle que je parlais.

— Pourquoi tu veux connaître sa taille ?
— Tu veux vraiment le savoir ?
— Ouais.
— Eh bien, les flics disent qu'elle a tué un type bien plus grand qu'elle en lui tapant le haut du crâne avec quelque chose. C'est pour ça que je me demandais si elle est assez grande pour l'avoir fait.
— Andy aura donc à prouver qu'elle l'est, c'est ça ?
— « Andy » ?
— Oui, la copine de maman. L'avocate de l'accusation dans ton affaire.
— Quoi ? Andrea Freeman ? Une grande Noire avec les cheveux très très courts ?
— Oui.

Ainsi donc on en était déjà à « Andy », pensai-je. Andy qui m'avait dit ne connaître mon ex-femme que « de vue ».

— Alors comme ça, ta mère et elle sont de bonnes copines ? Je l'ignorais.
— Elles font du yoga ensemble et Andy passe de temps en temps la prendre à la maison pour sortir avec elle quand il y a Gina. Andy habite à Sherman Oaks, elle aussi.

Gina était la baby-sitter à laquelle mon ex avait recours quand je n'étais pas disponible ou quand elle ne voulait pas que je sois au courant de ses activités sociales. Ou quand nous sortions ensemble.

— Bon, rends-moi un service, tu veux ? Ne dis à personne de quoi nous parlons ou ce que tu m'as entendu dire au téléphone. C'est plutôt privé et je n'ai aucune envie que ça revienne aux oreilles d'Andy. Je n'aurais sans doute pas dû passer cet appel devant toi.
— D'accord, je ne dirai rien.
— Merci, ma chérie.

J'attendis de voir si elle voulait ajouter quelque chose, mais elle retourna à son manuel de science.

Je repris le rapport d'autopsie et regardai les photos des blessures fatales que Bondurant avait reçues à la tête. Le légiste lui avait rasé les cheveux autour, une règle graduée se trouvant sur les clichés afin qu'on puisse se rendre compte de la taille des blessures. Les impacts avaient laissé des marques rosâtres et circulaires sur la peau. Celle-ci s'était fendue, mais le sang en avait été lavé afin qu'on voie bien les blessures. Deux d'entre elles se chevauchaient, la troisième ne se trouvant que deux centimètres plus loin. La forme circulaire de ces traces m'amena à penser que Bondurant avait été frappé avec un marteau. Je n'ai pas grand-chose d'un bricoleur, mais une caisse à outils ne me faisant pas peur, je savais que nombre d'entre eux ont une table ronde, parfois même ovoïde. J'étais sûr que ce serait confirmé par l'expert en traces d'outils du coroner, mais il est toujours bon d'avoir une longueur d'avance et de pouvoir anticiper. Je remarquai comme une petite entaille en V dans chaque marque, mais sans trop comprendre ce que cela voulait dire.

Je revins encore une fois au rapport de saisie et m'aperçus que les flics n'avaient pas consigné de marteau dans la liste des outils pris dans le garage de Lisa. C'était d'autant plus étrange que bien d'autres outils, et peu communs, y avaient été saisis. Mais là encore, cela venait peut-être de ce que l'autopsie n'ayant pas encore eu lieu, ils ignoraient tout de ces marques. Ils avaient donc pris tous les outils au lieu d'un seul. Il n'empêche : la question restait sans réponse. Où était passé ce marteau ?

Y en avait-il même un ?

C'était, bien sûr, le premier point de l'affaire à double tranchant. Le ministère public maintiendrait que cette absence de marteau, alors que rien d'autre ne manquait à l'établi, prouvait la culpabilité de l'accusée. Lisa ne pouvait que s'en être servie pour frapper et tuer la victime ; après quoi elle s'en était débarrassée pour ne pas être impliquée dans le crime.

Côté défense, l'argument serait que ce marteau manquant l'exonérait. Sans arme du crime, pas moyen d'établir un lien avec elle et donc, pas d'accusation possible.

Sur le papier, on s'en sortirait. Sauf que… rien de certain. Il est assez classique que dans ce genre de situation, les jurés penchent du côté de l'accusation. On pourrait parler de l'avantage de l'équipe qui reçoit. Et dans un procès, c'est toujours l'accusation qui reçoit.

Néanmoins, je notai de demander à Cisco de traquer ce marteau du mieux qu'il pourrait. Qu'il en parle à Lisa Trammel, histoire de voir ce qu'elle savait. Qu'il retrouve son mari, ne serait-ce que pour lui demander s'il y avait jamais eu un marteau dans ce garage et ce qu'il en était advenu. Les autres photos du rapport d'autopsie étaient celles du crâne brisé de la victime une fois le cuir chevelu ramené sur sa nuque. Les dégâts étaient importants, le crâne ayant été percé en trois impacts et s'étant fracturé selon des lignes qui ressemblaient presque à des ondes partant des endroits atteints. Ces blessures étaient qualifiées de fatales et les clichés le montraient parfaitement.

Le rapport d'autopsie faisait aussi état d'autres lacérations et abrasions en plusieurs endroits du corps, et même d'une fracture et de trois dents cassées, le légiste n'y voyant que des blessures que Bondurant se serait faites en tombant face en avant sur le sol lors de son agression. La victime était inconsciente, sinon déjà morte lorsqu'elle s'était écrasée par terre. Et elle ne présentait aucune blessure de défense.

Dans une partie de ce rapport, il y avait encore des photos en couleur de la scène de crime fournies au légiste par les services de police de Los Angeles. Elles n'y figuraient pas toutes, il n'y en avait que six où l'on voyait le corps *in situ*, à savoir orienté dans le sens même où il avait été trouvé sur les lieux du crime. J'aurais préféré avoir tous les tirages de ces clichés, mais je ne pourrais pas les obtenir avant qu'un juge accepte de desserrer l'embargo d'« Andy » sur l'échange des pièces entre les parties.

Ces photos montraient le corps de la victime sous plusieurs angles. Bondurant était allongé entre deux voitures, la portière d'un 4 x 4 Lexus ouverte côté conducteur. Il y avait un gobelet de chez Joe Joe par terre et une tache de café à l'endroit où le liquide s'était répandu sur le sol. Et une mallette ouverte pas très loin.

Étendu face contre terre, Bondurant avait le haut et l'arrière du crâne couverts de sang séché. Il avait aussi les yeux ouverts et semblait contempler le béton.

Sur ces clichés on voyait aussi des plots de repérage d'indices à côté des taches de sang sur le béton. Mais le rapport ne contenait aucune analyse permettant de déterminer si c'était au cours de l'agression que ces taches étaient apparues ou si elles provenaient de l'arme du crime.

La mallette avait quelque chose de curieux. Pourquoi était-elle ouverte ? Y avait-on pris quelque chose ? L'assassin s'était-il donné le temps d'en vérifier le contenu après avoir tué Bondurant ? Si tel était le cas, il y aurait eu calcul, et des plus froids. Le garage commençait à se remplir d'employés qui arrivaient au travail. Prendre le temps d'examiner le contenu d'une mallette juste à côté du corps de la victime me semblait extrêmement risqué et pas du tout le geste d'un assassin affolé par la vengeance. Nous n'avions donc pas affaire à un amateur.

J'ajoutai quelques notes sur ces questions dans mon bloc, plus un petit pense-bête. Il fallait que je demande à Cisco de chercher à savoir si les places de ce parking étaient nominatives : Bondurant avait-il son nom écrit sur le mur de son emplacement ? Que l'accusation ait pris la peine de préciser qu'il y avait eu guet-apens indiquait que pour elle, Trammel savait à quel moment et à quel endroit trouver sa victime. Encore faudrait-il qu'elle le démontre au procès.

Je refermai le dossier Trammel et mon bloc-notes et les entourai avec un élastique.

— Ça avance ? demandai-je à Hayley.

— Ben oui.

— T'as presque fini ?

— Quoi ? Mon assiette ou mes devoirs ?

— Les deux.

— J'ai fini de manger, mais j'ai encore de l'anglais et de la socio. Mais on peut y aller si tu veux.

— J'ai encore quelques dossiers à consulter. Je suis de tribunal demain.

— Pour cette affaire de meurtre ?

— Non, pour d'autres.

— D'autres où t'essaies d'aider les gens à garder leurs maisons ?

— Exactement.

— Comment ça se fait qu'il y ait tant d'affaires comme ça ?

La vérité sort de la bouche des enfants.

— La cupidité, ma fille. À la base, il y a la cupidité de tout le monde.

Je la regardai pour voir si mon explication allait lui suffire, mais non, elle ne se replongea pas dans ses devoirs. Elle me fixa des yeux comme si elle en attendait plus. Une gamine de quatorze ans qui s'intéresse à ce dont la plupart des gens se foutent dans le pays !

— Eh bien… ce qui se passe, c'est que la plupart du temps, il faut beaucoup d'argent pour acheter une maison ou un appartement en copropriété. C'est pour ça que tant de gens préfèrent louer. Les trois quarts des gens qui achètent une maison déposent une grosse somme d'argent, mais n'en ont presque jamais assez pour l'acheter d'un coup et doivent donc en emprunter à la banque. Celle-ci décide alors si le client a ou gagne assez d'argent pour rembourser l'emprunt. Il y a alors ce qu'on appelle une hypothèque. Si tout va bien, le client achète la maison qu'il veut et rembourse en mensualités pendant des années et des années. Tu comprends ?

— Tu veux dire… comme s'il payait un loyer à la banque ?

— En quelque sorte. Sauf que quand tu loues à un propriétaire, la maison ne t'appartient pas. Mais quand il y a hypothèque, il y a propriété du bien. La maison est à toi et on dit partout que le rêve américain, c'est de posséder sa maison.

— Et la tienne est à toi ?

— Oui. Et celle de ta mère lui appartient aussi.

Elle acquiesça d'un signe de tête, mais je n'étais pas très sûr de parler assez simplement pour une gamine de quatorze ans. Elle ne voyait guère de rêve américain dans le fait que ses parents avaient l'un et l'autre à rembourser l'emprunt de leur maison.

— Ce qui fait qu'il y a un petit moment de ça, on a commencé à faciliter les achats de maisons. Et qu'assez vite, tout le monde ou presque a pu aller à la banque voir un spécialiste de l'emprunt et repartir de l'établissement en étant propriétaire de sa maison. Il y a eu beaucoup de fraudes et de corruption et l'on a accordé des prêts à des tas de gens qui n'auraient pas dû les obtenir. Certains emprunteurs avaient menti sur leurs ressources et parfois aussi, c'était le banquier qui trichait. Et là, c'est de millions de dollars qu'on parle, Hayley, et quand ça arrive, il n'y a plus assez de gens ou de règlements pour tout contrôler.

— C'est comme si personne ne demandait à personne de payer ?

— Il y a eu de ça, mais c'était plutôt que des gens empruntaient plus que ce qu'ils pouvaient rembourser. Et sur tous ces emprunts, il y avait des intérêts qui changeaient. Ces taux d'intérêts disaient combien le propriétaire devait rembourser chaque mois et les sommes pouvaient beaucoup augmenter. Parfois aussi, il y avait ce qu'on appelle un emprunt *in fine*, où on ne rembourse tout son prêt qu'au bout de cinq ans. Pour faire court, toute l'économie du pays s'est effondrée, la valeur des maisons s'effondrant avec elle. C'est devenu une crise parce que des millions de gens se sont retrouvés incapables de rembourser le prix des maisons qu'ils avaient achetées et qu'ils n'ont pas pu les revendre non plus parce qu'elles valaient moins que ce qu'ils devaient. Mais les banques et les autres prêteurs, et aussi les investisseurs qui détenaient toutes ces créances, ça, ça ne les intéressait pas. Tout ce qu'ils voulaient, c'était rentrer dans leurs frais. Ce qui fait que quand les gens n'ont pas pu payer, ils ont commencé à leur reprendre leurs maisons.

— Et ce sont ces gens-là qui t'engagent.

— Certains, oui. Mais maintenant, c'est à des millions de saisies qu'on est confrontés. Tous ces prêteurs veulent être remboursés et certains d'entre eux font de très vilains trucs, d'autres engageant des types pour les faire à leur place. Ils mentent et ils trichent, et ils reprennent les maisons aux gens sans que ce soit juste ou légal. Et c'est là que moi, j'entre en scène.

Je la regardai. J'avais dû la perdre en route. Je tirai la deuxième pile de dossiers sur la table, ouvris celui du haut et continuai de parler en lisant.

— Tiens, cette affaire… Voilà une famille qui a acheté une maison il y a six ans, les traites étant de neuf cents dollars par mois. Deux ans plus tard, quand la merde a commen…

— Papa !

— Pardon. Deux ans plus tard donc, quand ça a commencé à mal tourner dans ce pays, le taux d'intérêt de leur emprunt a augmenté, et leurs traites avec. À la même époque, le mari a perdu son boulot de chauffeur de bus. Sa femme est donc allée à la banque pour dire : « Bon, on a un problème. Est-ce qu'on pourrait restructurer notre emprunt de façon à continuer d'acheter la maison ? » Ça s'appelle refinancer un emprunt et c'est facile comme bonjour. Ces gens ont donc fait ce qu'il fallait en passant à la banque, mais celle-ci les a menés par le bout du nez en leur disant : « Pas de problème, on va voir ça avec vous. Continuez de nous payer ce que vous pouvez pendant que nous, on travaille la question. » Ils ont donc payé ce qu'ils pouvaient, mais ça n'était pas assez. Ils ont attendu et attendu, mais ils n'avaient jamais de nouvelles de la banque. Enfin... jusqu'au jour où ils ont reçu un courrier leur notifiant la saisie de la maison. Voilà, c'est ce genre de trucs-là qui ne va pas et moi, j'essaie de m'y opposer. C'est du David contre Goliath. Les grandes institutions financières écrabouillent les gens et eux n'ont pas beaucoup de gars comme moi pour les défendre.

C'est en expliquant tout cela à ma fille que je compris enfin pourquoi ce secteur particulier du droit m'attirait. Oui, certains de mes clients abusaient du système. Oui, c'étaient des charlatans qui ne valaient pas mieux que les banques qu'ils attaquaient. Mais d'autres faisaient partie des opprimés et des défavorisés. C'étaient les vrais perdants de la société et je voulais me battre pour eux et leur permettre de rester chez eux aussi longtemps que possible.

Hayley avait levé son stylo en l'air et mourait d'envie de se remettre à travailler dès que je la lâcherais. C'était sa façon à elle de se montrer polie et elle devait la tenir de sa mère.

— Bon, bref, voilà de quoi il retourne. Tu peux te remettre au boulot. Tu veux boire autre chose ? Tu veux un dessert ?

— Papa ! Les crêpes, c'est comme un dessert !

Elle avait un appareil dentaire avec des bagues et des fils couleur citron vert. Dès qu'elle se mettait à parler, je ne pouvais m'empêcher de regarder ses dents.

— Ah, oui, c'est vrai. Bon alors... Tu as soif ? Encore du lait ?

— Non, ça va, dit-elle.

— OK.

Je retournai moi aussi à mon travail et séparai les trois dossiers de saisies devant moi. Ma pub à la radio me rapportait tellement de travail que je regroupais mes audiences au tribunal. Enfin... j'essayais de réunir audiences et comparutions pour tous mes dossiers devant tel ou tel juge. Et le lendemain matin, j'avais trois audiences devant le juge Alfred Byrne au tribunal du comté en centre-ville. Toutes les trois avaient pour objet des plaintes de clients contre des saisies illégales et autres fraudes perpétrées par leurs créanciers ou les services de recouvrement de dettes auxquels ils faisaient appel.

Dans ces trois affaires, j'avais réussi à repousser la saisie avec mes requêtes devant la cour. Mes clients habitaient toujours chez eux et n'étaient pas obligés de payer leurs mensualités. La partie adverse y voyait une arnaque aussi importante que l'épidémie de saisies. Elle me méprisait et m'accusait de frauder moi aussi et de ne faire que repousser une échéance inévitable.

Cela ne me gênait pas. Quand on assure la défense au pénal, on est habitué au mépris.

— C'est trop tard pour les crêpes ?

Je levai la tête et vis mon ex se glisser à côté de ma fille. Elle lui planta un bisou sur la joue sans lui laisser le temps de se reculer. Ah l'adolescence ! Je regrettai que Maggie ne se soit pas glissée de mon côté du box pour me faire une bise. Mais bon, je pouvais attendre.

Je lui souris et commençai à ôter tous les dossiers de la table pour faire de la place.

— Il n'est jamais trop tard pour les crêpes, lui renvoyai-je.

## 8

Lisa Trammel fut officiellement inculpée à Van Nuys le mardi suivant. Il ne s'agissait que d'une audience de routine ; destinée à enregistrer les accusations au greffe, elle enclenchait aussi le compte à rebours pour que chacun puisse satisfaire aux exigences d'une cour qui réclamait un procès rapide. Mais ma cliente étant en liberté sous caution, il y avait de fortes chances pour que nous n'exigions pas de passer au plus vite devant un tribunal. Il n'y avait aucune raison de se presser tant qu'elle pourrait respirer à l'air libre. L'affaire monterait lentement en puissance comme un orage d'été et ne commencerait vraiment que lorsque la défense serait totalement prête.

La lecture de l'acte d'accusation servit aussi à faire porter aux minutes le fait que Lisa Trammel plaiderait non coupable, les journalistes qui étaient venus filmant la scène. Il y eut certes moins de spectateurs que lors de sa première comparution (les médias nationaux ont tendance à se désintéresser de la routine terre à terre du processus judiciaire), mais les médias locaux, eux, se montrant en force, cette audience d'un quart d'heure fut bien couverte.

L'affaire avait été confiée au juge de la Cour supérieure Dario Morales pour l'aspect inculpation officielle et audience préliminaire, cette dernière se résumant à mettre des coups de tampon sur l'acte d'accusation. Il était clair qu'il y aurait inculpation, l'affaire étant ensuite assignée à un autre juge pour le plat de résistance, à savoir le procès lui-même.

Même si je lui avais parlé presque tous les jours au téléphone depuis son arrestation, cela faisait plus d'une semaine que je n'avais pas vu Lisa. Elle avait décliné toutes mes invitations à la voir en personne et maintenant, je savais pourquoi. C'était une tout autre femme qui se présenta au tribunal. Elle arborait une chevelure aux vagues très stylées, son visage ayant l'air tout à la fois excessivement rose et lisse. On chuchota qu'elle s'était fait faire un traitement facial spécial Botox pour paraître plus séduisante.

Je décidai que ces changements physiques, mais aussi l'élégant tailleur neuf qu'elle portait, étaient l'œuvre de M. Herb Dahl. Ils semblaient inséparables, la façon dont Herb Dahl s'impliquait dans cette affaire devenant de plus en plus préoccupante. Sur ses recommandations, producteurs et scénaristes n'arrêtaient plus de m'appeler au bureau. Cela obligeait Lorna à repousser toutes leurs tentatives de s'accaparer un morceau de l'histoire de Lisa Trammel. En allant vite vérifier sur la base de données *Internet Movie Database*, on s'apercevait assez généralement qu'il s'agissait de nullards et autres petits bras du plus bas étage d'Hollywood. Et ce n'était pas que nous aurions craché sur une bonne piqûre de cash d'Hollywood pour régler des frais qui ne cessaient de monter, mais tous ces types étaient du genre on-conclut-maintenant-et-on-paie-plus-tard et ça, ça n'allait pas. En attendant, mon propre agent prospectait et cherchait à conclure un accord avec avance irrécupérable qui couvrirait quelques-uns de nos salaires et le loyer d'un bureau, et nous permettrait aussi de rembourser Dahl et de le forcer à dégager.

Dans presque toutes les audiences, les faits et renseignements les plus importants ne sont pas ce qui finit aux minutes. Il n'en alla pas autrement pour cette mise en accusation de Lisa Trammel. Après que son désir de plaider non coupable fut porté au dossier et que Morales eut décidé que la première conférence de mise en état se tiendrait quinze jours plus tard, j'annonçai au juge que la défense avait un certain nombre de requêtes à soumettre à l'appréciation de la cour. Il les accueillit avec plaisir et je m'avançai pour en tendre cinq à son assistant. Sans oublier d'en donner aussi des copies à Andrea Freeman.

Les trois premières avaient été préparées par Aronson après qu'elle avait examiné de près les demandes de mandats du LAPD, la vidéo où l'on voyait Kurlen interroger Lisa et les problèmes d'applicabilité des droits Miranda au moment où Lisa avait été effectivement mise en état d'arrestation. Elle avait relevé des inconsistances et des erreurs de procédure, mais aussi des exagérations dans la présentation des faits. Elle avait alors rédigé des requêtes en annulation et demandé non seulement que la vidéo de l'interrogatoire ne soit pas montrée à la cour, mais encore que tous les éléments de preuves provenant de la fouille de la maison de Lisa soient exclus des débats.

Ces requêtes étaient bien réfléchies et rédigées de manière convaincante. J'étais fier d'elle et satisfait d'avoir vu en elle un diamant à l'état brut lorsque son CV était arrivé sur mon bureau. Cela dit, la vérité était bien que ses requêtes n'avaient guère de chances d'aboutir. Aucun juge élu n'a envie d'exclure des éléments de preuves d'un procès. Pas s'il tient à ce que les électeurs le maintiennent dans ses fonctions. Voilà pourquoi le juriste en lui cherche toujours le moyen d'en rester au *statu quo* et de laisser aux jurés la tâche d'en décider par eux-mêmes.

Cela dit, les requêtes d'Aronson jouèrent un grand rôle dans la stratégie de la défense. Parce qu'avec elles, il y en avait deux autres. Le but de la première était d'accélérer le processus d'échange des pièces entre les parties en exigeant que la défense ait immédiatement accès à toutes les notes et mémos internes ayant trait à Lisa Trammel et Mitchell Bondurant détenus par la Westland Financial. La deuxième visait à exiger de l'accusation qu'elle autorise la défense à examiner l'ordinateur portable, le téléphone cellulaire et autres objets personnels de Lisa Trammel saisis lors de la fouille de sa maison.

Morales souhaitant probablement se montrer équitable envers l'accusation et la défense, ma stratégie était de le pousser à prendre une décision à la Salomon. À couper le bébé en deux. On rejette les requêtes en annulation, mais on accorde l'accès aux objets demandés dans les deux autres.

Évidemment, ni Morales ni Freeman n'étaient tombés de la dernière pluie et flaireraient la manœuvre à un kilomètre. Peu importe : comprendre ce que je fabriquais ne signifiait pas qu'ils pourraient s'y opposer. Sans parler du fait que j'avais en poche une sixième requête que je n'avais toujours pas déposée devant la cour et qui, celle-là, serait mon atout maître.

Morales donna dix jours à Freeman pour réagir à mes requêtes, ajourna l'audience et se dépêcha d'appeler l'affaire suivante. Le bon juge cherche toujours à accélérer le mouvement. Je me tournai vers Lisa et lui demandai de patienter dans le couloir le temps que j'aille parler à l'accusation. Je remarquai alors que Dahl attendait ma cliente à la porte. Il serait plus qu'heureux de l'accompagner dehors. Je décidai de m'occuper de lui plus tard et gagnai la table de l'accusation. Freeman s'y tenait tête baissée et prenait des notes.

— Andy ? lui lançai-je.

Elle me regarda. Et commença à sourire en s'attendant à voir un ami assez proche pour l'appeler ainsi. Quand elle s'aperçut que c'était moi, son sourire disparut dans l'instant. Je posai ma sixième requête sur son bureau, devant elle.

— Regardez donc ça quand vous aurez une minute. Je vais déposer cette requête demain matin. Je ne voulais surtout pas inonder la cour sous des tonnes de paperasse aujourd'hui, vous comprenez ? Demain matin, ça devrait aller, mais je me disais que ce serait bien de vous avertir vu que ça vous concerne.

— Moi ? De quoi parlez-vous ?

Je gardai le silence. Et la laissai là, franchis le portillon et sortis de la salle. J'étais à peine de l'autre côté de la double porte lorsque je vis ma cliente et Herb Dahl pérorer devant un gros demi-cercle de reporters et de caméras. Je passai vite derrière Lisa, la pris par le bras et l'entraînai au loin alors qu'elle n'avait pas fini sa phrase.

— *Th-th-th-that's all, folks !* lançai-je avec mon meilleur accent Porky Pig.

Lisa se débattit, mais je réussis à l'éloigner de la meute et commençai à l'entraîner dans le couloir.

— Mais qu'est-ce que vous faites ? protesta-t-elle. Vous m'embarrassez.

— Moi, je vous embarrasse ? C'est vous qui vous mettez dans l'embarras avec ce type. Je vous ai dit de le larguer. Non mais, regardez-vous un peu ! Toute maquillée comme si vous étiez une star de cinéma ! C'est d'un procès qu'il s'agit, Lisa, pas de l'émission *Entertainment Tonight* !

— Je leur racontais mon histoire.

Je m'arrêtai lorsque nous fûmes assez loin de la foule pour qu'on ne nous entende pas.

— Lisa, repris-je, vous ne pouvez pas parler aux médias comme ça ! Ça risque de vous retomber sur le nez.

— Qu'est-ce que vous racontez ? C'était l'occasion ou jamais de donner ma version des faits ! On est en train de me piéger et le moment est venu de parler. Je vous l'ai déjà dit : ce sont les coupables qui ne parlent pas.

— Le problème, c'est que le district attorney a une équipe médias qui enregistre tout ce qu'on écrit et raconte sur les ondes à votre sujet. Tout ce que vous dites, ils l'ont. Changez quoi que ce soit dans vos déclarations et ils vous tiennent. Et n'hésiteront pas à s'en servir pour vous crucifier devant les jurés. Ce que j'essaie de vous dire, c'est que ça ne vaut pas la peine de courir ce risque. Et que vous feriez mieux de me laisser parler en votre nom. Mais si vous ne pouvez pas et voulez vraiment faire connaître vous-même votre histoire, alors il faudra que nous vous préparions et vous fassions répéter afin de bombarder les médias de manière stratégique.

— Mais c'est justement là qu'Herb entre en scène. Il s'assurait que je ne...

— Que je vous explique tout ça encore une fois, Lisa. Herb Dahl n'est pas votre avocat et votre intérêt n'est pas ce qui le préoccupe en priorité. Ce qui le préoccupe d'abord, c'est le sien. D'accord ? On dirait que je n'arrive pas à vous faire passer ce message. Il faut que vous le larguiez. Il...

— Non ! Je ne peux pas ! Et je ne le ferai pas ! C'est le seul individu qui se soucie vraiment de moi.

— Alors là, Lisa, vous me fendez vraiment le cœur. Si c'est le seul être qui se soucie vraiment de vous, qu'est-ce qu'il fiche à continuer de parler à ces gens ? lui demandai-je en lui montrant les journalistes et les photographes.

Parce que, bien sûr, il continuait de leur donner tout ce dont ils avaient besoin.

— Qu'est-il en train de leur dire, Lisa ? Vous le savez ? Parce que moi, je vous garantis que je ne le sais pas et ça, c'est plutôt marrant parce que l'accusée, c'est vous, et que c'est moi qui suis votre défenseur. Alors, c'est qui, lui ?

— Il peut parler pour moi, dit-elle.

Nous regardions Herb Dahl désigner tel ou tel journaliste du bout du doigt lorsque je vis s'ouvrir la porte de salle d'audience que nous venions de quitter, puis Andrea Freeman en sortir et parcourir le couloir des yeux, ma sixième requête à la main. Au début, elle se concentra sur le cercle de journalistes, mais elle vit rapidement que ce n'était pas moi qui me trouvais en son centre. Dès qu'elle me repéra sur son radar, elle corrigea le cap et fondit droit sur moi. Quelques-uns des journalistes l'appelèrent, mais elle leur fit sèchement signe de disparaître en agitant mon document en l'air.

— Lisa, dis-je, allez donc m'attendre sur un banc là-bas. Et ne parlez à personne !

— Et...

— Faites ce que je vous dis.

Elle s'en allait déjà lorsque Freeman me rejoignit. La dame était en colère et je le vis bien dans le feu de ses yeux.

— Haller, c'est quoi, cette merde ? me lança-t-elle en me montrant la requête.

Je gardai mon calme alors même qu'elle envahissait déjà mon espace.

— Eh bien, répondis-je, il me semble que c'est assez évident, non ? Par cette requête, je demande à ce que vous soyez dessaisie de l'affaire pour conflit d'intérêts.

— Parce que j'aurais un conflit d'intérêts ? Moi ?

— Écoutez, Andy… je peux vous appeler Andy, n'est-ce pas ? Ma fille le fait, je devrais pouvoir moi aussi, vous ne pensez pas ?

— On arrête les conneries tout de suite, Haller.

— Mais bien sûr. Ça, je peux faire. Mais le conflit d'intérêts auquel je me réfère est que vous avez déjà parlé de cette affaire avec mon ex-épouse et que…

— Votre ex-épouse qui, tiens donc, travaille elle aussi comme procureur dans le même bureau que moi.

— Voilà qui est vrai, mais ces discussions n'ont pas seulement eu lieu dans ce bureau. En fait, elles se sont tenues à un atelier de yoga et ce, devant ma fille. Et donc, pour ce que j'en sais, devant toute la Valley.

— Oh, allons ! En voilà des conneries !

— Vraiment ? Alors pourquoi m'avez-vous menti ?

— Je ne vous ai jamais menti. Qu'est-ce que vous me…

— Je vous ai demandé si vous connaissiez mon ex et vous m'avez répondu « de vue ». Et ça, ce n'est pas tout à fait la vérité, n'est-ce pas ?

— Je n'avais aucune envie d'entrer dans ces considérations avec vous, rien de plus.

— Et donc, vous avez menti. Je n'en parle pas dans ma requête, mais je pourrais très bien l'ajouter avant de la déposer. Et laisser le juge décider si ça lui semble important ou pas.

Elle souffla fort en signe de reddition exaspérée.

— Bon alors, qu'est-ce que vous voulez ?

Je regardai autour de moi. Personne ne pouvait nous entendre.

— Ce que je veux ? Je veux vous montrer que je peux jouer le coup comme vous. Vous voulez jouer les dures avec moi ? Je peux vous renvoyer la pareille.

— Ce qui signifie quoi, Haller ? C'est quoi, l'échange de bons procédés ?

Je hochai la tête. Enfin nous arrivions au marché à conclure.

— Vous savez que si je dépose cette requête demain, c'est fini pour vous. Le juge penchera du côté de la défense. Il évitera tout ce qui pourrait lui valoir la cassation. N'oublions pas qu'il sait fort bien qu'il y a plus de trois cents procureurs en pleine possession de leurs moyens au Bureau du district attorney. Trouver quelqu'un pour vous remplacer ne posera aucun problème.

Et je lui montrai du doigt les journalistes rassemblés dans le hall, la plupart d'entre eux toujours autour d'Herb Dahl.

— Vous voyez tous ces reporters et toute l'attention qu'ils portent à cette affaire ? Tout ça disparaîtra d'un coup. La plus grosse affaire de votre vie, c'est probable, et *pouf*, la voilà qui part en fumée ? Fini les conférences de presse, les gros titres dans les journaux, les projecteurs ? Tout ça, c'est pour celui ou celle qu'on leur envoie à votre place ?

— Et d'un, je vais me battre, et il n'est pas dit que le juge Morales se fasse avoir par vos conneries. Sachez que je lui dirai exactement ce que vous manigancez. Que vous essayez de vous trouver un autre procureur que moi au Bureau du district attorney. Que vous essayez de vous débarrasser du procureur qui vous fout la trouille.

— Vous pourrez lui dire tout ce que vous voulez, il n'en reste pas moins qu'il faudra aussi lui dire... et en pleine audience... comment il se fait que ma fille de quatorze ans m'a rapporté des faits ayant trait à notre affaire lors d'un dîner pas plus tard que la semaine dernière.

— Conneries, conneries ! Vous devriez avoir honte de vous servir de votre fille pour...

— Quoi ? Vous seriez en train de me dire que ma fille est une menteuse ? Ou alors que c'est moi qui mens ? Non, parce qu'on pourrait très bien la faire comparaître, elle aussi. Et je ne suis pas certain que vos patrons aimeraient beaucoup le gros scandale que ça ferait... le scandale ou les gros titres. Vous voyez ça d'ici. Le district attorney cuisine une fillette de quatorze ans et la traite de menteuse. Un peu sordide, vous ne pensez pas ?

Elle me tourna le dos, fit un pas pour s'éloigner, mais s'arrêta. Je compris que je la tenais. Elle aurait dû laisser tomber, mais elle ne pouvait pas. Ce procès et tout ce qu'il était susceptible de lui rapporter, elle le voulait. Elle se retourna vers moi. Et me regarda comme si je n'étais pas là, voire complètement mort.

— Je répète donc : qu'est-ce que vous voulez ?

— Je préférerais ne pas déposer cette requête demain. Je préférerais retirer toutes ces motions que j'ai dû écrire pour qu'on me rende les objets appartenant à ma cliente et avoir accès aux documents de la Westland. En fait, tout ce que je veux, c'est qu'on coopère. Qu'on échange aimablement nos éléments de preuves. Et que tout ça commence à rouler dès maintenant, pas dans cent sept ans. Je n'ai aucune envie d'être obligé d'aller voir le juge chaque fois que je voudrai quelque chose à quoi j'ai droit.

— Je pourrais me plaindre de vous au barreau.

— Parfait, faisons donc échange de plaintes ! Le barreau enquêtera sur vous et sur moi et trouvera que vous êtes la seule à vous être conduite de manière impropre en parlant de l'affaire avec la fille et l'ex-épouse de l'avocat de la défense.

— Je n'en ai pas parlé avec votre fille. Elle était là, c'est tout.

— Je suis certain que le barreau appréciera ce distinguo.

Et je la laissai se tortiller un instant. La balle était dans son camp, mais elle avait besoin d'une dernière petite poussée.

— Oh, à propos... si jamais je déposais cette requête demain, je ne manquerais certainement pas d'en toucher deux mots au *Times*. Qui est donc leur chroniqueur judiciaire ? Salters ? Je pense qu'elle trouverait cette petite histoire fort intéressante. Et en ferait un joli petit encart en exclusivité.

Elle hocha la tête comme si, tout d'un coup, cette situation fâcheuse lui apparaissait très clairement.

— Retirez vos requêtes, me dit-elle. Vous aurez tout ce que vous voulez vendredi en fin de journée.

— Non, demain.

— C'est trop court. Il faut que j'organise tout et que j'en fasse des copies, et ils ont toujours du retard à la reprographie.

— Bon, alors jeudi midi ou je dépose ma requête.

— OK, espèce de fumier.

— Bien. Une fois que j'aurai tout examiné, nous pourrons peut-être commencer à parler plaider-coupable. Merci, Andy.

— Allez vous faire foutre, Haller ! Il n'y aura pas de plaider-coupable. On la tient et c'est vous, pas elle, que je regarderai quand le verdict tombera.

Elle pivota sur les talons, commença à s'éloigner à nouveau, puis se retourna encore une fois vers moi.

— Et cessez de m'appeler Andy. Je vous l'interdis.

Sur quoi elle partit enfin à longues enjambées pleines de colère et gagna l'alcôve des ascenseurs en ignorant totalement un reporter qui s'était approché d'elle au galop et tentait de lui arracher une déclaration.

Qu'il n'y aurait pas de plaider-coupable, je le savais. Ma cliente n'en voulait pas. Mais j'en avais évoqué la possibilité à Freeman pour qu'elle puisse me la renvoyer à la figure : je voulais qu'elle parte en colère, mais pas trop. Je voulais qu'elle s'imagine avoir sauvé quelque chose du désastre. Ça la rendrait plus facile à manipuler.

Je regardai autour de moi et vis que Lisa m'attendait sagement sur un des bancs que je lui avais montrés plus tôt. Je lui fis signe de se lever.

— Allez, Lisa, lui dis-je, on file.

— Et Herb ? Je suis venue en voiture avec lui.

— La vôtre ou la sienne ?

— La sienne.

— Il n'aura donc pas de problème pour rentrer. Et vous, c'est mon chauffeur qui vous ramènera.

Nous entrâmes dans l'alcôve des ascenseurs. Dieu merci, Andrea Freeman en avait déjà pris un pour descendre au Bureau du district attorney au deuxième étage. J'appuyai sur le bouton, mais l'ascenseur n'arriva pas assez vite. Nous fûmes rejoints par Dahl.

— Quoi ? Vous partiez sans moi ?

Je ne répondis pas à sa question et me dispensai vite de tout semblant de civilité.

— Vous savez que vous me foutez la merde en parlant aux médias comme vous le faites ? Vous croyez œuvrer pour la bonne cause, mais ce n'est pas le cas… à moins que la bonne cause, ce soit Herbert Dahl.

— Holà, c'est quoi, ce langage ? Nous sommes dans un tribunal.

— Je me fous complètement de l'endroit où nous sommes. Arrêtez de parler au nom de ma cliente. Est-ce que vous comprenez ? Si jamais vous recommencez, je convoque une conférence de presse et croyez-moi, vous n'aimerez pas trop ce que j'y dirai de vous.

— Bien. C'était ma dernière conférence de presse à moi. Mais maintenant, j'ai une question. Qu'est-ce qui se passe avec tous les gens que je vous envoie ? Certains d'entre eux m'ont rappelé pour me dire que votre équipe les avait traités assez grossièrement.

— Eh oui ! Continuez de nous en envoyer et nous, nous continuerons de les traiter comme ça.

— Ce business, je le connais, et ces gens sont des gens bien.

— Ouais. Côté *L'Éveil du morpion.*

Il eut l'air perplexe. Il regarda Lisa, puis se tourna vers moi.

— Ça veut dire quoi ?

— Ça veut dire *L'Éveil du morpion.* Oh allons ! Vous n'allez pas me dire que vous n'avez jamais entendu parler de *L'Éveil du morpion* !

— Vous voulez dire *L'Éveil d'un champion*[1] ? Le film sur la nana qui adopte le joueur de football ?

— Non, non, *L'Éveil du morpion.* Le film qu'a pondu un des producteurs que vous nous avez envoyés. Celui sur la nana qui commence par adopter un joueur de football et finit par baiser avec lui trois ou quatre fois par jour. Celui où quand ça commence à devenir lassant, elle invite toute l'équipe de foot à passer. Je ne pense pas que ce navet ait gagné autant d'argent que *L'Éveil d'un champion.*

Lisa pâlit. J'eus le sentiment que ce que j'étais en train de dire sur les liens d'Herbert Dahl avec Hollywood ne correspondait pas vraiment avec ce qu'il lui glissait à l'oreille depuis des semaines.

— Oui, repris-je, voilà ce qu'il fait pour vous, Lisa. Voilà le genre d'individus avec lesquels il veut vous coller.

1. *The Blind Side*, film de John Lee Hancock avec Sandra Bullock et Quinton Aaron.

— Écoutez, dit Dahl, avez-vous la moindre idée du mal qu'il y a à mettre sur pied quoi que ce soit dans cette ville ? À lancer un projet ? Il y a ceux qui en sont capables et ceux qui n'y arrivent pas. Je me fiche de savoir ce qu'a fait ce mec avant, du moment qu'il peut faire démarrer quelque chose maintenant. Vous comprenez ? Ces gens sont valables et j'ai une tripotée de fric en jeu dans cette affaire.

Un ascenseur arriva enfin. Je poussai Lisa vers la porte, puis je posai la main sur la poitrine de Dahl et l'écartai lentement.

— Laissez tomber, Dahl. Vous retrouverez votre argent, et un peu plus. Mais vous laissez tomber.

J'entrai dans l'ascenseur et me retournai pour être sûr qu'il ne saute pas dedans au dernier moment. Il n'essaya pas, mais ne bougea pas non plus. Je soutins son regard haineux jusqu'à ce que les portes se referment sur nous.

## 9

Nous emménageâmes dans nos nouveaux bureaux le samedi matin suivant. Il s'agissait d'un appartement de trois pièces, au croisement des boulevards Van Nuys et Victory, l'immeuble portant même le nom de Victory Building, ce que j'aimais beaucoup. Meublés eux aussi, ces locaux se trouvaient à deux rues du tribunal où Lisa Trammel allait être jugée.

Tout le monde était sur le pont pour aider au déménagement. Y compris Rojas en tee-shirt et pantalon baggy qui laissaient voir les tatouages qui lui couvraient entièrement les bras et les jambes. Je ne sais pas ce qui me choqua le plus : découvrir ces tatouages ou voir Rojas dans autre chose que le costume qu'il portait toujours lorsqu'il me conduisait à droite et à gauche.

L'idée était que j'aurais droit à un bureau à moi tandis que Cisco et Aronson se partageraient l'autre, qui était plus grand, Lorna tenant la barre à la réception qui se trouvait entre les deux. Passer de la banquette arrière d'une Lincoln à une pièce avec trois mètres de hauteur sous plafond, grand bureau et canapé où faire la sieste était un gros changement. La première chose que je fis pour m'installer fut de me servir de cet espace ouvert et du parquet ciré pour y étaler les quelque huit cents pages et plus de documents que je venais de recevoir d'Andy Freeman au titre de l'échange des pièces entre les parties.

La plupart provenait de la Westland et n'était que remplissage. Telle était la réponse de type passif-agressif qu'elle avait trouvée pour répondre à la manœuvre de la défense. Je tombai sur des dizaines de pages sur les pratiques et procédures de la banque et autres formulaires dont je n'avais pas besoin. Toutes formèrent un gros tas. Il y avait aussi des photocopies de tout ce qui avait été envoyé à Lisa Trammel et que j'avais déjà en ma possession et connaissais parfaitement. Ces documents-là formèrent une deuxième pile. Il y avait enfin des photocopies des mémos internes et des courriers échangés entre la victime, Mitchell Bondurant, et la société dont se servait la banque pour procéder effectivement aux saisies. Cette société avait pour nom ALOFT et je ne la connaissais que trop dans la mesure où c'était à elle que j'avais affaire dans au moins un tiers de mes dossiers de saisies. ALOFT était une véritable usine, où l'on s'occupait de classer et de retrouver toutes les pièces nécessaires dans un processus de saisie, toujours long. C'était une sorte d'intermédiaire permettant aux banquiers et autres créanciers de garder les mains propres dans le sale boulot qui consiste à reprendre sa maison à quelqu'un. Les sociétés du genre ALOFT accomplissent ce travail sans que les banques aient même seulement à envoyer une lettre au client menacé de saisie.

C'était cette pile de lettres qui m'intéressait le plus, et ce fut là que je trouvai le document qui allait changer le cours de l'affaire.

Je passai derrière mon bureau, m'assis et considérai mon téléphone. Il comportait bien plus de touches que j'en aurais jamais besoin. Je finis par trouver celle de l'Interphone vers l'autre bureau et l'enfonçai.

— Allô ?

Rien. Je l'enfonçai à nouveau.

— Cisco ? Bullocks ? Y a quelqu'un ?

Rien. Je me levai et, bien décidé à communiquer à l'ancienne avec mon équipe, me dirigeais déjà vers la porte lorsqu'une réponse me parvint dans le haut-parleur.

— Mickey, c'est toi ?

Cisco. Je me dépêchai de regagner mon bureau et appuyai sur le bouton.

— Oui, c'est moi. Tu peux venir ? Amène Bullocks.

— Bien reçu, terminé.

Quelques minutes plus tard, mon enquêteur et mon assistante entraient dans la pièce.

— Patron ? me lança Cisco en regardant les documents empilés par terre. Toute l'idée du bureau est de ranger les trucs dans les tiroirs, les classeurs et sur les étagères.

— Je m'occuperai de ça plus tard, lui renvoyai-je. Allez, on ferme la porte et on s'assoit.

Dès que nous fûmes installés, je les regardai de l'autre côté de mon vaste bureau de location et me mis à rire.

— C'est bizarre, dis-je.

— Je pourrais m'y habituer, dit Cisco. Enfin je veux dire... à avoir un bureau. Pour Bullocks, c'est nouveau, tout ça !

— Pas du tout ! protesta Aronson. L'été dernier, j'ai fait un stage au cabinet Shandler, Massey and Ortiz, et j'avais un bureau à moi.

— Eh bien, peut-être que la prochaine fois, ce bureau, vous l'aurez chez nous, dis-je. Bon alors, au boulot. Cisco, as-tu passé l'ordinateur portable à ton type ?

— Oui, je le lui ai laissé hier matin. Et je lui ai dit que c'était pressé.

C'était de l'ordinateur portable de Lisa que nous parlions, celui que le Bureau du district attorney nous avait renvoyé avec son téléphone portable et les quatre cartons de documents.

— Et il va pouvoir nous dire ce qui intéressait le district attorney ?

— Mon type m'a dit qu'il pourrait nous fournir la liste des dossiers qu'ils ont ouverts et pendant combien de temps. À partir de là, nous devrions être capables de nous faire une idée de ce qui a retenu leur attention. Cela dit, ne pas trop espérer quand même.

— Pourquoi ?

— Parce que Freeman a cédé bien trop facilement sur ce truc. Je ne crois pas qu'elle nous aurait rendu l'ordinateur s'il avait été aussi important pour elle.

— Peut-être, dis-je.

Ni lui ni Aronson n'étaient au courant de mon petit arrangement avec elle et de ce dont je m'étais servi pour y arriver. Je concentrai mon attention sur Aronson. Après qu'elle avait préparé les requêtes en annulation d'éléments de preuves plus tôt dans la semaine, je lui avais confié la tâche de fouiller dans le passé de la victime. L'idée m'en était venue après qu'au cours de ses recherches, Cisco avait recueilli certains renseignements laissant entendre que tout n'allait pas pour le mieux dans l'univers privé de M. Bondurant.

— Bullocks ? Vous avez des trucs sur notre victime ?

— C'est qu'il y a encore des tas de choses que je dois vérifier, mais il ne fait aucun doute qu'il allait à la catastrophe. Financière, j'entends.

— Comment ça ?

— Quand tout allait bien et que les financements ne posaient pas de problèmes, il faisait certainement partie des grands de l'immobilier. Entre 2002 et 2007, il a acheté et revendu vingt et une propriétés, dont les trois quarts dans des quartiers résidentiels. Il s'est fait beaucoup d'argent et l'a investi dans des affaires encore plus importantes. Mais quand l'économie s'est plantée, il s'est retrouvé à tenir un sac vide.

— Nettoyé ?

— Exactement. Au moment de sa mort, il possédait cinq grandes propriétés qui tout d'un coup ne valaient plus ce qu'elles avaient coûté. Il a *a priori* tout tenté pour les revendre pendant plus d'un an. Mais il n'a pas trouvé preneur. Et trois d'entre elles étaient en emprunt *in fine* avec remboursement intégral cette année. Soit un total de plus de deux millions de dollars de dettes.

Je me levai, fis le tour du bureau et commençai à faire les cent pas. Ce que me rapportait Aronson était très excitant. Je ne savais pas trop comment ça cadrait avec le reste, mais j'étais sûr d'arriver à l'inclure dans le tableau. Il fallait juste que nous réfléchissions à tous les détails.

— Bien, et donc Bondurant, le vice-président du secteur prêts à l'immobilier de la Westland, était lui aussi en train de devenir la victime de ce qui affectait bon nombre de gens dont il voulait saisir les biens. Quand l'argent coulait à flots, il signait des emprunts *in fine* à cinq ans, persuadé comme tout le monde qu'il revendrait son bien ou refinancerait son emprunt bien avant la fin des cinq ans.

— Sauf que l'économie finit aux chiottes, dit Aronson. Et qu'il ne peut pas vendre ses propriétés ou refinancer ses emprunts parce qu'elles ne valent plus ce qu'elles ont coûté. Et qu'aucune banque ne veut de ses sous, non, même pas les siens.

— Voilà du bon travail, Bullocks ! Mais... qu'est-ce qu'il y a ? lui demandai-je en voyant son air lugubre.

— Eh bien... je me demande seulement quel rapport ça peut avoir avec le meurtre.

— Peut-être aucun. Mais peut-être aussi un rapport capital.

Je regagnai le bureau et me rassis. Puis je lui tendis le document de trois pages que j'avais trouvé dans les tonnes de trucs que l'accusation nous avait fournies. Elle le prit et le tint de façon à ce que Cisco puisse le voir lui aussi.

— Qu'est-ce que c'est ? voulut-elle savoir.

— Notre preuve tangible.

— J'ai oublié mes lunettes dans l'autre bureau, dit Cisco. Lisez-moi ça, Bullocks.

— C'est la copie d'une lettre recommandée de Bondurant à Louis Opparizio, envoyée à la A. Louis Opparizio Financial Technologies, ou ALOFT en abrégé. On y lit ceci :

> *Cher Louis,*
> *Tu trouveras ci-joint le courrier d'un avocat du nom de Mickey Haller, qui représente les intérêts de la propriétaire d'une maison en passe d'être saisie dans une affaire dont tu t'occupes pour la Westland.*

— Suivent les nom et numéro d'emprunt de Lisa. Puis ceci :

*Dans son courrier, maître Haller avance que le dossier de sa cliente regorge d'actes frauduleux perpétrés dans cette affaire. Tu remarqueras qu'il en donne des exemples précis, tous étant le fait d'ALOFT. Comme tu le sais et comme nous en avons déjà parlé, il y a déjà eu d'autres plaintes. Ces nouvelles allégations contre ALOFT, si elles étaient avérées, mettraient la Westland dans une position de vulnérabilité, surtout vu l'intérêt que le gouvernement porte depuis quelque temps à cet aspect de l'industrie du prêt. À moins que nous n'arrivions à un accord sur ce sujet, je vais devoir recommander au conseil d'administration de la Westland de rompre pour motif suffisant le contrat qu'elle a conclu avec votre société et mettre fin à toutes les affaires en cours. Cette procédure impliquerait également que la banque dépose un RAS auprès des autorités compétentes. Je te prie donc de me contacter le plus tôt qu'il te sera possible pour en discuter plus avant.*

— Voilà, c'est tout. Une copie de l'original et de l'accusé de réception y est jointe. La lettre est signée par une certaine Nathalie dont je n'arrive pas à lire le nom de famille… il commence par un « L ».

Je m'installai au fond de mon fauteuil en cuir de grand patron et souris en faisant passer un trombone entre mes doigts comme un magicien. Avide d'impressionner son monde, Aronson fut la première à se lancer.

— Ainsi donc, Bondurant était en train de couvrir ses arrières. Il ne pouvait pas ne pas savoir ce que fabriquait ALOFT. Toutes les banques font constamment de l'œil à ces usines à saisies. Elles se fichent de savoir comment elles font, elles veulent juste que le boulot soit fait. Mais en envoyant cette lettre, il se distanciait d'ALOFT et de ses pratiques sournoises.

Je haussai les épaules comme pour dire : « Peut-être. »

— « Arrangement et compréhension mutuelle », dis-je.

Ils me regardèrent tous les deux sans avoir l'air de comprendre.

— C'est ce qu'il dit dans la lettre. « À moins que nous n'arrivions à un arrangement et à une compréhension… »

— Bon d'accord, mais qu'est-ce que ça veut dire ? demanda Aronson.

— Lisez entre les lignes. Pour moi, il ne se distanciait en rien. Je pense qu'il s'agit d'une lettre de menaces. À mes yeux, cela signifie qu'il voulait être dans le coup. Il voulait bosser avec ALOFT et couvrir en même temps ses arrières en envoyant cette lettre, mais je crois qu'il y avait un autre message. Il exigeait une part des profits, sinon il allait tout prendre à Opparizio. Il menaçait même de lui coller une PPAD aux fesses.

— Qu'est-ce que c'est, exactement ? demanda Aronson.

— Une plainte pour activités douteuses, répondit Cisco. Mesure de routine. Les banques en déposent pour tout et rien.

— Auprès de qui ?

— Du Federal Trade[1], du FBI, du Secret Service[2], de qui ils veulent, en fait.

Je me rendis compte que je ne les avais pas encore convaincus de quoi que ce soit.

— Vous avez une idée du fric que ratisse ALOFT ? repris-je. Ne pas oublier que cette société est impliquée dans un tiers de nos affaires. Je sais que ça n'a rien de scientifique, mais si on rapporte ça à l'ensemble des dossiers du seul comté de Los Angeles, c'est de millions et de millions de dollars en honoraires que l'on parle. On affirme que dans le seul État de Californie, il y aura trois millions de saisies immobilières avant que la crise ne se résorbe dans les quelques années à venir.

— Sans parler de l'acquisition.

— Quelle acquisition ? demanda Aronson.

— Il faut lire les journaux. Opparizio est en train de vendre ALOFT à un gros fonds d'investissements, la société LeMure. Elle est cotée en Bourse et toute controverse sur une de ses sociétés satellites pourrait affecter la vente et le prix de l'action. Bref, ne pas se raconter d'histoires. En proie à une situation désespérée, Bondurant pouvait très bien faire des vagues. Il est même possible qu'il en ait fait de plus fortes qu'il n'espérait.

1. Ministère du Commerce au niveau fédéral.
2. Chargé de la sécurité présidentielle et de l'intégrité de la monnaie.

Premier à accepter ma théorie, Cisco acquiesça d'un hochement de tête.

— Bien, dit-il. Nous avons donc un Bondurant au bord du gouffre financier. Avec trois *in fine* à régler en peu de temps. Il cherche autour de lui et tente de jouer les gros bras contre Opparizio pour profiter de la vente à LeMure et avoir sa part du pactole des saisies. Et… c'est ça qui lui vaut d'être assassiné ?

— Tout à fait.

Cisco marchait à fond. Je fis pivoter mon fauteuil pour regarder Aronson droit dans les yeux.

— Je ne sais pas, dit-elle. C'est beaucoup s'avancer. Et ça va être dur à prouver.

— Comme s'il fallait le prouver ! Nous n'avons, nous, qu'à trouver le moyen de bien présenter cette thèse aux jurés.

La réalité était effectivement que nous n'avions absolument rien à prouver. Nous n'avions qu'à suggérer l'idée et laisser aux jurés le soin de faire le reste. Et je n'avais, moi, qu'une seule chose à faire : leur planter un doute raisonnable dans l'esprit[1]. Donner corps à l'hypothèse de l'innocence. Je me penchai au-dessus de mon grand bureau en bois et regardai mon équipe.

— Voilà donc notre ligne de défense. Opparizio est notre épouvantail. C'est lui que nous allons charger. Que les jurés le montrent du doigt et notre cliente sera libre.

Je les regardai tous les deux et n'obtins aucune réaction. Je poussai encore.

— Cisco, je veux que tu te concentres sur Louis Opparizio et sa société. Trouve-moi tout ce qu'on peut avoir sur lui : antécédents, associés connus, tout. Tous les détails de la fusion-acquisition. Je veux en savoir plus sur cette affaire et sur lui qu'il n'en sait lui-même. Je veux pouvoir exiger que tous les documents d'ALOFT soient portés au procès comme éléments de preuve et ce, avant la

1. Au contraire du droit français où le jugement du juré est fondé sur l'intime conviction, le droit américain interdit au juré de déclarer l'accusé coupable si le débat contradictoire a fait surgir un doute raisonnable dans son esprit.

fin de la semaine prochaine. L'accusation se battra contre, mais ça devrait faire bouger un peu les choses.

Aronson fit non de la tête.

— Mais… attendez une minute, dit-elle. Vous êtes en train de nous dire que tout ça, c'est des conneries ? Que ce n'est qu'un gambit de la défense et que cet Opparizio n'a rien fait de tout ça ? Et si nous avions raison sur Opparizio et qu'ils se trompaient sur Lisa Trammel ? Et si elle était innocente ?

Elle me regarda et ses yeux étaient pleins d'un espoir naïf. Je souris et me tournai vers Cisco.

— Dis-lui.

Mon enquêteur se tourna pour faire face à ma jeune associée.

— Écoutez, gamine, comme c'est la première fois que vous jouez à ça, on ne dira rien. Mais sachez que cette question-là, on ne la pose jamais. Que le client soit coupable ou innocent n'a aucune espèce d'importance. Il en a autant pour son fric.

— Oui mais…

— Il n'y a pas de mais qui tienne, dis-je. C'est de stratégies de défense que nous parlons. De façons d'offrir la meilleure défense possible au client. De stratégies que nous pourrions adopter, innocence ou culpabilité mises à part. Vous voulez défendre au pénal ? C'est ça qu'il faut commencer par comprendre : on ne demande jamais au client s'il a fait le coup ou pas. Qu'elle soit positive ou négative, la réponse à cette question ne sert qu'à distraire du but. Voilà pourquoi il est inutile de le savoir.

Elle serra les lèvres en une ligne aussi fine que droite.

— Tennyson, vous connaissez ? lui demandai-je. « La charge de la brigade légère » ?

— Qu'est-ce que ça à…

— « À eux il n'est point de savoir pourquoi / À eux seulement il est d'y aller ou mourir. » La brigade légère, c'est nous, Bullocks. Nous nous battons contre une armée qui a plus d'hommes, plus d'armes, plus de tout que nous. Les trois quarts du temps, ce que nous faisons n'est rien d'autre que courir au suicide. Aucune chance d'en réchapper. Aucune chance de l'emporter. Mais il arrive qu'on tombe sur une affaire où on a un coup à jouer. C'est risqué, mais ça peut marcher. Alors on y va. On charge… et on ne pose pas ce genre de questions.

— En fait, je crois que c'est « d'y aller ET mourir ». C'est le cœur même du poème. Ils n'avaient pas le choix entre y aller ou mourir. Il leur fallait y aller ET mourir.

— Alors comme ça, on connaît son Tennyson. Mais je préfère « y aller ou mourir ». Ce que je veux dire, c'est… Lisa Trammel a-t-elle tué Mitchell Bondurant ? En fait, je n'en sais rien. Elle dit que non et moi, ça me suffit. Si ça ne vous suffit pas, je vous retire de cette affaire et vous remets sur les saisies vingt-quatre heures sur vingt-quatre.

— Non ! s'écria-t-elle tout de suite. Je reste. Je suis avec vous.

— Parfait. Ils ne sont pas nombreux, les avocats qui se retrouvent défenseur en second sur une affaire de meurtre dix mois après avoir réussi au barreau.

Elle me regarda, les yeux écarquillés.

— Défenseur en second ? répéta-t-elle.

J'acquiesçai d'un signe de tête.

— Vous le méritez. Vous avez fait du bon boulot.

Mais la lumière qu'elle avait dans les yeux s'éteignit vite.

— Quoi encore ?

— Je ne vois pas pourquoi on ne pourrait pas gagner sur les deux tableaux. Vous voyez… on se donne à fond dans la défense du client, mais en restant fidèle à sa conscience dans le boulot. On essaie d'obtenir le meilleur résultat.

— Le meilleur résultat pour qui ? Pour le client ? La société ? Ou pour soi-même ? Notre responsabilité, c'est envers le client et envers la loi, Bullocks. Un point c'est tout.

Je la regardai longuement avant de poursuivre.

— Ne m'embarrassez pas d'une conscience. Ce chemin-là, je l'ai pris. Il ne mène jamais à rien de bon.

# 10

Je passai l'essentiel de ma journée à installer le bureau et ne rentrai pas chez moi avant presque 20 heures. J'y trouvai mon ex assise sur les marches de la terrasse de devant. Notre fille n'était pas avec elle. L'année passée nous ayant vus nous retrouver plusieurs fois sans Hayley, je me réjouis à l'idée de cette nouvelle occasion. Le travail physique et intellectuel que j'avais fourni dans la journée m'avait crevé, mais pour Maggie McFierce[1], je me sentais de reprendre des forces.

— Salut, Mags ! lui lançai-je. Tu as oublié la clé ?

Elle se leva et rien qu'à voir sa raideur et la manière on-ne-rigole-pas avec laquelle elle essuyait la poussière sur son jean, je compris que quelque chose n'allait pas. Une fois sur la dernière marche, je m'approchai pour un baiser… juste sur la joue, mais elle m'évita aussitôt et je sus que mes soupçons étaient confirmés.

— C'est de toi qu'elle tient ça, dis-je. Tu sais bien, cette façon de baisser et de tourner la tête quand je l'embrasse.

— Oui bon, je ne suis pas venue pour ça, dit-elle. Je ne me suis pas servie de ma clé parce que je me suis dit que tu verrais peut-être un conflit d'intérêts à découvrir un procureur dans ta maison.

Enfin je pigeai.

— Tu es allée au yoga aujourd'hui ? Tu as vu Andrea Freeman ?

— Exactement.

Soudain, je ne me sentis plus tout à fait capable de reprendre des forces. J'ouvris la porte tel le prisonnier qui, indignité suprême, doit se glisser dans la salle où on va le piquer.

— Entre donc, lui dis-je. On devrait pouvoir régler ça rapidement.

Elle entra tout de suite, mon dernier commentaire ne faisant qu'ajouter de l'huile sur le feu.

1. Maggie McFéroce.

— Ce que tu as fait est méprisable ! s'écria-t-elle. Te servir de notre fille d'une manière aussi sournoise !

Je me retournai aussitôt.

— Moi, me servir de notre fille ? Je n'ai rien fait de tel. Notre fille s'est retrouvée au milieu de ce truc et je l'ai appris par accident.

— Aucune importance. Tu es ignoble.

— Non, je suis avocat de la défense. Et ta bonne copine Andy a parlé de moi et de mon affaire avec mon ex en présence de ma fille. Et après, elle m'a menti, carrément.

— Qu'est-ce que tu racontes ? Elle ne ment pas !

— Ce n'est pas d'Hayley que je te parle. C'est d'Andy. Le premier jour où je l'ai vue sur l'affaire, je lui ai demandé si elle te connaissait et elle m'a répondu qu'elle ne te connaissait « que de vue ». Nous devrions pouvoir convenir que ça n'est pas le cas. Et, sans en être certain, je pense que si nous nous en ouvrions à dix juges, ce serait un comble si aucun n'y voyait de conflit d'intérêts.

— Écoute, nous ne parlions ni de toi ni de l'affaire. Ça n'est venu sur le tapis qu'au déjeuner. Et il se trouve qu'Hayley était là. Qu'est-ce que je suis censée faire ? Renier mes amies à cause de toi ? C'est pas comme ça que ça marche.

— Si ça n'était pas grave, pourquoi m'a-t-elle menti ?

— Ce n'est pas vraiment un mensonge. Ce n'est pas comme si nous étions les meilleures amies du monde. En plus, elle ne voulait probablement pas que tu entres dans ces considérations comme tu l'as fait.

— Et donc, maintenant, il faudrait évaluer les mensonges sur une échelle graduée ? Certains n'en seraient pas vraiment et n'auraient aucune gravité ? Et ceux-là, on ne s'en inquiéterait pas ?

— Haller, arrête de jouer au con.

— Écoute… tu veux boire quelque chose ?

— Non, je ne veux rien. Je suis juste venue te dire que non seulement tu nous as gênées, ta fille et moi, mais que toi aussi tu t'es mis dans l'embarras. C'est bas, Haller. Tu t'es servi d'un propos innocent de ta fille pour avoir le dessus. C'est vraiment bas.

Je tenais toujours ma mallette à la main. Je la posai sur la table du coin repas. Puis je mis les mains sur le haut d'une des chaises et me penchai en avant pour réfléchir à ma repartie.

— Allons, reprit-elle en m'appâtant. Tu as toujours une réponse rapide à tout. Toi, le grand défenseur. Vite, vite, qu'on t'entende cette fois !

Je ris et hochai la tête. Qu'est-ce qu'elle pouvait être belle quand elle était en colère. C'était désarmant. Et le pire étant, j'en suis sûr, qu'elle le savait.

— C'est vrai que c'est hilarant, reprit-elle. On menace quelqu'un de lui ruiner sa carrière et après on en rit !

— Je ne l'ai jamais menacée de ruiner sa carrière. Je l'ai simplement menacée de la virer du procès. Et non, ce n'est pas drôle. C'est juste que...

— Que quoi, Haller ? C'est juste que quoi ? Je suis restée assise dehors deux heures durant à me demander si tu allais te pointer parce que je voulais savoir comment tu avais pu faire un truc pareil.

Je m'écartai de la table et passai à l'offensive en m'avançant sur elle. Et parlai en l'obligeant à reculer. En la coinçant dans un coin et en pointant mon doigt à quelques centimètres de sa poitrine avant de finir ma tirade.

— Je l'ai fait parce que je suis défenseur et que le défenseur que je suis a juré de défendre ses clients au mieux de ses capacités. Alors, oui, j'ai vu l'avantage. Ta bonne copine Andy... et toi... avez très clairement franchi la ligne jaune. Évidemment, aucun mal n'a été fait... pour ce que j'en sais. Mais cela ne veut pas dire que la ligne jaune n'a pas été franchie. Quand on saute par-dessus une barrière ornée d'un panneau DÉFENSE D'ENTRER, on est quand même entré, même quand on se dépêche de repasser de l'autre côté. Bref, j'ai vu le panneau et je m'en suis servi à mon avantage afin d'obtenir quelque chose dont j'avais besoin pour défendre ma cliente. Quelque chose, en plus, qu'on aurait dû me donner, mais que ta copine gardait pour la simple et bonne raison qu'elle le pouvait.

« Respectait-elle le règlement en le faisant ? Oui. Était-ce juste ? Non. Et si tu es tellement agacée et en colère, c'est parce que tu sais que ce n'était pas juste et que j'ai réagi comme il fallait. Sans oublier que c'est quelque chose que tu aurais fait toi aussi.

— Jamais de la vie ! Jamais je ne m'abaisserais à ça !

— Tu parles !

Et je me détournai d'elle. Voyant qu'elle restait dans son coin, je lui demandai :

— Qu'est-ce que tu fais ici, Maggie ?

— Comment ça ? Je viens juste de te dire pourquoi je suis là.

— D'accord, mais tu aurais pu appeler ou m'envoyer un mail. Pourquoi es-tu venue ici, Maggie ?

— Je voulais voir ta tête quand tu t'expliquerais.

Je me retournai vers elle. Tout ça n'était qu'amusettes. Je m'approchai d'elle et posai la main sur le mur, juste à côté de sa tête.

— C'est ce genre de bagarres à la con qui a bousillé notre mariage, lui dis-je.

— Je sais.

— Tu sais que ça fait huit ans ? Nous sommes divorcés depuis aussi longtemps que nous avons été mariés.

Huit ans et je n'arrivais toujours pas à l'oublier.

— Huit ans et voilà.

— Oui, voilà.

— Tu sais que c'est toi qui sautes par-dessus les barrières, Haller. Par-dessus les barrières de tout le monde. Tu entres dans nos vies et tu en sors comme tu veux. Et nous, on te laisse faire.

Je me penchai plus près, jusqu'à ce que nous respirions le même air. Puis je l'embrassai légèrement, puis plus fort quand elle tenta de dire quelque chose. Je ne voulais plus entendre de mots. Les mots, je ne voulais plus en entendre parler.

# DEUXIÈME PARTIE

## L'HYPOTHÈSE DE L'INNOCENCE

# 11

Le cabinet était fermé à double tour pour la nuit, mais j'étais toujours assis à mon bureau, à préparer l'audience préliminaire. On était mardi, au début du mois de mars, et j'aurais bien aimé ouvrir une fenêtre pour laisser entrer la brise du soir. Mais le bureau était hermétiquement clos, avec des fenêtres à guillotine qui ne s'ouvraient pas. Lorna ne l'avait pas remarqué lorsqu'elle avait inspecté les lieux et signé le bail. J'en regrettais la banquette arrière de la Lincoln où je pouvais baisser une vitre et sentir la brise quand je voulais.

L'audience préliminaire devait se tenir une semaine plus tard. Se préparer voulait dire essayer d'anticiper ce que mon adversaire Andrea Freeman allait accepter de me faire entrevoir en présentant son dossier au juge.

Une audience préliminaire n'est qu'une étape de routine dans la marche au procès. Ce show, c'est l'accusation qui le contrôle à cent pour cent. Le ministère public est chargé de présenter son dossier à la cour, le juge arrêtant alors si les preuves sont suffisantes pour faire passer l'affaire devant des jurés. On est loin du doute raisonnable. On en est même très loin. Le juge n'a pour tâche que de dire s'il y a suffisamment d'éléments de preuves pour retenir les charges. Si c'est le cas, l'étape suivante est le procès en bonne et due forme.

L'astuce pour Freeman consisterait à laisser entrevoir assez d'éléments de preuves pour que, le seuil de recevabilité étant franchi, le juge signifie son accord sans qu'elle ait, elle, à dévoiler toutes ses batteries. Elle savait très bien que j'allais examiner dans le détail tout ce qu'elle présenterait.

Il ne fait aucun doute que la tâche de l'accusation n'a rien d'un fardeau. Bien que l'idée de l'audience préliminaire soit de faire contrepoids au système et de s'assurer que l'État n'écrase pas complètement l'individu, les dés n'en sont pas moins pipés. Le législateur de l'État de Californie y a veillé.

Frustrés par la durée apparemment interminable de procès au pénal qui se traînaient d'un bout à l'autre du système judiciaire, les politiciens de Sacramento ont agi. Pour eux, toute lenteur dans le rendu de la justice était, en fait, un déni de justice, même si ce sentiment allait à l'encontre d'un des composants essentiels du système contradictoire, à savoir l'existence obligatoire d'une défense solide et vigoureuse. Le législateur évita cet inconvénient mineur et vota pour le changement en promulguant des mesures propres à rationaliser le processus. L'audience préliminaire passa alors de l'énoncé complet des éléments de preuves par l'accusation à une manière de partie de cache-cache. On réduisit le nombre de témoins à faire comparaître en plus de l'enquêteur principal, on approuva les ouï-dire plutôt qu'on ne les découragea, et l'accusation n'eut même plus à fournir la moitié de ses éléments de preuves. Juste le minimum pour que ça passe.

Résultat ? Il devint extrêmement rare que l'accusation n'arrive pas au seuil de recevabilité du juge et, simple étape de routine sur la voie du procès, l'audience préliminaire se transforma en une séance d'enregistrement automatique des charges.

Pour la défense, cette séance présente malgré tout un certain intérêt. J'allais pouvoir deviner ce qui m'attendait et poser des questions sur les témoins et les éléments de preuves présentés au juge. D'où le travail de préparation. J'avais besoin de prévoir le genre d'atouts que Freeman allait nous sortir et de décider comment j'allais jouer pour les contrer.

L'idée d'un quelconque plaider-coupable avait complètement disparu. Freeman refusait toujours d'en proposer un, ma cliente n'en voulant pas de toute façon. Nous allions droit vers un procès en avril ou en mai, et je ne peux pas dire que j'en étais mécontent. Nous avions une vraie chance de l'emporter et si Lisa Trammel voulait tenter le coup, moi, je serais prêt.

Côté éléments de preuves, les dernières semaines nous avaient apporté du bon et du mauvais. Comme il fallait s'y attendre, le juge Morales avait rejeté notre requête en annulation de l'interrogatoire et de la fouille de la maison de Lisa. Cela dégageait la voie à une accusation qui allait bâtir tout son dossier sur les questions de mobile et d'occasion et l'étayer avec les déclarations de son seul témoin. Elle avait pour elle l'historique de la saisie et toutes les protestations de Lisa contre les agissements de la banque. Elle avait aussi ce qu'elle avait reconnu, et qui l'incriminait, pendant son interrogatoire. Et surtout, elle avait le témoin Margo Schafer qui affirmait avoir vu Lisa à une rue de la banque quelques minutes à peine après le meurtre.

Sauf que notre défense s'attaquait aux fondements mêmes de cette théorie et que nous avions beaucoup d'éléments qui disculpaient Lisa.

Aucune arme du crime n'avait encore été identifiée ou retrouvée et le zèle que mettait le ministère public à vouloir prouver son affaire à l'aide d'une minuscule trace de sang découverte sur une clé à molette saisie dans les outils au-dessus de l'établi du garage de Lisa avait foiré. Les tests sanguins avaient en effet montré qu'il ne s'agissait pas du sang de Mitchell Bondurant. L'accusation n'allait évidemment pas en parler à l'audience préliminaire ou lors du procès, mais moi si : je pouvais le faire et n'y manquerais pas. Il est du devoir de la défense de s'emparer des erreurs et autres fausses queues de l'accusation et de les lui faire bouffer. Je n'allais pas m'en priver.

Sans compter que mon enquêteur avait récolté certains renseignements qui allaient remettre en cause les observations du témoin phare de l'accusation, même si nous n'allions pas pouvoir nous servir de cette cartouche avant le procès. Et nous avions aussi l'hypothèse de l'innocence. Cette deuxième théorie s'étoffait joliment. Nous avions cité à comparaître Louis Opparizio et son ALOFT, l'usine à saisies autour de laquelle tournait toute notre stratégie.

Je ne m'attendais pas à ce que des éléments de preuves ou de tactique surgissent lors de l'audience préliminaire. Freeman allait faire passer l'inspecteur Kurlen à la barre, lequel détaillerait au juge chaque étape de l'affaire en veillant à éviter toutes les failles. Elle appellerait aussi à la barre le légiste, peut-être même un expert en médecine légale.

La comparution de Schafer – le témoin – était la seule chose qui me posait problème. Au début, je m'étais dit que Freeman la garderait pour plus tard. Elle pouvait compter sur Kurlen pour avancer des renseignements glanés pendant l'interrogatoire qu'il avait fait subir à Lisa et préparer ainsi ce que Schafer finirait par déclarer au procès. Il n'y avait pas besoin de plus à l'audience préliminaire. D'un autre côté, Freeman pouvait aussi citer Schafer à comparaître pour essayer de voir les cartes dont je disposais. Si je laissais voir la manière dont je pensais travailler son témoin lors de l'interrogatoire en contre, cela l'aiderait à se préparer pour ce qui l'attendait au procès.

Tout était stratégies et petits jeux à ce stade et je dois reconnaître que pour moi, c'est ce qu'il y a de mieux dans un procès. Les coups portés à l'extérieur de la salle d'audience sont toujours plus significatifs que ceux décochés à l'intérieur. Ces derniers sont en effet tous préparés et chorégraphiés. Et je préfère l'improvisation à laquelle on se livre hors prétoire.

J'étais en train de souligner le nom de Schafer dans mon bloc-notes lorsque j'entendis sonner le téléphone de la réception. J'aurais pu décrocher dans mon bureau, mais je ne m'en donnai pas la peine. Le cabinet était fermé depuis longtemps et je savais que les appels passés au numéro donné dans la pub de l'annuaire étaient maintenant transférés au nouveau bureau. Tout individu appelant à une heure aussi tardive voulait probablement un conseil pour une histoire de saisie. Il pouvait toujours laisser un message.

Je plaçai le dossier des analyses de sang au milieu de mon bureau. Il contenait les conclusions du rapport de comparaison ADN effectué sur du sang retrouvé dans une fente du manche de la clé à molette saisie parmi les outils de Lisa. L'accusation n'avait pas traîné, allant jusqu'à lâcher une forte somme à une société travaillant à l'extérieur plutôt que de s'en remettre au labo régional de la police. J'imaginai la déception qu'avait dû éprouver Freeman en découvrant que le rapport était négatif. Non, ce n'était pas le sang de Bondurant. Non seulement c'était un coup dur pour l'accusation – une correspondance aurait tué toute chance d'acquittement pour Lisa, la forçant ainsi à plaider coupable – mais Freeman savait maintenant que je pouvais brandir ces conclusions sous le nez du juge et lui lancer :

« Vous voyez bien comme leur dossier est plein d'erreurs de parcours et d'éléments de preuves à la noix ! »

Nous avions aussi marqué des points lorsque les images recueillies par les caméras vidéo à l'intérieur de la banque et à l'entrée du garage n'avaient révélé la présence de Lisa Trammel ni avant ni après le meurtre. Certes, ces caméras ne couvraient pas tout le bâtiment, mais là n'était pas la question. Ce fait la disculpait.

Mon portable se mit à vibrer. Je le sortis de ma poche et regardai l'écran. C'était mon agent, Joel Gotler. J'hésitai, puis je pris la communication.

— Tu travailles tard, lui lançai-je en guise de salutation.

— Ouais et toi, tu ne lis plus tes mails ? J'essaie de te joindre depuis…

— Excuse-moi. Mon ordinateur est à côté de moi, mais je suis assez occupé. Qu'est-ce qui se passe ?

— On a un gros problème. Est-ce que tu lis *Deadline Hollywood* ?

— Non. Qu'est-ce que c'est ?

— Un blog. Consulte-le.

— Maintenant ?

— Oui, maintenant. Allez !

Je fermai le dossier analyses de sang et le mis de côté. Je pris mon ordinateur portable et l'ouvris. Me connectai et allai sur le site *Deadline Hollywood.* Et commençai à lire. Cela ressemblait à une liste assez courte d'affaires conclues à Hollywood, d'estimations au box-office et de manœuvres des studios. Qui achetait et vendait quoi, qui lâchait telle ou telle agence, qui était en train de sombrer ou de briller, ce genre de trucs.

— Bon, d'accord, je cherche quoi ?

— Descends jusqu'à 15 h 45 cet après-midi.

Les entrées du blog étaient datées. Je fis ce qu'on me demandait et tombai sur celle que Gotler tenait à me faire voir. À lui seul, l'intitulé m'en flanqua un grand coup dans les burnes.

*« Archway préempte le mystère du meurtre grandeur nature.*

*« Dahl/McReynolds seront les producteurs.*

*« Selon mes sources, Archway Pictures a fait une offre à six chiffres*

*moyennant une garantie à sept sur les ventes afin d'acquérir les droits de production de l'affaire de vengeance contre saisie actuellement en cours dans le système judiciaire de LaLaLand*[1]*. C'est Herb Dahl qui représentait l'accusée, Lisa Trammel, dans les négociations et ce sera lui qui produira le film avec Clegg McReynolds des studios Archway. Dans ce contrat aux nombreuses facettes sont inclus les droits télé et documentaire. Cela dit, la fin de l'histoire n'est toujours pas écrite dans la mesure où Trammel doit toujours être jugée pour le meurtre du banquier qui tentait de saisir sa maison. Dans un communiqué de presse, McReynolds déclare que l'histoire de Lisa Trammel servira à faire mieux connaître l'épidémie de saisies qui balaie tout le pays depuis quelques années. Lisa Trammel doit être jugée dans deux mois. »*

— Ah l'enfoiré ! m'écriai-je.

— Ouais, c'est tout à fait ça, dit Gotler. C'est quoi, ce bordel ? Je me casse le cul à essayer de vendre ce truc et j'étais à deux doigts de conclure avec Lakeshore et je tombe sur ça ? Tu te fous de moi, Haller ? Tu t'amuses à me poignarder dans le dos ?

— Écoute, je ne sais pas très bien ce qui est en train de se jouer, mais j'ai un contrat avec Lisa Trammel et...

— Tu le connais, ce Dahl ? Parce que moi, je le connais et c'est une ordure totale.

— Je sais, je sais. Il a essayé de me feinter et je lui ai cassé sa baraque. Il a réussi à faire signer quelque chose à Lisa, mais...

— Ah, puuutain, elle a signé avec ce type ?

— Non. Enfin... oui, mais après avoir signé avec moi. J'ai le droit de premier...

Je m'arrêtai net. Les contrats. Je me rappelai en avoir fait des copies et les avoir données à Dahl. Après, j'avais remis les originaux dans le dossier entreposé dans le coffre de la Lincoln. Et Dahl avait tout vu.

— Ah le chien !

— Qu'est-ce qu'il y a ?

1. Terme forgé à partir de L(os) An(geles) et désignant un monde où tout est frivolités.

Je jetai un coup d'œil à la pile de dossiers posée sur le coin de mon bureau. Tous avaient pour origine l'affaire de Lisa Trammel. Mais je n'avais pas rapporté ceux du coffre de la Lincoln par paresse. Je m'étais dit qu'il s'agissait de vieux contrats et de vieilles affaires et je n'étais pas très sûr de vouloir les traiter dans un bureau en brique et mortier. Bref, le dossier des contrats se trouvait toujours dans la malle arrière de la Lincoln.

— Joel, dis-je, je te rappelle tout de suite.

— Mais… Qu'est-ce qui…

Je refermai mon portable et me dirigeai vers la porte. Le Victory Building disposait d'un garage à deux niveaux, mais qui ne lui était pas rattaché. Je dus quitter le bâtiment et gagner le garage à côté. Je remontai la rampe au trot et, arrivé au deuxième niveau, filai jusqu'à ma voiture et ouvris le coffre avec la télécommande. Ma Lincoln était le seul véhicule resté au niveau supérieur. Je sortis la chemise des contrats et me penchai sous la lumière du coffre pour chercher l'accord signé par Lisa Trammel.

Il avait disparu.

Dire que j'étais en colère serait un euphémisme. Je remis la chemise à sa place et refermai le coffre. Puis je sortis mon portable et appelai Lisa en regagnant la rampe. Je tombai sur sa messagerie.

— Lisa, c'est moi, votre avocat. Je croyais que nous étions d'accord pour que vous décrochiez quand je vous appelle… quelle que soit l'heure et quoi que vous fassiez. Et là, je vous appelle et vous ne répondez pas ? Rap-pe-lez-moi. Je veux vous parler de votre petit copain Herb et du contrat qu'il vient de signer. Je suis sûr que vous êtes au courant. Mais ce que vous ne savez peut-être pas, c'est que je vais lui coller un procès aux fesses pour son petit tour de con. Je vais l'enterrer, ce mec. Alors rappelez-moi, Lisa ! Tout de suite !

Je raccrochai et serrai fortement le téléphone en redescendant la rampe. Et remarquai à peine les deux types qui la remontaient jusqu'à ce que l'un d'eux m'interpelle.

— Hé ! C'est bien toi, hein ?

Interloqué par la question, je m'arrêtai, mon esprit toujours occupé par l'affaire Herb Dahl et Lisa Trammel.

— Je vous demande pardon ?

— L'avocat. Le célèbre avocat de la télé.

Et de s'approcher de moi, tous les deux. Jeunes, blousons de cuir, mains dans les poches. Je n'avais aucune envie de m'arrêter pour bavarder de choses et d'autres avec eux.

— Euh non, je crois que vous vous trompez de...

— Non, non, mec, c'est bien toi. Je t'ai vu à la télé, OK ?

Je renonçai.

— Oui, j'ai une affaire. C'est à cause d'elle que je passe à la télé.

— Voilà, voilà... et c'est quoi, ton nom, déjà ?

— Mickey Haller.

J'avais à peine mentionné mon nom que je vis celui qui ne disait rien sortir les mains des poches de son blouson et rouler les mécaniques en s'approchant de moi. Il portait des moufles noires. Il ne faisait pas assez froid pour mettre des gants – dans l'instant, je compris que ma voiture étant la seule à ce niveau, ces deux types n'étaient pas montés chercher la leur. C'était moi qu'ils voulaient.

— Qu'est-ce que...

Celui qui n'avait rien dit me balança un direct du gauche au ventre. Je me pliai en deux juste à temps pour sentir son poing droit m'écraser trois côtes à gauche. Je me rappelle avoir laissé tomber mon portable, mais c'est bien tout. Je sais que j'essayai de m'enfuir en courant, mais celui qui parlait me barra le passage avant de me faire pivoter sur moi-même et de me bloquer les coudes le long du corps.

Lui aussi portait des gants noirs.

## 12

Ils n'avaient pas touché à mon visage, mais c'était bien le seul endroit de mon corps que je ne sentais pas couvert de bleus voire en mille morceaux lorsque je me réveillai aux soins intensifs de l'hôpital de Holy Cross. Le décompte final donna trente-huit points de suture sur le haut du crâne, neuf fractures aux côtes, quatre doigts cassés, deux reins esquintés, ainsi qu'un testicule qu'on m'avait tordu à cent quatre-vingts degrés avant que les chirurgiens ne me le remettent en place. J'avais le torse couleur raisin et l'urine aussi foncée que du Coca-Cola.

Mon dernier séjour à l'hôpital m'avait vu devenir accro à l'oxycodon, addiction qui m'avait presque coûté ma fille et ma carrière. Cette fois, j'annonçai que je tiendrais sans aucune aide chimique. L'erreur fut bien douloureuse, naturellement. Deux heures après avoir posé ce principe, je suppliais les infirmières, les aides-soignants et quiconque voudrait bien m'entendre de me coller la perfusion. Qui finit par régler le problème de la douleur, mais me laissa flotter un peu trop près du plafond. Il me fallut deux ou trois jours pour trouver le bon équilibre entre conscience et soulagement physique. C'est à ce moment-là que je commençai à accepter des visites.

Les deux premières furent celles de deux inspecteurs de l'Unité des crimes contre les personnes de la Division de Van Nuys. Ils s'appelaient Stilwell et Eyman. Ils me posèrent les questions de routine afin de pouvoir s'acquitter de la paperasse. Découvrir qui m'avait agressé les intéressait à peu près autant que l'idée de devoir travailler jusqu'à l'heure du déjeuner. Aussi bien défendais-je une meurtrière présumée que leurs collègues au bout du couloir avaient arrêtée. En d'autres termes, ils n'allaient pas se les tordre méchant sur ce coup-là.

Lorsque Stilwell referma son carnet de notes, je compris que l'interrogatoire… et l'enquête avaient pris fin. Il m'affirma qu'ils me feraient signe s'ils découvraient quoi que ce soit.

— Vous oubliez quelque chose, non ? leur lançai-je.

J'avais parlé sans remuer la mâchoire parce que, allez savoir pourquoi, le faire mettait en branle tous les récepteurs de douleur dans ma cage thoracique.

— Et ce serait quoi ? me renvoya Stilwell.

— Vous ne m'avez jamais demandé de vous décrire mes agresseurs. Vous ne m'avez même pas demandé de quelle couleur ils étaient.

— Tout ça, on le saura lors de notre prochaine visite. Le médecin nous a dit que vous aviez besoin de repos.

— Vous voulez qu'on prenne rendez-vous pour cette prochaine visite ?

Ni l'un ni l'autre ne répondirent. On ne reviendrait pas.

— Je ne le pensais pas non plus, ajoutai-je. Au revoir, messieurs les inspecteurs. Je suis heureux que ce soit l'Unité des crimes contre les personnes qui s'occupe de mon affaire. Je me sens vraiment à l'abri.

— Écoutez, me dit Stilwell, il y a toutes les chances pour que ce soit une agression au hasard. Deux voyous qui cherchaient une proie facile. Que nous puissions les...

— Ils savaient qui j'étais.

— Vous dites qu'ils vous connaissaient grâce à la télé et aux journaux.

— Je n'ai pas dit ça. J'ai dit qu'ils m'avaient reconnu et ont fait semblant de m'avoir vu à la télé ou autre. Si mon truc vous intéressait le moins du monde, vous auriez fait ce distinguo.

— Vous nous accuseriez de nous foutre d'un acte de violence perpétré au hasard dans cette communauté ?

— En gros, oui. Et d'abord, pourquoi ce serait « au hasard » ?

— Vous nous avez dit ne pas savoir qui étaient vos agresseurs ou ne pas les avoir reconnus. Et donc, à moins que vous ne changiez d'avis sur ce point, rien ne prouve que ç'ait été autre chose qu'une agression fortuite. Au mieux une agression antiavocats. Ils vous auront reconnu et comme ils n'apprécient pas que vous défendiez des assassins et autres petits fumiers, ils auront décidé de soulager leurs frustrations en s'attaquant à vous. Ç'aurait pu être ça... ou des tas d'autres choses.

Mon corps tout entier vibra de la douleur que suscitait leur indifférence. Mais il y avait aussi que j'étais fatigué et que j'avais envie qu'ils dégagent.

— Ne vous inquiétez pas, messieurs les inspecteurs, leur dis-je. Retournez donc à l'Unité des crimes contre les personnes et acquittez-vous de la paperasse. Autant oublier cette affaire. Je la reprendrai moi-même.

Et je fermai les yeux. C'était la seule chose que je pouvais faire.

***

Lorsque mes paupières se rouvrirent, je découvris Cisco en train de me regarder fixement, assis dans le fauteuil posé dans le coin de la pièce.

— Salut, patron, me dit-il doucement comme si sa voix d'habitude tonitruante pouvait me faire mal. Comment ça va ?

Je toussai en reprenant pleinement conscience, cette quinte de toux déclenchant un paroxysme de douleur dans mes testicules.

— J'ai toujours l'impression de les avoir à cent quatre-vingts degrés à gauche.

Il sourit en se disant que je délirais. Mais j'étais assez lucide pour savoir que c'était sa deuxième visite et que je lui avais demandé de faire quelque chose lors de la première.

— Quelle heure est-il ? Je ne sais plus où j'en suis à dormir comme ça.

— Dix heures dix.

— Jeudi ?

— Non, vendredi matin, Mick.

J'avais dormi plus longtemps que je ne pensais. J'essayai de me redresser, mais ce mouvement m'expédia une vague de douleur dans tout le côté gauche.

— Putain de Dieu !

— Ça va, patron ?

— Qu'est-ce que t'as pour moi, Cisco ?

Il se leva et s'approcha du lit.

— Pas grand-chose, mais j'y bosse toujours. Et j'ai pu jeter un œil au rapport de police. Y a pas énormément de trucs de ce côté-là, mais il y est mentionné que tu as été découvert par l'équipe de nettoyage de nuit qui est arrivée vers 21 heures pour travailler dans l'immeuble. T'étais complètement dans les vapes quand les types t'ont trouvé dans la rampe du garage et ont appelé les flics.

— Vingt et une heures, ce n'est pas très longtemps après. Ont-ils vu autre chose ?

— Non, rien… d'après le rapport. J'ai l'intention de les rejoindre au garage pour les interroger moi-même dès ce soir.

— Bien. Et côté cabinet ?

— Lorna et moi avons vérifié du mieux qu'on pouvait. Il ne semble pas qu'on y soit entré. Rien ne manque, pour autant qu'on puisse l'affirmer. Et c'est resté ouvert toute la nuit. Moi, je pense que la cible, c'était toi. Pas le cabinet.

Le goutte-à-goutte était régulé par un système qui expédiait les quantités de liquide apaisant au rythme d'impulsions générées par un ordinateur se trouvant dans une autre pièce et programmé par quelqu'un que je n'avais jamais vu. À ce moment-là néanmoins, ce flippé de l'ordinateur était mon héros. Je sentis le médicament se répandre dans mon bras et me passer dans la poitrine. Je gardai le silence en attendant que mes terminaisons nerveuses à vif cessent de hurler.

— Qu'est-ce que t'en penses, Mick ?

— J'ai l'esprit vide. Je t'ai dit que je ne les ai pas reconnus.

— Ce n'est pas d'eux que je parle. Je te parle du type qui te les a envoyés. Tu dirais qui, comme ça, d'instinct ? Opparizio ?

— Je ne l'exclurais certainement pas. Il sait qu'on le cherche. Qui d'autre, sinon ?

— Et Dahl ?

Je fis non de la tête.

— Ça lui servirait à quoi ? Il m'a déjà volé mon contrat et conclu son affaire. Pourquoi me rosser en plus ?

— Juste pour te ralentir ? Ou alors pour ajouter du piquant à son projet. Parce que là, on est dans une autre dimension. Ça fait partie du scénario.

— Ça me semble tiré par les cheveux. Non, je préfère Opparizio.

— Sauf que… pourquoi ferait-il ça, lui ?

— Pour la même raison. Pour me ralentir. Me mettre en garde. Il ne veut pas témoigner et ne veut pas non plus que je le traîne dans toutes les merdes que j'ai trouvées sur lui.

Cisco haussa les épaules.

— Non, ça ne me convainc toujours pas.

— Bah, peu importe qui c'est. C'est pas ça qui va me ralentir.

— Qu'est-ce que tu vas faire pour Dahl ? Il a volé le contrat !

— J'y travaille. J'aurai un plan pour ce merdeux quand je sortirai d'ici.

— Et c'est censé arriver quand ?

— Ils attendent de voir si mes blessures guérissent comme il faut. Si c'est pas le cas, ils pourraient m'ôter la couille gauche.

Il grimaça comme si c'était de la sienne que je parlais.

— Ouais… J'essaie de pas trop y penser, ajoutai-je.

— Bon, d'accord, passons à autre chose. Et les deux types ? Tu m'as dit deux Blancs, la petite trentaine, avec des blousons en cuir et des gants. Tu te souviens d'autre chose maintenant ?

— Non.

— Pas d'accent régional ou étranger ?

— Pas que je me souvienne.

— Cicatrices ? Boitillements ? Tatouages ?

— Rien dont je me souviendrais. Ça s'est passé très vite.

— Je sais. Tu pourrais les reconnaître dans un six-pack ?

C'était d'un groupe de photos d'identité qu'il parlait.

— L'un des deux, oui. Celui qui parlait pour tout le monde. L'autre, je ne l'ai pas vraiment regardé. Et dès qu'il m'a cogné, j'ai plus rien vu.

— OK, bon, je continue de bosser.

— Quoi d'autre, Cisco ? Je commence à fatiguer.

Je fermai les yeux pour le souligner.

— Eh bien, j'étais censé appeler Maggie dès que tu serais réveillé. Mais c'était jamais le bon moment. Chaque fois qu'elle était ici avec Hayley, toi, t'étais aux abonnés absents.

— Tu peux l'appeler. T'as qu'à lui dire de me réveiller si je dors. Je veux voir ma fille.

— D'accord, je lui dirai de te l'amener après l'école. En attendant, Bullocks voudrait t'apporter la requête en renvoi pour que tu la valides et la signes histoire qu'elle puisse la déposer avant ce soir.

J'ouvris les yeux. Cisco était passé de l'autre côté du lit.

— De quel renvoi parles-tu ?

— Pour l'audience préliminaire. Elle va demander au juge de la reporter de quelques semaines vu ton hospitalisation.

— Pas question.

— Mick, on est vendredi. L'audience est prévue mardi. Même s'ils te laissent partir d'ici avant, tu ne seras jamais en état de…

— Elle peut s'en occuper.

— Qui ça ? Bullocks ?

— Oui. Elle est douée. Elle peut aller à l'audience.

— Elle est douée, mais elle n'a pas d'expérience. T'es sûr de vouloir que quelqu'un qui sort à peine de son école de droit aille à l'audience préliminaire d'un procès pour meurtre ?

— Ce n'est qu'une audience préliminaire. Trammel va droit au procès que je sois là ou pas. Le mieux qu'on puisse espérer, c'est avoir un petit aperçu de la stratégie de l'accusation et ça, Aronson pourra nous le dire.

— Tu crois que le juge le permettra ? Il pourrait y voir une manip pour préparer le terrain à une bagarre en récusation d'avocat pour mauvaise représentation si jamais il y avait condamnation à la fin.

— Si Lisa signe, on sera OK. Je l'appellerai pour lui dire que ça fait partie de notre stratégie. Bullocks peut venir me voir ici ce week-end, histoire que je la prépare.

— Sauf que c'est quoi, la stratégie, Mick ? Pourquoi ne pas se contenter d'attendre que tu sois rétabli ?

— Parce que je veux qu'ils croient avoir réussi.

— Qui ça ?

— Opparizio… Le type qui m'a fait ça. Faisons-leur croire que je suis frappé d'incapacité ou que j'ai la trouille. Ou autre. Aronson se débrouille de l'audience préliminaire et après, nous, on pousse au procès.

— Pigé, dit Cisco en hochant la tête.

— Bien. Allez, file et appelle Maggie. Dis-lui de me réveiller quoi que lui racontent les infirmières, surtout si elle vient avec Hayley.

— Ce sera fait, patron. Mais… euh… y a encore un truc.

— Quoi ?

— Rojas est assis là-bas, dans la salle d'attente. Il voulait te voir, mais je lui ai dit d'attendre. Il est aussi passé hier, mais tu dormais.

Je hochai la tête. Rojas.

— T'as vérifié le coffre de la voiture ?

— Oui. Je n'ai vu aucune trace d'effraction. Pas d'éraflures sur les cylindres de la serrure.

— Bon. En partant, dis-lui de venir.

— Tu veux le voir seul à seul ?

— Oui, seul à seul.

— Entendu.

Il partit et j'attrapai la télécommande du lit. Puis lentement, péniblement, j'en redressai le dossier à environ quarante-cinq degrés de façon à être à moitié assis pour mon visiteur. La manœuvre déclencha une énième série de douleurs qui me coururent à travers la cage thoracique comme un feu de brousse en août.

Rojas entra timidement dans la pièce en me saluant et en hochant la tête.

— Hé, monsieur Haller, comment va ?

— J'ai connu mieux, Rojas. Comment vas-tu ?

— Bien, bien. Je voulais juste passer vous dire bonjour en fait.

Il était aussi nerveux qu'un chat sauvage. Et je pensais savoir pourquoi.

— C'est gentil à toi de passer, repris-je. Tiens, assieds-toi donc dans le fauteuil là-bas.

— D'accord.

Il s'installa. Cela me permit de le voir en entier. J'allais pouvoir repérer ses moindres gestes et tenter de deviner ce qu'il pensait. Évitement du contact oculaire, sourires malvenus, mouvements constants des mains, il montrait déjà certains signes de dissimulation.

— Les médecins vous ont-ils dit combien de temps vous allez devoir rester ici ? me demanda-t-il.

— Encore quelques jours, je pense. En tout cas, jusqu'à ce que j'arrête de pisser le sang.

— Putain, c'est dur ! Ils vont coincer le type qui vous a fait ça ?

— Ils n'ont pas l'air de trop se décarcasser.

Il acquiesça d'un signe de tête. Je n'ajoutai rien. Le silence est souvent un outil très utile dans l'interrogatoire. Mon chauffeur se frotta plusieurs fois les paumes des mains sur les cuisses, puis il se leva.

— Ben, je voulais pas vous interrompre, reprit-il. Vous avez probablement besoin de dormir, enfin…

— Non, Rojas, je suis debout pour la journée. Ça fait trop mal de dormir. Tu peux rester. Tu es pressé ? Tu ferais pas le chauffeur pour quelqu'un d'autre par hasard ?

— Oh non. Non, non, rien de tel.

Il se rassit à contrecœur. Il avait un client avant de devenir mon chauffeur. Il s'était fait arrêter pour une histoire de recel et avait décroché une autre condamnation avant ça. L'accusation voulait le mettre en taule, mais j'avais réussi à lui obtenir un sursis avec mise à l'épreuve. Il me devait trois mille dollars pour ma peine, mais il avait perdu son travail, son employeur étant lui aussi la victime du vol. Je lui avais donné la possibilité de me payer en me servant de chauffeur et de traducteur et il avait accepté mon offre. J'avais commencé par lui donner cinq cents dollars par semaine, plus deux cent cinquante que je déduisais de sa dette. Au bout de trois mois, il m'avait tout remboursé, mais il était resté à mon service et recevait la totalité de mes sept cent cinquante dollars. Je pensais qu'il était heureux et en bonne voie, mais bon… voleur un jour, voleur toujours ?

— Monsieur Haller, enchaîna-t-il, je voulais juste que vous sachiez que dès que vous sortirez d'ici, je serai disponible vingt-quatre heures sur vingt-quatre. Je veux pas que vous preniez le volant pour aller ici ou là. Même si vous n'avez qu'à descendre la colline pour aller au Starbucks, je serai là pour vous y emmener.

— Merci, Rojas. Après tout, c'est quand même le moins que tu puisses faire, pas vrai ?

— Euh…

Il prit l'air perplexe, mais pas trop. Il savait vers quoi on allait. Je décidai de ne plus tourner autour du pot.

— Combien il t'a payé ?

Il se tortilla sur son siège.

— Qui ça ? Pour quoi faire ?

— Allons, Rojas ! Ne la joue pas comme ça ! C'est gênant.

— Je sais vraiment pas de quoi vous parlez. Peut-être bien que je ferais mieux d'y aller, après tout.

Il se leva.

— Il n'y a pas d'accord entre nous, Rojas. Nous n'avons signé aucun contrat, nous ne nous sommes fait aucune promesse, rien. Tu quittes cette pièce, je te vire et tout est dit. C'est ça que tu veux ?

— Qu'y ait pas d'accord a pas d'importance. Vous pouvez pas me virer sans raison.

— Mais j'en ai une, de raison, Rojas ! Herb Dahl m'a tout raconté. Tu devrais savoir que les voleurs n'ont pas d'honneur. Il m'a raconté comment tu l'avais appelé pour lui dire que tu pouvais lui fournir tout ce dont il aurait besoin.

Mon bluff fonctionna. Je vis la rage exploser dans ses yeux. J'avais le doigt sur le bouton d'appel de l'infirmière, juste au cas où.

— Ah, le petit sac à merde !

J'acquiesçai d'un signe de tête.

— La description est juste. Comment…

— Je l'ai pas appelé. C'est lui qu'est venu me voir, ce sac à merde ! Il m'a dit qu'il avait juste besoin de foutre son nez quinze secondes dans le coffre. J'aurais dû me douter que ça me retomberait sur la gueule.

— Je te croyais plus malin, Rojas. Combien t'a-t-il payé ?

— Quatre cents.

— Même pas une semaine de salaire et maintenant, tu ne vas plus avoir de paie.

Il s'approcha du lit. Je gardai le doigt sur le bouton d'appel. Je songeai qu'il allait ou bien me sauter dessus, ou bien me demander un arrangement.

— Monsieur Haller… je… j'en ai besoin, de ce travail. Mes enfants…

— C'est la même chose que la dernière fois, Rojas. Ça ne t'a donc rien appris de détrousser ton employeur ?

— Si, maître, si, si. Mais Dahl m'a dit qu'il voulait juste jeter un coup d'œil à quelque chose, mais après, ben… il l'a pris et quand j'ai essayé de l'arrêter, il m'a dit : « Qu'est-ce que tu vas faire, hein ? » Il me tenait. J'ai pas pu l'arrêter.

— Tu les as toujours, ces quatre cents dollars ?

— Oui, j'ai rien dépensé. Quatre cents dollars en billets. Et ils m'avaient l'air bien vrais.

Je lui indiquai d'aller se rasseoir. Je n'avais pas envie de l'avoir aussi près de moi.

— Bon, c'est l'heure de choisir, Rojas. Tu peux prendre la porte avec tes quatre cents dollars et je ne te revois plus jamais. Ou alors, je te donne une deuxième…

— Je la veux. S'il vous plaît ! Je m'excuse.

— C'est que… il va falloir la gagner, cette deuxième chance. Il va falloir que tu m'aides à rectifier ce que tu as fait. J'ai l'intention d'attaquer Dahl en justice pour m'avoir volé ce document et je vais avoir besoin de toi comme témoin à la barre pour que tu y expliques exactement ce qui s'est passé.

— Je le ferai, mais qui c'est qui va me croire ?

— C'est là que tes quatre cents dollars en billets entrent en scène. Je veux que tu rentres chez toi ou que tu ailles à l'endroit où tu les as planqués et que tu…

— Je les ai avec moi. Là-dedans ! dit-il en bondissant du fauteuil et en sortant son portefeuille de sa poche.

— Prends-les comme ça, ajoutai-je en serrant l'index contre le pouce.

— On peut relever des empreintes sur des billets ?

— Et comment ! Et si on peut y relever celles de Dahl, il pourra dire tout ce qu'il voudra sur toi, il sera fait comme un rat.

J'ouvris un tiroir de la petite table de nuit à côté de mon lit. Un sachet en plastique Ziploc contenant mon portefeuille, mes clés, des billets et de la petite monnaie s'y trouvait. Tous ces articles y avaient été enfermés par les ambulanciers qu'on avait appelés au garage du Victory Building. Cisco l'avait récupéré et venait juste de me le rendre. Je le vidai dans le tiroir et le tendis à Rojas.

— OK, mets tes billets là-dedans et ferme le sachet.

Il s'exécuta et je lui fis signe de venir me le donner. Les billets de cent avaient l'air tout ce qu'il y a de plus neuf et craquant. Moins on y aurait touché et plus on aurait de chances d'y relever des empreintes.

— C'est Cisco qui prendra la suite. Je vais l'appeler pour lui dire de revenir les prendre. À un moment ou à un autre, il aura besoin de tes empreintes.

— Euh…

Il avait les yeux fixés sur le sachet de billets.

— Quoi ?

— Je pourrai récupérer mon fric ?

Je posai le sac dans le tiroir et refermai violemment ce dernier.

— Putain, Rojas ! Dégage d'ici avant que je change d'idée et te vire !

— D'accord, d'accord, je suis désolé, vraiment.

— T'es désolé de t'être fait pincer, c'est tout. Fous-moi le camp ! J'arrive même pas à croire que je t'aie donné une deuxième chance ! Je dois être vraiment con.

Il battit en retraite comme un chien, la queue entre les jambes. Après son départ, je rabaissai lentement mon lit et essayai de ne pas penser à sa trahison, de ne pas me demander qui m'avait envoyé les deux types aux gants noirs ni de me poser la moindre question sur l'affaire. Je levai la tête pour regarder la poche de liquide clair accrochée en hauteur et attendis l'arrivée de la dose bénie qui, elle, aurait au moins l'avantage de faire disparaître un peu de douleur.

# 13

Comme prévu, à la fin de l'audience préliminaire de la Cour supérieure de Van Nuys présidée par le juge Dario Morales et qui dura une journée entière, Lisa Trammel fut tenue de répondre de ses actes et reçut l'ordre de comparaître devant un tribunal pour meurtre. Avec l'aide de l'inspecteur Howard Kurlen qui lui apporta l'essentiel de ses éléments de preuves, le procureur Andrea Freeman avait jeté un tel filet de présomptions sur Lisa qu'elle y fut vite emprisonnée. Freeman franchit la barre de recevabilité des preuves telle une championne du cent mètres, le juge étant tout aussi prompt à rendre sa décision. Pure routine. Prosaïque. *Plaf-plaf*, Lisa tenue de répondre de ses actes.

Elle était là, assise à la table de la défense, et moi, je n'y étais pas. Jennifer Aronson avait tenu son rôle du mieux qu'elle pouvait dans un combat totalement inégal. Le juge n'avait autorisé la poursuite de l'audience qu'après avoir interrogé à fond Lisa de façon à être sûr que sa décision de continuer en mon absence était bien volontaire, sage et stratégique. Lisa avait alors reconnu en plein tribunal ne pas ignorer qu'Aronson manquait d'expérience et avait renoncé à toute possibilité de faire appel de la décision du juge en usant de la récusation d'avocat pour incompétence.

J'avais regardé tout cela enfermé chez moi, où je continuais de récupérer de mes blessures. La chaîne KTLA5 avait retransmis l'audience du matin en direct au lieu des autres nouvelles locales avant de revenir aux talk-shows insipides de l'après-midi. Ce qui voulait dire que je n'avais raté que les deux dernières heures de l'audience. Mais cela ne m'avait pas posé de problèmes dans la mesure où, à ce moment-là, je savais déjà vers quoi on se dirigeait. Il n'y avait pas eu de surprises, ma seule déception était de n'avoir rien pu deviner de nouveau sur la manière dont l'accusation allait dévoiler ses batteries lors du procès – à savoir quand tout compterait pour de bon.

Comme nous l'avions décidé lors de nos séances de préparation dans ma chambre d'hôpital, Aronson n'avait fait comparaître aucun témoin ni excipé d'éléments de preuves supplémentaires. Nous avions choisi de garder en réserve tout ce qui pourrait suggérer que nous ne jouerions l'hypothèse d'innocence qu'au moment du procès où la perspective d'un verdict de culpabilité sans le moindre doute raisonnable nous verrait quasi à égalité avec l'accusation. Elle n'avait que très modestement interrogé en contre les témoins de la partie adverse. Tous, c'est-à-dire Kurlen, le légiste et l'expert en médecine légale, étaient des vieux routiers de la déposition en audience. Freeman avait choisi de ne pas citer Margo Schafer à comparaître et préféré faire appel à Kurlen pour qu'il rapporte l'interrogatoire de Margo Schafer où celle-ci affirmait avoir vu Lisa Trammel à une rue de la scène de crime. Notre stratégie consisterait donc à attendre, le défilé des témoins de l'accusation ne nous donnant pas grand-chose de tangible. Nous attendrions le bon moment. Nous ne nous attaquerions à l'accusation qu'au procès, quand nous aurions la meilleure chance de l'emporter.

À la fin de l'audience, il fut décidé que Lisa Trammel passerait en jugement au sixième étage du tribunal, devant le juge Coleman Perry. Encore un magistrat devant lequel je n'avais jamais officié. Mais comme je savais que c'était un des quatre qui pouvait juger ma cliente, je m'étais renseigné auprès d'autres membres du barreau. En gros, Perry était soupe au lait, mais allait droit au but. Il restait équitable jusqu'au moment où on le mettait en colère, la rancune qu'il vous gardait alors pouvant durer jusqu'à la fin du procès. Il serait bon de ne pas l'oublier lorsque la conclusion serait en vue.

Deux jours plus tard, je me sentis enfin prêt à reprendre le combat. Mes doigts cassés étaient fermement serrés dans un plâtre moulant, mon torse contusionné commençant à passer de diverses nuances de bleu et de violet foncés à un jaunâtre répugnant. On m'avait ôté les points de suture du haut du crâne et je pouvais maintenant ramener tout doucement mes cheveux par-dessus ma blessure rasée comme si je voulais cacher une calvitie.

Mieux encore, mon testicule anciennement tordu – le médecin avait fini par décider de me le laisser – s'améliorait de jour en jour, aux dires d'un homme de l'art doté de tous ses pouvoirs d'observation et de palpation. Restait à savoir s'il pourrait reprendre normalement ses fonctionnement et activités ou s'il mourrait sur le sarment telle la tomate *roma* qu'on n'a point cueillie.

Selon notre accord, Rojas avait garé la Lincoln au pied des marches à 11 heures pile. Je les descendis lentement, ma canne tenue fermement en main. Rojas m'aida à monter à l'arrière. Nous y allâmes avec précaution et je retrouvai bientôt ma place habituelle – j'étais prêt à attaquer. Rojas se précipita derrière le volant et nous bondîmes en avant pour dévaler la pente.

— Doucement, Rojas ! lui lançai-je. Ça me fait trop mal de mettre la ceinture. Alors, veille un peu à ne pas m'expédier dans le siège avant.

— Désolé, patron. Je vais faire attention. Où va-t-on aujourd'hui ? Au bureau ?

C'était de Cisco qu'il tenait ce truc de m'appeler « patron ». Je détestais ça, même si je savais que c'était effectivement ce que j'étais.

— Le bureau, ce sera pour plus tard. Commençons par Archway Pictures, dans Melrose Avenue.

Archway Pictures était un studio de deuxième zone situé juste en face d'un des géants du cinéma, la Paramount. Sorte de hangar destiné à l'origine à gérer le surplus de besoins d'équipement et de salles de tournage, il avait grandi jusqu'à devenir un studio indépendant placé sous l'autorité de feu Walter Elliot. On y tournait à présent, et chaque année, des films maison qui généraient leurs propres besoins en équipement et salles de tournage supplémentaires. Petite coïncidence, il se trouvait qu'Elliot avait jadis fait partie de mes clients[1].

Il fallut vingt minutes à Rojas pour rallier le studio en partant de ma maison au-dessus de Laurel Canyon. Il s'arrêta devant la guérite de sécurité, juste sous l'arche qui marque l'entrée du studio. J'abaissai ma vitre et dis au garde qui s'approchait que je voulais voir Clegg McReynolds. Il me demanda mon nom et une pièce d'identité, je lui passai mon permis de conduire. Il regagna sa guérite et consulta un écran d'ordinateur. Et fronça les sourcils.

— Je suis désolé, monsieur, dit-il, mais vous n'êtes pas sur la liste des gens qui peuvent entrer en voiture. Vous avez rendez-vous ?

— Non, je n'ai pas de rendez-vous, mais je suis sûr qu'il voudra me voir.

Je n'avais pas voulu avertir Clegg McReynolds trop à l'avance.

— C'est que je ne peux pas vous laisser entrer sans rendez-vous, moi.

— Pouvez-vous l'appeler et lui dire que je suis là ? Il aura très envie de me voir. Vous savez comment il est, n'est-ce pas ?

Le sous-entendu était clair. McReynolds était quelqu'un avec qui il valait mieux ne pas déconner. Le garde referma la porte coulissante et passa son appel. À travers la vitre, je le vis parler, la conversation s'avérant passablement animée. Puis il rouvrit la porte coulissante

1. Cf. *Le Verdict du plomb*, du même auteur.

et me passa l'appareil muni d'un long fil. Je le pris et remontai ma vitre au nez du garde. Un prêté pour un rendu.

— Michael Haller à l'appareil, dis-je. Monsieur McReynolds ?

— Non, son assistante personnelle. Que désirez-vous, monsieur Haller ? Je ne vois aucun rendez-vous dans le registre et franchement, je ne sais pas qui vous êtes.

Voix de femme jeune et pleine de confiance.

— Je suis le type qui va rendre la vie impossible à votre patron si vous ne me le passez pas tout de suite.

Il y eut comme une bulle de silence avant que la voix reprenne.

— Je n'aime pas beaucoup vos manières menaçantes. M. Reynolds est sur un tournage et...

— Il ne s'agissait nullement d'une menace. Je ne fais pas dans la menace. Je me contente de dire la vérité. Où est ce tournage ?

— Il est hors de question que je vous le dise. Vous n'approcherez pas de Clegg avant que je sache de quoi il retourne.

Je remarquai qu'elle appelait son patron par son prénom. Un Klaxon se fit entendre derrière moi. Les voitures commençaient à s'entasser. Le garde tapa à ma fenêtre, puis se pencha pour essayer de voir à travers la vitre teintée. Je l'ignorai. Un deuxième coup de Klaxon se fit entendre derrière moi.

— Il s'agit... pour vous... d'éviter beaucoup d'ennuis à votre patron. Êtes-vous au courant du contrat qu'il annonce avoir conclu la semaine dernière avec la femme qu'on accuse d'avoir assassiné le banquier qui voulait saisir sa maison ?

— Oui, je suis au courant.

— Eh bien, ces droits, votre patron les a acquis de manière frauduleuse. Je pense que ce n'est pas de sa faute et qu'il l'ignore. Si j'ai raison, il est victime d'une arnaque et je suis ici pour réparer les dégâts. Mais cette occasion ne se représentera pas. Après, Clegg McReynolds sera aspiré dans de beaux sables mouvants.

Cette dernière menace fut ponctuée par un long coup de Klaxon du véhicule juste derrière moi et d'un deuxième coup frappé à ma vitre.

— Parlez donc au gardien, enchaînai-je. C'est oui ou c'est non, et vous le lui dites.

J'abaissai ma vitre et rendis le téléphone au gardien en colère. Il se colla l'appareil à l'oreille.

— Alors ? dit-il. J'ai une file de bagnoles qui s'étire jusqu'à l'avenue.

Il écouta, réintégra sa guérite et raccrocha. Puis il me regarda et appuya sur le bouton d'ouverture de la grille.

— Plateau n° 9, dit-il. Tout droit et à gauche au bout. Vous pouvez pas le rater.

Je lui décochai un sourire je-vous-l'avais-bien-dit en relevant ma vitre et Rojas engagea la voiture sous la grille qui remontait.

Le plateau n° 9 était une immense salle de tournage capable d'abriter un porte-avions. Il était entouré de camions de matériel, de caravanes pour les stars et de vans de service. Quatre limousines extra-longues étaient garées à la queue leu leu devant, moteurs en marche et chauffeurs qui attendaient la fin du tournage que les vedettes consacrées sortent du bâtiment.

J'eus l'impression qu'il s'agissait d'une grosse production, mais je n'aurais sans doute pas la chance de voir de quoi il retournait. Un vieil homme et une jeune femme marchaient déjà au milieu de l'allée séparant les plateaux n° 9 et n° 10. La femme portait un casque audio, ce qui devait faire d'elle une attachée de presse. Elle montra ma voiture du doigt.

— Bien, dis-je à Rojas, laisse-moi ici.

Il arrêta la voiture et j'en ouvrais la portière lorsque mon portable sonna. Je jetai un œil à l'écran.

NUMÉRO MASQUÉ

C'était ce qui s'affichait à l'époque où je recevais des appels de mes clients impliqués dans le trafic de drogue. Ils se servaient de téléphones jetables bon marché pour échapper aux mises sur écoutes et autres relevés de factures téléphoniques. J'ignorai l'appel et laissai mon portable sur la banquette. *Vous voulez que je réponde à votre appel ? Faudrait voir à me dire qui vous êtes.*

Je descendis de la Lincoln en faisant très attention, laissai ma canne derrière moi – « Pourquoi faire étalage de ses faiblesses ? » disait toujours mon père, le célèbre avocat – et me dirigeai lentement vers le producteur et son assistante.

— C'est vous Haller ? me lança l'homme.

— C'est moi.

— Je voulais juste vous avertir que ce film auquel vous venez de m'arracher va chercher dans les deux cent cinquante mille dollars le quart d'heure. Ils ont tout arrêté à l'intérieur rien que pour que je puisse m'occuper de vous dehors.

— J'apprécie et ferai vite.

— Bien. Bon et maintenant, qu'est-ce que c'est que ces conneries comme quoi je serais en train de me faire arnaquer ? On ne m'arnaque pas, moi.

Je le regardai et attendis sans rien dire. Il ne lui fallut que quelques secondes de plus pour péter encore un câble.

— Alors, vous allez me le dire ou pas ? reprit-il. Je n'ai pas toute la journée !

Je regardai son assistante, puis je me tournai vers lui. Il comprit.

— Non, non, lança-t-il. Je veux un témoin à tout ce qui va se dire. Elle reste.

Je haussai les épaules, sortis un magnétophone miniature de ma poche et l'allumai. Puis je le levai bien haut, son témoin rouge illuminé.

— Je vais donc m'assurer d'avoir tout ça sur bande, moi aussi, dis-je.

Il posa les yeux sur l'appareil et je vis l'inquiétude dans son regard. Sa voix à lui… et ce qu'il allait dire conservés sur bande… Dans un endroit comme Hollywood, ça pouvait être dangereux. Des visions de Mel Gibson lui dansèrent devant les yeux.

— D'accord, vous éteignez ce truc et Jenny s'en va.

— Clegg ! protesta-t-elle.

Il baissa la main et lui flanqua une grande claque sur les fesses.

— Je t'ai dit de dégager !

Humiliée, la jeune femme se dépêcha de filer comme une collégienne.

— Y a des fois où c'est comme ça qu'il faut les traiter, m'expliqua-t-il.

— Je suis sûr que ça leur apprend plein de choses, lui renvoyai-je.

Il acquiesça d'un signe de tête sans entendre le sarcasme dans ma voix.

— Donc, reprenons, Haller : de quoi s'agit-il ?

— De vous, Clegg, qui êtes en train de vous faire avoir par Herb Dahl, votre associé dans le contrat Lisa Trammel.

Il hocha énergiquement la tête.

— Mais non. C'est légal d'un bout à l'autre. Absolument impeccable. Jusqu'à la nana qui a signé. Dans ce film, je pourrais en faire une pute de cent cinquante kilos qui aime sucer les nègres qu'elle ne pourrait même pas s'y opposer. Cet accord est nickel.

— Ouais, sauf que côté légal, il se trouve que ni lui ni elle n'avaient les droits de cette histoire et qu'ils ne pouvaient donc pas vous les vendre. Parce que ces droits, c'est moi qui les détiens. Et que c'est Trammel qui me les a donnés avant que Dahl ne débarque… en deuxième position. Il a alors cru pouvoir réintégrer la première en me piquant les contrats originaux dans mes dossiers. Sauf que ça ne marche pas comme ça. J'ai un témoin du vol et les empreintes du monsieur. Il va tomber pour fraude et vol, et vous, Clegg, il va falloir décider si vous voulez tomber avec lui. À vous de choisir.

— Vous me menacez ? C'est quoi, ça ? De l'extorsion ? Pas question de m'extorquer quoi que ce soit.

— Non, il ne s'agit pas d'extorsion. Je veux seulement ce qui m'appartient. Vous pouvez donc ou bien garder Dahl comme associé ou bien conclure le même marché avec moi.

— C'est trop tard. J'ai déjà signé. Nous avons tous signé. L'affaire est conclue.

Et il fit demi-tour.

— Vous l'avez payé ?

Il se retourna.

— Vous plaisantez ? On est à Hollywood ici !

— Vous n'avez donc probablement signé qu'une lettre d'intention, c'est ça ?

— C'est ça. Les contrats arriveront dans quatre semaines.

— Ce qui fait qu'il y a accord possible, mais pas finalisé. C'est comme ça qu'on fait à Hollywood. Et si vous voulez changer quelque chose, vous pouvez. Si vous voulez trouver un truc pour faire capoter l'affaire, vous pouvez.

— Je n'ai aucune envie de faire quoi que ce soit de ce genre. Ce projet me plaît. C'est Dahl qui me l'a apporté. Et c'est avec lui que j'ai conclu l'affaire.

Je hochai la tête comme si je comprenais son dilemme.

— Vous faites comme vous voulez. Moi, demain matin, je passe chez les flics et je dépose ma plainte dans l'après-midi. Vous y tiendrez le rôle de l'accusé. En qualité d'associé à la fraude.

— Mais je n'ai rien fait de pareil ! Je n'étais même pas au courant de tout ça avant que vous m'en parliez.

— C'est exact. Et donc, je vous l'aurai dit et vous n'aurez rien fait. Vous aurez choisi de continuer avec un voleur malgré votre connaissance des faits. Il y aura donc collusion et ce sera le socle de mon dossier contre vous.

Je glissai la main dans ma poche et en sortis mon magnétophone. Je le levai en l'air afin qu'il voie bien que le témoin rouge était toujours allumé.

— Je vais vous immobiliser ce film tellement longtemps que la fille dont vous venez de claquer les fesses sera la directrice de tout cet endroit lorsqu'il sera fini, enchaînai-je.

Et cette fois, je m'éloignai vraiment. Il me rappela.

— Attendez une minute, Haller.

Je me retournai. Il regarda vers le nord et le panneau qui, en haut de la colline, attire tout le monde dans cette ville.

— Que faut-il que je fasse ? me demanda-t-il.

— Que vous concluiez la même affaire avec moi. Dahl, je m'en occupe. Il mérite quelque chose de soigné et il l'aura.

— Il me faut un numéro de téléphone à donner au juridique.

Je sortis une carte de visite et la lui tendis.

— N'oubliez pas : je veux de vos nouvelles aujourd'hui même.

— Vous en aurez.

— À propos… c'est quoi, les montants ?

— Deux cent cinquante mille d'avance sur un million. Plus deux cent cinquante de mieux pour produire le film.

J'acquiesçai d'un signe de tête. Deux cent cinquante mille dollars d'avance n'auraient aucun mal à financer la défense de Lisa Trammel. Il en resterait même peut-être quelque chose pour Herb Dahl. Tout dépendait de la façon dont je voudrais gérer l'affaire et jusqu'à quel point j'entendais rester fair-play avec un voleur. À dire vrai, j'aurais bien aimé le coller six pieds sous terre, mais bon, c'était lui qui avait trouvé où placer le projet.

— Bien, que je vous dise... Je suis le seul qui le dira jamais dans cette ville, mais je n'ai pas envie de produire ce truc. Vous pouvez garder cette part de l'affaire avec Dahl. Elle est à lui.

— Pour autant qu'il ne finisse pas en taule.

— Introduisez une réserve pour problème de personnalité dans le contrat.

— Ça sera assez nouveau par ici. J'espère que le juridique pourra s'en débrouiller.

— C'est un vrai plaisir de faire affaire avec vous, Clegg.

À nouveau, je me retournai pour regagner ma voiture. Cette fois, Clegg me rattrapa et se mit à marcher à côté de moi.

— Nous pourrons vous contacter, n'est-ce pas ? me demanda-t-il. Nous allons avoir besoin de vous comme conseiller technique. Surtout pour le scénario.

— Vous avez ma carte.

Rojas m'avait déjà ouvert la portière lorsque j'arrivai à la voiture. Je me glissai dedans en y allant doucement sur les *cojones,* puis je me tournai vers McReynolds.

— Encore une chose, me dit-il. Je pensais à Matthew McConaughey pour le rôle. Il serait parfait. Mais d'après vous, quel est l'acteur qui vous représenterait le mieux ?

Je lui souris et tendis la main vers la poignée.

— Mais vous êtes en train de le regarder, Clegg.

Je fermai la portière et, par la vitre teintée, vis la perplexité se dessiner sur son visage.

Je demandai à Rojas de mettre le cap sur Van Nuys.

# 14

Rojas m'informa que mon portable n'avait pas cessé de sonner pendant que je parlais avec McReynolds. Je vérifiai et ne trouvai aucun message. J'ouvris la liste des appels et découvris que quatre m'étaient arrivés d'une ligne inconnue pendant les dix minutes que j'avais passées hors de ma voiture. Les intervalles entre les coups de fil étaient trop disparates pour qu'il puisse s'agir d'un fax en appel à répétition automatique. Quelqu'un avait vraiment essayé de me joindre, mais sans que cela soit apparemment assez urgent pour me laisser un message.

J'appelai Lorna pour lui dire que j'étais en route. Je la mis au courant de l'affaire que j'avais conclue avec McReynolds et lui dis de s'attendre à un appel du service juridique d'Archway avant la fin de la journée. Elle fut tout excitée à l'idée de recevoir de l'argent pour l'affaire au lieu de passer son temps à en débourser.

— Autre chose ?

— Andrea Freeman a appelé deux fois.

Je songeai aux quatre appels reçus sur mon portable.

— Tu lui as passé mon numéro de portable ?

— Oui.

— J'ai l'impression de l'avoir loupée de peu, mais elle n'a pas laissé de message. Il doit y avoir du nouveau.

Lorna me donna le numéro qu'Andrea lui avait communiqué.

— Tu pourras peut-être la joindre si tu la rappelles tout de suite, me dit-elle. Je te laisse.

— OK, mais... où sont les autres ? Au cabinet ou à l'extérieur ?

— Jennifer est dans son bureau et je viens juste d'avoir un appel de Cisco. Il revient d'un truc de terrain.

— Quel truc ?

— Il ne me l'a pas dit.

— Bon. Je verrai tout le monde en arrivant.

Je raccrochai et appelai Freeman. Je n'avais plus entendu parler d'elle depuis que les types en gants noirs m'avaient agressé. Même Kurlen était venu à l'hôpital pour voir comment j'allais. Mais elle, rien – ma valeureuse adversaire ne m'avait même pas envoyé de carte pour me souhaiter un prompt rétablissement. Et maintenant, six appels en une matinée sans laisser de message ? Pour être curieux, je l'étais.

Elle répondit à la première sonnerie et alla droit au but.

— Quand pouvez-vous passer ? me demanda-t-elle. J'aimerais vous soumettre une idée avant qu'on démarre.

Sa façon à elle de me laisser entendre qu'elle n'était pas opposée à l'idée de clore l'affaire à l'aide d'un plaider-coupable avant que toute la machinerie du procès ne se mette en branle.

— Je croyais vous avoir entendue dire que vous ne feriez aucune offre, lui lançai-je.

— Eh bien... disons simplement que des têtes moins échauffées ont prévalu. Je ne reviens pas sur ce que je pense de vos décisions dans cette affaire, mais je ne vois pas pourquoi votre cliente devrait en faire les frais.

Il se passait des choses. Je le sentais. Elle venait d'avoir un problème. Une pièce à conviction qui s'était perdue ou un témoin qui changeait sa version des faits. Je songeai à Margo Schafer. Peut-être Freeman avait-elle un problème avec elle. Après tout, elle ne nous avait pas baladé Schafer sous le nez à l'audience préliminaire.

— Je n'ai pas envie de passer chez le district attorney, lui répondis-je. Vous pouvez venir à mon cabinet ou alors on se rencontre en terrain neutre.

— Je n'ai pas peur d'entrer en territoire ennemi. Où est votre cabinet ?

Je lui donnai l'adresse et nous convînmes de nous y retrouver dans l'heure. Je raccrochai et tentai de me concentrer sur ce qui pouvait aller de travers dans le camp de l'accusation à ce stade de l'affaire. J'en revins à Schafer. Ça ne pouvait pas ne pas être elle.

Mon téléphone se mettant à vibrer dans ma main, je consultai l'écran. C'était probablement Freeman qui me rappelait pour annuler le rendez-vous et me révéler que tout cela n'était que comédie, énième manœuvre tout droit sortie du manuel des pièges psychologiques de l'accusation. Je pris l'appel :

— Oui ?

Silence.

— Allô ?

— J'ai bien affaire à Michael Haller ?

Voix masculine – aucune que j'aurais reconnue.

— Oui, qui est à l'appareil ?

— Jeff Trammel.

Pour une raison inconnue, il me fallut un moment pour situer ce nom, puis il me revint brusquement en mémoire : le mari prodigue.

— Jeff Trammel, oui, bien sûr, comment allez-vous ?

— Bien, faut croire.

— Comment avez-vous eu ce numéro ?

— En parlant avec Lisa ce matin. Je lui ai passé un coup de fil. Elle m'a dit que je devrais vous appeler.

— Eh bien, je suis content que vous l'ayez fait. Jeff, êtes-vous conscient de la situation dans laquelle se trouve votre femme ?

— Oui, elle m'a dit.

— Vous n'avez rien vu aux nouvelles ?

— Il n'y a ni télé ni rien ici. Et je ne parle pas l'espagnol.

— Où êtes-vous exactement, Jeff ?

— Je préférerais ne pas le dire. Vous le rapporterez à Lisa et j'aimerais mieux qu'elle n'ait pas ce renseignement à l'heure qu'il est.

— Reviendrez-vous pour le procès ?

— Je ne sais pas. Je n'ai pas d'argent.

— On pourrait vous en fournir pour le voyage. Vous pourriez revenir ici et être avec votre femme et votre fils dans ces moments difficiles. Vous pourriez aussi témoigner, Jeff. Témoigner pour la maison, la banque, toutes les pressions que…

— Euh… non, je ne pourrais pas. Je n'ai pas envie de me mettre aussi en avant, monsieur Haller. Tous mes défauts… Ça ne me semblerait pas approprié.

— Même pas pour sauver votre femme ?

— Ce serait plutôt mon ex. C'est simplement que nous n'avons pas rendu tout ça officiel.

— Que voulez-vous, Jeff ? Voulez-vous de l'argent ?

Il y eut une grande pause. Enfin nous allions savoir le fond de l'affaire. Mais ce fut là qu'il me surprit.

— Je ne veux rien, monsieur Haller.

— Vous êtes sûr ?

— Je veux qu'on me laisse en dehors de tout ça. Ce n'est plus ma vie.

— Où êtes-vous, Jeff ? C'est quoi, votre vie, maintenant ?

— Je ne vais pas vous le dire.

Je hochai la tête de frustration. Je voulais le garder en ligne comme le flic qui essaie de remonter un appel, sauf qu'il n'y avait rien à remonter.

— Écoutez, Jeff, repris-je, je déteste vous le rappeler, mais c'est mon travail de couvrir toutes les bases, vous voyez ce que je veux dire ? Si nous perdons cette affaire et qu'il y a verdict, Lisa sera condamnée. Il y aura alors un moment où ses amis et ses êtres les plus chers pourront s'adresser à la cour pour dire du bien d'elle et nous serons en mesure d'invoquer ce qui, pour nous, constituera des circonstances atténuantes. Par exemple, la façon dont elle s'est battue pour garder sa maison. J'aimerais bien pouvoir compter sur vous pour venir témoigner.

— Vous pensez donc perdre ?

— Non, à mon avis, nous avons de fortes chances de l'emporter. Je le crois vraiment. Toute l'affaire repose sur des présomptions et sur un témoin que je pense pouvoir rétamer. Mais je dois être aussi préparé en cas de résultat contraire. Jeff, vous êtes sûr de ne pas pouvoir me dire où vous êtes ? Je peux garder ce renseignement complètement confidentiel. Non, parce que j'ai besoin de savoir où vous êtes si jamais nous devons vous envoyer de l'argent.

— Il faut que je vous quitte.

— Et l'argent, Jeff ?

— Je vous rappellerai.

— Jeff ?

Il avait filé.

— Je le tenais presque, Rojas.

— Je suis désolé, patron.

Je reposai un instant mon portable sur l'accoudoir et regardai dehors pour voir où nous étions. Sur la 101, dans le col de Cahuenga. À encore vingt minutes du cabinet.

Jeff Trammel n'avait pas dit non à l'argent la dernière fois que je lui en avais parlé. Mon appel suivant fut pour ma cliente. Lorsqu'elle répondit, j'entendis un bruit de télé en fond sonore.

— Lisa, c'est Mickey, lui lançai-je. Il faut qu'on parle.

— D'accord.

— Vous pouvez éteindre la télé ?

— Oh, bien sûr. Désolée.

J'attendis et, très vite, ce fut le silence de son côté.

— C'est bon, dit-elle enfin.

— Commençons par le commencement, votre mari vient de m'appeler. Vous lui avez passé mon numéro ?

— Oui, vous m'aviez demandé de le faire, vous vous rappelez ?

— Oui, pas de problème. Je ne faisais que vérifier. Ça ne s'est pas bien passé. On dirait qu'il veut rester à l'écart.

— C'est ce qu'il m'a dit.

— Vous a-t-il dit où il était ? Si je le savais, je pourrais envoyer Cisco essayer de le convaincre de nous aider.

— Il a refusé de me le dire.

— Je pense qu'il pourrait être encore au Mexique. Il m'a dit ne pas avoir d'argent.

— Il m'a dit la même chose. Il veut que je lui envoie un peu d'argent du film.

— Vous lui avez parlé de ça ?

— Il va y avoir un film, Mickey. Il devait le savoir.

Ou alors... voulait-elle dire qu'on devait lui foutre le nez dans son caca ?

— Où alliez-vous lui envoyer cet argent ?

— Il m'a dit que je pouvais le déposer à la Western Union et qu'il pourrait y avoir accès dans n'importe laquelle de leurs agences.

Je savais qu'il y en avait dans tout Tijuana et plus au sud. J'avais déjà expédié de l'argent à des clients. On pourrait lui en envoyer et rétrécir le champ des recherches en voyant à quelle agence il irait le toucher. Sauf que s'il était malin, il ne se présenterait pas à la plus proche de son domicile et nous nous retrouverions à la case départ.

— OK, dis-je. On pensera à Jeff un peu plus tard. Je voulais aussi vous informer que l'affaire qu'Herb Dahl a conclue avec Archway a changé.

— Comment ça ?

— Cette affaire, c'est moi qui l'ai maintenant. Je viens de quitter les studios d'Archway. Herb peut toujours produire le film si jamais il y en a un. Et il n'ira pas en prison. Il s'en sort bien. Et vous aussi parce que l'équipe qui vous défend sera payée de ses efforts et que vous aurez le reste, la somme étant à ce propos nettement plus importante que celle que vous aurait accordée Herb.

— Mickey ! Vous ne pouvez pas faire ça ! C'est Herb qui a conclu le marché !

— Je viens juste de le défaire, Lisa. Clegg McReynolds n'avait pas envie d'être pris dans le filet juridique que j'allais jeter sur la tête d'Herb. Vous pouvez le lui dire vous-même ou lui demander de m'appeler s'il veut.

Elle garda le silence.

— Il y a encore un truc et c'est important. Vous m'entendez ?

— Oui, oui, je suis toujours là.

— Je suis en route pour le cabinet, où je dois rencontrer l'avocate de l'accusation. C'est elle qui a voulu ce rendez-vous. Je pense qu'il se passe des choses. Elle veut me parler d'un arrangement et elle n'aurait jamais accepté de venir à mon bureau si elle n'y était pas obligée. Je voulais juste que vous le sachiez. Je vous appelle après ce rendez-vous.

— Pas d'arrangements, Mickey, à moins qu'elle ne soit prête à se poster en haut des marches du palais pour annoncer à CNN, à Fox News et à toutes les autres chaînes que je suis innocente.

Je sentis la voiture dévier de sa course et regardai par la fenêtre. Rojas avait décidé de quitter l'autoroute un peu plus tôt à cause de la circulation.

— C'est que… je ne pense pas que ce soit ça qu'elle vient m'offrir, mais il est de mon devoir de vous tenir informée des choix qui s'offrent à vous. Je n'ai pas envie que vous deveniez une espèce de martyre de… de cette cause. Vous feriez bien d'écouter toutes les offres, Lisa.

— Je ne plaiderai jamais coupable, point final. Vous avez autre chose à me dire ?

— Non, rien pour l'instant. Je vous rappelle plus tard.

Je reposai le téléphone sur l'accoudoir. Assez de parlotte comme ça. Je fermai les yeux pour me reposer quelques minutes. J'essayai de remuer les doigts à l'intérieur de mon plâtre. L'effort fut pénible, mais couronné de succès. Le médecin qui avait examiné la radio m'avait dit qu'à son avis, les dégâts s'étaient produits au moment où on m'avait marché sur la main alors que j'étais par terre et déjà inconscient. Heureusement pour moi, j'imagine. Il m'avait aussi prédit une guérison totale.

Dans le monde de ténèbres derrière mes paupières, je revis les types aux gants noirs s'approcher de moi. La scène me revenait en boucle. Je voyais l'absence de toute émotion dans leurs yeux tandis qu'ils avançaient. Pour eux, ce n'était qu'un boulot. Rien de plus. Pour moi, cela se soldait par quatre décennies de confiance et d'amour-propre brisées tels de petits os sur le sol.

Au bout d'un moment, j'entendis Rojas me parler.

— Hé, patron, on est arrivés.

## 15

J'arrivais à l'accueil lorsque, assise à son bureau, Lorna me mit en garde d'un geste de la main. Puis elle me montra la porte de mon bureau.

Elle me disait qu'Andrea Freeman m'y attendait déjà. Je fis vite un détour par l'autre pièce, frappai une fois à la porte et l'ouvris. Cisco et Bullocks étaient à leurs bureaux. Je gagnai celui de Cisco et posai mon portable devant lui.

— Le mari de Lisa a appelé. Il a même appelé plusieurs fois. Numéro masqué. Tu vois ce que tu peux faire ?

Il envisagea ma demande en se frottant un doigt en travers des lèvres.

— Notre fournisseur d'accès a un service pour remonter les menaces. Je leur donnerai les heures exactes des appels et ils verront ce qu'ils peuvent faire. Ça demande quelques jours et ils ne pourront qu'identifier le numéro, pas les lieux des appels. Pour trianguler l'endroit où se trouve le type, il faut passer par la police.

— J'ai juste besoin du numéro. C'est moi qui veux l'appeler le prochain coup et pas l'inverse.

— Entendu.

Je fis demi-tour et jetai un coup d'œil à Aronson.

— Bullocks, vous voulez venir dans mon bureau entendre ce que le bureau du district attorney a à nous dire ?

— Avec plaisir.

Nous traversâmes l'appartement pour gagner mon bureau. Freeman s'était installée dans un fauteuil et lisait ses mails sur son portable. Elle n'avait pas revêtu sa tenue tribunal. Jean et sweat-shirt. Elle avait dû bosser au bureau. Je fermai la porte, elle leva la tête.

— Andrea, lui lançai-je, je peux vous offrir quelque chose à boire ?

— Non, ça ira.

— Et vous connaissez Jennifer… À l'audience préliminaire ?

— Jennifer la muette, bien sûr. Elle ne l'a jamais ouverte.

Je fis le tour de mon bureau et remarquai que cou et visage, Aronson commençait à rougir de honte. J'essayai de lui lancer une bouée de sauvetage.

— Elle aurait bien voulu le faire une ou deux fois, mais je lui avais donné des ordres stricts. Question de stratégie, vous savez bien… Jennifer, prenez donc cette chaise.

Aronson la tira et s'assit.

— Et donc, nous y voici, dis-je. Qu'est-ce qui peut bien pousser le bureau du district attorney à vous envoyer dans mon très humble lieu de travail ?

— Eh bien, nous approchons du but et je me disais, vous voyez… Je me disais que vous travaillez dans tout le comté et que vous ne connaissez peut-être pas le juge Perry aussi bien que moi.

— C'est peu de le dire. Je n'ai même jamais plaidé devant lui.

— Il aime bien que son rôle des causes ne pose pas de problèmes. Il se fout des grosses manchettes et du brouhaha. Il voudra juste savoir qu'un gros effort a été fourni pour mettre fin à l'affaire par un arrangement. Voilà pourquoi je me suis dit que nous pourrions en discuter une dernière fois avant d'aller au procès.

— Une « dernière » fois ? Je ne me rappelle pas qu'il y en ait eu une première.

— Vous voulez qu'on en parle, oui ou non ?

Je me calai dans mon fauteuil et pivotai comme si je réfléchissais à la question. Tout cela n'était qu'entrechats et nous le savions tous les deux. Ce n'était nullement par désir de plaire au juge Perry que Freeman se conduisait ainsi. Il y avait quelque chose d'autre qu'on ne voyait pas. Quelque chose avait mal tourné pour elle et la défense avait sa chance. Je tortillai mes doigts dans le plâtre pour essayer de me débarrasser d'une démangeaison à la paume de la main.

— C'est que… Je ne sais pas à quoi vous pensez. Chaque fois que je parle d'un plaider-coupable à ma cliente, elle me dit d'aller me faire foutre. Elle veut un procès. Bien sûr, je connais ça par cœur. C'est le coup du « pas d'arrangement, pas d'arrangement, pas d'arrangement », jusqu'au moment où on en veut un.

— Voilà.

— Mais là, Andrea, j'ai comme qui dirait les mains liées. Ça fait déjà deux fois que ma cliente m'interdit d'aller vers vous avec une proposition. Elle refuse que j'initie quoi que ce soit. Cela étant, là, c'est vous qui venez et ça pourrait marcher. Mais c'est vous qui devez ouvrir les négociations. Dites-moi à quoi vous pensez.

Elle acquiesça d'un signe de tête.

— Très bien, dit-elle. Après tout, c'est moi qui vous ai appelé. Sommes-nous d'accord pour dire que ça restera entre nous ? Rien ne quitte cette pièce si nous n'arrivons pas à un accord ?

— Bien sûr.

Aronson acquiesça avec moi.

— Bien, alors voilà ce à quoi nous pensons. Et c'est déjà OK avec la hiérarchie. On redescend à homicide simple et on recommande une peine de niveau moyen.

Je hochai la tête et avançai ma lèvre inférieure comme pour lui faire comprendre que son offre n'était pas mauvaise. Mais je savais que si elle ouvrait les négociations sur l'homicide simple avec peine de niveau moyen, cela ne pouvait aller que de mieux en mieux pour ma cliente. Je savais aussi que mon instinct ne me trahissait pas. Il était hors de question que le district attorney se fende d'une offre pareille si rien ne clochait de son côté. Pour moi, le dossier de l'accusation avait perdu beaucoup de sa force dès le moment où les flics avaient menotté ma cliente. Et en plus, quelque chose venait de se casser la gueule dans leur affaire. Quelque chose d'important, et il fallait que je trouve ce que c'était.

— L'offre est sérieuse, dis-je.

— Et comment ! Passer de guet-apens et meurtre avec préméditation à ça !

— J'imagine que vous tenez quand même à l'assassinat.

— Même vous, vous auriez du mal à vouloir l'homicide involontaire ! Ce n'est pas comme si elle se trouvait dans ce garage par hasard ! Vous croyez qu'elle acceptera notre offre ?

— Je ne sais pas. C'est depuis le début qu'elle dit ne pas vouloir d'arrangement. Elle veut aller au procès. Je peux essayer de la convaincre. C'est juste que...

— Juste que quoi ?

— Que je suis un peu curieux, vous voyez ? Pourquoi une offre aussi généreuse ? Pourquoi descendez-vous jusque-là ? Qu'est-ce qui s'est cassé la figure dans votre dossier pour que vous éprouviez le besoin d'arrêter les frais et de tout lâcher ?

— Il ne s'agit ni d'arrêter les frais ni de tout lâcher. Elle ira quand même en prison et justice sera quand même faite. Notre dossier se porte très bien, mais les procès sont longs et coûtent cher. C'est sur toute la ligne que le bureau du district attorney essaie d'arriver à des arrangements au lieu d'aller au procès. À condition que ces arrangements aient un sens, bien sûr. Et c'est le cas. Vous n'en voulez pas, on va jusqu'au bout.

Je levai les mains en signe de reddition. Je vis qu'elle concentrait ses regards sur le plâtre de ma main gauche.

— Le problème n'est pas que j'en veuille ou pas, repris-je. C'est à ma cliente de décider et je dois lui donner tous les éclaircissements nécessaires, c'est tout. Ce n'est pas la première fois que je me trouve dans cette situation. En général, une offre aussi généreuse est trop belle pour être vraie. On l'accepte et on finit par découvrir que le témoin clé allait caner ou que l'accusation vient juste de tomber sur un élément de preuve qui disculpe l'accusé et qu'on aurait fini par découvrir lors de l'échange des preuves si seulement on avait résisté un peu plus longtemps.

— OK, bon, mais ce n'est pas le cas cette fois. L'offre est ce qu'elle est. Vous avez vingt-quatre heures pour l'accepter et après, elle est retirée.

— Et si on disait peine minimale ?

— Quoi ? !

Elle avait presque crié.

— Oh allons, vous n'êtes pas venue ici pour me donner votre dernière et meilleure offre. Personne ne fonctionne comme ça. Vous en avez une autre et tout le monde le sait. Assassinat, bien sûr, mais vous recommandez la sentence minimale. Elle fera entre cinq et sept ans max.

— Vous me tuez. La presse va me bouffer tout cru.

— Peut-être bien, mais je sais que votre patron ne vous a pas envoyée ici avec une seule offre.

Elle se pencha en arrière, jeta un coup d'œil à Aronson et regarda tout autour d'elle, ses yeux s'arrêtant sur les étagères pleines de livres fournis avec le cabinet.

J'attendis. Je coulai un regard à Aronson et lui fis un clin d'œil. Je savais ce qui allait suivre.

— Je suis vraiment navrée pour votre main, reprit Freeman. Ça a dû vous faire un mal de chien.

— En fait, non. J'étais déjà au tapis quand ils me l'ont massacrée. Je n'ai rien senti.

Je la levai à nouveau en l'air et remuai les doigts, leurs extrémités s'agitant alors au bord supérieur du plâtre.

— J'arrive déjà à les remuer assez bien.

— Bon d'accord, peine minimale. Mais il faut quand même que j'aie de vos nouvelles d'ici à vingt-quatre heures. Et tout ça reste entre nous. Sauf pour votre cliente, rien de tout ceci ne doit sortir de cette pièce si ça capote.

— Nous avons déjà vu ça.

— Bien, je crois qu'on a fini. Je vais filer.

Elle se leva, Aronson et moi en faisant autant. Nous nous laissâmes ensuite aller aux petits papotages qui font souvent suite à une réunion importante.

— Alors, c'est qui le prochain district attorney ? demandai-je à Freeman.

— Vous en savez autant que moi, répondit-elle. Il n'y a toujours pas de candidat qui se détache, ça, c'est certain.

Le Bureau était alors dirigé par un district attorney intérimaire après la nomination de son ancien patron à un poste très élevé au sein du Bureau de l'attorney général[1] des États-Unis à Washington, DC. Une élection extraordinaire allait avoir lieu à l'automne pour remplir le poste vacant et, pour l'instant, le pool des candidats n'avait rien d'excitant.

Les plaisanteries ayant pris fin, nous nous serrâmes la main et Freeman quitta la pièce. Je me rassis et regardai Aronson.

— Alors ? Qu'est-ce que vous en pensez ?

— J'en pense que vous avez raison. L'offre était trop belle et en plus, après, elle l'a encore améliorée. Y a quelque chose qui cloche dans son dossier.

— Oui, mais quoi ? Nous ne pourrons jamais exploiter ça si nous ne savons pas de quoi il s'agit.

Je me penchai vers le téléphone, appuyai sur le bouton de l'Interphone et demandai à Cisco de venir. Puis je me mis à pivoter dans mon fauteuil sans rien dire en l'attendant. Il entra, posa mon téléphone sur le bureau et prit le fauteuil où Freeman s'était assise.

— Le traçage est en route. Moi, je tablerais sur trois jours. Ça ne va pas très vite.

— Merci.

— Bon alors, et le procureur ?

— Elle a la trouille et nous ne savons pas pourquoi. Je sais que tu as vérifié tout ce qu'elle nous a donné. Même chose pour les

1. Équivalent américain de notre ministère de la Justice.

témoins. Mais je veux qu'on recommence. Quelque chose a changé. Quelque chose qu'ils croyaient avoir et qu'ils n'ont plus. Il faut qu'on trouve ce que c'est.

— Margo Schafer, y a des chances.

— Comment ça ?

Il haussa les épaules.

— Je parle d'expérience, rien de plus. Les témoins oculaires ne sont pas fiables. Schafer est un gros morceau dans une affaire où tout est présomptions. Ils perdent Schafer ou il s'avère que ce qu'elle raconte n'est pas solide et ils se retrouvent avec un gros problème. Nous savons déjà qu'elle va avoir du mal à convaincre un jury de croire qu'elle a effectivement vu ce qu'elle dit avoir vu.

— Mais… nous ne lui avons toujours pas parlé ?

— Elle refuse de se laisser interroger et elle n'est absolument pas tenue d'accepter.

J'ouvris le tiroir du milieu de mon bureau et en sortis un crayon. J'en glissai la pointe dans l'ouverture du plâtre, la fis descendre entre deux de mes doigts et agitai le crayon d'avant et d'arrière pour me gratter la paume de la main.

— Qu'est-ce que tu fabriques ? me demanda Cisco.

— Vous savez ce qu'on dit sur les paumes de main qui vous démangent ? lança Aronson.

Je la regardai en me demandant s'il n'y avait pas une manière de sous-entendu graveleux dans la réponse.

— Non, qu'est-ce qu'on dit ?

— Si c'est la main droite, c'est que vous allez gagner de l'argent. Si c'est la gauche, vous allez en perdre. Si vous les grattez, ça empêche tout de se produire.

— C'est ce qu'on vous apprend à l'école de droit ?

— Non, c'est ma mère qui disait toujours ça. Elle était superstitieuse. Elle y croyait.

— Eh bien, si c'est vrai, je viens de nous faire économiser pas mal de fric.

Sur quoi, je ressortis le crayon de mon plâtre et le rangeai dans le tiroir.

— Cisco, dis-je, reprends l'enquête sur Schafer. Essaie de la coincer quand elle n'est pas sur ses gardes. Montre-toi dans un endroit où elle ne s'attendrait jamais à te trouver. Et vois comment elle réagit. Vois si elle accepte de parler.

— Entendu.

— Et si elle ne parle pas, tu reprends tout son passé. Il y a peut-être un lien que nous ne connaissons pas.

— S'il y en a un, je le trouverai.

— J'y compte bien.

## 16

Comme je m'y attendais, Lisa Trammel refusa catégoriquement le plaider-coupable qui l'expédierait sept ans en prison, même si elle aurait à affronter quatre fois cette durée d'internement si jamais elle était condamnée à l'issue du procès. Elle choisit de tout risquer pour obtenir l'acquittement, et ce n'est pas moi qui le lui aurais reproché. Si j'avais toujours autant de mal à m'expliquer le changement d'attitude du ministère public, cette offre d'arrangement favorable à la défense me laissait penser que l'accusation craignait quelque chose et que nous avions légitimement une chance de l'emporter. Ma cliente était prête à tenter sa chance, et moi aussi. Ce n'était pas ma liberté qui était en jeu.

Je rentrais le lendemain après le travail lorsque j'appelai Andrea Freeman pour lui annoncer la nouvelle. Elle m'avait laissé plusieurs messages tôt dans la journée – messages auxquels, stratégie oblige, je n'avais pas répondu dans l'espoir de la mettre sur des charbons ardents. Il s'avéra que côté chaleur, elle était loin de la craindre. Lorsque je l'informai que ma cliente refusait son offre, elle se contenta d'éclater de rire.

— Euh, Haller, me dit-elle, faudrait peut-être voir à répondre à vos messages un peu plus vite. J'ai essayé de vous joindre plusieurs fois dans la matinée. L'offre a été retirée, et de façon permanente, à

10 heures ce matin. Elle aurait dû l'accepter hier soir, ce qui lui aurait très probablement économisé aux environs de vingt ans de prison.

— Qui a retiré l'offre ? Votre patron ?

— Non, moi. J'ai changé d'avis, point final.

Je fus incapable de deviner ce qui avait pu causer un tel revirement en moins de vingt-quatre heures. À ma connaissance, le seul événement nouveau ayant trait à l'affaire ce matin-là était que l'avocat de Louis Opparizio avait déposé une requête pour annuler la citation à comparaître que nous demandions à l'encontre de son client. Cela dit, je ne voyais pas le lien que cela pouvait avoir avec le brusque changement d'attitude d'Andrea Freeman vis-à-vis de son offre de plaider-coupable.

S'apercevant que je ne répondais pas, elle fit mine de mettre fin à l'appel.

— Et donc, rendez-vous au tribunal, d'accord ?

— C'est ça, et juste pour que vous le sachiez : je vais le retrouver, Andrea.

— Qu'est-ce que vous allez retrouver ?

— Le truc que vous cachez et ce, quel qu'il soit. Le truc qui est parti de travers hier et qui vous a poussée à me faire votre offre. Peu importe que, selon vous, tout soit réparé maintenant, ce truc, je vais le trouver. Et quand nous irons au tribunal, je l'aurai dans ma poche revolver.

Elle rit dans l'appareil, et d'une façon qui me fit immédiatement perdre toute confiance dans ce que je venais de déclarer.

— Comme je vous l'ai déjà dit, rendez-vous au tribunal.

— C'est ça, lui renvoyai-je. J'y serai.

Je posai le portable sur l'accoudoir et tentai de deviner ce qui se passait. Et tout d'un coup, je compris. Le secret de Freeman, il n'était pas impossible que je l'aie déjà dans ma poche revolver.

La lettre de Bondurant à Opparizio était restée cachée dans la montagne de documents que Freeman m'avait transmis. Peut-être ne l'avait-elle trouvée que récemment elle aussi et du coup, elle avait compris ce que je pouvais en tirer – comment je pouvais bâtir toute mon argumentation autour d'elle. Ce sont des choses qui arrivent. Un procureur hérite d'une affaire où toutes les preuves sont accablantes et l'orgueil s'installe. On démarre avec ce qu'on a et ce n'est que plus tard qu'on découvre d'autres éléments de preuves. Parfois bien trop tard.

J'en étais maintenant convaincu. Ce ne pouvait être que cette lettre. C'était à cause d'elle que la veille encore Freeman avait la trouille. Mais maintenant, elle avait à nouveau confiance. Pourquoi ? La seule chose qui avait changé était la requête d'Opparizio pour tuer notre citation à comparaître. Tout d'un coup, je compris la stratégie de l'accusation. Elle allait appuyer le rejet de la citation à comparaître. Si Opparizio ne témoignait pas, il se pouvait que je ne puisse pas produire la lettre devant les jurés.

Si j'avais raison, la défense risquait d'essuyer un gros revers à l'audience. Je sus alors que je devais être prêt à me battre comme si toute l'affaire en dépendait. Parce que c'était bel et bien le cas.

Je décidai de ranger mon portable dans ma poche. Finis les appels. Nous étions vendredi soir. J'allais mettre l'affaire de côté pour la reprendre le lendemain matin. Tout pouvait attendre jusque-là.

— Rojas, dis-je, mets un peu de musique. C'est le week-end, mec !

Il appuya sur le bouton du tableau de bord pour enclencher le CD. J'avais oublié ce qui s'y trouvait, mais identifiai rapidement la chanson : *Teardrops Will Fall*[1] chanté par Ry Cooder, la reprise de ce grand classique des années 60 dans son anthologie. C'était beau et ça tombait pile. Une chanson sur l'amour perdu et la solitude.

Le procès allait commencer dans moins de trois semaines. Même si nous n'arrivions pas à identifier ce que cachait Freeman, l'équipe de la défense était bien armée et prête à y aller. Nous avions encore à envoyer quelques citations à comparaître, mais cela excepté, nous étions en forme pour nous battre et j'étais chaque jour plus confiant.

Le lundi suivant j'allais me terrer dans mon bureau et commencer à chorégraphier la défense. L'hypothèse de l'innocence serait soigneusement dévoilée, un élément de preuve et un témoin après l'autre, jusqu'à former une vague qui écraserait tout sous le doute raisonnable.

Mais avant ça, j'avais encore un week-end à tenir et je voulais mettre autant de distance que possible entre Lisa Trammel, moi et tout le

1. « Des larmes vont tomber. »

reste. Cooder était maintenant passé à *Poor Man's Shangri-la*[1], la chanson qui parle des OVNI et des *vatos* de l'espace dans le Chávez Ravine avant qu'on l'enlève au peuple pour y installer le Dodger Stadium :

*What's that sound, what's that light ?*
*Streaking down through the night*

Je demandai à Rojas de monter le son. J'abaissai les vitres arrière et laissai la musique et le vent me passer dans les cheveux et les oreilles.

*UFO got a radio*
*Little Julian singing soft and low*
*Los Angeles down below*
*DJ says, we gotta go*
*To El Monte, to El Monte, pa El Monte*
*Na, na, na, na, na*
*Livin'in a poor man's Shangri-la*[2]

Je fermai les yeux tandis que nous roulions.

## 17

Rojas me déposa devant chez moi et je montai lentement les marches de la véranda pendant qu'il rentrait la Lincoln dans le garage. Il avait laissé sa voiture dans la rue. Il allait rentrer chez lui avec et reviendrait lundi – la routine.

Avant d'ouvrir la porte, je gagnai l'extrémité de la terrasse et contemplai la ville. Le soleil avait encore quelques heures de travail

1. « Le Shangri-la du pauvre. »
2. Quelle est ce bruit, quelle est cette lumière ? Qui raye la nuit ?/L'OVNI a une radio/Little Julian qui chante tout doux et tout bas/Los Angeles là-bas tout en bas/Le DJ qui dit faut y aller/À El Monte, à El Monte, pa El Monte/Na, na, na, na, na/Vivre dans le Shangri-la du pauvre.

à faire avant de passer à la semaine suivante. Là où je me trouvais, la ville avait, murmure de millions de rêves concurrents, un son aussi identifiable que les sifflets d'un train.

— Ça va ?

Je me retournai. C'était Rojas debout en haut des marches.

— Ça va bien. Qu'est-ce qu'il y a ?

— Je sais pas. Je vous ai vu là et je me suis dit qu'il y avait peut-être quelque chose qui n'allait pas… comme si vous étiez enfermé dehors ou autre.

— Non, je regardais juste un peu la ville. (Je gagnai la porte et sortis ma clé.) Bon week-end, Rojas.

— À vous aussi, patron.

— Vous feriez peut-être bien de ne plus m'appeler « patron », vous savez ?

— D'accord, patron.

— Bon, ben…

Je tournai la clé, poussai la porte et fus aussitôt accueilli par un enthousiaste « Surprise ! » crié à plusieurs voix. Un jour, j'avais reçu une balle dans le ventre en ouvrant cette même porte[1]. Cette surprise-là était nettement meilleure. Ma fille se précipita pour me serrer fort dans ses bras. À mon tour, je la serrai fort dans les miens, regardai autour de moi et découvris tout le monde : Cisco, Lorna, Bullocks. Et mon demi-frère Harry Bosch et sa fille, Maddie. Et Maggie, elle aussi, était là. Elle s'approcha d'Hayley et m'embrassa sur la joue.

— Euh…, dis-je. J'ai une mauvaise nouvelle. Mon anniversaire, ce n'est pas aujourd'hui. Je crains fort que vous ayez tous été abusés par quelqu'un qui a monté un plan assez sournois pour pouvoir manger du gâteau au chocolat.

Maggie me flanqua un coup de poing à l'épaule.

— Ton anniversaire est lundi. Et lundi n'est pas un bon jour pour une surprise-partie, me fit-elle remarquer.

— Voilà. Ben, c'était ça que j'avais prévu.

1. Cf. *La Défense Lincoln*, du même auteur.

— Oh, allons ! Écarte-toi de la porte et laisse entrer Rojas. On ne va pas rester longtemps. On voulait juste te souhaiter bon anniv'.

Je me penchai vers elle, l'embrassai sur la joue et lui soufflai à l'oreille :

— Et toi ? Toi non plus, tu ne vas pas rester longtemps ?

— On verra.

Elle me fit franchir un mur de poignées de main, de bises et de tapes dans le dos. C'était agréable et totalement inattendu. On m'installa à la place d'honneur et me tendit un verre de citronnade.

La fête dura encore une heure et me laissa le temps de saluer tous mes invités. Cela faisait plusieurs mois que je n'avais pas revu Harry Bosch. Je savais qu'il était passé me voir à l'hôpital, mais à ce moment-là, je dormais. Nous avions travaillé sur une affaire l'année d'avant[1], affaire où j'avais tenu le rôle de procureur spécial. Ç'avait été agréable d'être du même côté et je m'étais dit que cette expérience nous rapprocherait. Mais cela n'avait pas été vraiment le cas. Bosch était resté aussi distant, et moi aussi triste de le constater.

Dès que l'occasion s'en présenta, je m'approchai de lui et nous restâmes ainsi côte à côte devant la fenêtre qui offrait la meilleure vue de Los Angeles.

— Sous cet angle, il est difficile de ne pas aimer cette ville, n'est-ce pas ? me dit-il.

Je me détournai de la vitre pour le regarder. Lui aussi buvait de la citronnade. Il m'avait dit avoir cessé de boire lorsque son adolescente de fille était venue vivre avec lui.

— Je vois ce que tu veux dire, lui répondis-je.

Il vida son verre et me remercia pour la petite fête. Je lui dis qu'il pouvait nous laisser Maddie si elle voulait rester plus longtemps avec Hayley. Il me répondit qu'il avait déjà prévu de l'emmener à un stand de tir le lendemain matin.

— Un stand de tir ? m'écriai-je. Tu emmènes ta fille à un stand de tir ?

— J'ai des armes à la maison. Il faut qu'elle apprenne à s'en servir.

1. Cf. *Volte-Face* paru dans cette même collection.

Je haussai les épaules et finis par me dire qu'il devait y avoir une logique dans ce qu'il disait.

Bosch et sa fille furent les premiers à partir et la fête se termina peu après. Tout le monde s'en alla, à l'exception de Maggie et d'Hayley. Elles avaient décidé de passer la nuit chez moi.

Épuisé par ma journée, par ma semaine et par mon mois, je pris une grande douche et me couchai tôt. Bientôt, Maggie me rejoignit dans ma chambre après avoir endormi Hayley dans la sienne. Elle ferma la porte derrière elle et je sus alors que j'allais avoir mon vrai cadeau d'anniversaire.

Elle n'avait pas apporté de vêtements de nuit. Allongé sur le dos, je la regardai se déshabiller, puis se glisser sous les couvertures avec moi.

— T'es quand même incroyable ! me chuchota-t-elle.

— Quoi ? Qu'est-ce que j'ai encore fait ?

— Tu viens juste de sauter par-dessus toutes les barrières.

Elle s'approcha de moi, puis me monta dessus. Se pencha en avant et m'enserra le visage dans la tente de ses cheveux. M'embrassa et commença à remuer lentement les hanches, et me chuchota à l'oreille :

— Bien. Activités et fonctionnement normaux, c'est bien ce que t'a dit le médecin, n'est-ce pas ?

— C'est bien ce qu'il a dit.

— Eh bien, nous allons vérifier.

# TROISIÈME PARTIE

## LE BOLÉRO

# 18

Louis Opparizio était un monsieur qui n'aimait pas les assignations. L'avocat qu'il était savait bien que la seule façon qu'il avait d'être aspiré dans le procès de Lisa Trammel était de devoir répondre à une citation à comparaître. Ne pas la recevoir en mains propres, c'était éviter de témoigner à la barre. Qu'il ait été averti de la stratégie de la défense ou qu'il ait plus simplement été assez malin pour la comprendre tout seul, le résultat était là : il semblait avoir disparu pile au moment où nous commencions à le chercher. Pas moyen de savoir où il était passé et toutes les astuces habituellement déployées pour retrouver quelqu'un et le faire sortir de sa cachette échouaient. Nous n'étions même pas sûrs qu'il soit toujours aux États-Unis, et encore moins à Los Angeles.

Opparizio avait un très gros avantage dans les efforts qu'il déployait pour se planquer : l'argent. Quand on en a assez, on peut se cacher de tout le monde et il le savait. Il possédait de nombreuses maisons dans beaucoup d'États, de multiples véhicules et même un jet privé lui permettant de relier rapidement tous ces endroits. Et quand il se déplaçait pour passer d'un État à l'autre ou de sa maison de Beverly Hills à son bureau, lui aussi à Beverly Hills, il le faisait derrière un mur de gardes du corps.

Cela étant, il avait aussi quelque chose contre lui : l'argent. L'énorme richesse qu'il avait accumulée en exécutant la volonté des banques et d'autres créanciers était un véritable talon d'Achille : il avait acquis les goûts et les désirs des super riches.

Et c'est comme ça que nous avions fini par le coincer.

En déployant tous ses efforts pour le localiser, Cisco Wojciechowski avait amassé une quantité formidable de renseignements sur le profil de ses proies. Et c'est à partir de ces données qu'un piège fut soigneusement élaboré, puis exécuté à la perfection. Un jour, une présentation sur papier glacé de la vente aux enchères strictement privée d'un tableau d'Aldo Tinto lui fut envoyée à son bureau de Beverly Hills. Il y était précisé que les acquéreurs éventuels ne pourraient voir la toile que deux soirs durant, et pour deux heures seulement à partir de 19 heures, à la Galerie Z de la Bergamot Station de Santa Monica. Après quoi, les offres d'enchères seraient acceptées jusqu'à minuit.

La présentation avait l'air tout ce qu'il y avait de plus légal et professionnel. Le descriptif de l'œuvre avait été piqué dans un catalogue d'art en ligne recensant des collections privées. Nous savions par un profil d'Opparizio paru dans une publication du barreau sortie deux ans plus tôt qu'il s'était mis à collectionner des œuvres de peintres de deuxième zone et que feu le maître italien Tinto était devenu son obsession. Lorsqu'un type qui se présentait comme l'homme d'affaires de Louis Opparizio appela le numéro porté dans la brochure pour demander à voir le tableau en privé, nous sûmes que nous le tenions.

À l'heure précise du rendez-vous, l'entourage d'Opparizio pénétra dans l'ancienne gare des trolleybus Red Car transformée en un complexe de galeries d'art de haut niveau. Pendant que trois types de la sécurité avec lunettes de soleil se déployaient dans les lieux, deux autres vérifièrent la Galerie Z avant de donner leur feu vert. Alors seulement, Opparizio descendit de sa limousine Mercedes.

Une fois dans la galerie, il fut accueilli par deux femmes qui le désarmèrent à grands coups de sourires et par leur enthousiasme pour les arts et la toile qu'il allait bientôt pouvoir contempler. La première lui tendit une flûte de champagne cuvée Cristal pour fêter l'instant. L'autre lui donna un gros paquet de documents sur la provenance du tableau et l'historique des expositions où on l'avait vu. On l'informa qu'il pourrait lire tout ça plus tard parce qu'il fallait absolument qu'il voie la toile avant le rendez-vous fixé au client suivant. Il fut alors conduit dans la salle où l'œuvre était posée sur un chevalet très décoré et recouvert d'un drap en satin. Un unique projecteur éclairait le milieu de la pièce. Les deux femmes lui dirent qu'il pouvait ôter le drap lui-même, l'une des deux lui prenant son verre de champagne. Elle portait des gants à crispins.

Opparizio s'avança, la main levée en un geste d'anticipation, et ôta soigneusement le drap en satin du chevalet. Et là, accrochée à la planche, se tenait la citation à comparaître. Complètement perdu, il se pencha en avant pour regarder en croyant peut-être encore avoir affaire à la toile du maître italien.

— Votre assignation à comparaître vient de vous être remise, monsieur Opparizio, lui lança Jennifer Aronson. Vous en avez la copie originale en main.

— Je ne comprends pas, dit-il.

Sauf qu'il comprenait parfaitement.

— Et tout ce que vous avez fait et dit à partir du moment où vous êtes entré en voiture dans ce lieu est sur bande-vidéo, lui précisa Lorna.

Elle s'approcha du mur et appuya sur l'interrupteur, toute la pièce se trouvant alors baignée de lumière. Et lui montra les deux caméras montées en hauteur tandis que Jennifer levait sa flûte de champagne en l'air comme pour porter un toast.

— Et nous avons aussi vos empreintes, au cas où ce serait nécessaire, ajouta-t-elle.

Et de se tourner et de porter un toast à l'une des caméras.

— Non ! s'écria Opparizio.

— Si, si ! lui renvoya Lorna.

— On se revoit au tribunal, conclut Jennifer.

Les deux femmes se dirigèrent vers la porte latérale de la galerie, derrière laquelle les attendait la Lincoln pilotée par Cisco. Elles avaient fait le boulot.

Mais ça, c'était avant et on était maintenant. Et je me retrouvais au prétoire de l'Honorable Coleman Perry, où je me préparais à défendre et la validité de l'assignation à comparaître d'Opparizio et le fait qu'il l'avait effectivement reçue – soit le cœur même de notre système de défense. Mon assistante, Jennifer Aronson, était assise à côté de moi à la table de la défense avec, à côté d'elle, notre cliente, Lisa Trammel. À l'autre table se tenaient Louis Opparizio et ses deux avocats, Martin Zimmer et Landon Cross, Andrea Freeman ayant pris place sur un siège près de la rambarde. En sa qualité de procureur dans l'affaire criminelle qui donnait lieu à cette audience, elle était évidemment impliquée, mais ne prenait pas part à l'action. Sans oublier l'inspecteur Kurlen, qui se trouvait lui aussi dans la salle, assis au troisième rang des spectateurs. Sa présence m'intriguait.

C'était la cause d'Opparizio que l'on entendait. Il était là avec son équipe d'avocats pour invalider l'assignation et empêcher qu'on l'oblige à prendre part au procès. Dans la stratégie envisagée pour y parvenir, ils avaient trouvé prudent de mettre Freeman au courant de cette audience au cas où l'accusation verrait elle aussi quelque intérêt à empêcher Opparizio de passer devant les jurés. Quoique assez largement spectatrice dans cette affaire, Freeman pouvait entrer dans la bataille dès qu'elle le voudrait – qu'elle s'en mêle ou pas, elle savait en effet que l'audience lui offrirait très probablement un bon aperçu de la stratégie que la défense allait adopter au procès.

C'était la première fois que je voyais Opparizio en chair et en os. C'était une sorte de bloc d'homme qui, Dieu sait comment, paraissait aussi large que grand. Il avait la peau du visage tendue par le scalpel ou par des années de colère. Mais sa coupe de cheveux et son costume respiraient le fric. Et il me faisait aussi l'impression d'être un parfait homme de paille en ce qu'il semblait capable de tuer, à tout le moins d'en donner l'ordre.

Ses avocats avaient demandé au juge d'officier *in camera* – soit à huis clos en son cabinet –, de façon à ce que les détails de l'audience ne parviennent pas aux médias et ne puissent donc pas influencer le pool des jurés possibles qui devait se réunir le lendemain. Cela étant, tout un chacun présent dans la salle savait qu'ils n'agissaient pas par altruisme. Une audience à huis clos empêcherait que certains détails concernant leur client ne fuitent dans la presse et n'influencent nettement plus que le pool des jurés – à savoir l'opinion publique.

J'argumentai vigoureusement contre le prononcé d'un huis clos. J'avertis qu'une telle décision entraînerait la méfiance du public sur le procès à venir et que cela dépassait nettement la seule possibilité d'influer sur les jurés. Élu à son poste, Perry était plus que sensible aux perceptions du public. Il fut d'accord avec moi et décida que l'audience serait publique. Je venais de marquer un point important.

Prévaloir grâce à cette seule argumentation venait très probablement de sauver le dossier de la défense.

Les médias ne s'étaient pas déplacés en masse, mais il y en avait quand même assez pour ce que je voulais faire. Des reporters du *Los Angeles Business Journal* et du *L. A. Times* avaient pris place au premier rang. Un vidéaste travaillant en free-lance – il vendait des séquences enregistrées à toutes les chaînes de télévision – se tenait dans le box vide des jurés avec sa caméra. Je l'avais mis au courant de l'audience et lui avais demandé de venir. Je me disais qu'entre la presse écrite et cette seule caméra de télé, la pression sur Opparizio serait assez forte pour conduire à l'issue que je cherchais.

Après avoir rejeté la demande visant à tout cacher derrière des portes closes, le juge passa aux choses sérieuses.

— Maître Zimmer, lança-t-il, vous avez déposé une requête tendant à annuler la citation à comparaître adressée à Louis Opparizio dans l'affaire État de Californie contre Trammel. Pouvez-vous nous exposer vos arguments ?

Zimmer avait tout de l'avocat qui en connaît un rayon et a l'habitude de mettre ses ennemis dans sa poche. Il se leva pour répondre au juge.

— Nous aimerions naturellement beaucoup nous adresser au tribunal sur ce point, monsieur le Juge. Je commencerai donc par parler de la manière dont cette assignation a été adressée à mon client, après quoi maître Cross évoquera l'autre question pour laquelle nous demandons réparation.

Il commença alors à prétendre que mon cabinet avait commis un acte de fraude postale en préparant le piège qui avait permis de remettre l'assignation à Opparizio. À l'entendre, la luxueuse brochure qui avait appâté son client était l'instrument de cette fraude, qu'elle ait été déposée dans le service du courrier des États-Unis constituant un délit qui délégitimait tout ce qui pouvait suivre, telle la remise de ladite assignation. Il demanda en plus que la défense soit pénalisée en se voyant interdire toute autre possibilité de citer Opparizio à comparaître et témoigner au procès. Je n'eus même pas à me lever pour cette dernière requête – ce qui était une bonne chose dans la mesure où le simple fait de me lever et de m'asseoir m'expédiait de violentes douleurs dans la poitrine. Le juge leva la main dans ma direction pour m'empêcher de parler avant d'écarter sèchement l'argument de Zimmer en le qualifiant certes de nouveau, mais aussi de ridicule et sans valeur.

— Allons, maître Zimmer, lui lança-t-il, c'est dans la cour des grands que nous jouons. Vous avez quelque chose de plus substantiel ?

Ainsi humilié, Zimmer s'en remit à son collègue et se rassit, Landon Cross se levant alors pour faire face à Perry.

— Monsieur le Juge, dit-il, Louis Opparizio est un homme qui a les moyens et inspire le respect dans cette communauté. Il n'a rien à voir avec ce crime ou ce procès et trouve inadmissible que son nom et sa réputation soient souillés par le seul fait qu'on l'y mêle. Permettez-moi de le répéter haut et fort : il n'a rien à voir avec ce crime, il n'est suspecté de rien et ignore tout de cette affaire ! Il n'a donc aucune preuve à fournir pour se disculper ou prouver quoi que ce soit. Il s'élève catégoriquement contre le fait que le représentant de la défense l'oblige à témoigner à la barre afin de glaner des renseignements à droite et à gauche et de se servir de lui pour qu'on oublie la présente affaire. Que maître Haller aille donc traquer la fausse piste en d'autres territoires !

Sur quoi il se tourna et montra Andrea Freeman du doigt.

— Monsieur le Juge, reprit-il, je me permets d'ajouter que le ministère public s'associe, et pour les mêmes raisons, à ma demande d'annulation de cette assignation.

Le juge pivota sur son siège et me regarda.

— Maître Haller, me lança-t-il, voulez-vous réagir ?

Je me levai. Lentement. Je tenais le marteau en mousse dans ma main et le travaillais avec mes doigts tout récemment libérés du plâtre mais encore raides.

— Oui, monsieur le Juge. J'aimerais commencer par dire que maître Cross a raison de parler de chasse au renseignement. Le témoignage de M. Opparizio à la barre, s'il était autorisé, en révélerait pas mal. Il ne se réduirait pas à cela, bien sûr, mais j'aimerais assez pouvoir les mettre en lumière. Et ce pour la seule et unique raison, monsieur le Juge, que M. Opparizio et ses avocats ont rendu quasiment impossible à la défense de mener une enquête exhaustive sur le meurtre de Mitchell Bondurant. M. Opparizio et ses nervis ont contrecarré tous les…

Zimmer bondit sur ses pieds pour élever son objection.

— Monsieur le Juge ! Non vraiment ! Ses « nervis » ? L'avocat de la défense est très clairement en train de caresser les médias présents dans cette salle dans le sens du poil aux dépens de M. Opparizio. Une fois encore, je vous presse de poursuivre ces débats à huis clos.

— Nous ne bougerons pas d'ici, lui renvoya Perry. Cela étant, maître Haller, je ne vais pas vous permettre de citer ce témoin à comparaître pour vous donner l'occasion de faire l'intéressant devant les jurés. Quel est le lien avec notre affaire ? Qu'a-t-il donc de si important à nous dire ?

Je hochai la tête comme si ma réponse s'imposait d'elle-même.

— M. Opparizio a fondé et dirige une société qui joue les intermédiaires dans le processus de saisie. Lorsqu'elle a décidé de saisir la maison de l'accusée, la victime du meurtre s'est adressée à M. Opparizio pour que ce soit fait. Et pour moi, monsieur le Juge, cela met M. Opparizio en première ligne dans cette affaire et j'aimerais lui poser certaines questions puisque c'est l'accusation elle-même qui a déclaré aux médias que cette saisie était le mobile de l'assassinat.

Zimmer intervint avant même que le juge puisse ouvrir la bouche.

— Cette affirmation est ridicule ! La société de M. Opparizio a cent quatre-vingt-cinq employés. Elle se trouve dans un bâtiment de trois étages. Aller dire…

— Saisir des maisons est un business qui rapporte gros ! m'écriai-je en l'interrompant.

— Maître ! me lança le juge en guise d'avertissement.

— M. Opparizio n'a rien eu à voir avec la saisie qui a frappé l'accusée en dehors du fait que c'est sa société qui a géré l'affaire en même temps que quelque cent mille autres cette année, reprit Zimmer.

— Cent mille autres, maître Zimmer ? s'étonna le juge.

— C'est exact, monsieur le Juge. Cette société gère environ deux mille saisies par semaine, et ce depuis plus de deux ans. Dont celle de l'accusée et M. Opparizio n'a pas eu à prendre précisément connaissance de son affaire. Elle fait partie d'un tas d'autres et n'a jamais retenu son attention.

Le juge sombra dans une grande méditation et donna l'impression d'en avoir entendu assez. J'avais espéré ne pas devoir révéler mon atout maître, surtout devant l'accusation. Mais je devais quand même poser que Freeman connaissait déjà l'existence de la lettre de Bondurant et en savait la valeur.

Je m'emparai du dossier posé devant moi sur la table et l'ouvris à la bonne page. La lettre et quatre copies s'y trouvaient, prêtes à partir.

— Maître Haller, je suis enclin à...

— Monsieur le Juge, si le tribunal me le permet, j'aimerais pouvoir demander à M. Opparizio le nom de son assistante personnelle.

Perry marqua une autre pause et, perplexe, fit la moue.

— Vous voulez savoir qui est son assistante personnelle ?

— C'est ça, son assistante personnelle.

— Mais pourquoi voudriez-vous le savoir ?

— Je demande à la cour de me rendre ce service.

— Très bien. Monsieur Opparizio ? Maître Haller voudrait avoir le nom de votre assistante personnelle.

Opparizio se pencha en avant et regarda Zimmer comme s'il avait besoin de son accord. Zimmer lui fit signe d'y aller et de répondre à la question.

— Euh, monsieur le Juge, dit Opparizio, en fait, j'en ai deux. La première s'appelle Carmen Esposito et la deuxième Natalie Lazarra.

Il se redressa et le juge me regarda. Le moment était venu d'abattre mon atout maître.

— Monsieur le Juge, j'ai ici les copies d'une lettre recommandée écrite par Mitchell Bondurant, la victime du meurtre, et envoyée à M. Opparizio. Elle a bien été reçue et c'est son assistante personnelle Natalie Lazarra qui a signé l'accusé de réception. Cette lettre m'a été donnée par l'accusation lors de l'échange des pièces entre les parties. J'aimerais donc que M. Opparizio puisse témoigner à la barre de façon à ce que je puisse lui poser quelques questions sur ce document.

— Voyons un peu ça, dit Perry.

Je m'écartai de la table et donnai des copies du document au juge, puis à Zimmer. Je repartis ensuite vers ma table et passai devant celle de Freeman pour lui en offrir aussi une copie.

— Non, merci, me dit-elle. Je l'ai déjà.

J'acquiesçai d'un signe de tête, regagnai ma table, mais restai debout.

— Monsieur le Juge ? lança Zimmer. Pourrions-nous avoir une courte suspension de séance afin d'examiner cette pièce ? C'est la première fois que nous la voyons.

— Un quart d'heure, répondit Perry.

Le juge descendit de son siège et franchit la porte de son cabinet. J'attendis de voir si l'équipe d'Opparizio allait emporter la lettre dans le couloir. Je m'aperçus que personne ne bougeait et en fis autant. Je voulais qu'ils craignent que j'entende quelque chose.

Je me rapprochai d'Aronson et de Trammel.

— Qu'est-ce qu'ils font ? me demanda Aronson en chuchotant. Ils devaient quand même bien connaître l'existence de cette lettre, non ?

— Je suis sûr que l'accusation leur en a donné une copie, répondis-je. Opparizio fait comme s'il était le type le plus malin dans la salle. Eh bien là, nous allons voir s'il l'est vraiment.

— Que voulez-vous dire ?

— On l'a coincé entre le marteau et l'enclume. Il sait qu'il doit dire au juge que si je lui pose des questions sur cette lettre il invoquera le cinquième amendement de la Constitution[1], ce qui annulera automatiquement la citation à comparaître. Mais il sait aussi que s'il se réfugie derrière ce même cinquième amendement devant les médias ici présents, il court au-devant de gros ennuis. Il y aura du sang dans l'eau et ça attire les requins.

— Et donc, à votre avis, qu'est-ce qu'il va faire ? me demanda Trammel.

— Jouer au plus malin.

Je m'écartai de la table, me levai et me mis à faire nonchalamment les cent pas. Zimmer me regarda par-dessus son épaule, puis

1. « Nul ne pourra être obligé de témoigner contre lui-même dans une affaire criminelle », extrait.

se pencha plus près de son client. Pour finir, je rejoignis Freeman toujours assise à sa place.

— Alors ? Quand vous mouillez-vous ? lui demandai-je.

— Oh, ce ne sera peut-être pas nécessaire.

— Ils avaient déjà la lettre, n'est-ce pas ? Vous la leur aviez communiquée.

Elle haussa les épaules, mais ne répondit pas. Je regardai derrière elle. Kurlen était toujours assis au troisième rang dans la salle.

— Qu'est-ce qu'il fabrique ici ? demandai-je à Freeman.

— Oh... on pourrait avoir besoin de lui.

Voilà qui m'aidait beaucoup.

— La semaine dernière, quand vous m'avez fait votre offre, c'était bien parce que vous veniez de trouver la lettre, n'est-ce pas ? Vous pensiez que votre dossier était vraiment mal en point.

Elle me regarda et sourit, mais ne lâcha rien.

— Qu'est-ce qui a changé ? Pourquoi avez-vous retiré votre offre ?

Encore une fois, elle garda le silence.

— Vous pensez qu'il va invoquer le cinquième amendement, c'est ça ?

Nouveau haussement d'épaules.

— Moi, je le ferais, ajoutai-je. Mais lui... ?

— Nous le saurons bien assez tôt, me renvoya-t-elle pour couper court à la conversation.

Je regagnai ma table et me rassis. Trammel me chuchota qu'elle ne comprenait toujours pas vraiment ce qui se passait.

— Nous voulons qu'Opparizio témoigne à la barre, lui répondis-je. Lui ne veut pas, mais Perry n'a qu'une seule façon de le dégager de sa citation à comparaître : si Opparizio déclare qu'il invoquera le cinquième amendement qui lui permet de se taire pour ne pas s'incriminer. S'il le fait, nous sommes foutus. Opparizio est notre homme de paille. Il faut absolument qu'on l'oblige à témoigner.

— Vous pensez qu'il le fera ?

— Je parie que non. Il risque trop gros avec les médias présents dans cette salle. Il met la dernière main à une grosse affaire de fusion et sait très bien que s'il se réfugie derrière le cinquième amendement, les médias ne le lâcheront plus. Je crois qu'il est assez malin pour penser pouvoir s'en sortir en baratinant les jurés. C'est sur ça que je compte. Qu'il se croie plus malin que tout le monde.

— Et si...

Elle fut interrompue par le retour du juge. Il reprit sa place et rouvrit officiellement les débats, Zimmer demandant alors à s'adresser à la cour.

— Monsieur le Juge, lança-t-il, j'aimerais que les minutes attestent que, contre l'avis de son conseil, mon client m'enjoint de retirer la requête en annulation de citation à comparaître.

Le juge acquiesça d'un hochement de tête, ourla les lèvres et regarda Opparizio.

— Vous êtes donc bien en train de me dire que votre client témoignera devant la cour ?

— Oui, monsieur le Juge, répondit Zimmer. Ainsi en a-t-il décidé.

— Vous êtes sûr, monsieur Opparizio ? Les avocats assis à votre table ne manquent pas d'expérience.

— Oui, monsieur le Juge, lui répondit Opparizio. J'en suis sûr.

— Bien. La requête en annulation est donc retirée. Autre chose à régler avant que nous entamions la sélection des jurés demain matin ? enchaîna Perry en regardant Freeman derrière les tables.

Cela me suffisait. Mais il savait qu'il y avait d'autres points à discuter. Freeman se leva, un dossier à la main.

— Oui, monsieur le Juge, dit-elle. Puis-je approcher ?

— Je vous en prie, maître Freeman.

Elle fit un pas en avant, puis attendit que les avocats d'Opparizio finissent de ranger leurs affaires et quittent la table de l'accusation. Le juge attendit patiemment. Enfin elle prit place à la table, mais resta debout.

— Laissez-moi deviner, lui lança Perry. Vous voulez nous parler de la dernière liste de témoins présentée par maître Haller.

— C'est tout à fait ça, monsieur le Juge. J'ai aussi une question de preuve à aborder. Par quoi préférez-vous commencer ?

Une question de preuve. Tout d'un coup, je compris pourquoi Kurlen se trouvait dans l'assistance.

— Commençons par la liste des témoins, dit le juge. Cette question-là, je la voyais venir.

— Oui, monsieur le Juge. Maître Haller a inscrit son assistante sur la liste des témoins et je pense, un, qu'il doit choisir entre avoir maître Aronson en sa qualité d'assistante ou de témoin. Et deux, et c'est plus important encore, maître Aronson ayant déjà travaillé pour la défense lors de l'audience préliminaire et s'étant aussi chargée d'autre tâches, je m'élève fermement contre cette décision intempestive de faire d'elle un témoin lors du procès.

Elle s'assit et Perry me regarda.

— Cela me semble effectivement un peu tard dans la partie, maître Haller, me lança-t-il.

Je me levai.

— Certes, monsieur le Juge, sauf qu'il ne s'agit pas d'un jeu et qu'il en va de la liberté de ma cliente. La défense demande donc à la cour une grande latitude en la matière. Maître Aronson s'étant déjà très impliquée dans la défense de ma cliente contre le processus de saisie entamé contre elle, la défense en est venue à la conclusion qu'elle aura besoin d'elle pour expliquer aux jurés tout l'arrière-plan de l'affaire et ce qui était en train de se jouer au moment où M. Bondurant a été assassiné.

— Il serait donc dans vos intentions de lui assigner deux tâches ? Celle de témoin et celle d'avocat ? Voilà qui ne se produira pas dans mon prétoire, maître !

— Monsieur le Juge, lorsque j'ai inscrit maître Aronson sur la dernière liste des témoins, je pensais avoir cette discussion avec maître Freeman. La défense s'en remettra à l'avis de la cour.

Il regarda Freeman pour voir si elle avait d'autres arguments à développer. Elle ne bougea pas.

— Très bien, conclut-il à mon adresse. Vous venez de perdre votre assistante, maître Haller. Je permets à maître Aronson de figurer sur la liste des témoins, mais demain, dès que nous entamerons la sélection des jurés, vous serez seul. Maître Aronson ne se présentera devant la cour que pour nous donner son témoignage.

— Merci, monsieur le Juge. Sera-t-elle autorisée à reprendre sa fonction d'assistante après son témoignage ?

— Je n'y vois pas d'inconvénient, répondit Perry.

Puis il se tourna vers Freeman et lui dit :

— Vous aviez une deuxième question, maître Freeman.

Elle se releva. Je me rassis et, prêt à prendre des notes, je me penchai en avant avec mon stylo.

— Monsieur le Juge, le ministère public tient à écarter toutes les objections et protestations que, j'en suis sûre, la défense va vouloir élever. Mais hier soir tard, nous avons reçu les résultats d'une analyse ADN effectuée sur une très petite tache de sang trouvée sur une chaussure appartenant à l'accusée et saisie lors de la fouille de sa maison et de son garage le jour du meurtre.

Je sentis comme un coup de poing invisible me frapper l'estomac et effacer toutes les douleurs que j'avais à la poitrine. D'instinct, je sus que la donne allait changer.

— Ces résultats confirment que le sang retrouvé sur la chaussure de l'accusée est bien celui de la victime, Mitchell Bondurant, reprit Freeman. Avant que la défense ne proteste, je dois informer la cour que l'analyse a pris du retard à cause de l'engorgement du labo et aussi parce que l'échantillon sur lequel elle a été pratiquée était vraiment infime. Cette difficulté a été encore accentuée par le besoin d'en garder une portion pour la défense.

J'envoyais valser mon stylo d'une chiquenaude. Il rebondit sur la table et tomba bruyamment par terre. Je me levai.

— Monsieur le Juge ! C'est absolument scandaleux ! À la veille de la sélection des jurés ? Nous sortir ça maintenant ? Mais ça, c'est sûr, c'est vraiment gentil à l'accusation de laisser un peu de l'échantillon à la défense ! Nous allons le prendre tout de suite et le faire analyser avant que ne commence la sélection des jurés demain. Vous voyez bien que c'est...

— La remarque est juste, maître, dit le juge en me coupant la parole. Moi aussi, cela me trouble. Maître Freeman, vous aviez cette pièce à conviction depuis le début de l'affaire. Comment se fait-il que les résultats de cette analyse tombent aussi opportunément la veille de la sélection des jurés ?

— Monsieur le Juge, lui répondit-elle, je comprends parfaitement toute la gêne que cela occasionne à la défense et au tribunal. Mais je ne peux rien y changer. J'ai pris connaissance de ces résultats à 8 heures ce matin, au moment où j'ai reçu les conclusions du labo.

C'est la première occasion qui m'est donnée d'en faire part à la cour. Quant aux raisons qui ont fait qu'elles ne m'arrivent que maintenant, eh bien, il y en a plusieurs. Je suis sûre que la cour n'ignore pas le retard que prennent les analyses ADN au laboratoire de Cal State. Il y a des milliers d'affaires en souffrance. S'il est vrai que les dossiers d'homicides ont une certaine priorité, cela ne se fait pas aux dépens de toutes les autres affaires. Vu la taille de l'échantillon, nous avions décidé de ne pas nous adresser à un laboratoire privé qui aurait pu travailler plus vite. Nous savions en effet que s'il y avait le moindre problème, nous perdrions toute chance d'analyser ce sang… et d'en garder un peu pour la défense.

Je hochai la tête de frustration en attendant l'occasion de parler à nouveau. Pour changer la donne, ça la changeait ! Jusqu'alors, on n'avait affaire qu'à des preuves indirectes. Maintenant, il y avait une pièce à conviction qui reliait, et directement, le meurtre à l'accusée.

— Maître Haller ? me lança le juge. Vous voulez réagir ?

— Et comment, monsieur le Juge ! Je pense qu'on est loin de la simple obstruction de la justice et je ne crois pas un seul instant que le timing soit de pur hasard. Je demande donc à la cour de signifier à l'accusation qu'il est trop tard pour nous sortir ça maintenant. Je demande que cette prétendue pièce à conviction soit exclue des débats.

— Et si l'on repoussait le procès ? me demanda le juge. Si l'on vous donnait le temps de procéder vous aussi à cette analyse et de vous mettre à niveau ?

— Nous « mettre à niveau » ? Monsieur le Juge, il ne s'agit pas seulement de procéder à nos propres analyses. C'est toute la stratégie de la défense qui doit être revue. L'accusation essaie de nous faire passer d'un dossier où il n'y a que des présomptions de culpabilité à une affaire avec éléments de preuves scientifiques et ce, la veille même du procès. Je n'ai pas seulement besoin de temps pour faire procéder à l'analyse ADN. Au bout de deux mois de travail, c'est tout mon dossier que je dois repenser. C'est absolument dévastateur, monsieur le Juge, et ne saurait être accepté vu le principe fondamental de fair-play.

Freeman voulut reprendre la parole, mais le juge ne lui en donna pas l'autorisation. J'y vis un bon signe jusqu'au moment où je remarquai qu'il regardait le calendrier accroché au mur derrière le poste de l'huissier. Il n'était prêt qu'à améliorer l'aspect temps de la question. Il allait accepter que l'analyse ADN soit prise comme pièce à conviction et ne me donnerait qu'un peu plus de temps pour me préparer.

Je me rassis. J'étais vaincu. Lisa Trammel se pencha vers moi et, désespérée, me chuchota :

— Mickey ! C'est pas possible ! C'est un coup monté. Il est impossible qu'on ait trouvé son sang sur ces chaussures. Il faut me croire.

Je levai la main pour l'arrêter. Je n'avais pas à croire un seul mot de sa bouche et tout cela était hors sujet. La réalité était bien que l'affaire était en train de changer. Pas étonnant que Freeman ait retrouvé toute sa confiance. Je compris brusquement quelque chose, et me levai aussitôt. Trop vite. La douleur fusa de ma poitrine et me descendit jusqu'à l'aine. Je me pliai sur la table de la défense.

— Monsieur… le Juge ?

— Ça va, maître Haller ?

Je me redressai lentement.

— Oui, monsieur le Juge, mais si je peux, j'aimerais ajouter quelque chose pour les minutes.

— Allez-y.

— Monsieur le Juge, la défense met en doute la véracité des propos de l'accusation tendant à prouver qu'elle n'aurait eu connaissance de ces résultats d'analyse que ce matin. Il y a trois semaines, maître Freeman offrait encore à ma cliente un arrangement très séduisant et lui donnait vingt-quatre heures pour y réfléchir. Mais ensuite…

— Monsieur le Juge ? lança Freeman.

— N'interrompez pas la défense ! lui ordonna Perry. Poursuivez, maître Haller.

Je n'avais plus aucun scrupule à briser l'accord que j'avais passé avec Freeman en révélant la teneur de nos négociations. À ce stade, il n'était plus question de mettre des gants.

— Merci, monsieur le Juge. Et donc, nous recevons l'offre jeudi soir et le lendemain matin, vendredi, maître Freeman la retire assez mystérieusement sans aucune explication. Eh bien, moi, monsieur le Juge, je crois que l'explication, elle est là. À ce moment-là, à savoir il y a trois semaines, elle connaissait déjà les résultats de cette analyse, mais avait décidé de les garder sous le coude afin de désarçonner la défense la veille même du procès. Et je…

— Je vous remercie, maître Haller. Qu'en dites-vous, maître Freeman ?

Je vis que la peau s'était tendue autour des yeux du juge. Il était en colère. Ce que je venais de déclarer sonnait vrai.

— Monsieur le Juge ! s'écria Freeman d'un ton indigné. Rien ne pourrait être plus éloigné de la vérité ! J'ai avec moi dans l'assistance l'inspecteur Kurlen qui se fera un plaisir de déclarer sous serment que les résultats du test ADN lui ont été remis à son bureau ce week-end et qu'il en a pris connaissance en y arrivant à 7 h 30 ce matin. C'est à ce moment-là qu'il m'a appelée et que j'ai pu les apporter ici tout à l'heure. Le bureau du district attorney n'a absolument rien gardé sous le coude et l'accusation portée personnellement à mon encontre par l'avocat de la défense m'indigne profondément !

Le juge promena le regard sur les rangées de sièges, y repéra Kurlen, puis revint sur Freeman.

— Pourquoi avez-vous retiré votre offre un jour après l'avoir présentée ? demanda-t-il.

La question à un million de dollars. Freeman parut déstabilisée que le juge veuille même seulement en savoir davantage.

— Monsieur le Juge, ma décision prenait en compte des problèmes internes qu'il vaut peut-être mieux ne pas dévoiler à la cour.

— Mais moi, maître, je veux comprendre. Si vous tenez à ce que j'accepte cet élément de preuve, vous feriez bien d'apaiser mes craintes, problèmes internes ou pas.

Freeman acquiesça d'un signe de tête.

— Bien sûr, monsieur le Juge. Comme vous le savez, depuis que M. Williams a rejoint le bureau de l'attorney général des États-Unis à Washington, nous avons un district attorney par intérim. Cela crée une situation dans laquelle nous n'avons pas toujours des directives et des politiques de communication très claires. Disons simplement que ce jeudi-là, j'avais l'approbation de mon superviseur pour l'offre à faire à maître Haller. Mais le vendredi matin venu, j'ai appris qu'une plus haute autorité du Bureau n'était pas d'accord, et j'ai dû la retirer.

Grosses conneries que tout cela, mais elle les avait bien dites et je n'avais rien à lui opposer. Sauf que lorsqu'elle m'avait informé que l'offre n'était plus valable ce vendredi-là, j'avais deviné, rien qu'au ton de sa voix, qu'elle avait quelque chose de nouveau, quelque chose d'autre et que sa décision n'avait rien à voir avec un quelconque problème de communication et de directives.

Le juge rendit sa décision.

— Je vais repousser la sélection des jurés de dix jours ouvrables. Cela devrait donner le temps à la défense de procéder à sa propre analyse ADN de l'échantillon, si elle le souhaite. Cela devrait aussi lui donner assez de temps pour envisager quels changements de stratégie seront induits par ce nouvel élément. J'exige que le ministère public se montre d'une coopération totale dans cette affaire et qu'il confie le matériau biologique à la défense sans le moindre délai. Toutes les parties concernées devront être prêtes à entamer la sélection des jurés d'ici à quinze jours. L'audience est levée.

Le juge quitta rapidement sa place. Je baissai les yeux sur la page vide de mon bloc-notes grand format. Je venais juste de me faire éviscérer.

Je me mis lentement en devoir de ranger mes affaires dans ma mallette.

— Qu'est-ce qu'on fait ? me demanda Aronson.

— Je n'en sais encore rien, lui répondis-je.

— Faites faire le test, me pressa Lisa Trammel. Ils se sont trompés. Ce n'est pas possible que son sang soit sur mes chaussures. C'est surréaliste.

Je la regardai. Yeux marron au regard fervent. On pouvait la croire.

— Ne vous inquiétez pas, lui dis-je, je trouverai quelque chose.

Cet optimisme avait un goût amer. Je jetai un coup d'œil à Freeman.

Elle feuilletait des dossiers dans sa mallette. Je la rejoignis en sautillant, elle me décocha un regard dédaigneux. Écouter mes malheurs ne l'intéressait pas.

— On dirait que tout s'est passé exactement comme vous le vouliez, lui lançai-je.

Elle ne montra rien. Elle ferma sa mallette et se dirigea vers le portillon. Avant de le franchir, elle se retourna vers moi.

— Haller, me lança-t-elle, quand on veut employer la manière forte, vaut mieux être prêt à prendre des coups.

## 19

Les quinze jours suivants passèrent vite, mais ne furent pas sans progrès. La défense repensa toute l'affaire et fourbit de nouvelles armes. Je demandai à un laboratoire indépendant de me confirmer les résultats de l'analyse ADN du ministère public – au prix de quatre mille dollars, urgence oblige –, puis je replaçai cette pièce à conviction dévastatrice dans le contexte d'une affaire où l'on dirait certes que la science ne s'était pas trompée, mais que l'innocence de ma cliente était possible, voire probable. La défense classique du coup monté. Nous ne ferions qu'ajouter une dimension toute naturelle au gambit de l'homme de paille. Je commençai même à croire que ça pouvait marcher et repris peu à peu confiance. Lorsque enfin la sélection des jurés démarra, j'avais retrouvé de l'allant et l'investis dans mon travail en cherchant activement les jurés susceptibles de croire à la nouvelle histoire que j'allais leur débiter.

Ce ne fut qu'au quatrième jour de cette sélection qu'encore une fois Freeman me lança un projectile qui me siffla aux oreilles. Le jury n'étant pas loin d'être constitué, nous vivions un des rares moments où l'accusation comme la défense sont satisfaites du résultat, quoique pour des raisons différentes. Le jury comprenait une belle quantité de femmes et de membres de la classe ouvrière. Tous possédaient leurs maisons, le mari et la femme travaillant tous les deux. Seul un petit nombre d'entre eux avait fait des études supérieures, personne ne poursuivant jusqu'à la maîtrise. Du vrai sel de la terre et pour moi, c'était parfait. Je voulais des gens qui, constamment au bord de l'abîme dans cette économie en crise, sentaient la menace de la saisie et auraient bien du mal à prendre un banquier pour une victime qui mérite la sympathie.

D'un autre côté, l'accusation, elle, ne cessait de poser des questions détaillées sur les finances des jurés potentiels : on voulait des gens qui travaillent dur et ne prennent pas pour une victime une femme qui avait cessé de régler ses mensualités. Le résultat ? Jusqu'au matin du quatrième jour, le jury était composé d'individus auxquels ni l'accusation ni la défense n'avaient à reprocher quoi que ce soit. Mieux, chacun pensait pouvoir en faire des soldats qui combattraient du bon côté de la justice.

Le projectile m'arriva dessus lorsque le juge Perry prononça la suspension de séance du milieu de la matinée. Se levant aussitôt, Freeman lui demanda si les avocats pouvaient le retrouver en son cabinet pendant la pause, afin de discuter d'un problème de pièce à conviction qui venait de surgir. Elle lui demanda aussi si l'inspecteur Kurlen pouvait participer à la réunion. Perry le lui accorda et fit passer la pause à une demi-heure. Je suivis Freeman, qui suivit la greffière et le juge en son cabinet, Kurlen fermant la marche. Je remarquai qu'il portait une grande enveloppe jaune avec du Scotch rouge autour. Elle était épaisse et donnait l'impression de contenir quelque chose de lourd. Cela dit, l'enveloppe disait à elle seule assez bien de quoi il s'agissait. Les pièces à conviction de type biologique sont toujours enveloppées dans du papier. Les sacs en plastique emprisonnant l'air et l'humidité sont susceptibles de les endommager. Bref, j'entrai dans le cabinet du juge en sachant que Freeman s'apprêtait à me jeter une autre bombe ADN à la figure.

— Ça recommence, marmonnai-je dans ma barbe.

Le juge passa derrière son bureau et s'assit en tournant le dos à une fenêtre qui donnait plein sud sur les collines de Sherman Oaks. Freeman et moi nous installâmes côte à côte en face de lui. Kurlen tira une chaise d'une table voisine, la greffière se posant sur un tabouret à droite du juge. Sa machine se trouvait sur un trépied devant elle.

— À verser aux minutes du procès, lança Perry. Maître Freeman ?

— Monsieur le Juge, je voulais vous voir, vous et l'avocat de la défense, dès que possible parce qu'une fois de plus je m'attends à ce que maître Haller se mette à hurler à la lune lorsqu'il entendra ce que j'ai à dire et verra ce que j'ai à montrer.

— Alors, allons-y, lui renvoya Perry.

Freeman fit un signe de tête à Kurlen qui se mit en devoir d'ôter le Scotch de l'enveloppe. Je gardai le silence, mais remarquai qu'il portait un gant en caoutchouc à la main droite.

— L'accusation vient d'entrer en possession de l'arme du crime, dit Freeman d'un ton neutre, et a l'intention de la présenter en tant que pièce à conviction au procès... et de la rendre accessible à la défense pour examen.

Kurlen ouvrit l'enveloppe, glissa la main dedans et en sortit un marteau à panne avec table en acier brossé et surface de frappe circulaire. Manche en bois de séquoia poli avec bout couvert de caoutchouc noir. Je vis une encoche pile au milieu de la surface de frappe et sus qu'elle avait toutes les chances de correspondre aux marques répertoriées sur le crâne de Bondurant lors de l'autopsie.

Furieux, je me levai et m'éloignai du bureau.

— Oh, allons ! m'écriai-je, complètement outré. Vous vous fichez de moi ?

Je me tournai vers le mur couvert de volumes du code pénal à l'autre bout de la salle, indigné, posai les mains sur les hanches, puis me retournai vers le bureau.

— Monsieur le Juge, je vous prie d'excuser mon langage, mais ça, c'est des conneries. Elle ne peut pas me refaire ce coup-là. Me sortir ce truc... quoi ? alors que nous sélectionnons les jurés depuis quatre jours et que demain nous ferons nos déclarations préliminaires ? Tous les jurés ou presque étant choisis, il se peut même que nous attaquions dès demain et voilà que tout d'un coup, elle me sort sa prétendue arme du crime ?

Le juge se laissa aller en arrière dans son fauteuil comme s'il voulait se distancier du marteau que tenait Kurlen.

— Vous feriez mieux d'avoir quelque chose de solide et de convaincant à nous dire, maître Freeman, lança-t-il.

— J'ai ce qu'il faut, monsieur le Juge. Je n'ai pas pu apporter ceci avant ce matin et suis plus que disposée à vous en expliquer la raison si…

— Vous l'avez autorisé ? m'écriai-je en interrompant Freeman et en montrant le juge du doigt.

— Excusez-moi, maître Haller, mais je vous interdis de me montrer du doigt, me renvoya celui-ci avec retenue.

— Je vous demande pardon, monsieur le Juge, mais c'est votre faute. Vous lui avez permis de l'emporter au paradis avec son histoire d'ADN à la con et je ne vois maintenant plus de raisons pour qu'elle se…

— C'est moi qui vous demande pardon, maître, mais vous feriez bien d'y aller doucement. Vous êtes à cinq secondes d'aller faire un tour dans ma cellule de garde à vue. On ne montre pas du doigt et on ne s'adresse pas à un juge de la Cour supérieure comme vous venez de le faire. Me comprenez-vous bien ?

Je me retournai vers les volumes du code et respirai un grand coup. Il fallait que j'y gagne quelque chose, je le savais. Il fallait que je sorte de cette salle avec un juge qui me doive quelque chose.

— Je vous comprends bien, finis-je par répondre.

— Bien, dit-il. Et maintenant, revenez ici et prenez un siège. Écoutons ce que maître Freeman et l'inspecteur Kurlen ont à nous dire, et il vaudrait mieux que ce soit bon.

À contrecœur, tel l'enfant qu'on vient de gronder, je revins à ma place et me laissai tomber sur mon siège.

— Maître Freeman, nous vous écoutons.

— Oui, monsieur le Juge. Cet outil nous a été confié lundi en fin d'après-midi. Un paysa…

— Génial ! m'écriai-je. Je le savais. Alors comme ça, vous attendez qu'on ait passé quatre jours à sélectionner des jurés avant de décider de…

— Maître Haller ! aboya le juge. Vous m'avez fait perdre patience. Ne nous interrompez plus. Continuez, maître Freeman, je vous en prie.

— Bien sûr, monsieur le Juge. Comme je le disais, nous avons reçu cette pièce à la Division du LAPD de Van Nuys tard dans l'après-midi de lundi. Je pense qu'il vaudrait mieux que l'inspecteur Kurlen vous donne le rapport de prise de possession et de garde continue de la preuve.

Perry fit signe à l'inspecteur d'y aller.

— Ce qui s'est passé, dit celui-ci, c'est que ce matin-là, un paysagiste qui travaillait dans une cour de Dickens Street près de Kester Avenue a trouvé ce marteau coincé dans une haie près de la façade de la maison de son client. C'est de la rue qui passe derrière la Westland National que nous parlons. La maison se trouve à environ deux rues de la banque. Le paysagiste qui a trouvé le marteau est originaire de Gardenia et ignorait tout du meurtre. Mais, croyant que cet outil appartenait à son client, il le lui a laissé dans sa véranda. Le propriétaire de la maison, un certain Donald Meyers, ne l'a vu qu'en rentrant chez lui après le travail, soit aux environs de 17 heures. Il était un peu perdu parce qu'il savait que ce marteau ne lui appartenait pas. Cela étant, il s'est alors rappelé avoir lu des articles sur l'assassinat de Bondurant... au moins un en tout cas, où l'on indiquait que l'arme du crime était peut-être un marteau et que ce marteau n'était toujours pas retrouvé. Il a appelé son paysagiste, a écouté son histoire et a téléphoné à la police.

— Bien, vous venez donc de me dire comment vous l'avez récupéré, dit Perry. Mais vous ne m'avez pas expliqué pourquoi nous n'en apprenons l'existence que trois jours plus tard.

Freeman acquiesça d'un hochement de tête. Elle était prête à y aller et poursuivit son récit.

— Monsieur le Juge, dit-elle, nous avions bien sûr à confirmer la nature de ce que nous avions en notre possession et à établir le rapport de garde continue de l'objet. Nous avons donc immédiatement confié le marteau à la police scientifique pour qu'elle procède aux analyses, analyses dont nous n'avons reçu les conclusions qu'hier soir après l'audience.

— Et quelles sont ces conclusions ?

— Que les seules empreintes relevées sur l'arme appartenaient à...

— Minute ! lançai-je au risque d'encourir à nouveau la colère de Perry. Pourrions-nous nous contenter de dire qu'il s'agit d'un marteau ? Parler d'arme du crime alors que tout est versé aux minutes est un rien présomptueux à ce stade.

— Très bien, répondit Freeman avant que le juge ait le temps de réagir. Le « marteau » donc. Les seules empreintes relevées sur le… « marteau »… appartenaient à M. Meyers et à son paysagiste, Antonio Ladera. Mais deux choses le relient, et fermement, à notre affaire. Les tests révèlent en effet que l'ADN de la petite tache de sang retrouvée sur le haut du manche du marteau est bien celui de Mitchell Bondurant. Nous avions confié l'analyse à un labo extérieur à cause des protestations élevées par l'avocat de la défense contre les mesures de précaution que nous avions prises pour le premier test. Le marteau a aussi été confié au service de médecine légale aux fins de comparaisons avec les traces de blessures de la victime. Là encore, il y a correspondance. Maître Haller, que vous parliez de marteau, d'outil ou de tout ce que vous voudrez ne change rien à l'affaire. Moi, j'appelle ça l'arme du crime. Et j'ai des copies du rapport d'analyse à vous confier tout de suite.

Elle glissa la main dans l'enveloppe jaune, en sortit deux documents attachés par un trombone et me les tendit, un grand sourire satisfait sur la figure.

— Que nous voilà une belle attention ! m'écriai-je, la voix pleine de sarcasme. Je vous remercie beaucoup.

— Oh, et il y a encore ceci.

Elle glissa de nouveau la main dans l'enveloppe, en retira deux clichés 18 x 24 et en donna un au juge et un à moi. La photo était celle d'un établi avec des outils accrochés à un tableau juste derrière. Je reconnus l'établi du garage de Lisa Trammel. J'y étais allé.

— Cette photo a été prise dans le garage de Lisa Trammel le jour même du meurtre, pendant la fouille des lieux ordonnée sur décision de la cour. Vous remarquerez qu'il manque un outil au tableau. Le vide laissé par cette absence a les dimensions d'un marteau à panne.

— C'est complètement fou.

— La police scientifique a identifié le modèle de ce marteau. Il s'agit d'un Craftsman fabriqué par Sears. Ce modèle précis ne se vend pas à l'unité. Il fait partie des deux cent trente-neuf outils de « L'Ensemble du Charpentier ». Cette photographie nous a permis d'identifier plus de cent autres outils de cet ensemble. Mais pas de marteau. Et s'il n'y est pas, c'est parce que Lisa Trammel l'a jeté dans les buissons après avoir quitté le lieu du crime.

J'avais l'esprit en feu. Même avec une défense fondée sur la théorie du coup monté, la loi des rendements décroissants s'appliquait. Balayer à force d'explications la tache de sang sur la chaussure, c'était une chose. Balayer à force d'explications le fait que ma cliente possédait l'arme du crime et y était reliée, c'était tout autre chose. Chaque fois qu'une nouvelle pièce à conviction faisait son apparition, les chances de prouver le coup monté se réduisaient de façon exponentielle. Pour la deuxième fois en trois semaines, la défense prenait un coup si dévastateur que j'en restai quasi sans voix. Le juge se tourna vers moi. L'heure était venue de réagir, mais rien de pertinent ne me venait à l'esprit.

— Voilà un élément de preuve assez convaincant, maître Haller, me lança-t-il. Avez-vous quelque chose à en dire ?

Je n'avais rien, mais me relevai avant qu'il ait fini de compter jusqu'à dix.

— Monsieur le Juge, cette prétendue pièce à conviction qui nous tombe si opportunément du ciel aurait dû être déclarée à la cour et à la défense dès qu'elle a fait surface. Pas trois jours après, ni même un seul. Ne serait-ce que pour permettre à la défense de l'examiner comme il faut, d'effectuer ses propres tests et d'étudier ceux de l'accusation… Et elle serait restée cachée dans ces buissons pendant quoi ? Trois mois aujourd'hui ? Et pourtant *voilà*[1] ! Nous avons aujourd'hui un ADN qui correspond à celui de la victime ! Tout ce truc pue le coup monté. Et arrive dix fois trop tard, monsieur le Juge. Le train a quitté la gare. Il se pourrait même que nous y allions de nos déclarations préliminaires dès demain ! L'accusation, elle, aura eu toute la semaine pour réfléchir à la manière d'y évoquer ce marteau. Que suis-je donc censé faire à ce stade ?

1. En français dans le texte original.

— Projetiez-vous de faire votre déclaration au début du procès ou vouliez-vous attendre jusqu'à la phase de la défense ? me demanda le juge.

— J'avais prévu de me lancer dès demain, répondis-je en mentant. Elle est déjà écrite. Mais il y a aussi là-dedans des informations dont j'aurais pu me servir pour choisir les jurés que nous avons maintenant dans le box. Monsieur le Juge, toute cette affaire... écoutez, tout ce que je sais, c'est qu'il y a cinq semaines de ça, l'accusation était prête à tout. C'est à mon propre bureau que maître Freeman est venue me voir pour proposer un arrangement à ma cliente. Qu'elle le reconnaisse ou pas n'empêche pas qu'elle commençait à avoir peur et m'a donné tout ce que je lui demandais. Et tout d'un coup, nous avons droit à l'ADN sur la chaussure ? Et maintenant, voyez-moi ça, voilà qu'un marteau se pointe et que bien sûr, plus personne ne parle de règlement à l'amiable ? Pareilles coïncidences font douter de tout. Mais à lui seul, le mépris de la légalité qui caractérise ce que fait l'accusation devrait vous pousser à ne pas accepter ce marteau comme pièce à conviction.

— Monsieur le Juge ! s'écria Freeman dès que j'eus terminé. Puis-je réagir aux allégations de mépris de la légalité que maître Hal...

— Ce sera inutile, maître Freeman. Comme je l'ai déjà dit, cet élément de preuve est très convaincant. Il arrive à un moment certes inopportun, mais il est clair que les jurés doivent le prendre en considération. Je vais donc l'autoriser, mais encore une fois, je vais aussi donner plus de temps à la défense pour se préparer. Et maintenant, nous allons retrouver le prétoire et terminer la sélection des jurés. Après quoi, je leur donnerai un grand week-end de repos et les ramènerai ici dès lundi pour les déclarations préliminaires et le début du procès. Cela vous donne trois jours de plus pour revoir votre déclaration, maître Haller. Cela devrait suffire. En attendant, votre équipe, y compris la jeune fonceuse que vous avez recrutée dans mon *alma mater*, pourra rassembler tous les experts et faire subir à ce marteau tous les tests dont vous aurez besoin.

Je fis non de la tête. Cela n'était pas assez bon. J'étais en train de couler à toute allure dans cette histoire.

— Monsieur le Juge, dis-je, je demande que le procès soit suspendu pendant que je fais appel de cette décision.

— Vous pouvez faire appel, maître Haller. C'est votre droit. Mais cela n'arrêtera pas le procès. Nous attaquons lundi.

Il me gratifia d'un petit hochement de tête que je pris pour une menace. Je fais appel de sa décision, il ne l'oubliera pas pendant le procès.

— Autre chose dont il faudrait discuter ? demanda-t-il.

— Non, de mon côté, c'est bon, dit Freeman.

— Maître Haller ?

Je hochai la tête. Ma voix m'avait abandonné.

— Eh bien, retournons là-bas et finissons notre travail.

Lisa Trammel m'attendait d'un air pensif à la table de la défense.

— Qu'est-ce qui se passe ? me demanda-t-elle dans un chuchotement plein d'urgence.

— Ce qui se passe, c'est que nous venons de nous faire botter le cul encore un coup. Et cette fois, c'est fini.

— Que voulez-vous dire ?

— Ce que je veux dire, c'est qu'ils ont retrouvé le marteau que vous avez balancé dans les buissons après avoir tué Bondurant, bordel de Dieu !

— C'est complètement fou ! Je n'ai...

— Non, c'est vous qui êtes folle. Ils peuvent relier le marteau à Bondurant sans problème et le relier aussi à vous. Ce marteau est celui de votre établi, nom de Dieu ! Je ne vois pas comment vous avez pu être aussi conne, mais là n'est pas la question. À côté de ça, garder les godasses ensanglantées chez vous serait presque astucieux ! Maintenant je vais devoir trouver un moyen d'obtenir un arrangement avec Freeman alors qu'elle n'a absolument pas besoin d'en accepter un. Pour elle, c'est plié, pourquoi viser un arrangement ?

Lisa tendit une main en avant et m'attrapa par le revers gauche de ma veste. Et me tira vers elle. Puis murmura en serrant les dents :

— Non mais, vous entendez ce que vous dites ? Comment aurais-je pu être « aussi conne » ? Voilà votre question et ma réponse est que je ne l'ai pas été. S'il y a une chose que vous savez, c'est que je ne suis pas idiote. Je vous le dis, et depuis le début : c'est un coup monté.

Ils voulaient se débarrasser de moi et c'est ce qu'ils ont fait. Mais moi, je n'ai rien fait. Vous avez raison depuis le début. Le coupable, c'est Louis Opparizio. Il avait besoin de se débarrasser de Mitchell Bondurant, il s'est servi de moi comme homme de paille. Bondurant lui a envoyé votre lettre. C'est ça qui a tout déclenché. Je n'ai...

Elle se mit à bafouiller tandis que ses yeux se remplissaient de larmes. Je posai ma main sur la sienne comme pour la calmer et l'ôtai de mon revers. Je sentais que les jurés revenaient dans le box et n'avais aucune envie qu'ils remarquent la moindre discorde entre l'avocat et sa cliente.

— Je n'ai pas fait ça, répéta-t-elle. Vous m'entendez ? Je ne veux aucun arrangement. Je ne dirai jamais avoir fait quelque chose que je n'ai pas fait. Si c'est tout ce que vous pouvez faire, alors je veux changer d'avocat.

Je me détournai d'elle pour regarder le siège du juge. Ce dernier nous observait.

— Prêt à poursuivre, maître Haller ? me lança-t-il.

Je regardai ma cliente, puis me tournai vers lui.

— Oui, monsieur le Juge. Prêt à poursuivre.

## 20

C'était comme de se trouver dans les vestiaires de l'équipe perdante, sauf qu'il nous restait encore à jouer la partie. Nous étions dimanche après-midi, dans dix-huit heures nous ferions nos déclarations préliminaires, je me concertais avec mon équipe, déjà nous concédions la défaite. La fin était amère avant même que le procès n'ait commencé.

— Je ne comprends pas, lança Aronson dans le silence qui enveloppait mon bureau. Vous ne nous avez pas dit que nous avions besoin d'une hypothèse d'innocence ? D'une deuxième théorie ?

Nous ne l'aurions pas avec Opparizio ? Nous l'avons, et en abondance. Où est le problème ?

Je me tournai vers Cisco Wojciechowski. Nous n'étions que tous les trois. J'étais en short et tee-shirt. Cisco portait ses habits de motard : maillot de corps vert de l'armée et jean noir. Aronson, elle, s'était habillée pour une journée de travail au tribunal. Elle n'avait pas reçu le mémorandum annonçant qu'on était dimanche.

— Le problème est que nous n'allons pas réussir à faire entrer Opparizio dans le procès, répondis-je.

— Mais il a retiré sa requête en annulation de citation à comparaître ! protesta Aronson.

— Ça n'a plus aucune importance. Le procès tournera autour des pièces à conviction que le ministère public a trouvées contre Trammel. On ne s'intéressera pas à nos *x* ou *y* qui auraient pu commettre le crime. Les « auraient pu » ne compteront pas. Je pourrai faire témoigner Opparizio en tant qu'expert sur la saisie de Trammel et sur l'épidémie de saisies dans le pays. Mais en faire un suspect de remplacement, je ne peux même pas y songer. Le juge me l'interdira à moins que je puisse prouver la pertinence de ma tentative. Mais maintenant, après tout le chemin que nous avons parcouru, cette pertinence nous échappe. Nous n'avons toujours pas l'élément qui amènera Opparizio au cœur du procès.

Aronson était bien décidée à ne pas renoncer.

— Le quatorzième amendement à la Constitution garantit à Trammel « la possibilité significative de présenter une défense complète ». La théorie de remplacement en fait partie.

Ainsi donc elle était capable de citer la Constitution. Elle connaissait ses classiques, mais manquait d'expérience.

— « État de Californie contre Hall, 1986. » Regardez donc un peu.

Je lui montrai son ordinateur portable ouvert sur le coin de mon bureau. Elle se pencha dessus et commença à taper.

— Vous connaissez la référence ?

— Essayez quarante et un.

Elle l'entra, fit monter la décision du juge et commença à la lire. Je regardai Cisco qui n'avait aucune idée de ce que j'étais en train de fabriquer.

— Lisez l'arrêt à haute voix, lui demandai-je. Les passages pertinents.

— Euh… « La preuve qu'un autre individu avait le mobile ou la possibilité de commettre le crime, ou un lien éloigné avec la victime ou la scène de crime, ne suffit pas à établir le doute raisonnable exigé… La preuve de la culpabilité d'un tiers n'est pertinente et recevable que si elle relie ce tiers à la commission effective du crime… » OK, on est baisés.

J'acquiesçai d'un signe de tête.

— Si nous n'arrivons pas à établir qu'Opparizio ou l'un de ses nervis était dans ce parking, nous le sommes effectivement.

— La lettre ne suffit pas ? demanda Cisco.

— Non, lui répondis-je. Absolument pas. Freeman me bottera les fesses si je déclare qu'elle ouvre la porte à quelque chose. Elle donne un mobile à Opparizio, c'est exact. Mais elle ne le relie pas directement au crime.

— Merde.

— Exactement. Pour l'instant, nous n'avons pas ce qu'il faut. Et n'avons donc pas de défense. Sans même parler de l'ADN, du marteau… tout ça nous cloue complètement. Sans vouloir faire de jeu de mots.

— D'après les conclusions du labo, il n'y a aucun lien biologique avec Lisa, dit Aronson. Et j'ai un expert en outils Craftsman qui témoignera qu'il est impossible d'affirmer que le marteau faisait partie de son ensemble. En plus de quoi, nous savons que la porte du garage n'était pas fermée à clé. Même si c'est bien le marteau de Lisa, n'importe qui aurait pu s'en emparer. Et coller du sang de Bondurant sur ses chaussures.

— Ouais, ouais, tout ça, je le sais. Mais il ne suffit pas de dire ce qui a pu se passer. Nous allons devoir dire que c'est ce qui s'est effectivement passé et l'étayer. Si nous n'y arrivons pas, nous ne serons même pas dans la danse. La clé, c'est Opparizio. Il faut que nous puissions l'attaquer sans que Freeman se lève à tout bout de champ pour nous lancer : « La pertinence de tout ceci, s'il vous plaît ? »

Aronson ne renonçait toujours pas.

— Il doit quand même bien y avoir quelque chose, dit-elle.

— Il y a toujours quelque chose. L'ennui, c'est que ce quelque chose, nous ne l'avons toujours pas trouvé.

Je pivotai dans mon fauteuil pour regarder Cisco en face. Il fronça les sourcils et hocha la tête. Il savait ce qui l'attendait.

— À toi de jouer, mec, lui dis-je. Il faut que tu me trouves quelque chose. Freeman va mettre environ une semaine à présenter le dossier de l'accusation. C'est tout ce que tu as. Mais si je me lève demain et jette les dés en déclarant que je vais prouver que c'est quelqu'un d'autre qui a commis ce crime, il faudra que je sois à la hauteur.

— Je reprends du début, dit-il. Je repars à zéro et je te trouverai quelque chose. Fais ce que tu as à faire demain.

J'acquiesçai d'un signe de tête, plus pour le remercier que parce que je croyais qu'il réussirait. Je ne pensais vraiment pas qu'il y avait encore quelque chose à trouver. J'avais une cliente qui était coupable et la justice allait prévaloir. Fin de l'histoire.

Je baissai les yeux sur mon bureau, où s'étalaient rapports et photos de scènes de crime. Je tins à la lumière le cliché 20 x 25 représentant la mallette de Bondurant ouverte sur le sol en ciment du parking. C'était ce qui avait tout de suite retenu mon attention et m'avait fait espérer que ce n'était peut-être pas ma cliente qui avait fait le coup. Enfin... jusqu'aux deux dernières décisions du juge.

— Et donc, on n'a toujours rien sur le contenu de la mallette et on ne sait pas non plus s'il y manque quelque chose ? demandai-je.

— Non, toujours rien, dit Aronson.

Je lui avais confié la tâche de vérifier les premiers éléments de preuves de la partie adverse dès qu'ils arriveraient.

— La mallette est donc restée grande ouverte et personne ne s'est donné la peine de voir s'il y manquait quelque chose ?

— Ils ont dressé l'inventaire de ce qu'elle contenait. Ça, nous l'avons. Je ne pense pas qu'ils aient fait un rapport sur ce qui aurait pu ne pas s'y trouver. Kurlen est retors. Ce n'est pas lui qui nous entrebâillerait une porte.

— Oui bon, mais il se pourrait qu'il ait cette mallette dans le cul quand j'en aurai fini avec lui à la barre des témoins.

Aronson rougit. Je pointai le doigt sur mon enquêteur.

— La mallette, Cisco, lui dis-je. On a ce qu'il y avait dedans. Parle à la secrétaire de Bondurant. Essaie de savoir si quelque chose y a été pris.

— J'ai déjà essayé. Elle a refusé de me parler.

— Réessaie. Fais-lui le grand jeu. Gagne-la à ta cause.

Il fléchit les bras. Aronson continua de rougir. Je me levai.

— Je rentre bosser à ma déclaration préliminaire.

— Vous êtes sûr de vouloir la faire demain ? me demanda Aronson. Attendez la phase défense et vous saurez ce que Cisco aura réussi à trouver.

Je fis non de la tête.

— J'ai droit au week-end parce que j'ai dit au juge que je la ferai dès le début du procès. Si je reviens sur ma parole, il va m'accuser de lui avoir fait perdre le vendredi. Il a déjà une dent contre moi parce que j'ai un peu perdu la tête dans son cabinet.

Je fis le tour de mon bureau et tendis la photo de la mallette à Cisco.

— Bon, les gars, assurez-vous de tout bien fermer à clé.

***

Pas de Rojas le dimanche. Je ramenai la Lincoln à la maison tout seul. Il n'y avait pas beaucoup de circulation, j'y arrivai rapidement même en m'arrêtant pour prendre une pizza au petit boui-boui italien sous le marché en bas de Laurel Canyon. Enfin chez moi, je ne me donnai pas la peine de ranger la grande Lincoln dans le garage à côté de sa sœur jumelle. Je la garai en bas des marches, la fermai à clé et gagnai la porte de devant. Ce ne fut qu'au moment où j'arrivais à la terrasse que je vis qu'on m'attendait.

Malheureusement, ce n'était pas Maggie McFierce. En fait, ce type que je n'avais encore jamais vu s'était assis dans un de mes fauteuils de metteur en scène à l'autre bout de ma terrasse. De faible constitution et les cheveux en bataille, il arborait une barbe d'une semaine. Il avait fermé les yeux et renversé la tête en arrière. Il dormait.

Je n'étais pas inquiet pour ma sécurité. Il était seul et ne portait pas de gants noirs. Il n'empêche, je glissai vite la clé dans la serrure et ouvris la porte sans faire de bruit. Puis j'entrai, refermai la porte derrière moi et posai ma pizza sur le comptoir de la cuisine. Et regagnai ma chambre, où j'ouvris ma penderie. Sur la dernière étagère – trop haute pour que ma fille puisse y accéder –, je pris le coffret en bois contenant le colt Woodsman que j'avais hérité de mon père. L'arme avait un passé tragique et je ne voulais pas l'alourdir. J'y glissai un chargeur plein, puis je me dirigeai à nouveau vers la porte de devant.

Je pris l'autre fauteuil de metteur en scène et le tirai jusqu'à ce qu'il se trouve en face de l'homme endormi. Ce ne fut qu'après m'y être assis que, mon colt posé nonchalamment sur les genoux, je tendis la jambe et tapotai la sienne du bout du pied.

Il se réveilla en sursaut, ouvrit grand les yeux et regarda tout autour de lui jusqu'au moment où il vit enfin mon visage et baissa la tête pour découvrir mon pistolet.

— Holà, minute, mec ! lança-t-il.

— Ça serait pas plutôt à vous d'attendre une minute ? Qui êtes-vous et qu'est-ce que vous voulez ?

Je ne pointais pas mon arme sur lui. Je ne voulais pas dramatiser. Il leva les mains en l'air, paumes tournées vers moi en signe de reddition.

— Monsieur Haller, c'est ça ? Moi, c'est Jeff, mec. Jeff Trammel. On s'est parlé au téléphone, vous vous rappelez ?

Je le dévisageai un instant et compris que je ne l'avais pas reconnu parce que je ne l'avais jamais vu en photo. Il n'y en avait aucune chez Lisa lorsque je lui avais rendu visite. Elle l'avait éjecté de sa vie quand il avait pris la poudre d'escampette. Et voilà qu'il était devant moi. Regard hanté et mine de chien battu. Je pensai savoir exactement ce qu'il cherchait.

— Comment avez-vous découvert où j'habitais ? Qui vous a dit de venir ici ?

— Personne ne m'a rien dit. Je suis venu tout seul. J'ai cherché votre nom sur le site Web du barreau de Californie. Pas de cabinet recensé, mais cette adresse y était indiquée. Je suis passé, j'ai vu que c'était une maison et me suis dit que vous y habitiez. C'est tout. Faut que je vous parle.

— Vous auriez pu m'appeler.

— Mon portable a plus de batterie. Faut que je m'en achète un autre.

Je décidai de le tester un peu.

— Où étiez-vous la fois où vous m'avez appelé ?

Il haussa les épaules comme si ça ne mangeait pas de pain de me communiquer le renseignement maintenant.

— À Rosarito. C'est là que je suis le plus souvent.

Mensonge. Cisco avait pu remonter l'appel. J'avais son numéro et la tour de relais de son coup de fil. Il m'avait appelé de Venice Beach, soit à quelque trois cents kilomètres de Rosarito Beach, au Mexique.

— De quoi vouliez-vous me parler, Jeff ?

— Je peux vous aider, mec.

— M'aider ? Mais comment ?

— J'ai causé avec Lisa. Elle m'a dit pour le marteau qu'ils ont retrouvé. C'est pas le sien… enfin, je veux dire : le nôtre. Le nôtre, je peux vous dire où il est. Je peux vous y conduire direct.

— Bon. Alors où est-il ?

Il hocha la tête, puis regarda à droite la ville en contrebas. Le chuintement incessant de la circulation nous parvenait filtré.

— C'est ça, le problème, monsieur Haller. J'ai besoin d'argent. Je veux retourner au Mexique. Y a pas besoin de beaucoup là-bas, mais faut pouvoir commencer, si vous voyez ce que je veux dire.

— De combien le coup de pouce ?

Il se retourna et me regarda droit dans les yeux parce qu'enfin je parlais son langage.

— On dit juste dix mille ? Vous allez engranger tout le fric du film, alors dix mille, ça devrait pas vous faire trop mal. Vous me les filez et moi, je vous donne le marteau.

— Et c'est tout ?

— Oui, mec. Après, je vous débarrasse le plancher.

— Et si vous témoigniez pour Lisa au procès ? Vous vous rappelez qu'on en a déjà parlé ?

Il fit non de la tête.

— Non, ça, je peux pas. Je suis pas du genre à témoigner. Mais vous aider en douce comme ça, je peux. Vous savez bien… vous conduire au marteau, enfin… des trucs comme ça. D'après Herb, ce marteau est leur pièce à conviction la plus importante et c'est que des conneries parce que moi, je sais où est le vrai.

— Et donc, vous parlez aussi avec Dahl ?

À sa grimace, je vis qu'il s'était grillé. Il était censé ne pas parler d'Herb Dahl.

— Euh, non. C'est ce que Lisa m'a dit qu'il avait dit. Je le connais même pas.

— Que je vous pose une question, Jeff. Comment vais-je savoir que c'est le vrai marteau et pas un truc de remplacement que vous m'avez concocté avec Lisa et Herb ?

— Parce que je vous le dis, quoi ! Je le sais ! C'est moi qui l'ai laissé où il est. Moi !

— Sauf que si vous ne témoignez pas, tout ce qu'il me reste, c'est un marteau et rien comme histoire pour aller avec. Jeff, connaissez-vous le sens du mot « fongible » ?

— Fon… euh non.

— Cela signifie « interchangeable ». Juridiquement parlant, un article est dit « fongible » quand il peut être remplacé par un article analogue. Et c'est très exactement ce que nous avons, Jeff. Votre marteau ne me servira à rien sans l'histoire qui va avec. Et si cette histoire, c'est la vôtre, alors vous devez l'attester en témoignant. Si vous ne témoignez pas, votre marteau n'aura aucun intérêt.

— Euh…

Il avait l'air dépité.

— Où est ce marteau, Jeff ?

— Je vous le dirai pas. C'est tout ce que j'ai.

— Je ne vous en donne pas un sou, Jeff. Même si je croyais à l'existence d'un marteau… et que ce soit le vrai… je ne vous en donnerais pas un sou. Ce n'est pas comme ça que ça marche. Bref, vous y réfléchissez et vous me faites savoir, d'accord ?

— D'accord.

— Et maintenant, dégagez de ma véranda.

Mon arme au côté, je réintégrai la maison et refermai la porte à clé derrière moi. Puis j'attrapai les clés de la voiture sur la boîte de la pizza et me dépêchai de rejoindre la porte de derrière. La franchis, puis me coulai le long du mur pour gagner le portail en bois qui donnait sur la rue. L'entrouvris un rien et cherchai Jeff Trammel des yeux.

Je ne le vis pas, mais entendis rugir un moteur de voiture. J'attendis et très vite une automobile me passa devant. Je franchis le portail et tentai de regarder la plaque minéralogique, mais arrivai trop tard. Le véhicule descendait la côte en roue libre. Il s'agissait d'une berline, mais je m'étais trop focalisé sur la plaque pour en identifier la marque et le modèle. Dès qu'elle fut dans le premier virage, je me dépêchai de remonter la rue et sautai dans ma voiture.

Puisque j'avais décidé de le suivre, il fallait que j'arrive à temps en bas de la côte pour voir de quel côté de Laurel Canyon Boulevard il allait tourner, et ne pas risquer de le perdre.

Mais… trop tard. Lorsque après avoir négocié les virages serrés de la descente, la Lincoln arriva à l'intersection de Laurel Canyon, la berline bleue avait disparu. Je roulai jusqu'au stop et, sans la moindre hésitation, je pris à droite puis vers le nord et la Valley. Cisco avait remonté l'appel de Jeff jusqu'à Venice, mais dans cette affaire, c'était dans la Valley que tout se passait. Je m'y dirigeai donc.

C'était une route à une voie de chaque côté pour franchir les Hollywood Hills. Elle passait bien à deux dans la descente vers la Valley, mais jamais je ne rattrapai Trammel et me rendis vite compte que j'avais choisi la mauvaise direction. Venice. J'aurais dû prendre vers le sud.

Peu fana de pizza froide ou réchauffée, je m'arrêtai au Daily Grill, au croisement des boulevards Laurel Canyon et Ventura. Je me garai dans le parking souterrain et me trouvais à mi-chemin de l'escalier mécanique quand je m'aperçus que j'avais toujours mon Woodsman glissé dans la ceinture de mon pantalon. Pas bon ça. Je retournai à la voiture, le glissai sous le siège et vérifiai deux fois que la voiture était bien fermée à clé.

Il était encore tôt, mais il y avait beaucoup de monde dans le restaurant. Je m'assis au bar plutôt que d'attendre une table et commandai un thé glacé et une tourte au poulet. Puis j'ouvris mon portable et appelai ma cliente. Elle répondit tout de suite.

— Lisa, lui lançai-je, c'est votre avocat. C'est vous qui venez de m'envoyer votre mari ?

— Eh bien… oui, je lui ai dit qu'il ferait bien d'aller vous voir.

— C'était votre idée ou celle de Dahl ?

— C'était la mienne. Je veux dire… Herb était avec moi, mais c'était mon idée. Vous lui avez parlé ?

— Oui.

— Il vous a conduit jusqu'au marteau ?

— Non. Il voulait dix mille dollars.

Elle marqua une pause, mais j'attendis.

— Mickey, ça ne me semble pas énorme pour un truc qui va complètement flinguer la pièce à conviction du ministère public.

— Lisa, les pièces à conviction ne s'achètent pas. Faites-le et vous perdrez. Où est descendu votre mari ?

— Il n'a pas voulu me le dire.

— Vous lui avez parlé en personne ?

— Oui, il est venu ici. Il ressemblait aux horreurs que les chats peuvent rapporter à la maison.

— J'ai besoin de le trouver pour le citer à comparaître. Avez-vous la moindre…

— Il ne témoignera pas. Il me l'a dit. Quoi qu'il arrive. Tout ce qu'il veut, c'est du fric et me voir souffrir. Il ne s'intéresse même pas à son fils. Il n'a même pas demandé à le voir quand il est passé.

On me posa mon plat devant moi, le barman me remplissant à ras bord mon verre de thé. Je crevai la croûte de la tourte avec ma fourchette, rien que pour laisser filer un peu de vapeur. Il me faudrait encore attendre une bonne dizaine de minutes avant qu'elle soit assez froide pour que je puisse la manger.

— Lisa, repris-je, écoutez-moi bien, c'est important. Avez-vous la moindre idée de l'endroit où il vit, ou de celui où il pourrait être descendu ?

— Non, aucune. Il m'a dit qu'il était monté du Mexique.

— C'est un mensonge. Il n'a pas bougé d'ici.

Elle parut interloquée.

— Comment le savez-vous ?

— Ses notes de téléphone. Écoutez, ça n'a pas d'importance. S'il vous appelle ou s'il passe chez vous, tâchez de savoir où il habite. Promettez-lui du fric, faites tout ce qu'il faudra, mais trouvez-moi ça. Si on arrive à le faire témoigner, il sera obligé de nous parler du marteau.

— J'essaierai.

— Non, n'essayez pas, Lisa. Faites-le. C'est de votre vie qu'on parle.

— D'accord, d'accord.

— Bien, vous a-t-il laissé entendre quoi que ce soit sur le marteau quand il vous a parlé ?

— Pas vraiment. Il a juste dit : « Tu te rappelles que je le gardais toujours dans la voiture quand j'étais de service de reprises ? » Quand il travaillait chez le concessionnaire, des fois, il avait à reprendre des voitures. Ils se relayaient. Je crois qu'il gardait le marteau pour se protéger ou au cas où ils auraient à entrer dans la voiture par effraction.

— Il a donc dit que le marteau de votre ensemble d'outils se trouvait dans sa voiture ?

— Faut croire, oui. Dans la BM. Sauf qu'elle a été reprise quand il l'a abandonnée avant de disparaître.

Je hochai la tête. Je pouvais mettre Cisco dessus et lui demander d'essayer de confirmer cette histoire en allant voir si on avait retrouvé un marteau dans la BMW abandonnée par Jeff Trammel.

— D'accord, Lisa. Qui sont ses amis ? Ici, en ville.

— Je ne sais pas. Il avait des copains chez le concessionnaire, mais pas des gens qu'il aurait ramenés à la maison. On n'avait pas vraiment d'amis.

— Vous avez encore certains de leurs noms en tête ?

— Pas vraiment, non.

— Lisa, tout ça ne m'aide pas.

— Je suis désolée, mais j'arrive pas à réfléchir. Je n'aimais pas ses amis. Je lui avais dit de pas les ramener.

Je hochai la tête, puis je pensai à moi. Avais-je seulement des amis en dehors du travail ? Maggie aurait-elle pu répondre à ces questions sur moi ?

— Bien, Lisa, assez là-dessus pour le moment. Je veux que vous pensiez à demain. Vous vous rappelez ce dont on a parlé ? Comment il faut se tenir et réagir devant des jurés ? Beaucoup de choses en dépendront.

— Je sais. Je suis prête.

Bien, pensai-je. J'aurais bien aimé l'être, moi aussi.

## 21

Le lundi matin venu, le juge Perry, qui voulait rattraper le temps d'audience perdu le vendredi précédent, décida arbitrairement de limiter les déclarations préliminaires aux jurés à une demi-heure chacun. Cette décision tomba alors même que l'accusation, tout comme la défense, avait prétendument travaillé tout le week-end à des déclarations qui devaient durer une heure. Franchement ? Moi, ça ne me gênait pas. Je doutais même de parler plus de dix minutes. Plus on en dit côté défense, plus l'accusation a de choses à descendre dans ses conclusions. Moins est toujours mieux quand il s'agit de la défense. Cela dit, la décision du juge était bien capricieuse, et c'était quelque chose dont il fallait aussi tenir compte. Le message était clair : le juge nous disait à nous, simples avocats, qu'il contrôlait, et fermement, son tribunal et le procès. Nous n'étions que des visiteurs.

Ce fut Freeman qui attaqua et, comme j'en ai l'habitude, je ne lâchai pas le jury des yeux tandis qu'elle parlait. J'écoutai attentivement, prêt à élever des objections à tout moment, mais pas un seul instant je ne la regardai. Je voulais voir comment les jurés la sentaient. Je voulais voir si ce que j'avais deviné en eux allait payer.

Freeman parla clairement et avec éloquence. Pas de pitreries, pas de clinquant. On s'en tenait strictement à la victoire à remporter.

— Nous sommes ici pour une chose, dit-elle en se tenant fermement au centre du « puits », à savoir l'espace ouvert situé juste en face du box des jurés. Nous sommes ici à cause de la colère de l'accusée. Du besoin de frapper d'une personne frustrée par ses échecs et par les trahisons qu'elle a subies.

Bien sûr, elle passa l'essentiel de son temps à mettre en garde les jurés contre ce qu'elle traita « d'écrans de fumée et de miroirs déformants de la défense ». Elle avait confiance dans son dossier et chercha à détruire le mien.

— La défense va essayer de vous faire gober un certain nombre de choses. Elle va vous parler de grosses conspirations et de grands drames. Certes, le meurtre est important, mais l'histoire est toute simple. Ne vous laissez pas entraîner dans des voies de garage. Faites très attention. Écoutez attentivement. Assurez-vous que tout ce qu'on va vous dire aujourd'hui soit étayé par des preuves lors du procès. Et des preuves véritables.

« Ce meurtre a été bien préparé. L'assassin connaissait les habitudes de Mitchell Bondurant. L'assassin l'avait suivi. L'assassin lui a tendu un guet-apens et l'a frappé vite et avec la plus grande méchanceté. Cet assassin, c'est Lisa Trammel, et c'est la justice qu'elle devra affronter dans ce procès.

Et de pointer un doigt accusateur sur ma cliente. Comme je le lui avais recommandé plus tôt, Lisa la dévisagea sans broncher.

Je me concentrai sur le juré n° 3 assis au milieu de la première rangée du box. Leander Lee Furlong Junior était mon atout maître. Ma carte connue, le seul juré sur lequel je comptais pour voter comme je le voulais et jusqu'au bout. Même si cela nous conduisait à un jury sans majorité.

Environ une demi-heure avant que le processus de sélection des jurés ne commence, le greffier m'avait donné les noms des quatre-vingts personnes du premier pool. J'avais transmis cette liste à mon enquêteur, qui était passé dans le couloir, avait ouvert son ordinateur portable et s'était mis au travail.

L'Internet propose bien des moyens de se documenter sur le passé de jurés potentiels, surtout lorsque le procès tourne autour d'une transaction financière du style saisie. Tout individu faisant partie du pool des jurés doit en effet remplir un formulaire comportant des questions de base : « Avez-vous, vous ou un de vos proches, été impliqué dans une saisie ? » « Vous a-t-on jamais repris une voiture pour défaut de paiement ? » « Avez-vous jamais déposé votre bilan ? » Telles sont les premières questions posées pour débroussailler le terrain. Quiconque répond oui à l'une d'entre elles est aussitôt récusé par le juge ou par le procureur. Tout individu répondant oui est en effet considéré comme partial et incapable d'évaluer correctement un élément de preuve.

Sauf que ce débroussaillage est très général, qu'il existe des zones grises et qu'on peut lire entre les lignes. C'est là que Cisco était entré en scène. Lorsque le juge avait accepté son premier pool de jurés potentiels et lu leurs réponses au questionnaire, Cisco m'avait déjà rapporté ses notes sur le passé de dix-sept jurés sur les quatre-vingts. Je cherchais des gens qui avaient eu de mauvaises expériences avec les banques ou des organismes d'État, voire qui leur en tenaient rancune. Ces dix-sept jurés allaient de celui qui a carrément menti dans ses réponses aux questions portant sur les dépôts de bilans ou les saisies pour défaut de paiement à d'autres qui avaient engagé des poursuites au civil contre des banques, le meilleur d'entre eux étant Leander Furlong.

Âgé de vingt-neuf ans, il était directeur adjoint du supermarché Ralph de Chatsworth. Il avait répondu non à la question sur les saisies. Dans sa recherche Internet, Cisco était allé voir un peu plus loin et avait consulté certains sites nationaux. Et était tombé sur une référence à la vente aux enchères, après une saisie de 1994, d'une propriété de Nashville, État du Tennessee, laquelle propriété appartenait à Leander Lee Furlong. Et le requérant dans cette action n'était autre que la First National Bank du Tennessee.

Le nom ayant l'air unique, il ne pouvait pas ne pas y avoir de lien. Mon juré potentiel avait treize ans lorsque la propriété avait été saisie. J'en avais déduit que ce devait être son père qui avait perdu son bien au profit de la banque. Et Leander Lee Furlong Junior n'en avait pas fait mention dans son questionnaire.

La sélection des jurés se poursuivant, j'avais nerveusement attendu que Furlong soit choisi au hasard et versé dans le pool afin que le juge et les avocats puissent le questionner. Ce faisant, j'avais laissé passer deux ou trois bonnes occasions et usé de mon droit de récusation sans cause pour faire de la place dans le box.

Enfin, le quatrième jour au matin, son numéro étant sorti, Furlong avait eu droit à son interrogatoire. À son accent du sud, je sus que je tenais ma carte cachée. Il ne pouvait pas ne pas en vouloir à la banque qui s'était emparée de la propriété de ses parents. Il n'avait rien dit de l'affaire pour pouvoir faire partie des jurés.

Il avait passé le test haut la main en disant juste ce qu'il fallait et en se faisant passer pour un homme qui travaillait dur, craignait Dieu, avait des valeurs conservatrices et l'esprit ouvert. Lorsque mon tour était venu de l'interroger, j'avais joué la retenue en lui posant quelques questions générales, puis je lui en avais collé une qui faisait mal. Il fallait qu'il me semble acceptable. Je lui avais donc demandé si les gens victimes de saisies devaient être méprisés ou s'il se pouvait qu'on ait des raisons légitimes de ne pas pouvoir payer ses traites. Avec son nasillement de sudiste, il m'avait répondu que chaque cas était différent et qu'on aurait tort de généraliser.

Deux ou trois minutes et questions plus tard, Freeman lui avait poinçonné son billet d'entrée et j'avais donné mon accord. Il faisait enfin partie du jury. Je n'avais plus qu'à espérer que l'histoire de sa famille ne soit pas découverte par l'accusation. Si c'était le cas, il serait éjecté du jury plus vite qu'un Crip de la cellule d'un Bloods[1]. Manquais-je à l'éthique ou enfreignais-je le règlement en ne dévoilant pas son secret à la cour ? Tout dépend du sens qu'on donne au mot « proche ». Ce que couvre ce terme change au fur et à mesure qu'on avance dans la vie. D'après sa fiche, Furlong était marié et père d'un jeune garçon. Son épouse et son enfant étaient donc maintenant ses plus proches parents. Pour ce que j'en savais, il se pouvait même que son père ne soit plus vivant. La question qu'on lui avait posée n'était-elle pas : « Avez-vous, vous ou un de vos proches, été impliqué dans une saisie ? » Le mot « jamais » faisait-il partie de la question ? Pas que je sache.

Ainsi donc, nous nous trouvions dans la zone grise et je ne me sentais nullement obligé d'aider le procureur en lui montrant ce qui avait été omis dans la question. Freeman avait la même liste de noms que moi et toute la puissance du Bureau du district attorney

1. Noms des deux gangs les plus connus de Californie.

et du LAPD à sa disposition. Il devait quand même bien y avoir quelqu'un d'aussi futé que mon enquêteur dans ces deux bureaucraties. Qu'ils cherchent donc, et trouvent tout seuls. Et tant pis s'ils n'y arrivaient pas.

J'observai Furlong tandis que Freeman commençait à énumérer les éléments de base de son dossier : l'arme du crime, le témoin, le sang sur la chaussure de l'accusée et l'habitude que celle-ci avait de déverser sa colère contre les banques. Il resta sans bouger, les coudes sur les accoudoirs de son fauteuil, les mains jointes devant sa bouche. Il donnait l'impression de cacher son visage et la regardait par-dessus ses doigts. Toute son attitude me disait que je ne m'étais pas trompé sur son compte. C'était bien ma carte cachée.

Freeman commença à s'essouffler en récitant à toute allure une démonstration n'expliquant pas comment tous ces indices prouvaient la culpabilité de ma cliente au-delà de tout doute raisonnable. C'était manifestement à cet endroit de ses remarques préliminaires qu'elle avait taillé dans le vif pour obéir à la contrainte de temps arbitrairement fixée par le juge. Elle savait qu'elle pourrait rassembler tous ces éléments dans sa plaidoirie et en passa bon nombre sous silence pour arriver à sa conclusion.

— Mesdames et messieurs, lança-t-elle, le sang parlera. Tenez-vous-en aux preuves et elles vous conduiront, sans doute possible, à Lisa Trammel. C'est elle qui a ôté la vie à Mitchell Bondurant. Elle qui lui a pris tout ce qu'il avait. C'est maintenant à la justice de passer.

Sur quoi, elle remercia les jurés et regagna son siège. Mon tour était venu. Je glissai ma main sous la table pour vérifier ma fermeture Éclair. Tenez-vous seulement une fois devant des jurés avec la braguette ouverte et vous ne le ferez plus jamais.

Je me levai et me postai exactement au même endroit que Freeman. Et, encore une fois, je tentai de ne montrer aucun signe de mes blessures pas encore tout à fait guéries, puis attaquai.

— Mesdames et messieurs, je voudrais commencer par quelques présentations. Je m'appelle Mickey Haller et suis l'avocat de la défense. Ma tâche consiste à défendre Lisa Trammel contre ces accusations des plus graves. Notre Constitution garantit que tout individu accusé d'un crime dans ce pays a droit à une défense aussi entière que vigoureuse, et c'est exactement ce que je me propose de lui assurer au cours de ce procès. S'il m'arrive de vous prendre à rebrousse-poil en le faisant, permettez que je m'en excuse dès maintenant. Mais, je vous en prie, n'oubliez pas que ce que je ferai ne doit en aucun cas nuire à la réputation de Lisa.

Je me tournai vers la table de la défense et levai la main comme pour accueillir Trammel au procès.

— Lisa, pourriez-vous vous lever un instant, s'il vous plaît ? lui demandai-je.

Elle se leva et se tourna légèrement vers les jurés pour tous les regarder, les uns après les autres. Elle avait l'air résolue, absolument pas brisée. Exactement comme je le lui avais conseillé.

— Je vous présente Lisa Trammel, l'accusée, enchaînai-je. Maître Freeman aimerait vous faire croire que c'est elle qui a commis ce crime. Ma cliente est enseignante, mesure un mètre soixante et un et pèse quarante-neuf kilos toute habillée. Merci, Lisa. Vous pouvez vous rasseoir.

Elle se rassit et je me retournai vers les jurés et regardai leurs visages l'un après l'autre tout en parlant.

— Nous sommes d'accord avec maître Freeman pour dire que ce crime fut brutal, violent et commis de sang-froid. Personne n'aurait dû ôter la vie à Mitchell Bondurant et quiconque l'a fait devrait être traîné devant les tribunaux. Cela dit, on ne devrait jamais juger trop vite. Et c'est ce qui s'est passé. Les preuves le montreront. Dans cette affaire, les enquêteurs ont tout vu par le petit bout de la lorgnette et n'ont retenu que ce qui leur plaisait. Ils ont loupé l'essentiel. Et l'assassin véritable.

J'entendis la voix de Freeman dans mon dos.

— Monsieur le Juge, puis-je venir vous consulter ?

Perry y alla d'une grimace, mais nous fit signe d'approcher. Je suivis Freeman et commençai à formuler ma réponse à ce que je savais déjà être son objection. Le juge alluma un ventilateur à distorsion de son de façon à empêcher les jurés d'entendre des choses qu'ils ne devaient pas entendre et nous nous rassemblâmes à côté de son box.

— Monsieur le Juge, lança Freeman, je déteste interrompre des remarques préliminaires, mais cette déclaration n'y ressemble guère.

L'avocat de la défense va-t-il nous donner les faits qu'il entend prouver ou se contenter de parler en termes généraux d'un mystérieux assassin que tout un chacun aurait loupé ?

Le juge se tourna vers moi et attendit ma réponse. Je consultai ma montre.

— Monsieur le Juge, dis-je, permettez que je m'élève contre cette objection. J'en suis aux cinq premières minutes des trente qui me sont accordées que déjà maître Freeman élève une objection parce que je ne lui aurais pas tout donné ? Allons, monsieur le Juge, elle essaie de me ridiculiser devant les jurés et j'aimerais que vous preniez son intervention comme une objection d'ensemble[1] et que vous ne lui permettiez pas de m'interrompre à nouveau.

— Je pense qu'il a raison, maître Freeman. Il est dix fois trop tôt pour élever quelque objection que ce soit. Je vais donc y voir une objection d'ensemble et déclarerai les miennes si besoin est. Retournez donc à votre table et ne bougez plus.

Il éteignit le ventilateur et reprit sa place au centre de son box en faisant rouler son fauteuil. Freeman et moi regagnâmes nos positions.

— Comme je le disais avant d'être interrompu, repris-je, il faut voir plus grand dans cette affaire et je vais vous le montrer. L'accusation aimerait vous faire croire qu'il ne s'agit que d'une histoire de vengeance, tout simplement. Sauf que l'assassinat n'est jamais simple et que lorsqu'on cherche des raccourcis dans une enquête ou une accusation, on est sûr de louper certaines choses. Y compris l'assassin. Lisa Trammel ne connaissait même pas Mitchell Bondurant. Elle ne l'avait jamais rencontré. Elle n'avait aucune raison de le tuer et le mobile que l'accusation va vous avancer est faux. On vous dira qu'elle a tué Mitchell Bondurant parce qu'il allait lui prendre sa maison. La vérité ? Cette maison, il n'allait pas l'avoir et nous le prouverons. Le mobile est quelque chose qui ressemble au gouvernail

1. En droit américain, si un juge rejette une objection sur un point précis et que l'avocat entend la réitérer chaque fois qu'on revient sur le sujet, ce dernier peut demander une « objection d'ensemble » qui lui permettra d'interjeter l'appel si nécessaire, ce qu'il ne pourrait faire s'il se contentait d'accepter le rejet de sa première objection.

d'un bateau. Enlevez-le et le bateau ne fera plus qu'errer au gré du vent. Comme l'accusation. Du vent, je vous dis.

Je mis mes mains dans mes poches et regardai mes pieds. Je comptai jusqu'à trois dans ma tête, levai le nez et tombai sur Furlong.

— Ce dont il s'agit vraiment dans cette affaire ? repris-je. D'argent. De l'épidémie de saisies qui se répand dans notre pays. Non, il ne s'agit pas d'un simple acte de vengeance. Mais du meurtre froid et délibéré d'un homme qui menaçait de dévoiler la corruption de nos banques et de leurs agents spécialisés dans les opérations de saisies. C'est d'argent qu'il est question, d'argent et de ceux qui en ont et ne veulent s'en séparer à aucun prix... même celui du meurtre.

Je marquai à nouveau une pause, me positionnai autrement et fis courir mon regard sur les jurés. L'arrêtai sur une certaine Esther Marks et n'en bougeai plus. Je savais qu'elle était mère célibataire et travaillait dans le quartier de la fripe. Elle gagnait probablement moins que les hommes qui faisaient le même travail qu'elle et j'avais vu en elle quelqu'un qui pouvait avoir de la sympathie pour ma cliente.

— Lisa Trammel est piégée pour un meurtre qu'elle n'a pas commis. Le pigeon de l'affaire, c'est elle. Le bouc émissaire. Elle s'opposait aux pratiques cruelles et frauduleuses des banques en matière de saisies. Elle les a combattues et cela lui a valu une injonction du tribunal de rester à bonne distance de ces établissements. Ce sont les choses mêmes qui la rendaient suspectes à des enquêteurs paresseux qui ont fait d'elle le parfait bouc émissaire. Et ça, nous allons vous le prouver.

Tous les regards s'étaient posés sur moi. J'avais réussi à capter toute l'attention des jurés.

— Les preuves du ministère public ne tiendront pas, enchaînai-je. L'une après l'autre, nous les ferons tomber. La barre qu'on vous a mise pour prendre votre décision est celle de la culpabilité au-delà de tout doute raisonnable. Je vous presse donc de faire très attention et de penser par vous-même. Faites-le et je vous garantis que des doutes raisonnables, vous en aurez plus que ce que vous pourrez en faire. Et cela vous laissera devant une seule interrogation : pourquoi ?

Pourquoi a-t-on accusé cette femme d'assassinat ? Pourquoi lui a-t-on infligé tout cela ?

J'y allai d'une dernière pause, leur adressai un signe de tête et les remerciai de leur attention. Puis je regagnai vite mon siège et m'y assis. Lisa se pencha vers moi et posa le bras sur ma main comme pour me remercier de la défendre. Cela faisait partie de notre chorégraphie. Je savais qu'il ne s'agissait que d'un faux-semblant, mais cela me fit quand même du bien. Le juge ordonna une suspension de séance d'un quart d'heure avant le début des témoignages. Tandis que le prétoire se vidait, je restai assis à la table de la défense. C'était avec tout mon élan que je m'étais lancé. L'accusation prendrait le dessus pendant les quelques jours suivants, mais Freeman savait maintenant que c'était à elle que j'allais m'attaquer.

— Merci, Mickey, dit Lisa Trammel en se levant pour passer dans le couloir et y rejoindre Herb Dahl qui avait franchi la barrière pour venir la chercher.

Je le regardai, puis me retournai vers elle.

— Ne me remerciez pas encore, lui dis-je.

## 22

Après la pause, Andrea Freeman reparut avec ce que j'appelais les témoins qui allaient « caler » l'accusation. Leurs témoignages étaient souvent dramatiques, mais ne touchaient pas à la culpabilité ou à l'innocence de l'accusé. On ne faisait appel à eux que pour délimiter le périmètre de l'affaire vue par l'accusation, que pour préparer la scène et annoncer les preuves qui viendraient plus tard.

Le premier témoin fut une réceptionniste de la banque, une certaine Riki Sanchez. C'était elle qui avait découvert le corps de la victime dans le parking. Sa déposition n'avait de valeur que pour aider à établir l'heure du décès et faire sentir aux gens ordinaires du jury tout ce que le meurtre avait de choquant.

Comme c'était de la Santa Clarita Valley qu'elle partait pour aller au boulot, Riki Sanchez avait un rituel matinal qu'elle suivait à la lettre. Elle déclara pénétrer régulièrement dans le garage de la banque à 8 h 45, ce qui lui laissait dix minutes pour trouver une place, gagner l'entrée des employés et être à son bureau à 8 h 55 pour l'ouverture des portes de l'établissement.

Elle déclara aussi que, le jour du meurtre, elle avait respecté son rituel et trouvé une place de parking libre à environ dix emplacements de celui réservé à Mitchell Bondurant. Après avoir fermé sa voiture à clé, elle s'était dirigée vers la passerelle qui reliait le garage à l'immeuble de la banque. C'est à ce moment-là qu'elle avait découvert le corps. Elle avait commencé par voir le café renversé, puis la mallette ouverte sur le sol et enfin Mitchell Bondurant gisant face contre terre et couvert de sang.

Elle s'était agenouillée près du corps, avait cherché des signes de vie, puis elle avait sorti son portable de son sac et composé le 911.

Il est rare que la défense marque des points en questionnant quelqu'un qui ne fait que dresser le décor. Son témoignage est en général très préparé d'avance et contribue rarement à l'établissement de l'innocence ou de la culpabilité. Cela étant, on ne sait jamais. Lors de l'interrogatoire en contre, je lui balançai quelques questions, histoire de voir s'il n'y avait pas une faille quelque part.

— Bien, lui dis-je, vous venez de nous décrire très précisément votre rituel, mais en fait, il n'y a plus de rituel une fois que vous êtes entrée dans le garage, c'est bien ça ?

— Je ne vois pas bien ce que vous voulez dire.

— Ce que je veux dire, c'est que vous n'avez pas d'emplacement réservé et qu'il n'y a donc pas de rituel à suivre. Vous entrez dans le garage et vous devez partir à la chasse aux emplacements, n'est-ce pas ?

— Eh bien oui… en quelque sorte. Comme la banque n'est pas encore ouverte à ce moment-là, il y a toujours des tas de places. En général, je monte au deuxième niveau et me gare dans la zone où j'étais ce jour-là.

— D'accord. Et... êtes-vous déjà entrée dans la banque en même temps que Mitchell Bondurant ?

— Non, en général, il arrivait plus tôt.

— Et le jour où vous avez trouvé son corps, où avez-vous vu l'accusée, Lisa Trammel, dans ce garage ?

Elle marqua une pause comme si ma question était piégée. Elle l'était.

— Je ne... enfin, je veux dire... je ne l'ai pas vue.

— Merci, madame Sanchez.

À la barre se tint ensuite l'opératrice du 911 qui avait reçu l'appel en urgence passé par Sanchez à 8 h 52. Elle s'appelait LeShonda Gaines et son témoignage servait surtout à présenter l'enregistrement de cet appel. Le présenter était une manœuvre aussi théâtrale qu'inutile, mais le juge l'avait autorisée malgré mes objections lors de l'audience de mise en état. Freeman en fit passer quarante secondes après en avoir distribué des transcriptions aux jurés, au juge et à la défense.

*GAINES : 911, quelle est la nature de votre urgence ?*
*SANCHEZ : Il y a un type ici. Je crois qu'il est mort ! Il a plein de sang partout et il bouge pas.*
*GAINES : Votre nom, s'il vous plaît, madame.*
*SANCHEZ : Riki Sanchez. Je suis dans le parking de la Westland National de Sherman Oaks.*

*Pause.*

*GAINES : C'est bien celle de Ventura Boulevard ?*
*SANCHEZ : Oui, vous allez envoyer quelqu'un ?*
*GAINES : La police et des infirmiers sont déjà partis.*
*SANCHEZ : Je pense qu'il est déjà mort. Y a beaucoup de sang.*
*GAINES : Savez-vous de qui il s'agit ?*
*SANCHEZ : Je crois que c'est M. Bondurant, mais je n'en suis pas sûre. Vous voulez que je le retourne ?*
*GAINES : Non, contentez-vous d'attendre la police. Êtes-vous en danger, madame Sanchez ?*
*SANCHEZ : Euh, je ne pense pas. Je ne vois personne autour.*
*GAINES : Bien, attendez la police et restez en ligne.*

Je ne me donnai pas la peine de l'interroger en contre. La défense n'avait rien à y gagner.

C'est après que le juge eut excusé Gaines que Freeman me jeta sa première peau de banane. Je m'attendais à ce qu'elle fasse comparaître le premier officier de police à avoir répondu à l'appel. À ce qu'elle lui demande de nous raconter comment il était arrivé sur les lieux et les avait sécurisés, tout cela histoire de faire voir les photos de la scène de crime aux jurés. Au lieu de cela, elle appela Margo Schafer, le témoin qui avait révélé la présence de Trammel près de cette même scène de crime. Je compris tout de suite sa stratégie. Au lieu d'expédier les jurés à leur déjeuner avec les photos de la scène de crime dans la tête, on les y envoie avec le premier signal « attention attention » du procès. À savoir le premier témoignage où Trammel est directement reliée à l'assassinat.

Le plan n'était pas mauvais, sauf que Freeman ignorait ce que je savais sur son témoin. J'espérai seulement pouvoir la travailler avant l'heure du déjeuner.

De petite taille, Schafer semblait pâle et nerveuse lorsqu'elle prit place à la barre. Elle dut baisser le micro sur pied après le passage de Gaines.

Dans son interrogatoire, Freeman fit apparaître que Schafer avait repris son travail de caissière quatre ans plus tôt, après avoir élevé ses enfants. Et qu'elle n'avait aucune envie de monter dans la hiérarchie. Elle aimait bien les responsabilités de son poste et les interactions avec le public, mais ça s'arrêtait là.

Après lui avoir posé quelques questions supplémentaires destinées à établir un certain rapport entre Schafer et les jurés, Freeman passa au plat de résistance et l'interrogea sur le matin du meurtre.

— J'étais en retard, dit Schafer. Je suis censée être à mon guichet à 9 heures. Je commence par aller chercher ma caisse au coffre et signer le bon de sortie. En général, je suis donc là à moins le quart. Mais ce jour-là, je suis tombée sur un bouchon dans Ventura Boulevard à cause d'un accident et j'étais très en retard.

— En retard de combien de temps exactement, madame Schafer ? Vous vous en souvenez ?

— Oui, de dix minutes exactement. Je n'arrêtais pas de regarder l'heure au tableau de bord. J'avais dix minutes de retard sur mon horaire.

— Bien. Avez-vous vu quelque chose qui sortait de l'ordinaire ou qui vous a inquiétée lorsque vous êtes arrivée près de la banque ?

— Oui.

— Et c'était... ?

— J'ai vu Lisa Trammel sur le trottoir. Elle s'éloignait de la banque.

Je me levai et fis remarquer que le témoin ne pouvait absolument pas savoir de quoi s'éloignait la personne qu'elle affirmait être Trammel. Le juge en tomba d'accord et retint mon objection.

— Dans quelle direction marchait Mme Trammel ? demanda Freeman.

— Vers l'est.

— Et à quel endroit se trouvait-elle par rapport à la banque ?

— À un demi-pâté de maisons à l'est de la banque, et c'est dans cette direction qu'elle allait.

— Elle s'éloignait donc de la banque, c'est bien ça ?

— Oui, c'est bien ça.

— Et à quelle distance étiez-vous d'elle quand vous l'avez vue ?

— Je roulais vers l'ouest dans Ventura Boulevard, dans la file de gauche de façon à pouvoir prendre la sortie et gagner l'entrée du parking de la banque. Elle se trouvait à trois files de moi, de l'autre côté du boulevard.

— Mais vous regardiez quand même bien la route, non ?

— Non, j'étais arrêtée à un feu rouge quand je l'ai vue pour la première fois.

— Ce qui fait qu'elle était à angle droit de vous quand vous l'avez vue ?

— Oui, juste de l'autre côté de la chaussée.

— Et comment se fait-il que vous ayez su que c'était l'accusée, Lisa Trammel ?

— Parce que sa photo est affichée au coffre et au salon des employés. Sans parler du fait qu'on nous l'avait montrée à peu près trois mois plus tôt.

— Pourquoi ?

— Parce que la banque avait obtenu une injonction du tribunal interdisant à l'accusée de se trouver à moins de trente mètres de l'établissement. On nous avait montré sa photo et demandé de signaler immédiatement sa présence à nos supérieurs.

— Pouvez-vous dire aux jurés quelle heure il était lorsque vous avez vu Lisa Trammel marcher vers l'est sur ce trottoir ?

— Oui, je sais exactement l'heure qu'il était parce que j'étais en retard. Il était 8 h 55.

— À 8 h 55, Lisa Trammel marchait vers l'est, soit en s'éloignant de la banque, c'est ça ?

— Oui, c'est ça.

Freeman lui posa encore quelques questions destinées à lui faire dire que Lisa n'était qu'à quelques maisons de la banque après que l'appel au 911 avait été passé. Elle en termina avec Schafer à 11 h 30 et le juge me demanda si je voulais déjeuner tôt et commencer mon interrogatoire en contre après.

— Monsieur le Juge, lui répondis-je, je devrais en avoir fini d'ici à une demi-heure. Je préférerais interroger le témoin tout de suite. Je suis prêt.

— Très bien, maître Haller. Allez-y.

Je me levai et gagnai le lutrin installé entre la table de l'accusation et le box des jurés. J'avais avec moi un bloc-notes grand format et deux panneaux d'affichage pliants que je tenais de façon à ce qu'ils soient l'un en face de l'autre et ne puissent être vus. Je les calai contre le lutrin.

— Bonjour, madame Schafer, lançai-je au témoin.

— Bonjour.

— Dans votre déposition, vous dites avoir été retardée par un accident de la route, c'est bien ça ?

— Oui.

— Avez-vous vu le lieu de l'accident au fur et à mesure que vous avanciez ?

— Oui, c'était un peu à l'ouest de Van Nuys Boulevard. Dès que je l'ai dépassé, ça a mieux roulé.

— De quel côté de Ventura Boulevard, cet accident ?

— C'est bien ça le hic. C'était sur les voies est, mais tout le monde de mon côté s'est cru obligé de ralentir pour regarder.

Je notai quelque chose dans mon bloc et changeai de cap.

— Madame Schafer, je remarque que le procureur a oublié de vous demander si Mme Trammel portait un marteau lorsque vous l'avez vue. Vous n'auriez rien vu de semblable, n'est-ce pas ?

— Non, rien de semblable. Mais elle portait un sac de commissions bien assez grand pour y mettre un marteau.

C'était bien la première fois que j'entendais parler d'un sac. Il ne faisait pas partie des éléments de preuves échangés entre les parties. Voilà que Schafer, le témoin ô combien utile, introduisait un nouvel élément dans l'affaire. Du moins le pensai-je.

— Un sac de commissions ? répétai-je. En avez-vous déjà mentionné l'existence au cours de l'un des interrogatoires que vous ont fait subir les policiers ou le procureur dans cette affaire ?

Elle réfléchit à la question.

— Je n'en suis pas certaine. Il se peut que non.

— Pour autant que vous vous en souveniez, la police ne vous a pas demandé si l'accusée portait quelque chose, c'est ça ?

— Je crois, oui.

Je ne savais pas ce que ça voulait dire et si cela voulait même dire quoi que ce soit. Mais je décidai de laisser tomber le sac de commissions pour l'instant et de repartir dans une autre direction. Ne jamais laisser le témoin deviner où on l'emmène.

— Bien. Madame Schafer, lorsque, il y a quelques minutes de ça, vous avez déclaré vous trouver à trois voies du trottoir d'où vous auriez vu l'accusée, vous vous êtes trompée, n'est-ce pas ?

Ce deuxième changement de cap, plus la question, l'arrêtèrent un moment.

— Euh… non, je ne me suis pas trompée.

— À quel croisement étiez-vous lorsque vous l'avez vue ?

— Celui de Cedros Avenue.

— Il y a deux voies vers l'est dans Ventura Boulevard, non ?

— Si, si.

— Et une pour tourner dans Cedros, n'est-ce pas ?

— C'est ça. Ce qui fait trois.

— Et la voie pour le parking au bord du trottoir, hein ?

Elle me décocha un beau regard disant : « Oh, allons ! »

— Ce n'est pas vraiment une voie.

— En tout cas, c'est un espace de plus entre vous et la femme qui, à vous entendre, aurait été Lisa Trammel, non ?

— Si vous voulez... Mais vous faites le difficile.

— Vraiment ? Pour moi, il s'agit d'être seulement précis, vous ne trouvez pas ?

— Je pense que la plupart des gens parleraient de trois voies entre elle et moi.

— Sauf que cette zone de stationnement, appelons ça comme ça, fait au moins la largeur d'une voiture, voire plus, n'est-ce pas ?

— D'accord, si vous cherchez la petite bête. OK, disons que cela constitue une quatrième voie. Je me suis trompée.

Elle le reconnaissait avec difficulté, sinon amertume, mais j'étais sûr que les jurés voyaient clairement qui cherchait vraiment la petite bête.

— Vous nous dites donc maintenant que lorsque vous auriez censément vu Mme Trammel, vous vous trouviez à environ quatre voies d'elle, et non plus trois comme vous l'avez affirmé tout à l'heure.

— C'est exact. Et j'ai dit que je m'étais trompée.

Je notai quelque chose dans mon bloc, quelque chose qui, en fait, ne voulait rien dire, mais qui, je l'espérai, donnerait aux jurés l'impression que je comptais les points. Puis je pris mes panneaux, les séparai et en choisis un.

— Monsieur le Juge, permettez que je présente au témoin une photo de l'endroit dont nous parlons.

— L'accusation a-t-elle vu ce panneau ?

— Monsieur le Juge, il figurait dans le CD reçu dans l'échange des pièces. Je n'ai pas fourni ce panneau à maître Freeman et elle n'a pas demandé à le voir.

Freeman n'élevant aucune objection, le juge me dit de poursuivre et qualifia le premier panneau de *Pièce à conviction de la défense n° 1A.* J'installai un chevalet pliant dans l'espace ouvert entre le box des jurés et la barre des témoins. L'accusation prévoyait d'utiliser les écrans en hauteur pour présenter ses pièces, ce que je ferais moi aussi plus tard, mais pour cette démonstration-là, je tenais à jouer le coup à l'ancienne. Je montai mon panneau et retournai au lutrin.

— Madame Schafer, reconnaissez-vous la photo que je viens d'installer sur ce chevalet ?

C'était une vue aérienne de format 75 x 125 représentant la portion de Ventura Boulevard entre les deux intersections en question. Bullocks l'avait trouvée sur Google Earth, toute l'affaire ne nous coûtant que le prix du tirage et du collage sur le panneau.

— Oui. On dirait une photo de Ventura Boulevard vu d'en haut. On y voit la banque et le croisement avec Cedros Avenue.

— Il s'agit effectivement d'une vue aérienne. Pourriez-vous, s'il vous plaît, descendre du piédestal, prendre le marqueur dans la rainure du chevalet et entourer l'endroit où vous croyez avoir vu Lisa Trammel.

Elle regarda le juge comme pour lui demander sa permission. Il acquiesça d'un signe de tête, elle descendit du piédestal, prit le marqueur noir dans la rainure et entoura une zone du trottoir, à environ un demi-pâté de maisons de la banque.

— Merci, madame Schafer. Pouvez-vous maintenant indiquer aux jurés où se trouvait votre voiture lorsque vous avez regardé par la fenêtre et prétendument vu Lisa Trammel ?

Elle entoura un endroit de la file centrale qui semblait se trouver à au moins trois longueurs de voiture du trottoir.

— Merci, madame Schafer. Vous pouvez regagner la barre des témoins.

Elle remit le marqueur dans la rainure et repartit.

— Alors, combien aviez-vous de voitures devant vous au feu... à votre avis ? lui demandai-je.

— Au moins deux. Peut-être trois.

— Et... y en avait-il qui attendaient dans la file de sortie immédiatement à votre gauche ?

Elle s'était préparée à celle-là et n'était pas disposée à me laisser la piéger.

— Non, j'avais une vue complètement dégagée du trottoir.

— Et donc, c'était l'heure de pointe et vous nous dites que personne n'attendait dans la file de sortie pour aller au boulot.

— Pas juste à côté de moi, mais j'étais deux ou trois voitures en arrière. Il n'est pas impossible qu'il y ait eu quelqu'un qui attendait de tourner, mais il n'y avait personne à côté de moi.

Je demandai au juge si je pouvais poser mon deuxième panneau d'affichage, la pièce n° 1B, sur le chevalet. Il me fit signe d'y aller. Il s'agissait d'un autre agrandissement, mais celui-là, d'une photo prise au niveau du sol. C'était Cisco qui l'avait prise d'une voiture arrêtée au feu, le véhicule se trouvant sur la file du milieu, direction ouest, au croisement de Ventura Boulevard et de Cedros Avenue. 8 h 55 du matin, un mois après l'assassinat, l'heure étant indiquée dans le coin inférieur droit du cliché.

Revenu au lutrin, je demandai à Schafer de me décrire ce qu'elle voyait.

— C'est une photo du même endroit, mais au niveau du sol. Voilà le Danny's Deli. Nous allons y déjeuner de temps en temps.

— Oui et savez-vous si c'est ouvert pour le petit déjeuner ?

— Oui, c'est ouvert.

— Y êtes-vous jamais allée prendre votre petit déjeuner ?

Freeman se mit debout pour élever son objection.

— Monsieur le Juge, dit-elle, je ne vois guère le lien avec la déposition du témoin ou les éléments de ce procès.

Perry se tourna vers moi.

— Si monsieur le Juge veut bien m'accorder un instant, la pertinence de ce que je fais paraîtra tout à fait claire.

— Poursuivez, mais faites vite.

Je me concentrai à nouveau sur Schafer.

— Avez-vous jamais eu l'occasion de prendre votre petit déjeuner chez Danny, madame Schafer ?

— Non, pas le petit déjeuner.

— Mais vous savez que l'endroit est très fréquenté à ce moment-là, n'est-ce pas ?

— Je ne saurais vraiment pas vous dire.

Ce n'était pas la réponse que j'espérais, mais cela m'aidait. C'était la première fois que Schafer fuyait manifestement ma question, que délibérément elle évitait de reconnaître l'évidence. Les jurés qui s'en seraient rendu compte allaient commencer à découvrir quelqu'un qui n'avait rien d'un témoin impartial, mais plutôt tout d'une femme qui refusait de s'écarter de la ligne tracée par l'accusation.

— Alors, permettez que je vous demande ceci : quels autres établissements sont ouverts dans cette portion de rue avant 9 heures du matin ?

— Je dirais que les trois quarts d'entre eux sont fermés. On en voit les enseignes sur la photo.

— Alors comment expliquez-vous que tous les emplacements de parking soient pris sur ce cliché ? Ce seraient tous des clients du Deli ?

Freeman éleva une nouvelle objection et fit remarquer que le témoin n'était vraiment pas qualifié pour répondre à la question. Le juge en fut d'accord, retint l'objection et me demanda de poursuivre.

— Le lundi matin à 8 h 55, celui où vous prétendez avoir vu Mme Lisa Trammel à quatre files de distance de là, vous rappelez-vous combien de voitures étaient garées devant le Deli et le long du trottoir ?

— Non, je ne m'en souviens pas.

— Mais vous venez bien de déclarer, il y a quelques instants, et je peux demander qu'on vous répète vos propos si vous le désirez, que vous aviez une vue dégagée de Lisa Trammel. Déclarez-vous donc qu'il n'y avait aucun véhicule dans la file de stationnement ?

— Il n'est pas impossible qu'il y en ait eu quelques-uns, mais je l'ai vue très clairement.

— Et les files de circulation ? Elles étaient bien dégagées, elles aussi ?

— Oui. Je pouvais la voir.

— Vous avez également déclaré être en retard parce que les voitures qui roulaient vers l'ouest avançaient lentement à cause d'un accident, c'est ça ?

— Oui.

— Combien de voitures étaient donc bloquées dans les files est s'il y en avait assez de bloquées dans la file ouest pour que vous soyez dix minutes en retard à votre travail ?

— Je ne m'en souviens pas vraiment.

La réponse était parfaite. Pour moi. Un témoin qui dissimule est toujours bon pour la défense.

— Madame Schafer, n'est-il pas exact que vous ayez eu à regarder par-dessus deux files de voitures arrêtées, plus une file de parking, pour voir l'accusée sur le trottoir ?

— Tout ce que je sais, c'est que je l'ai vue. Elle était sur le trottoir.

— Même qu'elle portait un grand sac de commissions, c'est bien ce que vous dites ?

— C'est exact.

— Quel genre de sac de commissions était-ce ?

— Le genre avec des poignées, ceux qu'on vous donne dans les grands magasins.

— De quelle couleur était-il ?

— Rouge.

— Pouviez-vous voir s'il était plein ou vide ?

— Non.

— Le portait-elle devant elle ou sur le côté ?

— Sur le côté. D'une main.

— Vous semblez avoir une belle connaissance de ce sac. Était-ce ce sac ou la figure de la femme qui le portait que vous regardiez ?

— J'avais le temps de regarder les deux.

Je hochai la tête en consultant mes notes.

— Madame Schafer, savez-vous quelle taille fait Mme Trammel ?

Je me tournai vers ma cliente et lui fit signe de se lever. J'aurais sans doute dû commencer par demander la permission au juge, mais j'avais pris de l'élan et je n'avais pas envie qu'on me ralentisse. Perry ne fit aucune remarque.

— Je n'en ai aucune idée, répondit Schafer.

— Cela vous surprendrait-il d'apprendre qu'elle ne fait que un mètre soixante et un ?

Je fis un nouveau signe de tête à Lisa, qui se rassit.

— Non, je ne pense pas que ça me surprendrait.

— Un mètre soixante et un et vous l'avez quand même remarquée à quatre files pleines de voitures de distance ?

Comme je m'y attendais, Freeman éleva une objection. Perry la retint, mais je n'avais pas besoin de la réponse de Schafer pour avoir marqué un point. Je consultai ma montre et constatai qu'il était midi moins deux. Je larguai ma dernière torpille.

— Madame Schafer, pourriez-vous regarder cette photo et m'indiquer où vous voyez l'accusée sur ce trottoir ?

Tous les regards se tournèrent vers l'agrandissement. À cause des voitures garées dans la file de stationnement, il était impossible d'identifier les piétons sur le trottoir. Freeman bondit aussitôt et affirma que la défense essayait d'abuser le témoin et la cour. Perry nous demanda d'approcher. Dès que nous fûmes près de lui, j'eus droit à des paroles plus que sévères.

— Maître Haller, me lança-t-il, oui ou non, l'accusée se trouve-t-elle sur cette photo ?

— Non, monsieur le Juge.

— Vous essayez donc de tromper le témoin. Et je ne veux pas de ça dans mon tribunal. Enlevez-moi cette photo.

— Monsieur le Juge, je n'essaye de tromper personne. Elle pouvait très bien dire que l'accusée n'était pas sur la photo. Cela dit, il est clair qu'elle ne pouvait pas voir l'accusée de l'autre côté de la chaussée et c'est ça que j'essaie de faire compren...

— Je me moque de ce que vous essayez de faire. Enlevez-moi cette photo et si jamais vous recommencez ce genre de manœuvres, vous allez avoir à vous défendre d'une accusation d'outrage à la cour dès que nous en aurons fini. Compris ?

— Oui, monsieur le Juge.

— Monsieur le Juge, lança Freeman, il faudrait dire aux jurés que l'accusée n'était pas sur la photo.

— D'accord. Retournez à vos places.

Je descendis mes panneaux du chevalet et regagnai le lutrin.

— Mesdames et messieurs, dit le juge, qu'il soit ici noté que l'accusée n'était pas sur la photo que l'avocat de la défense vient de vous montrer.

Cette remarque aux jurés ne me gênait pas. J'avais quand même marqué un point. Qu'il ait fallu leur dire que Lisa Trammel ne se trouvait pas sur la photo ne faisait que souligner combien il aurait été difficile de voir et d'identifier quiconque sur le trottoir.

Le juge m'ayant enjoint de poursuivre mon interrogatoire en contre, je me penchai vers le micro et lançai :

— Je n'ai plus d'autres questions.

Sur quoi je me rassis et posai les panneaux de photos par terre sous la table. Ils m'avaient bien servi. Je m'étais fait taper sur les doigts par le juge, mais cela valait le coup. Ça vaut toujours le coup quand on marque un point.

## 23

Lisa Trammel était enchantée par mon interrogatoire en contre de Margo Schafer. Même Herb Dahl ne put s'empêcher de me féliciter alors que l'audience venait d'être suspendue pour le déjeuner. Je leur conseillai de ne pas trop s'exciter. On n'en était qu'au début et les témoins du genre Schafer étaient les plus faciles à manipuler et à décridibiliser à la barre. Des témoins et des moments plus difficiles, il y en avait encore à venir. Ils pouvaient y compter.

— Je m'en fiche, dit Lisa. Vous avez été merveilleux et cette espèce de pute qui ment n'a eu que ce qu'elle méritait.

Cet éclat sentait si fort la haine que je ne répondis pas tout de suite.

— L'accusation aura encore la possibilité de la remettre en selle après le déjeuner.

— Et vous de la redémolir en contre après.

— C'est que... démolir les gens, je ne sais pas trop. Ce n'est pas ce que je...

— Mickey, pouvez-vous vous joindre à nous pour déjeuner ?

Et de souligner sa demande en prenant Dahl par le bras pour bien me montrer ce que je pensais depuis un moment, à savoir qu'ils n'étaient pas seulement ensemble pour affaires.

— Il n'y a rien de bon dans le coin, reprit-elle. Nous allons descendre à Ventura Boulevard. On pourrait même essayer Danny's Deli !

— Merci, mais non. Il faut que je retourne au bureau voir mes coéquipiers. Ils ne sont pas ici parce qu'ils ne peuvent pas y être. Ils travaillent et j'ai besoin d'y aller.

Le regard qu'elle me décocha me fit comprendre qu'elle ne me croyait pas. Ça m'était plutôt égal. Je la représentais au tribunal et cela ne signifiait pas que je devais déjeuner avec elle et le type qui, j'en étais sûr, complotait pour la tondre quelle que soit la force de leur aventure sentimentale... si même aventure sentimentale il y avait. Je partis de mon côté et regagnai mon bureau du Victory Building.

Lorna était déjà allée au Jerry's Famous Deli de Studio City – c'était nettement mieux que chez Danny – et y avait pris des sandwichs à la dinde avec du *coleslaw*. Je mangeai le mien à mon bureau et racontai à Cisco et à Bullocks ce qui s'était passé à l'audience du matin. Malgré la réserve que j'éprouvais vis-à-vis de ma cliente, j'étais assez content de mon interrogatoire en contre. Je remerciai Bullocks pour ses panneaux d'affichage qui, je le pensais, avaient beaucoup impressionné les jurés. Rien ne vaut le visuel pour jeter le trouble sur ce que raconte un témoin supposé.

Mon compte rendu terminé, je leur demandai à quoi ils avaient travaillé. Cisco m'informa qu'il était toujours à analyser l'enquête policière afin d'y trouver des erreurs et des hypothèses qu'on pourrait retourner contre Kurlen lors de son interrogatoire en contre.

— Génial, dis-je. J'ai besoin de toutes les munitions possibles. Bullocks... ? Et de votre côté ?

— J'ai passé l'essentiel de la matinée sur le dossier de saisie. Je veux être parée contre toutes les balles possibles lorsque viendra mon tour d'officier.

— Bien, bien, mais pour ça, vous avez encore le temps. Je pense que la défense n'attaquera pas avant la semaine prochaine. Freeman me donne l'impression de vouloir garder un certain rythme, voire un certain élan, mais elle a beaucoup de témoins sur sa liste et ça n'est pas que de la fumée.

Il n'est pas rare que les avocats de l'accusation et de la défense bourrent au maximum leurs listes de témoins à citer afin d'obliger la partie adverse à deviner qui sera effectivement appelé à la barre et qui a vraiment de l'importance en termes de témoignage. Il ne me semblait pas que Freeman s'était engagée dans ce genre de subterfuge. Il n'y avait pas de gras dans sa liste et tous les gens qui y figuraient avaient quelque chose à apporter à l'affaire.

Je trempai mon sandwich dans de l'assaisonnement *Thousand Island*[1] qui avait coulé sur l'emballage en papier. Aronson me montra un des panneaux d'affichage que j'avais rapportés du tribunal. Celui de la vue à ras du sol avec lequel j'avais essayé de berner Margo Schafer.

— Ce n'était pas un peu risqué ? me demanda-t-elle. Et si Freeman n'avait pas élevé d'objection ?

— Je savais qu'elle le ferait. Et si elle ne l'avait pas fait, ç'aurait été le juge. Ils n'aiment pas qu'on essaie de duper les témoins comme ça.

— Oui, mais alors les jurés savent qu'on ment !

— Mais je ne mentais pas ! J'avais juste posé une question au témoin. Pouvait-elle, oui ou non, me montrer où Lisa Trammel se trouvait sur la photo. Si elle avait eu la possibilité de répondre, elle aurait dit non. C'est tout.

Elle fronça les sourcils.

— Rappelez-vous ce que je vous ai dit, Bullocks. N'allez pas vous coller une conscience. On ne se fait pas de cadeaux ici. J'ai manipulé Freeman et elle aussi essaie de me manipuler. Il n'est même pas impossible qu'elle m'ait déjà joué un tour de con quelconque et que je ne m'en sois pas encore aperçu. J'ai pris un risque et me suis fait un peu taper sur les doigts par le juge. Cela étant, pendant qu'on discutait avec Perry, tous les jurés sans exception regardaient mon panneau et se disaient que Margo Schafer devait avoir eu bien du mal à voir ce qu'elle prétendait avoir vu. C'est comme ça que ça marche, Bullocks. Tout est froid et calculé. Des fois on marque un point, mais la plupart du temps, on n'en marque pas.

— Je sais, dit-elle d'un ton dédaigneux. Ça ne veut pas dire que ça doive me plaire.

— Non, effectivement.

1. À base de mayonnaise et de Ketchup.

# 24

Après le déjeuner, Freeman me surprit en ne rappelant pas Margo Schafer à la barre pour essayer de réparer les dégâts que je lui avais infligés en contre. J'en déduisis qu'elle avait prévu quelque chose pour plus tard et que ce quelque chose aiderait beaucoup à sauver le témoignage de la caissière. Au lieu de cela, elle appela donc le sergent du LAPD David Covington, l'officier de police qui, le premier, s'était présenté à la Westland National après l'appel au 911 passé par Riki Sanchez.

Vieux de la vieille, Covington était un témoin solide pour l'accusation. En des termes précis, sinon divertissants pour quelqu'un qui avait vu plus de cadavres et avait témoigné bien plus souvent qu'il ne pouvait s'en souvenir, il raconta comment il était arrivé sur les lieux du crime et avait déterminé que le décès était dû à un acte de malveillance. Puis il décrivit la façon dont il avait barré l'accès au garage tout entier et, de ce fait, emprisonné Riki Sanchez et tout autre témoin possible à l'intérieur de son périmètre, et comment, enfin, il avait fermé toute la zone du premier étage où se trouvait le corps.

C'est par son entremise que furent présentées, sur les deux écrans en hauteur et dans toute leur horreur sanguinaire, les photos de la scène de crime. Plus que toute autre partie de son témoignage tendant à établir la réalité du crime, elles criaient qu'il fallait le condamner.

Je n'avais eu qu'un succès mitigé sur ces clichés lors d'une escarmouche en phase d'avant-procès. Je m'étais opposé à leur présentation aux jurés, et surtout au but que s'était fixé l'accusation d'en disposer trois agrandissements sur des chevalets installés devant le box du jury. J'en avais invoqué le caractère préjudiciable à ma cliente. Toujours choquantes, les photos de victimes de meurtres suscitent invariablement de grandes émotions. Il est dans la nature humaine de toujours vouloir punir les individus responsables de ces actes. Ces photos peuvent très facilement retourner un jury contre l'accusé et ce, quels que soient les éléments de preuves qui le relient au crime. Perry avait essayé de couper la poire en deux. Il avait limité à quatre le nombre de clichés que l'accusation pourrait présenter et ordonné à Freeman d'avoir recours aux écrans en hauteur, ce qui réduisait leur taille au maximum. J'avais donc marqué quelques points, mais je savais que cette décision du juge n'endiguerait pas la réaction viscérale des jurés. La victoire était quand même restée dans le camp de l'accusation.

Freeman avait choisi les quatre photos où l'on voyait le plus de sang et l'angle lamentable selon lequel Bondurant s'était effondré, face contre terre, sur le sol en ciment du garage.

Lors de l'interrogatoire en contre, je me concentrai sur une seule photo et tentai de pousser les jurés à penser à autre chose qu'à venger la victime, la meilleure façon de s'y prendre étant de leur coller des interrogations dans la tête. Il suffisait qu'ils se retrouvent avec plein de questions sans réponses pour que mon plan fonctionne.

Avec la permission du juge, je me servis de la télécommande pour éliminer trois des photos affichées à l'écran et n'en laissai qu'une de visible.

— Sergent Covington, lui lançai-je, j'aimerais attirer votre attention sur cette photo. Elle est intitulée *Pièce à conviction de l'accusation n° 3*, me semble-t-il. Pouvez-vous me dire ce qui se trouve au premier plan du cliché ?

— Oui, c'est une mallette ouverte.

— Bien. Et c'est ainsi que vous l'avez trouvée quand vous êtes arrivé sur les lieux du crime ?

— Oui.

— Elle était ouverte comme cela ?

— Oui.

— Bien. Avez-vous demandé à un témoin ou à quelqu'un d'autre de vous dire si on l'avait ouverte après la découverte de la victime ?

— J'ai demandé à la femme qui avait appelé le 911 si c'était elle qui l'avait ouverte et elle m'a répondu que non. Je n'ai pas cherché plus loin. J'ai laissé cette tâche aux enquêteurs.

— Bien. Vous avez déclaré ici même avoir fait la patrouille pendant vos vingt-deux ans de carrière, n'est-ce pas ?

— Oui, c'est tout à fait ça.

— Vous avez donc répondu à d'innombrables appels du 911.

— Oui.

— Qu'avez-vous pensé en voyant cette mallette ouverte ?

— Absolument rien. Je me suis dit que ça faisait partie de la scène de crime et rien d'autre.

— Votre expérience vous a-t-elle amené à penser qu'il aurait pu y avoir une composante « vol » dans cet assassinat ?

— Non, pas vraiment. Je ne suis pas inspecteur.

— Si le vol n'était pas un mobile dans ce crime, pourquoi l'assassin aurait-il pris le temps d'ouvrir la mallette de la victime ?

Freeman éleva son objection avant que Covington ait pu répondre. Pour elle, la question allait au-delà de l'expérience et de l'expertise du témoin.

— Le sergent Covington a passé toute sa carrière à patrouiller. Ce n'est pas un inspecteur. Il n'a jamais enquêté sur le moindre vol.

Le juge acquiesça.

— Maître Haller, me dit-il, je suis assez d'accord avec maître Freeman.

— Monsieur le Juge, il se peut que le sergent Covington n'ait jamais été inspecteur, mais il ne me semble pas exagéré de dire qu'il a déjà répondu à des appels concernant des vols et mené des enquêtes préliminaires. Je pense qu'il est tout à fait à même de répondre à une question sur ses premières impressions de la scène de crime.

— Je vais quand même retenir l'objection de maître Freeman. Passez à la question suivante.

Battu sur ce point, je baissai le nez sur les notes que j'avais préparées pour Covington. J'étais assez convaincu d'avoir installé la question du vol comme mobile du meurtre dans la tête des jurés, mais je ne voulais pas en rester là. Je décidai d'y aller au bluff.

— Sergent, lui lançai-je, après avoir répondu à l'appel du 911 et avoir examiné la scène de crime, avez-vous demandé qu'on vous envoie des enquêteurs, des légistes et des techniciens de scène de crime ?

— Oui, j'ai contacté le central, ai confirmé que nous avions bien affaire à un homicide et demandé qu'on nous envoie le contingent habituel d'enquêteurs de la Division de Van Nuys.

— Et vous avez continué de sécuriser la scène de crime jusqu'à leur arrivée ?

— Oui, c'est comme ça que ça marche. J'ai transféré le contrôle de la scène de crime aux enquêteurs. À l'inspecteur Kurlen, pour être exact.

— Bien. Et avez-vous, à quelque moment que ce soit de ce processus, envisagé avec Kurlen ou un autre représentant des forces de l'ordre que ce crime soit le résultat d'une tentative de vol ?

— Non, je ne l'ai pas fait.

— En êtes-vous bien sûr, sergent ?

— Tout à fait.

Je gribouillai quelque chose dans mon bloc-notes. Quelque chose qui n'avait aucun intérêt sinon celui d'impressionner les jurés.

— Je n'ai plus de questions à vous poser, dis-je enfin.

Covington étant excusé, un des infirmiers qui avait répondu à l'appel passé au 911 déclara ensuite que la victime était bien décédée sur les lieux du crime. Il ne resta que cinq minutes à la barre, Freeman souhaitant juste confirmer la mort de la victime et moi ne voyant rien à gagner à interroger le témoin en contre.

Ce fut ensuite au tour du frère de la victime, Nathan Bondurant, d'être appelé à la barre. Il ne servit qu'à confirmer l'identification du mort, et ainsi poser les jalons d'une condamnation. Freeman l'utilisa à peu près de la même façon que les photos de la scène de crime : pour jeter l'émoi parmi les jurés. Ce fut avec force larmes que Nathan Bondurant raconta comment les inspecteurs l'avaient traîné jusqu'au bureau du légiste afin d'identifier le corps de son cadet. Freeman lui demanda quand il l'avait vu pour la dernière fois en vie et la réponse s'accompagna d'un énième torrent de larmes tandis qu'il lui décrivait le match de basket des Lakers auquel ils avaient assisté tous les deux la semaine précédant le meurtre.

En règle générale, il vaut toujours mieux laisser tranquille un homme qui pleure. Il n'y a habituellement rien à gagner à interroger en contre un proche de la victime, mais Freeman m'ayant entrouvert une porte, je décidai de la pousser. Le risque que je courais était de paraître cruel aux yeux des jurés si j'allais un peu trop loin dans mes questions à l'endeuillé.

— Monsieur Bondurant, je vous prie d'accepter mes condoléances. Je n'aurai que quelques questions à vous poser. Vous nous avez dit être allé avec votre frère au match des Lakers qui s'est déroulé une semaine avant cet horrible crime. De quoi avez-vous parlé pendant cette sortie ?

— Euh... nous avons parlé de beaucoup de choses. J'aurais bien du mal à me souvenir de tout maintenant.

— Vous n'avez parlé que de sport et que des Lakers ?

— Non, bien sûr que non. Nous étions frères. Nous avons parlé d'un tas de choses. Il m'a demandé des nouvelles de mes enfants. Je lui ai demandé s'il voyait quelqu'un. Des trucs comme ça.

— Et il voyait quelqu'un ?

— Non, pas à ce moment-là. Il m'a dit que son travail l'occupait beaucoup trop.

— Qu'a-t-il dit d'autre sur ce travail ?

— Juste qu'il en avait beaucoup. Il s'occupait de prêts immobiliers et ce n'était pas le meilleur moment. Il y avait des tas de saisies et autres trucs de ce genre. Il n'a pas vraiment précisé.

— Vous a-t-il parlé de ses propres biens immobiliers et de ce qui était en train de leur arriver ?

Freeman éleva une objection de pertinence. Je demandai à voir le juge, ma demande fut acceptée. Une fois à côté de lui, je lui montrai que j'avais déjà averti les jurés que non seulement j'allais démolir le dossier de l'accusation, mais que j'allais encore leur présenter une vision différente de l'affaire, avec les éléments pour le prouver.

— Cette autre théorie, la voici, monsieur le Juge, enchaînai-je. Je vais démontrer que Bondurant avait des ennuis financiers et que ce sont les efforts qu'il déployait pour sortir du trou qui l'ont conduit à la mort. Je devrais donc avoir toute latitude pour continuer dans cette voie avec tout témoin que l'accusation voudra présenter aux jurés.

— Monsieur le Juge, lui renvoya Freeman, ce n'est pas parce que l'avocat de la défense déclare que telle ou telle chose est pertinente qu'elle l'est forcément. Le frère de la victime n'a aucune connaissance de la situation financière ou des investissements de Mitchell Bondurant.

— Si tel est le cas, monsieur le Juge, Nathan Bondurant n'a qu'à le dire et je passerai à autre chose.

— Très bien, l'objection est rejetée. Posez votre question, maître Haller.

De retour au lutrin, je reposai la question au témoin.

— Il m'en a parlé brièvement et sans entrer dans les détails, me répondit-il.

— Que vous a-t-il dit exactement ?

— Il m'a juste dit qu'il avait fait la culbute dans ses investissements immobiliers. Il ne m'a pas dit de combien d'investissements il s'agissait ni de quelles sommes il était question.

— Qu'avez-vous compris lorsqu'il vous a dit avoir « fait la culbute » ?

— Qu'il devait plus d'argent pour ses biens que ceux-ci n'en valaient.

— Vous a-t-il dit essayer de les vendre ?

— Il m'a dit ne pas pouvoir le faire sans se faire rincer.

— Merci, monsieur Bondurant. Je n'ai plus de questions à vous poser.

Freeman mit fin à son défilé de témoins mineurs en appelant à la barre une certaine Gladys Pickett, qui déclara être la caissière en chef de la grande succursale de la Westland National de Sherman Oaks. Après lui avoir fait décrire les tâches qu'elle y effectuait, Freeman alla droit au point essentiel de son témoignage.

— En votre qualité de responsable des caissiers de la banque, combien de personnes avez-vous sous vos ordres, madame Pickett ?

— Une quarantaine.

— L'une de ces caissières s'appelle-t-elle Margo Schafer ?

— Oui, Margo fait bien partie de mes caissières.

— J'aimerais attirer votre attention sur ce qui s'est passé le matin où Mitchell Bondurant a été assassiné. Margo Schafer est-elle venue vous voir pour un problème particulier ?

— Oui.

— Pouvez-vous, s'il vous plaît, dire aux jurés ce qui posait problème à Mme Schafer ?

— Elle est venue me dire avoir vu Lisa Trammel à un demi-pâté de maisons de la banque. Lisa Trammel marchait sur le trottoir et s'éloignait de notre établissement.

— Pourquoi cela l'inquiétait-il ?

— Parce que nous avons la photo de Lisa Trammel au salon des employés et au coffre et que nous avons reçu l'ordre de signaler sa présence à nos supérieurs dès que nous la voyons.

— Connaissez-vous la raison de cet ordre ?

— Oui, la banque a obtenu une injonction du tribunal interdisant à Lisa Trammel de se trouver dans l'établissement ou à proximité.

— Pouvez-vous dire aux jurés quelle heure il était lorsque Margo Schafer vous a dit avoir vu Mme Trammel près de la banque ?

— Oui, elle l'a fait dès qu'elle est arrivée. C'est même la première chose qu'elle a faite.

— Gardez-vous la trace du moment où les caissiers arrivent au travail ?

— J'en ai la liste au coffre avec leurs heures de passage.

— C'est-à-dire le moment où ils arrivent au coffre pour y prendre leurs caisses et rejoindre leurs postes ?

— Tout à fait.

— Ce jour-là, à quelle heure le nom de Margo Schafer apparaît-il dans votre liste ?

— À 9 h 09. C'est la dernière employée à avoir émargé. Elle était en retard.

— Et c'est bien à cette heure-là qu'elle vous a dit avoir vu Lisa Trammel ?

— Exactement.

— Bien. Et à ce moment-là, saviez-vous que Mitchell Bondurant avait été assassiné dans le parking de la banque ?

— Non, ça, personne ne le savait parce que Riki Sanchez était restée dans le parking jusqu'à l'arrivée des policiers et que ceux-ci l'avaient retenue pour l'interroger. Nous ne savions pas ce qui était en train de se passer.

— Ce qui fait que l'idée même selon laquelle Margo Schafer déclarerait avoir vu Lisa Trammel après avoir appris le meurtre de Mitchell Bondurant est tout à fait impossible, c'est ça ?

— C'est ça même. Elle m'a dit avoir vu Lisa Trammel avant qu'elle, moi ou n'importe qui d'autre à la banque ne sache ce qui était arrivé à M. Bondurant.

— À quel moment avez-vous donc appris l'assassinat de M. Bondurant et rapporté ce que vous avait déclaré Margo Schafer ?

— À peu près une demi-heure plus tard. C'est à ce moment-là que nous avons appris la nouvelle et que j'ai tout naturellement pensé que la police avait besoin de savoir que cette femme avait été vue dans les environs.

— Merci, madame Pickett. Je n'ai plus d'autres questions à vous poser.

C'était le point le plus important qu'avait marqué Freeman jusqu'alors. Pickett avait réussi à démolir la plus grosse partie de ce que moi, j'avais réussi à établir dans mon interrogatoire en contre de Schafer. J'avais maintenant à décider ou de laisser filer ou de risquer le pire. Je décidai de sauver les meubles et de passer à autre chose. La sagesse veut qu'on ne pose jamais de questions auxquelles on n'a pas déjà la réponse. Cette règle s'appliquait pleinement à la situation. Pickett avait refusé de parler à mon enquêteur. Il n'était pas impossible que Freeman m'ait tendu un piège en me la laissant devant moi avec une information qui pourrait me tomber dessus si je lui posais une question malheureuse.

— Je n'ai pas de questions à poser au témoin, lançai-je de la table de la défense.

Le juge Perry excusa Pickett et suspendit la séance pendant un quart d'heure. Les gens commençaient à se lever pour quitter la salle d'audience lorsque ma cliente se pencha vers moi.

— Pourquoi vous ne l'avez pas cuisinée ? me demanda-t-elle en chuchotant.

— Qui ça ? Pickett ? Je ne veux pas empirer la situation en posant la mauvaise question.

— Vous vous moquez de moi ? Il faut la démolir comme vous l'avez fait avec Schafer.

— La seule différence, c'est qu'avec Schafer, j'avais des munitions. Là, je n'avais rien et s'attaquer à quelqu'un quand on n'a pas de matériel, c'est risquer de courir au désastre. J'ai donc laissé filer.

Je vis la colère lui assombrir le regard.

— Eh bien, vous auriez dû avoir quelque chose sur elle.

Tout cela comme une manière de sifflement entre des dents qu'elle devait serrer fort.

— Écoutez, Lisa, je suis votre avocat et c'est moi qui...

— Peu importe. Faut que j'y aille.

Elle se leva, franchit rapidement le portillon et gagna la sortie. Je regardai du côté de Freeman pour voir si elle avait vu notre petit désaccord client-avocat. Elle me décocha un sourire entendu – elle n'en avait pas manqué une miette.

Je décidai de passer dans le couloir pour voir pourquoi ma cliente avait un besoin si pressant de partir. Je sortis et fus immédiatement attiré par les caméras toutes pointées sur un des bancs disposés le long du couloir entre les entrées des salles d'audiences. Lisa était l'objet de toutes les attentions : assise sur ce banc, elle serrait son fils Tyler sur son cœur. Le gamin avait l'air très mal à l'aise sous le feu des projecteurs.

— Putain ! murmurai-je.

J'aperçus la sœur de Lisa debout à la périphérie de l'attroupement et m'approchai d'elle.

— C'est quoi ça, Jodie ? Elle sait que le juge lui a interdit d'amener le gamin au tribunal.

— Je sais. Il n'entrera pas dans la salle. Il n'avait qu'une demi-journée d'école et elle avait envie que je l'amène. Elle se disait que si les médias la voyaient avec Ty, ça pourrait aider. Enfin... je crois.

— Ouais, bon, les médias en ont rien à foutre. Ne le ramenez pas. Je me fiche de ce qu'elle dira, ne le ra-me-nez pas ici.

Je cherchai Herb Dahl des yeux. C'était forcément lui qui avait eu cette idée et je voulais lui faire passer le même message. Mais il n'y avait aucun signe de vie de l'ex-petit rigolo d'Hollywood. Il avait dû être assez malin pour décider de m'éviter.

Je réintégrai le prétoire. J'avais encore dix minutes avant la fin de la pause de l'après-midi, je projetai de m'en servir pour ruminer un peu sur le fait de travailler pour une cliente que je n'aimais pas et que je commençais même à mépriser.

# 25

Après la pause, Freeman en vint à ce que j'appelle la phase « chasse et cueillette » de l'accusation. Celle des techniciens de scène de crime. C'est à partir de leurs témoignages qu'elle allait mettre en scène l'arrivée du responsable principal de l'enquête, l'inspecteur Howard Kurlen.

Le premier chasseur-cueilleur fut un enquêteur des services du médecin légiste, un certain William Abbott, qui s'était présenté sur les lieux et avait eu la responsabilité d'établir qu'il y avait bien un cadavre et de le faire transporter à la morgue, où l'autopsie devait être pratiquée.

Son témoignage couvrit ses observations sur la scène de crime, les blessures à la tête de la victime et les biens personnels trouvés sur Bondurant – à savoir son portefeuille, sa montre, sa petite monnaie et cent quatre-vingt-trois dollars en billets serrés dans une pince. Et le reçu de chez Joe Joe qui avait permis aux enquêteurs d'établir la date du décès. Comme Convington avant lui, Abbott fut tout ce qu'il y a de plus terre à terre dans ses déclarations. Se trouver sur les lieux d'un crime violent n'était que routine à ses yeux. Lorsque vint mon tour de lui poser des questions, c'est sur ce point que je me concentrai.

— Monsieur Abbott, lui lançai-je, depuis combien de temps enquêtez-vous pour le légiste ?

— Ça va bientôt faire vingt-neuf ans.

— Et toujours pour le comté de Los Angeles ?

— C'est bien ça.

— Sur combien de scènes de crime pensez-vous vous être rendu depuis tout ce temps ?

— Ah mon Dieu, probablement dans les deux mille. Beaucoup, en tout cas.

— J'imagine. Et j'imagine aussi que bon nombre d'entre elles étaient le résultat de grandes violences.

— C'est dans la nature même de la chose.

— Et cette scène-là ? Vous avez examiné et photographié les blessures de la victime, n'est-ce pas ?

— Effectivement. Cela fait partie du protocole qu'on doit suivre avant de faire transporter le corps.

— Vous avez devant vous un rapport de scène de crime accepté comme pièce à conviction par accord avant procès. Pourriez-vous en lire le deuxième paragraphe du résumé aux jurés ?

Il tourna la page de son rapport et trouva le paragraphe en question.

— *Il y a trois blessures d'impact bien distinctes et tout à fait remarquables tant par leur violence que par l'étendue des dégâts infligés sur le sommet du crâne. La position du corps indique qu'il y a eu perte de conscience immédiate avant même sa chute sur le sol.* Et porté entre parenthèses, j'ai la mention *acharnement.*

— Voilà, et c'est ça qui m'intéresse. Que vouliez-vous dire lorsque vous avez inscrit ce terme dans ce résumé ?

— Tout simplement qu'à mes yeux, un seul de ces impacts aurait suffi. La victime était inconsciente, peut-être même déjà morte, lorsqu'elle a touché le sol. Et ça, après le seul premier coup. Ce qui laisse entendre que deux des impacts se sont produits une fois la victime face contre terre. De l'acharnement donc. Pour moi, l'inconnu devait être très en colère contre la victime.

Il devait croire me donner assez astucieusement la réponse que je ne voulais surtout pas entendre. Et Freeman aussi. Mais ils se trompaient.

— Vous nous indiquez donc dans ce résumé avoir décelé une manière de charge émotionnelle dans cet assassinat, c'est bien ça ?

— Oui, c'est ce que je pensais.

— Quel genre de formation avez-vous en matière d'enquêtes sur les homicides ?

— Eh bien, j'ai suivi une formation de six mois avant de commencer il y a quelque trente ans de ça. Et nous avons des stages au commissariat deux ou trois fois par an. On nous y enseigne les dernières avancées techniques en matière d'enquête.

— Tout cela pour les seules enquêtes sur homicides ?

— Non pas totalement, mais pour une bonne partie, oui.

— Ne fait-il pas partie des fondamentaux de toute enquête sur homicide de dire qu'un crime où il y a acharnement indique que la victime connaissait son assassin, homme ou femme ? Qu'il y avait donc relations personnelles entre…

— Euh…

Freeman comprit enfin où je voulais en venir. Elle se leva et fit remarquer qu'Abbott n'était pas enquêteur sur homicides et que la question renvoyait à des compétences qu'il n'avait pas. Je n'eus même pas à en disputer. Le juge leva la main pour m'interdire de parler et rappela à Freeman que j'avais entraîné Abbott sur un terrain auquel elle n'avait rien trouvé à redire. L'enquêteur avait bel et bien mentionné et son expérience et ses formations dans le domaine de l'enquête sur homicide sans qu'elle ait même seulement élevé la voix.

— Vous avez parié, maître Freeman. Vous pensiez que ça irait dans votre sens. Vous ne pouvez plus faire machine arrière maintenant. Le témoin répondra à la question. Allez-y, monsieur Abbott.

Il gagna du temps en demandant que la question lui soit répétée par la sténo. Il dut être à nouveau poussé à répondre par le juge.

— C'est effectivement à envisager, dit-il enfin.

— À envisager ? répétai-je. Que voulez-vous dire ?

— Que lorsque le crime est d'une grande violence, il faut en effet envisager que la victime connaissait son agresseur. Son assassin.

— Quand vous dites « d'une grande violence », c'est bien d'« acharnement » que vous parlez ?

— Ça peut en faire partie, oui.

— Merci, monsieur Abbott. Bien, et maintenant, avez-vous observé d'autres choses dans cette scène de crime ? Vous êtes-vous fait une opinion sur le genre de force qu'exigeaient ces trois coups d'une grande brutalité portés sur le haut du crâne de M. Bondurant ?

Freeman éleva de nouveau une objection en faisant remarquer qu'Abbott n'était pas médecin légiste et n'avait donc pas les compétences nécessaires pour répondre à la question. Cette fois, Perry retint l'objection, lui offrant ainsi une petite victoire.

Je décidai de prendre ce que j'avais gagné et de m'en contenter.

— Je n'ai plus d'autres questions, déclarai-je.

Le témoin suivant appelé à la barre fut Paul Roberts, le criminologue en charge des trois techniciens de l'unité du LAPD qui avaient procédé à l'analyse de la scène de crime. Freeman le tenant fermement en laisse, son témoignage fut encore moins sans surprises que celui d'Abbott. Il ne parla que de procédures et de ce qu'il avait prélévé pour analyse au labo de la police scientifique. En l'interrogeant en contre je réussis à tourner cette absence de preuves matérielles à l'avantage de ma cliente.

— Pourriez-vous indiquer aux jurés les endroits où vous avez recueilli des empreintes digitales plus tard attribuées à ma cliente ?

— Nous n'en avons trouvé aucune.

— Pourriez-vous dire aux jurés quels échantillons de sang recueillis sur les lieux du crime appartenaient à ma cliente ?

— Nous n'en avons trouvé aucun.

— Bien mais… et côté cheveux, poils et fibres ? Vous avez sûrement relié ma cliente à ce crime grâce à ce genre de preuves matérielles, non ?

— Non.

Je reculai de quelques pas comme pour évacuer ma frustration et revins à mon poste.

— Maître Haller ! me lança le juge. On laisse tomber le petit numéro, d'accord ?

— Merci, monsieur le Juge, ajouta Freeman.

— Ce n'était pas à vous que je m'adressais, maître Freeman.

Je regardai longuement les jurés avant de poser la question suivante – la dernière :

— En résumé, monsieur, avez-vous, seul ou avec votre équipe, recueilli dans ce parking une seule preuve matérielle qui relie Lisa Trammel à cette scène de crime ?

— Dans ce parking ? Non.

— Merci, je n'ai donc plus d'autres questions à poser.

Je savais que dans son interrogatoire en contre, Freeman pouvait me renvoyer la balle, et violemment, en posant à Roberts des questions sur le sang de Bondurant trouvé sur le marteau et sur la chaussure de ma cliente découverte dans son garage. Il faisait partie de l'équipe des techniciens qui avaient analysé les deux endroits. Mais je pensais qu'elle n'en ferait rien. Elle avait chorégraphié sa mise en scène jusqu'à la présentation de sa dernière pièce à conviction et y changer quoi que ce soit eût tout bouleversé et risqué de mettre en danger et son élan et l'impact de ce qu'elle voulait dire lorsqu'elle relierait tout ensemble. Et elle était trop avertie pour courir ce risque. Elle allait donc se taper toutes les bosses sans rien dire en sachant qu'elle pourrait toujours m'expédier au tapis plus tard dans le procès.

— Interrogatoire en contre, maître Freeman ? lui demanda le juge dès que j'eus regagné ma place.

— Non, monsieur le Juge. Pas de contre.

— Le témoin est excusé.

J'avais la liste des témoins de Freeman attachée au rabat d'un dossier posé sur la table devant moi. Je barrai les noms Abbott et Roberts et regardai ceux qui me restaient. La première journée du procès n'était même pas terminée que Freeman avait déjà sérieusement entamé sa liste. Je la regardai à nouveau et me dis que l'inspecteur Kurlen était vraisemblablement son témoin suivant. Sauf que cela lui posait un petit problème. Je consultai ma montre. Il était 16 h 25 et l'audience devait finir à 17 heures. Si elle citait Kurlen à la barre, elle aurait à peine le temps de commencer que le juge suspendrait l'audience. Il n'était pas impossible qu'elle réussisse à soustraire à son témoin une révélation que les jurés auraient fort joliment à méditer jusqu'au lendemain matin, mais cela pouvait ralentir le rythme de sa prestation et, une fois encore, je ne la voyais pas trouver que cet échange en vaille la peine.

J'examinai à nouveau la liste pour voir si elle n'avait pas un témoin flottant qu'elle puisse appeler à la barre à n'importe quel moment de sa démonstration. Je n'en vis pas et regardai la table de l'accusation en me demandant ce qu'elle allait faire.

— Maître Freeman ? la pressa le juge.

Elle se leva de son siège et lui répondit :

— Monsieur le Juge, je m'attends à ce que le témoignage de la personne que j'avais prévu d'appeler maintenant soit long et donne lieu à un interrogatoire en contre d'importance. J'aimerais donc demander l'indulgence de la cour et avoir la permission de n'appeler ce témoin à la barre que demain matin à la première heure de façon à ce que les jurés n'aient pas à subir une interruption dans sa déposition.

Le juge regarda la pendule accrochée au mur du fond derrière Freeman et hocha lentement la tête.

— Non, dit-il, il n'en est pas question. Il nous reste une demi-heure de séance et nous allons en faire bon usage. Je vous demande d'appeler le témoin suivant.

— Bien, monsieur le Juge, dit-elle. Le ministère public appelle Gilbert Modesto à la barre.

Je m'étais trompé sur le témoin flottant. Modesto était le patron de la sécurité à la Westland National et Freeman devait penser pouvoir le faire témoigner à n'importe quel moment du procès sans que cela nuise à l'élan et au rythme de sa présentation.

Après avoir prêté serment et pris place à la barre, Modesto se mit en devoir de détailler son expérience de serviteur de la loi et les tâches qu'il effectuait à la Westland National. Freeman l'amena ensuite à répondre à ses questions sur ce qu'il avait fait le matin du meurtre.

— Quand j'ai appris que c'était Mitch, répondit-il, la première chose que j'ai faite a été de sortir la liste des menaces pour la remettre à la police.

— La « liste des menaces » ? C'est-à-dire… ?

— C'est une liste où l'on trouve toutes les menaces envoyées par mail ou par la poste à la banque ou à un membre du personnel. Elle contient aussi des notes sur les menaces de toutes sortes qui nous arrivent par téléphone, par des tiers ou par la police. Nous avons un protocole qui nous permet de les évaluer, des noms qui déclenchent l'alerte, etc.

— Quel est votre degré de connaissance de cette liste ?

— Je la connais très bien. Je l'étudie sans arrêt. C'est mon boulot.

— Combien de noms y avait-il dans cette liste le matin du meurtre de Mitchell Bondurant ?

— Je ne les avais pas comptés, mais je dirais une bonne vingtaine.

— Et tous ces gens étaient considérés comme de vraies menaces à l'endroit de la banque et de ses employés ?

— Non, la règle veut que toute menace reçue soit portée sur cette liste. Quelle qu'en soit l'authenticité, elle atterrit dans la liste. Ce qui fait que les trois quarts d'entre elles ne sont pas considérées comme sérieuses, mais comme l'œuvre d'individus qui se lâchent ou sont légèrement frustrés.

— Dans la liste de ce matin-là, quel était le nom de l'individu considéré comme le plus sérieusement dangereux en termes de menace ?

— Celui de l'accusée, Lisa Trammel.

Freeman marqua une pause pour souligner son propos. Je me tournai vers les jurés. Presque tous les regards s'étaient portés sur ma cliente.

— Pour quelle raison, monsieur Modesto ? Avait-elle proféré des menaces particulières contre la banque ou l'un de ses employés ?

— Non. Mais elle avait un litige avec la banque dans une affaire de saisie et était connue pour avoir manifesté devant l'établissement jusqu'à ce que nos avocats obtiennent une injonction du tribunal lui interdisant de se trouver à proximité. Ce sont ses actes qui étaient perçus comme menaçants et l'on dirait bien que nous avions raison.

Je bondis, élevai une objection et demandai au juge de faire disparaître des minutes la dernière partie de cette réponse comme étant tout à la fois incendiaire et préjudiciable à ma cliente. Le juge accepta et avertit Modesto de garder ce genre de propos pour lui.

— Monsieur Modesto, reprit Freeman, savez-vous si Lisa Trammel avait menacé directement quiconque à la banque, Mitchell Bondurant y compris ?

Règle n° 1 : transformer ses faiblesses en avantages. Voilà que Freeman posait maintenant mes propres questions et, ce faisant, m'ôtait la possibilité de les charger de toute mon indignation.

— Non, pas précisément. Mais en termes d'évaluation de dangerosité, nous sentions que c'était quelqu'un qu'il fallait avoir à l'œil.

— Merci, monsieur Modesto. À qui avez-vous confié cette liste au sein du LAPD ?

— À l'inspecteur Kurlen, qui était en charge de l'enquête. C'est lui que je suis allé voir directement.

— Avez-vous eu l'occasion de reparler avec l'inspecteur Kurlen un peu plus tard dans la journée ?

— Eh bien… nous avons parlé plusieurs fois ensemble au fur et à mesure que progressait l'enquête. Il a eu des questions à me poser sur les caméras de surveillance du garage et sur d'autres sujets.

— L'avez-vous contacté une deuxième fois ?

— Oui, quand il a été porté à mon attention qu'une de nos employés, une caissière, avait dit à son supérieur hiérarchique avoir cru voir Lisa Trammel près de la banque ce matin-là. J'ai estimé que c'était un renseignement dont la police avait besoin et j'ai appelé l'inspecteur Kurlen pour lui organiser un rendez-vous avec elle.

— Cette caissière étant Margo Schafer ?

— Exactement.

C'est à ce moment-là que Freeman mit fin à son interrogatoire et me laissa avec son témoin. Je décidai qu'il valait mieux y aller léger, semer quelques doutes et revenir pour la récolte un peu plus tard.

— Monsieur Modesto, en votre qualité de responsable de la sécurité de la Westland, aviez-vous accès à la procédure de saisie engagée par la banque à l'encontre de Lisa Trammel ? lui demandai-je.

Il hocha la tête de la manière la plus véhémente qui soit.

— Non, dit-il, il s'agissait d'une affaire judiciaire et je n'en avais pas connaissance.

— Ce qui fait que lorsque vous avez donné à l'inspecteur Kurlen cette liste où le nom de Lisa Trammel figurait en première place, vous auriez été incapable de dire si elle était sur le point de perdre sa maison ou pas, c'est bien ça ?

— C'est bien ça.

— Et vous auriez été tout aussi incapable de dire si la banque était sur le point de suspendre cette saisie parce qu'elle avait eu recours aux services d'une société engagée dans des activités frauduleuses, c'est bien…

— Objection ! hurla Freeman. Présuppose l'existence de faits non avérés par des preuves !

— L'objection est retenue, dit Perry. Prenez garde à ce que vous faites, maître Haller.

— Oui, monsieur le Juge. Monsieur Modesto, au moment où vous avez donné cette liste de menaces à l'inspecteur Kurlen, lui avez-vous parlé précisément de Lisa Trammel ou vous êtes-vous contenté de lui tendre la liste et de le laisser l'étudier à sa guise ?

— Je l'ai informé que Lisa Trammel était la première sur la liste.

— Vous a-t-il demandé pourquoi ?

— Je ne m'en souviens pas vraiment. Je me rappelle seulement lui avoir parlé d'elle, mais je ne saurais vous dire avec certitude si je l'ai fait de mon propre chef ou si je ne faisais que répondre à sa question.

— Et au moment où vous disiez à l'inspecteur Kurlen que Lisa Trammel représentait une menace, vous ignoriez tout de l'état de son dossier de saisie, n'est-ce pas ?

— C'est tout à fait ça.

— Ce qui fait que ce renseignement, l'inspecteur Kurlen ne l'avait pas lui non plus, je me trompe ?

— Je ne peux pas parler en son nom. Il faudrait que vous le lui demandiez.

— Ne vous inquiétez pas, je le ferai. Je n'ai plus d'autres questions à vous poser pour l'instant.

Je jetai un coup d'œil au mur du fond en regagnant mon siège. Il était 16 h 55 et je savais que nous en avions fini pour la journée. Il y a toujours des tas de choses qui entrent dans la préparation d'un procès. La fin de la première journée est généralement marquée par un déferlement de fatigue et je commençais à en sentir les premières atteintes. Le juge recommanda aux jurés de garder l'esprit ouvert à tout ce qu'ils avaient vu et entendu ce jour-là. Il leur dit aussi d'éviter les comptes rendus des médias sur l'affaire et de ne pas parler du procès entre eux ou avec des tierces personnes. Puis il les renvoya chez eux.

Ma cliente partit avec Herb Dahl, qui était revenu au tribunal. Je suivis Freeman qui franchissait le portillon.

— Bon début, lui lançai-je.

— Vous ne vous défendez pas mal non plus, me renvoya-t-elle.

— Bah, nous savons tous les deux qu'au commencement, ce sont les fruits accrochés aux branches du bas qu'on cueille. Après, il n'y en a plus et ça devient difficile.

— C'est vrai que ça va être dur. Bonne chance, Haller.

Une fois dans le couloir, nous partîmes chacun de notre côté. Freeman descendit au Bureau du district attorney, je pris l'ascenseur et regagnai mon propre bureau. Que je sois fatigué n'avait aucune importance. J'avais encore du travail à abattre. Il était vraisemblable que Kurlen reste à la barre toute la journée du lendemain. Et j'y serais prêt.

## 26

— Le ministère public appelle l'inspecteur Howard Kurlen.

Andrea Freeman se détourna de la table de l'accusation où elle se tenait et sourit à l'inspecteur tandis qu'il descendait l'allée centrale, deux classeurs (aussi dits « livres du meurtre ») d'une épaisseur impressionnante sous le bras. Il franchit le portillon et se dirigea vers le box des témoins. Il avait l'air à l'aise. Pour lui, tout cela n'était que pure routine. Il posa les livres du meurtre sur l'étagère du box et leva la main pour prêter serment. Et en profita pour me décocher un regard en coin. En apparence, il était calme, détendu et prêt à tout, mais ce tango-là, nous l'avions déjà dansé ensemble et il ne pouvait pas ne pas se demander ce que j'allais apporter aux débats cette fois.

Il portait un costume bleu marine élégant et une cravate orange vif. Les inspecteurs se mettent toujours sur leur trente et un pour témoigner. C'est à ce moment-là que quelque chose me frappa. Il n'y avait pas de gris dans ses cheveux. Il approchait de la soixantaine et n'avait pas un seul cheveu blanc. Il se les était teints pour la télé.

Pure vanité. Je me demandai si ce n'était pas quelque chose dont je pourrais me servir comme d'un coin lorsque ce serait mon tour de lui poser des questions.

Après avoir prêté serment, il prit le siège des témoins et s'y installa confortablement. Il allait probablement rester assis toute la journée, voire plus. Il s'empara du pichet d'eau posé près du greffier, s'en servit un verre, en but une gorgée et regarda Freeman. Il était prêt à y aller.

— Bonjour, inspecteur Kurlen, lui lança-t-elle. J'aimerais commencer cette matinée en vous demandant de dire un peu aux jurés qui vous êtes et ce que vous avez fait.

— J'en serai ravi, lui renvoya Kurlen avec un chaud sourire. J'ai cinquante-six ans et suis entré au LAPD il y a vingt-quatre ans de cela, après dix années de service dans le corps des marines. Cela fait maintenant neuf ans que je suis inspecteur aux Homicides de la Division de Van Nuys. Avant, j'ai travaillé à la Division de Foothill, toujours comme inspecteur des Homicides.

— Combien d'enquêtes sur homicides avez-vous menées, inspecteur ?

— Cette affaire est ma soixante et unième. Avant de travailler aux Homicides, j'ai passé six ans à enquêter sur d'autres crimes... vols, cambriolages, vols d'autos, etc.

Freeman avait pris place au lutrin. Elle tourna une page de son bloc-notes – elle était prête à passer aux choses sérieuses.

— Inspecteur, dit-elle, commençons par le matin du meurtre de Mitchell Bondurant. Pouvez-vous nous décrire l'une après l'autre les premières phases de l'affaire ?

Astucieux, ce « nous » laissant entendre que les jurés et l'accusation faisaient partie de la même équipe. Je n'avais aucun doute sur les talents de Freeman et savais qu'elle serait au mieux de sa forme avec son témoin principal à la barre. Elle savait, elle, que si je pouvais démolir Kurlen, tout son dossier risquait de s'effondrer.

— J'étais à mon bureau aux environs de 9 h 15 quand le lieutenant est venu nous voir, l'inspectrice Cynthia Longstreth et moi-même, pour nous informer qu'un homicide venait d'être commis dans le parking du garage de la Westland National de Ventura Boulevard. L'inspectrice Longstreth et moi-même nous sommes immédiatement mis en route.

— Vous vous êtes portés sur les lieux du crime ?

— Oui, tout de suite. Nous y sommes arrivés à 9 h 30 et en avons aussitôt pris le contrôle.

— Ce qui veut dire... ?

— Eh bien, la première priorité est de protéger la scène de crime et d'y recueillir les éléments de preuves. Les officiers de la patrouille avaient déjà sécurisé le périmètre et empêchaient les gens de passer. Dès que nous avons été sûrs que tout était bien en main, nous nous sommes réparti les responsabilités. J'ai laissé à ma coéquipière le soin de superviser l'examen des lieux et me suis donné la tâche de mener les premiers interrogatoires des témoins que les officiers de la patrouille gardaient pour nous.

— L'inspectrice Longstreth a moins d'expérience que vous, c'est bien ça ?

— Oui, cela fait trois ans qu'elle travaille aux Homicides avec moi.

— Pourquoi avez-vous confié à la personne la moins expérimentée de votre équipe la tâche extrêmement importante qui consiste à superviser l'examen de la scène de crime ?

— Parce que je savais que les techniciens et l'enquêteur des services du légiste étaient tous des gens qui avaient des années d'expérience, et qu'avec eux, Cynthia serait dans de bonnes mains.

Freeman lui posa ensuite toute une série de questions sur les interrogatoires qu'il avait fait subir aux témoins, à commencer par Riki Sanchez qui avait découvert le corps et appelé le 911. Très à l'aise à la barre, Kurlen se montrait presque bonhomme dans sa façon de parler. « Charmant » était le premier mot qui venait à l'esprit. Et « charmant », je n'aimais pas, mais j'allais devoir ronger mon frein. Je savais que ce ne serait peut-être qu'à la fin de la journée que je pourrais m'attaquer à lui. En attendant, je ne pouvais espérer qu'une chose : qu'à ce moment-là, les jurés ne soient pas tombés complètement amoureux du monsieur.

Freeman était assez maligne pour savoir qu'à lui seul, le charme ne saurait retenir éternellement l'attention d'un jury. Elle finit par laisser tomber les préliminaires destinés à établir la scène de crime et commença à ouvrir les hostilités contre Lisa Trammel.

— Inspecteur, lança-t-elle, y a-t-il eu dans votre enquête un moment où le nom de l'accusée a été porté à votre connaissance ?

— Oui. Le responsable de la sécurité de la banque est venu au parking du garage et a demandé à nous voir, ma coéquipière ou moi. Je lui ai parlé brièvement, puis je l'ai raccompagné à son bureau, où nous avons visionné les vidéos des caméras de surveillance situées à l'entrée et aux sorties du garage et dans les ascenseurs.

— Visionner ces vidéos vous a-t-il ouvert des pistes pour votre enquête ?

— Non, aucune au début. Je n'y ai vu personne portant une arme ou se conduisant de manière suspecte avant ou après l'heure approximative du crime. Et personne ne s'enfuyait non plus. Les véhicules qui entraient dans le garage ou en sortaient n'avaient rien de douteux. Bien sûr, nous allions passer toutes les plaques d'immatriculation à l'ordinateur central. Mais lors de ce premier visionnage, nous n'avons rien trouvé qui nous aide et, bien sûr, le meurtre lui-même n'avait été filmé par aucune caméra. Ça aussi, c'est un détail que l'assassin semblait connaître.

Je me mis debout et élevai une objection contre cette dernière phrase de Kurlen, le juge exigeant alors qu'elle ne figure pas aux minutes et ordonnant aux jurés de ne pas en tenir compte.

— Inspecteur, reprit aussitôt Freeman, je crois que vous alliez nous dire comment le nom de Lisa Trammel est arrivé pour la première fois dans votre enquête.

— Oui, voilà. Eh bien, il faut savoir que M. Modesto, le patron de la sécurité de la banque, m'avait aussi fourni un dossier. Un dossier « d'évaluation des menaces », pour reprendre ses termes. Il me l'avait confié, et ce dossier contenait plusieurs noms, dont celui de l'accusée. Et un peu plus tard, M. Modesto m'a appelé pour m'informer que, ce matin-là, Lisa Trammel avait été vue tout près de la banque.

— L'accusée donc. Et c'est ainsi que son nom est apparu dans l'enquête, c'est ça ?

— C'est ça.

— Qu'avez-vous fait de ce renseignement, inspecteur ?

— J'ai commencé par retourner sur la scène de crime. Puis j'ai envoyé ma coéquipière interroger la personne qui disait avoir vu Lisa Trammel près de la banque. Il était important que nous ayons confirmation de ce fait et que nous en connaissions les détails. J'ai ensuite commencé à examiner la liste d'évaluation des menaces afin d'en étudier tous les noms et de savoir précisément comment ces menaces avaient été perçues.

— En avez-vous tiré des conclusions immédiates ?

— Je ne pensais vraiment pas que quiconque dans cette liste risquait de nous intéresser, vu ce qu'on disait d'eux et de leurs bagarres avec la banque. Cela dit, il était clair que tous allaient devoir être suivis de près. Et Lisa Trammel, elle, nous a intéressés parce que, d'après M. Modesto, elle avait été vue à proximité de la banque au moment du meurtre.

— Ce sont donc la proximité géographique de Lisa Trammel par rapport au lieu du crime et l'heure à laquelle elle aurait été vue à cet endroit qui, à ce moment-là, étaient à la base de vos réflexions ?

— Oui, parce que proximité pouvait vouloir dire accès. L'analyse de la scène de crime laissait entendre que la victime avait été attendue. Celle-ci avait un emplacement réservé avec son nom inscrit sur le mur. Il y avait un gros poteau de soutènement juste à côté. Notre première hypothèse a été que l'assassin s'était caché derrière ce poteau et avait attendu que M. Bondurant se gare. Il semblerait que le premier coup lui ait été porté par-derrière, juste au moment où il quittait sa voiture.

— Merci, inspecteur.

Freeman lui fit encore décrire plusieurs mesures prises sur le lieu du crime avant d'attirer à nouveau son attention sur Lisa Trammel.

— Votre coéquipière est-elle revenue à la scène de crime pour vous rapporter ce qu'elle avait appris de la caissière qui affirmait avoir vu Lisa Trammel près de la banque ?

— Oui. Ma coéquipière et moi avons trouvé que son identification de l'accusée était solide. Nous avons alors parlé de Lisa Trammel et de la nécessité dans laquelle nous étions de lui parler rapidement.

— Mais n'aviez-vous pas une analyse de la scène de crime à terminer et un dossier contenant tous les noms des individus qui avaient menacé la banque ou ses employés à étudier ? Pourquoi tant d'urgence à contacter Lisa Trammel ?

Kurlen se cala dans son fauteuil et prit la pose du vieux de la vieille plein de sagesse et d'astuce.

— Eh bien, il y avait un certain nombre de choses qui nous disaient de faire vite. Et d'un, la bagarre qu'elle menait contre la banque concernait la saisie de son bien. Cela la plaçait dans la catégorie prêts immobiliers. En tant que vice-président de la banque, M. Bondurant, la victime, était en charge de cette branche. Ce lien ne pouvait pas ne pas nous intéresser. En plus de quoi, et encore plus important…

— Permettez que je vous interrompe, inspecteur. Vous parlez de « lien ». Saviez-vous si la victime et Lisa Trammel se connaissaient ?

— Pas à ce moment-là, non. Ce que nous savions, c'est que Mme Trammel s'était opposée à la saisie de sa maison et que c'était la victime, M. Bondurant, qui avait lancé cette procédure. Cela dit, à ce moment-là, nous ne savions pas si ces deux personnes se connaissaient, voire s'étaient jamais rencontrées.

Montrer aux jurés la faiblesse de son argumentation avant que je le fasse était habile. Cela en rendait la tâche plus difficile à la défense.

— Bien, inspecteur, reprit Freeman. Je vous ai interrompu au moment où vous alliez nous donner une deuxième raison d'agir vite par rapport à Mme Trammel.

— Ce que je voulais expliquer, c'est qu'une enquête pour meurtre est toujours ouverte. Il faut agir avec soin et prudence, mais il faut aussi aller là où elle conduit. Ne pas le faire, c'est risquer de mettre en danger les preuves… voire d'autres victimes potentielles. Et nous sentions qu'il y avait urgence à entrer en contact avec Lisa Trammel à ce stade-là de l'enquête. Nous ne pouvions pas attendre. Nous ne pouvions pas lui laisser le temps de détruire des pièces à conviction ou de nuire à d'autres personnes. Il fallait agir.

Je jetai un coup d'œil aux jurés. Kurlen leur servait un de ses meilleurs numéros. Tous les regards étaient sur lui. Que Clegg McReynolds fasse un film de l'affaire et Kurlen devrait y jouer son propre rôle.

— Et donc, qu'avez-vous fait, inspecteur ?

— Nous avons vérifié son permis de conduire, avons trouvé son adresse dans Woodland Hills et nous sommes dirigés vers son domicile.

— Qui est resté sur la scène de crime ?

— Plusieurs personnes. Notre coordinateur, tous les techniciens et les gens du coroner. Il leur restait encore pas mal de choses à faire et nous ne faisions que leur donner un coup de main de toute façon. Aller chez Lisa Trammel ne mettait à mal ni l'enquête ni la scène de crime.

— Votre « coordinateur » ? De qui s'agit-il ?

— De l'inspecteur de classe 3 en charge de l'unité des Homicides. Jack Newsome. C'était lui qui supervisait les lieux.

— Je vois. Et donc, que s'est-il passé lorsque vous êtes arrivés chez Mme Trammel ? Était-elle là ?

— Oui. Nous avons frappé à la porte et elle nous a ouvert.

— Pouvez-vous nous décrire ce qui s'est passé ensuite ?

— Nous nous sommes identifiés et lui avons dit que nous enquêtions sur un crime. Nous ne lui avons pas dit de quoi il s'agissait, juste que c'était sérieux. Nous lui avons demandé si nous pouvions entrer. Elle nous a dit oui, nous sommes donc entrés.

Je sentis quelque chose vibrer dans ma poche et compris que je venais de recevoir un texto. Je sortis mon portable et le tins sous la table de façon à ce que le juge ne le voie pas. C'était un message de Cisco : FAUT QU'ON CAUSE, QUELQUE CHOSE À MONTRER.

Je lui renvoyai un texto, nous eûmes une petite conversation numérique :

— TU AS VÉRIFIÉ LA LETTRE ?

— NON, C'EST AUTRE CHOSE. TRAVAILLE ENCORE À LETTRE.

— ALORS APRÈS AUDIENCE. DONNE-MOI LETTRE.

Je rangeai mon téléphone et recommençai à observer l'interrogatoire mené par Freeman. La lettre en question était arrivée la veille dans l'après-midi, ce courrier étant adressé à ma boîte postale. Elle était anonyme, mais si son contenu était confirmé par Cisco, nous tenions une autre munition. Et du gros calibre.

— Comment s'est conduite Mme Trammel lorsque vous l'avez rencontrée ? demanda Freeman.

— Elle m'a paru très calme, répondit Kurlen. Elle n'avait pas l'air particulièrement curieuse de savoir de quel crime il s'agissait ni pourquoi nous voulions lui parler. Elle prenait tout cela avec nonchalance.

— Où vous et votre coéquipière lui avez-vous parlé ?

— Elle nous a conduits à la cuisine où il y avait une table et nous a invités à nous y asseoir. Puis elle nous a demandé si nous voulions de l'eau ou du café et nous avons tous les deux répondu non.

— Et c'est là que vous avez commencé à lui poser des questions ?

— Oui. Nous avons commencé par lui demander si elle était restée chez elle toute la matinée. Elle nous a répondu que oui, sauf à 8 heures, quand elle a conduit son fils à l'école de Sherman Oaks. Je lui ai demandé si elle s'était arrêtée à un autre endroit en rentrant et elle m'a répondu que non.

— Ce qui signifie ?

— Eh bien mais... qu'il y avait quelqu'un qui mentait. Nous avions le témoin qui l'avait vue près de la banque aux environs de 9 heures. Bref, quelqu'un mentait ou se trompait.

— Qu'avez-vous fait ?

— Je lui ai demandé si elle serait d'accord pour nous suivre au commissariat où on pourrait l'interroger et lui demander de regarder des photos. Elle a répondu « oui », nous l'avons donc conduite à Van Nuys.

— L'avez-vous d'abord informée de son droit constitutionnel de ne pas vous répondre sans la présence d'un avocat ?

— Pas à ce moment-là. Elle n'avait pas le statut de suspect. Elle n'était encore qu'une personne qui nous intéressait, quelqu'un dont le nom avait fait surface. Je ne pensais pas nécessaire de l'avertir de ses droits avant qu'elle ait franchi ce cap. Et nous en étions loin. Il y avait un fossé entre ce qu'elle nous disait et ce que nous avait raconté le témoin. Il fallait que nous examinions ça de plus près avant de qualifier quiconque de suspect.

Freeman venait de recommencer. Elle essayait de réparer les fissures avant que je puisse les ouvrir en grand. C'était frustrant, mais je ne pouvais rien y faire. Je m'attelai à noter des questions à poser à Kurlen, des questions auxquelles Freeman ne s'attendrait pas.

Habilement, elle ramena Kurlen au commissariat de Van Nuys et à la salle d'interrogatoire où il s'était installé avec ma cliente. Et se servit de lui pour présenter la vidéo de cet interrogatoire. Celle-ci fut projetée sur les deux écrans en hauteur. Aronson avait fort correctement plaidé pour qu'on ne les montre pas, mais en vain. Le juge Perry avait refusé. Nous pourrions certes faire appel de cette décision après la sentence, mais le succès de la manœuvre était plus que douteux. C'était maintenant que je devais renverser la situation. Maintenant que je devais trouver le moyen de montrer aux jurés en quoi tout cela était injuste, en quoi tout cela constituait un piège dans lequel était innocemment tombée ma cliente.

La vidéo ayant été prise par une caméra en hauteur, la défense marqua tout de suite un point lorsqu'il apparut que Kurlen était un homme imposant et Lisa Trammel bien petite. Assis comme il était en face d'elle, il donnait l'impression de l'écraser, de la coincer, voire de la brutaliser. Tout cela était bel et bon. Tout cela s'accordait avec ce que j'avais décidé de faire ressortir dans mon interrogatoire en contre.

La bande-son était claire et nette. Malgré mes objections, les jurés et toutes les autres personnes ayant à voir dans ce procès avaient reçu une transcription de cet enregistrement. Je m'y étais opposé parce que je ne voulais pas que les jurés se mettent à lire. Je voulais qu'ils regardent. Je voulais qu'ils voient le gros costaud en train de martyriser la petite femme. Il y avait de la sympathie à gagner en les faisant regarder, et tout à perdre en les laissant lire des mots sur du papier.

Kurlen avait attaqué comme si de rien n'était en donnant les noms des personnes présentes dans la salle et en demandant à Trammel si elle était là de son plein gré. Ma cliente avait répondu que oui, mais la sévérité du décor et l'angle des prises de vues faisaient mentir sa réponse. Lisa Trammel donnait l'impression d'être détenue.

« — Pourquoi ne commenceriez-vous pas par nous dire ce que vous avez fait aujourd'hui ?

« — À partir de quel moment ?

« — Disons… celui où vous vous êtes réveillée ? »

Trammel lui détailla alors ce que, comme d'habitude, elle avait fait ce matin-là : réveiller et préparer son fils pour l'école, puis l'y conduire en voiture. Le gamin fréquentait un établissement privé, le trajet prenant en général de vingt à quarante minutes selon la circulation. Lisa précisait encore s'être arrêtée une fois après l'avoir déposé – pour s'acheter un café avant de rentrer chez elle.

« — Mais quand vous étiez chez vous, vous ne nous avez pas dit que vous vous étiez arrêtée ! Et maintenant vous l'auriez fait ?

« — J'ai dû oublier.

« — Où vous êtes-vous arrêtée ?

« — Dans une cafète, Chez Joe Joe. C'est dans Van Nuys Boulevard, juste à côté du croisement avec Ventura Boulevard.

« — Rappelez-vous... Vous êtes-vous acheté un grand ou un petit gobelet ?

« — Un grand. Je bois beaucoup de café. »

Et là, en interrogateur chevronné, Kurlen changea brusquement de direction pour que la proie ne se doute toujours de rien.

« — Êtes-vous passée devant la Westland National ce matin ?

« — Non. C'est de ça qu'il est question ?

« — Ce qui fait que si quelqu'un disait vous avoir vue à cet endroit, il mentirait ?

« — Oui mais... qui a dit ça ? Je n'ai pas contrevenu à l'injonction du tribunal. Vous...

« — Connaissez-vous Mitchell Bondurant ?

« — Est-ce que je le connais ? Non. J'en ai entendu parler. Je sais qui c'est. Mais non, je ne le connais pas.

« — L'avez-vous vu aujourd'hui ? »

Et là, Trammel marquait une pause – et ce n'était pas bon pour elle. À l'écran, on voyait clairement qu'elle réfléchissait. Qu'elle hésitait à dire la vérité. Je regardai les jurés et ne vis pas un seul visage qui ne soit pas tourné vers les écrans.

« — Oui, je l'ai vu.

« — Mais vous venez juste de dire que vous n'étiez pas passée devant la banque !

« — Parce que je n'y suis pas passée. Je ne sais pas qui vous a dit m'avoir vue à la banque, mais si c'est lui, eh bien, c'est un menteur. Je n'y suis pas passée. Je l'ai vu, oui, mais à la cafète, pas à la...

« — Pourquoi ne nous l'avez-vous pas dit ce matin, quand vous étiez chez vous ?

« — Pourquoi je ne vous ai pas dit quoi… ? Parce que vous ne me l'avez pas demandé.

« — Avez-vous changé de vêtements depuis ce matin ?

« — Quoi ?

« — Avez-vous changé de vêtements ce matin après être rentrée chez vous ?

« — Écoutez, c'est quoi, tout ça ? Vous m'avez demandé de descendre au commissariat pour parler, mais là ça ressemble à un piège. Je n'ai pas contrevenu à l'injonction du tribunal. J'ai…

« — Avez-vous agressé Mitchell Bondurant ?

« — Quoi ? ! »

Mais Kurlen ne répondait pas. Il se contentait de dévisager Trammel, dont la bouche s'ouvrait en un O absolument parfait. Je regardai les jurés. Tous étaient toujours tournés vers les écrans. J'espérai qu'ils y voient ce que je voyais : le choc authentique qui se marquait sur le visage de ma cliente.

« — C'est ça que… Mitchell Bondurant a été agressé ? Il va bien ?

« — Non, en fait, il est mort. Et maintenant, je tiens à vous rappeler les droits qui vous sont garantis par la Constitution. »

Kurlen lui lisait alors les droits Miranda, Trammel disant aussitôt les mots magiques, les quatre mots les plus intelligents qui lui soient jamais sortis de la bouche :

« — Je veux mon avocat. »

Cela mettait fin à l'interrogatoire, la vidéo s'achevant sur l'arrestation de Trammel pour meurtre. C'est également ainsi que Freeman mit fin au témoignage de Kurlen. Elle me surprit en déclarant brusquement qu'elle en avait fini avec le témoin et en se rasseyant. Il lui restait encore à couvrir la fouille de la maison de ma cliente. Et l'histoire du marteau. Mais tout semblait indiquer qu'elle n'aurait pas recours à Kurlen pour le faire.

Il était 11 h 45, le juge suspendit l'audience pour le déjeuner. Il était tôt, cela me donnait une heure et quart pour fignoler mes dernières questions à Kurlen. Une fois encore, nous étions sur le point de danser le tango pour les jurés.

# 27

Je gagnai le lutrin avec deux gros dossiers et mon fidèle bloc-notes grand format. Les dossiers ne me serviraient à rien dans mon interrogatoire en contre, mais j'avais l'espoir qu'ils fassent de l'effet. Je pris mon temps pour disposer tout ça sur le lutrin. Je voulais que Kurlen ait les pieds dans le vide. J'avais pour but de le traiter de la même manière qu'il avait traité ma cliente. On sautille, on serpente, on colle un crochet du gauche quand l'adversaire s'attend à un crochet du droit, on frappe et on s'esbigne.

Freeman avait bien joué le coup en divisant ce témoignage en deux. Je n'allais pas pouvoir monter une attaque cohérente contre sa démonstration en ne m'en prenant qu'à Kurlen. Il allait falloir que je m'occupe de lui tout de suite et que j'attende pour faire la même chose avec Longstreth, sa coéquipière. Chorégraphier ses attaques était un des points forts de Freeman et elle me le montrait.

— Quand vous voulez, maître Haller, me pressa Perry.

— Oui, monsieur le Juge. Je mets juste un peu d'ordre dans mes notes. Bonjour, inspecteur Kurlen. Je me demandais si on ne pourrait pas commencer en reprenant à la scène de crime. Avez-vous…

— Comme vous voudrez.

— Oui, merci. Depuis combien de temps votre coéquipière et vous étiez-vous sur les lieux du crime lorsque vous avez décidé de traquer Lisa Trammel ?

— Oh, je ne parlerais pas de « traque ». Nous…

— Est-ce parce qu'elle n'avait pas encore le statut de suspect ?

— C'est une des raisons, en effet.

— C'était seulement quelqu'un qui vous « intéressait », ce n'est pas comme ça que vous dites ?

— Si, si.

— Bien. Et donc, depuis combien de temps étiez-vous sur les lieux du crime quand vous êtes parti chercher cette femme qui n'avait pas encore le statut de suspect, seulement celui de personne qui vous intéressait ?

Il s'en référa à ses notes.

— Ma coéquipière et moi sommes arrivés à 9 h 27 et, l'un ou l'autre, ou tous les deux, y sommes restés jusqu'au moment où nous en sommes partis ensemble à 10 h 39.

— Ce qui nous donne… une heure et douze minutes. Vous n'êtes donc restés que soixante-douze minutes sur la scène de crime avant d'éprouver le besoin d'embarquer une femme qui n'avait même pas encore le statut de suspect. Est-ce que je me trompe ?

— C'est une façon de voir les choses.

— Comment les voyiez-vous, inspecteur ?

— Et d'un, quitter la scène de crime ne posait pas problème parce qu'elle était sous le contrôle et la direction du coordinateur de la brigade des Homicides. Il y avait aussi plusieurs techniciens de la police scientifique. Et notre travail n'était pas de surveiller l'endroit de toute façon. Notre travail consistait à suivre les pistes et ce, où qu'elles nous conduisent, et, à ce moment-là, c'était à Lisa Trammel qu'elles nous menaient. Elle n'avait pas encore le statut de suspect quand nous sommes allés la voir, mais elle en est devenue un quand elle a commencé à nous faire des déclarations inconsistantes et contradictoires pendant l'interrogatoire.

— C'est bien de l'interrogatoire mené au commissariat de Van Nuys que vous nous parlez, n'est-ce pas ?

— C'est ça même.

— Bien, et quelles étaient donc ces déclarations « inconsistantes et contradictoires » que vous venez de mentionner ?

— Chez elle, elle nous avait dit ne pas s'être arrêtée après avoir déposé le gamin à l'école. Et au commissariat, tout d'un coup elle se rappelle s'être acheté un café et avoir vu la victime à la cafète ? Elle dit ne s'être jamais trouvée près de la banque et nous, nous avons un témoin qui la signale à un demi-pâté de maisons de là ? Ça, c'était quand même du costaud.

Je souris et hochai la tête comme si j'avais affaire à un simple d'esprit.

— Inspecteur, lui lançai-je, vous vous payez notre tête, pas vrai ?

Il me décocha son premier regard agacé. C'était exactement ce que je cherchais. Si on y voyait de l'arrogance, ce serait encore mieux quand je l'humilierais.

— Non, je ne plaisante pas, me renvoya-t-il. Je prends mon travail très au sérieux.

Je demandai au juge la permission de repasser un bout de l'interrogatoire de Trammel. L'autorisation m'étant accordée, je mis en avance rapide en gardant un œil sur la bande passante indiquant l'heure. Je réenclenchai la vitesse normale juste au moment de l'échange verbal où Trammel niait s'être trouvée près de la Westland National.

« — Êtes-vous passée devant la Westland National ce matin ?

« — Non. C'est de ça qu'il est question ?

« — Ce qui fait que si quelqu'un disait vous avoir vue à cet endroit, il mentirait ?

« — Oui mais... qui a dit ça ? Je n'ai pas contrevenu à l'injonction du tribunal. Vous...

« — Connaissez-vous Mitchell Bondurant ?

« — Est-ce que je le connais ? Non. J'en ai entendu parler. Je sais qui c'est. Mais non, je ne le connais pas.

« — L'avez-vous vu aujourd'hui ?

« — Oui, je l'ai vu.

« — Mais vous venez juste de dire que vous n'étiez pas passée devant la banque !

« — Parce que je n'y suis pas passée. Je ne sais pas qui vous a dit m'avoir vue à la banque, mais si c'est lui, eh bien, c'est un menteur. Je n'y suis pas passée. Je l'ai vu, oui, mais à la cafète, pas à la...

« — Pourquoi ne nous l'avez-vous pas dit ce matin, quand vous étiez chez vous ?

« — Pourquoi je ne vous ai pas dit quoi... ? Parce que vous ne me l'avez pas demandé. »

J'arrêtai la bande et regardai Kurlen.

— Inspecteur, où donc Lisa Trammel se contredit-elle ?

— Juste là, elle dit ne pas s'être trouvée près de la banque alors qu'on a un témoin qui dit l'y avoir vue !

— Vous avez donc là deux déclarations proférées par deux personnes différentes, mais à aucun moment Lisa Trammel ne se contredit, d'accord ?

— Vous jouez sur les mots.

— Pouvez-vous répondre à ma question, inspecteur ?

— Oui, bon, il y a contradiction entre deux assertions.

Kurlen ne trouvait pas que le distinguo soit d'une grande importance, mais j'espérai que les jurés pensent le contraire.

— N'est-il pas vrai, inspecteur, que Lisa Trammel n'est jamais revenue sur sa déclaration selon laquelle elle n'était pas près de la banque le jour du meurtre ?

— Je ne saurais vous dire. Je ne suis pas au courant de tout ce qu'elle a pu dire depuis.

Voilà qu'il devenait hargneux. Cela m'allait très bien.

— OK et donc, pour autant que vous le sachiez, inspecteur, elle n'est jamais revenue sur cette déclaration qu'elle vous a faite, déclaration selon laquelle elle n'était pas près de la banque ?

— Non.

— Merci, inspecteur.

Je demandai au juge la permission de repasser un autre fragment de l'enregistrement vidéo – elle me fut accordée. Je remontai la bande à un moment du début et l'arrêtai. Puis je demandai au juge si je pouvais montrer une des photos de la scène de crime présentées par l'accusation sur l'un des écrans, en laissant la vidéo sur l'autre. Le juge me fit signe d'y aller.

La photo que je choisis était un cliché grand angle qui couvrait pratiquement toute la scène de crime. On y découvrait le corps de Bondurant, sa voiture, la mallette ouverte et le gobelet de café renversé par terre.

— Inspecteur, permettez que j'attire votre attention sur la photo de scène de crime intitulée *Pièce à conviction de l'accusation n° 3*. Pouvez-vous nous dire ce que vous y voyez au premier plan ?

— Vous voulez dire la mallette ou le corps ?

— Il y aurait autre chose, inspecteur ?

— On a le café renversé et le marqueur de gauche indique l'endroit où l'on a retrouvé un fragment de tissu plus tard identifié comme provenant du cuir chevelu de la victime. On ne peut pas vraiment le voir dans la photo.

Je demandai au juge de faire biffer la partie de sa réponse concernant le tissu au motif que ce n'était pas une réponse. J'avais demandé à Kurlen de me décrire ce qu'il voyait dans la photo, pas ce qu'il ne pouvait pas y voir. Le juge ne fut pas d'accord et toute la réponse resta en l'état. Je laissai passer et tentai à nouveau.

— Inspecteur, pouvez-vous nous lire ce qui est écrit sur le côté du gobelet ?

— Oui, *Chez Joe Joe*. C'est une cafète de luxe à environ quatre rues de la banque.

— Bien, inspecteur, très bien ! Vos yeux sont vraiment meilleurs que les miens !

— Peut-être est-ce parce que eux, ils cherchent la vérité.

Je regardai le juge et écartai les mains comme l'entraîneur de base-ball qui voit une balle rapide tomber à plat. Avant même que j'aie pu réagir, le juge s'occupait de Kurlen.

— Inspecteur ! s'écria-t-il. Pas de ça ici !

— Je m'excuse, monsieur le Juge, dit Kurlen d'un ton contrit sans pour autant me lâcher des yeux. Je ne sais pas pourquoi, mais on dirait que maître Haller a le don de faire sortir le pire en moi.

— Ce n'est pas une excuse. Encore une remarque de ce genre et vous et moi allons avoir de sérieux problèmes.

— Ça ne se reproduira pas, monsieur le Juge. Je vous le promets.

— Les jurés ne tiendront pas compte de la remarque du témoin. Maître Haller, poursuivez et sortez-nous de ça.

— Merci, monsieur le Juge. Je vais faire de mon mieux. Inspecteur, quand vous étiez sur la scène de crime où vous avez passé soixante-douze minutes avant de partir interroger Mme Trammel, avez-vous déterminé à qui appartenait ce gobelet de café ?

— Eh bien, plus tard, nous avons découvert que…

— Non, non, non, je ne vous demande pas ce que vous avez découvert plus tard. C'est sur ces soixante-douze minutes que vous avez passées sur la scène de crime que je vous interroge. À ce moment-là, avant que vous ne partiez voir Lisa Trammel chez elle à Woodland Hills, saviez-vous à qui appartenait ce gobelet ?

— Non, nous ne l'avions pas encore déterminé.

— Bien, et donc, vous ne saviez pas qui avait renversé ce café à cet endroit, si ?

— Objection ! lança Freeman. Pose la question et y répond.

La manœuvre était sans utilité, mais il fallait bien qu'elle tente quelque chose pour me casser mon élan.

— Objection rejetée, dit le juge avant que je puisse réagir. Vous pouvez répondre à la question, inspecteur. Saviez-vous qui avait laissé tomber ce gobelet de café sur les lieux du crime ?

— Pas à ce moment-là, non.

Je revins à l'enregistrement vidéo et fis passer le fragment que j'avais coché. Pris au début de l'interrogatoire, il montrait Trammel en train de décrire ce qu'elle avait fait, comme d'habitude, le matin du meurtre.

« — Mais quand vous étiez chez vous, vous ne nous avez pas dit que vous vous étiez arrêtée ! Et maintenant vous l'auriez fait ?

« — J'ai dû oublier.

« — Où vous êtes-vous arrêtée ?

« — Dans une cafète, Chez Joe Joe. C'est dans Van Nuys Boulevard, juste à côté du croisement avec Ventura Boulevard.

« — Rappelez-vous… Vous êtes-vous acheté un grand ou un petit gobelet ?

« — Un grand. Je bois beaucoup de café. »

J'arrêtai la bande.

— Dites-moi, inspecteur. Pourquoi lui avez-vous demandé si elle s'était acheté un grand ou un petit café chez Joe Joe ?

— Dans une enquête, on jette toujours le plus grand filet possible. On essaie toujours d'obtenir la plus grande quantité de détails possible.

— Ne serait-ce pas plutôt parce que vous pensiez que le gobelet retrouvé sur la scène de crime pouvait appartenir à Lisa Trammel ?

— À ce moment-là, c'était effectivement une possibilité.

— Et y avez-vous vu un aveu de Lisa Trammel ?

— Je me suis dit que ce détail avait son importance à ce moment-là de la conversation. Je ne parlerais pas d'aveu.

— Mais pourtant, quand vous l'avez interrogée plus à fond, elle vous a bien dit avoir vu la victime à cette cafète, non ?

— Si, si.

— Et ça n'aurait pas changé ce que vous pensiez de ce gobelet quand vous étiez sur la scène de crime ?

— Ce n'était qu'un renseignement de plus à prendre en compte. Nous n'en étions qu'au tout début de l'enquête. Nous n'avions aucune source indépendante nous confirmant la présence de la victime dans cette cafète. Nous avions la déclaration de cette seule personne, mais elle ne collait pas avec la déclaration du témoin auquel nous avions déjà parlé. Nous avions Trammel qui nous disait avoir vu Mitchell Bondurant à la cafète, mais cela n'en faisait pas un fait avéré. Nous avions toujours besoin d'en avoir la confirmation. Et nous l'avons eue plus tard.

— Mais voyez-vous où ce que vous preniez pour une inconsistance au début de l'interrogatoire est devenu totalement consistant avec les faits plus tard ?

— Dans ce seul exemple, oui.

Kurlen ne faisait pas de quartiers. Il savait que j'essayais de le faire reculer jusqu'au bord d'une falaise. Son travail consistait à s'empêcher de basculer dans le vide.

— En fait, ne diriez-vous pas, inspecteur, que tout bien considéré, la seule inconsistance dans l'interrogatoire de Lisa Trammel est qu'elle disait ne pas s'être trouvée près de la banque alors que vous aviez un témoin qui affirmait le contraire ?

— Il est toujours facile de voir clair après les faits. Il n'en reste pas moins que cette inconsistance était et demeure d'importance. Un témoin fiable nous la signalait près de la scène de crime au moment du meurtre. Et ça n'a toujours pas changé depuis le premier jour.

— « Un témoin fiable. » C'est après un bref interrogatoire que Margo Schafer a été déclarée « fiable » ?

J'avais mis ce qu'il fallait d'outrage et de perplexité dans ma voix. Freeman éleva une objection en affirmant que je ne faisais que harceler le témoin parce que je n'obtenais pas les réponses que je voulais. Le juge rejeta l'objection, mais le message qu'elle avait fait passer aux jurés – à savoir que je n'obtenais pas ce que je voulais –, n'en était pas moins bon. Parce qu'en fait, je l'obtenais.

— Le premier interrogatoire de Margo Schafer a été bref, effectivement, répondit Kurlen. Mais elle a été réinterrogée plusieurs fois ensuite et par plusieurs enquêteurs. Et ce qu'elle avait observé ce jour-là n'a jamais changé d'un iota. Pour moi, elle a bien vu ce qu'elle dit avoir vu.

— Bravo, inspecteur ! lui lançai-je. Mais revenons à notre gobelet de café. Y a-t-il eu un moment où vous êtes arrivé à une conclusion sur l'identité de l'individu auquel appartenait le gobelet renversé laissé sur la scène de crime ?

— Oui. Nous avons trouvé un de Chez Joe Joe dans la poche de la victime, pour un grand café acheté ce matin-là à 8 h 28. Dès que nous l'avons trouvé, nous nous sommes dit que c'était à lui qu'il appartenait. Ce qui a été confirmé plus tard par l'analyse des empreintes digitales. Mitchell Bondurant est sorti de sa voiture avec ce gobelet dans les mains et l'a laissé tomber lorsqu'il a été attaqué par-derrière.

Je hochai la tête afin d'être sûr que les jurés comprennent bien que j'obtenais les bonnes réponses que je désirais.

— Quelle heure était-il lorsque ce reçu a été découvert dans la poche de la victime ?

Il consulta ses notes, mais ne trouva pas de réponse.

— Je n'en suis pas sûr parce que c'est l'enquêteur du légiste chargé de vérifier les poches de la victime et de mettre en lieu sûr tous les biens découverts qui l'a trouvé. Cette opération a donc dû être effectuée avant que le cadavre ne soit transporté à la morgue.

— Mais bien après le moment où vous et votre coéquipière vous êtes lancés à la poursuite de Lisa Trammel, exact ?

— Nous ne nous sommes pas « lancés à la poursuite de Lisa Trammel », mais oui, la découverte du reçu a dû se produire après que nous sommes partis parler à Trammel.

— L'enquêteur du légiste vous a-t-il appelé pour vous parler de ce reçu ?

— Non.

— Avez-vous appris l'existence de ce reçu avant ou après l'arrestation de Trammel pour meurtre ?

— Après. Mais il y avait d'autres preuves pour...

— Merci, inspecteur. Contentez-vous de répondre aux questions que je vous pose... si ça ne vous gêne pas.

— Ça ne me gêne pas de dire la vérité.

— Parfait. C'est pour ça que nous sommes ici. Bien et maintenant, ne seriez-vous pas d'accord pour dire que vous avez arrêté Lisa Trammel en vous fondant sur des déclarations inconsistantes et contradictoires qui, plus tard, se sont avérées consistantes et pas du tout contradictoires avec les éléments de preuves et les faits de cette affaire ?

Kurlen me répondit comme s'il avait appris son texte par cœur.

— Nous avions le témoin qui l'avait signalée près de la scène de crime, au moment du meurtre.

— Et c'est bien là tout ce que vous aviez, n'est-ce pas ?

— Il y avait d'autres preuves qui la reliaient à cet assassinat. Nous avons son marteau et...

— C'est de l'heure de son arrestation que je vous parle ! hurlai-je. Je vous prie de répondre aux questions que je vous pose, inspecteur !

— Hé là ! s'exclama le juge. Une seule personne a le droit d'élever la voix dans ce prétoire, et cette personne, ce n'est pas vous, maître Haller !

— Je vous prie de m'excuser, monsieur le Juge. Pourriez-vous ordonner au témoin de répondre aux questions qu'on lui pose et pas à celles qu'on ne lui pose pas ?

— Vous pouvez considérer que le témoin en a reçu l'ordre. Poursuivez, maître Haller.

Je marquai une pause pour reprendre mes esprits et balayer tout le jury du regard. Je cherchais de la sympathie, mais n'en vis aucune. Même pas de la part de Furlong, qui ne croisa pas mon regard. Je me retournai vers Kurlen.

— Vous venez de mentionner le marteau. Le marteau de l'accusée. C'est bien un élément de preuve que vous n'aviez pas au moment de l'arrestation, n'est-ce pas ?

— C'est exact.

— N'est-il pas vrai que dès que vous avez procédé à cette arrestation et compris que les déclarations inconsistantes sur lesquelles vous vous fondiez n'étaient en fait pas inconsistantes, vous avez commencé à chercher des éléments de preuves qui étayent votre conception de l'affaire ?

— Ce n'est pas vrai du tout. Nous avions le témoin, mais nous avions une perception de l'affaire encore très ouverte. Nous ne portions pas d'œillères. J'aurais été très heureux de laisser tomber les charges retenues contre l'accusée. Mais l'enquête progressait et les preuves que nous commencions à accumuler et à évaluer n'allaient pas dans le sens de Lisa Trammel.

— Et il n'y avait pas que ça : vous aviez aussi le mobile, n'est-ce pas ?

— La victime était en train de saisir la maison de l'accusée. Côté mobile, cela me semblait assez convaincant.

— Sauf que vous ne connaissiez pas les détails de cette saisie, vous saviez seulement qu'il y en avait une en route, c'est ça ?

— C'est ça, et qu'il y avait aussi une injonction du tribunal contre elle.

— Vous voulez dire qu'à elle seule cette injonction du tribunal était un mobile suffisant pour tuer Mitchell Bondurant ?

— Non, ce n'est ni ce que j'ai dit ni ce que je voulais dire. Je dis seulement que cette injonction faisait partie du tableau général.

— Ce tableau général vous conduisant à une conclusion un rien hâtive, c'est bien ça, inspecteur ?

Freeman bondit sur ses pieds pour élever une objection que le juge accepta. Pas de problème. La réponse de Kurlen à ma question ne m'intéressait pas. La seule chose qui m'intéressait était de la planter dans la tête de chacun des jurés.

Je jetai un coup d'œil au mur du fond et m'aperçus qu'il était 15 h 30. J'informai le juge que j'allais passer à tout autre chose dans mes questions et qu'il était peut-être bon de faire la pause de l'après-midi. Il fut d'accord et libéra les jurés un quart d'heure.

Je venais de me rasseoir à la table de la défense lorsque ma cliente tendit la main et me serra le bras comme dans un étau.

— Ça marche du tonnerre ! me chuchota-t-elle.

— Nous verrons. Il y a encore beaucoup de chemin à faire.

Elle repoussa sa chaise pour se lever.

— Vous allez prendre un café ? me demanda-t-elle.

— Non, il faut que je passe un coup de fil. Allez-y. Et n'oubliez pas : on ne parle pas aux médias. On ne parle à personne.

— Je sais, Mickey. Trop parler peut couler un navire[1].

Elle quitta la table et je la regardai se diriger vers la sortie. Je ne vis Herb Dahl nulle part – lui qui l'accompagnait partout.

Je sortis mon téléphone et appelai Cisco. Il décrocha tout de suite.

— Je n'ai plus le temps, Cisco. Il me faut cette lettre.

— C'est bon.

— Qu'est-ce que tu veux dire ? C'est confirmé ?

— C'est parfaitement légal.

— T'as de la chance qu'on soit au téléphone.

— Pourquoi ça, patron ?

— Parce que je pourrais être obligé de te faire un gros bisou.

— Euh… ça ne sera pas nécessaire.

## 28

Je profitai des dernières minutes de la pause pour préparer la deuxième partie de mon interrogatoire en contre. La nouvelle que venait de m'annoncer Cisco allait expédier une onde de choc à tout le procès. La manière dont j'allais utiliser le renseignement lors de mes questions à Kurlen ne pouvait qu'avoir de grosses conséquences dans le reste de la procédure. Bientôt, tout le monde fut de retour dans la salle. Je pris place devant le lutrin – j'étais prêt à y aller. Il ne me restait plus qu'une chose à régler sur ma liste avant de passer à la lettre :

1. Mot d'ordre du ministère américain de l'Information pendant la Seconde Guerre mondiale.

— Inspecteur Kurlen, revenons à la photo de la scène de crime affichée à l'écran. Avez-vous déterminé à qui appartenait la mallette retrouvée ouverte à côté du corps de la victime ?

— Oui. Elle contenait des affaires appartenant à la victime, ses initiales y étaient gravées sur la serrure en cuivre.

— Et quelles ont été vos premières impressions en découvrant cette mallette ouverte à côté du corps ?

— Je n'en ai eu aucune. J'essaie de garder l'esprit ouvert à toutes les éventualités, surtout quand je débarque dans une affaire.

— Avez-vous pensé que cette mallette ouverte pouvait vouloir dire que le vol était un mobile du meurtre ?

— Oui, entre autres possibilités.

— Vous êtes-vous dit : « Nous avons donc un banquier mort avec une mallette ouverte à côté de lui. Je me demande ce que cherchait l'assassin... » ?

— Je ne pouvais pas ne pas y voir un scénario possible. Mais comme je vous l'ai dit, c'était...

— Merci, inspecteur.

Freeman éleva une objection en faisant remarquer que je n'avais pas laissé au témoin le temps de répondre complètement à ma question. Le juge en fut d'accord et laissa terminer Kurlen.

— Je disais seulement que l'hypothèse du vol n'était qu'une possibilité. Laisser une mallette ouverte aurait tout aussi bien pu être un geste destiné à laisser croire à un vol alors que ce n'en était pas un.

Je poussai plus avant sans perdre un instant.

— Avez-vous pu déterminer ce qui avait été pris dans cette mallette ?

— Pour autant qu'on le savait à ce moment-là et qu'on le sait maintenant, rien n'y a été pris. Mais il n'y a aucun inventaire de ce qui aurait dû s'y trouver. Nous avons demandé à la secrétaire de M. Bondurant de vérifier ses dossiers et ses travaux en cours pour voir s'il manquait quoi que ce soit du genre chemise ou autre, et elle n'a rien trouvé.

— Avez-vous donc une explication au fait que cette mallette ait été laissée ouverte ?

— Comme je vous l'ai dit, il aurait pu s'agir d'une fausse piste. Mais pour nous, il y avait de fortes chances que cette mallette se soit ouverte toute seule lorsque la victime l'a laissée tomber par terre au moment de l'agression.

Je lui servis mon regard incrédule.

— Et comment en êtes-vous donc venu à cette conclusion, monsieur ?

— Le mécanisme d'ouverture de cette mallette n'était pas en bon état. Le moindre mouvement un peu brusque pouvait le déclencher. Nous avons fait plusieurs expériences et avons découvert qu'en la laissant tomber d'une hauteur de un mètre ou plus sur une surface dure, la mallette s'ouvrait une fois sur trois.

Je hochai la tête et fis comme si j'évaluais ce renseignement pour la première fois alors que je l'avais lu dans un des rapports d'enquête compris dans les pièces échangées entre avocats.

— Vous nous dites donc qu'il y avait une chance sur trois pour que la mallette se soit ouverte toute seule lorsque M. Bondurant l'a laissée tomber.

— Exact.

— Et pour vous, il s'agissait d'une « forte » probabilité, c'est ça ?

— D'une éventualité solide, oui.

— Et bien sûr, il était encore plus probable que ce n'ait pas été de cette façon que cette mallette se soit ouverte, n'est-ce pas ?

— C'est une autre façon de voir les choses.

— Il y avait donc de plus fortes chances que ce soit quelqu'un qui l'ait ouverte, non ?

— Encore une fois, on peut aussi voir les choses de cette façon. Mais comme nous avions déterminé que rien ne manquait dans cette mallette, il n'y avait apparemment aucune raison pour que quelqu'un l'ait ouverte hormis pour créer une fausse piste. Notre hypothèse de travail était qu'elle s'était ouverte en tombant.

— Remarquez-vous dans cette photographie qu'aucun des documents n'est tombé de la mallette ?

— C'est exact.

— Avez-vous dans votre classeur l'inventaire des objets trouvés dans cette mallette et pourriez-vous nous le lire ?

Il prit son temps pour le trouver, puis il le lut aux jurés. La mallette contenait six dossiers, cinq stylos, un iPad, une calculatrice, un carnet d'adresses et deux blocs-notes vierges.

— Lorsque vous avez fait ces tests où vous l'avez laissée tomber par terre pour voir s'il était possible qu'elle s'ouvre, cette mallette contenait-elle les mêmes objets ?

— Elle contenait des objets similaires, oui.

— Et les fois où elle s'est ouverte, combien de fois les objets qu'elle contenait sont-ils restés à l'intérieur ?

— Pas toutes les fois, mais assez quand même. Conclusion : cela aurait pu très clairement se produire.

— Est-ce la conclusion scientifique à votre expérience scientifique, inspecteur ?

— Tout cela a été pratiqué au labo. Ce n'est pas « mon » expérience.

Avec un stylo et en y allant d'un moulinet du poignet qu'on ne pouvait pas ne pas remarquer, je cochai quelques cases dans mon bloc-notes. Puis je passai au plat de résistance de mon interrogatoire en contre.

— Inspecteur, lui lançai-je, vous nous avez dit tout à l'heure avoir reçu de la Westland National une liste de dangers potentiels, laquelle liste contenait certains renseignements sur l'accusée. Avez-vous enquêté sur l'une des autres personnes de cette liste ?

— Nous avons examiné cette liste à plusieurs reprises et effectué certains suivis limités. Mais au fur et à mesure que nous arrivaient les éléments de preuves incriminant l'accusée, nous avons de moins en moins ressenti le besoin de le faire.

— Vous n'alliez pas courir après des chimères alors que vous aviez votre suspect sous la main, c'est ça ?

— Je ne dirais pas ça comme ça. Nous menions une enquête exhaustive et sérieuse.

— Cette enquête sérieuse et exhaustive vous a-t-elle à quelque moment que ce soit conduits à explorer des pistes où Lisa Trammel n'était pas suspectée ?

— Bien sûr. C'est ce que veut le boulot.

— Avez-vous enquêté sur les travaux en cours de M. Bondurant et cherché dans des directions qui n'avaient rien à voir avec Lisa Trammel ?

— Absolument.

— Vous affirmez avoir enquêté sur cette menace proférée contre la victime dans cette affaire. Avez-vous enquêté sur des menaces qu'elle aurait pu, elle, proférer contre d'autres personnes ?

— Que la victime aurait pu proférer contre d'autres personnes ? répéta-t-il. Pas que je me souvienne.

Je demandai la permission de présenter au témoin la *Pièce à conviction de la défense n° 2*. Freeman éleva une objection, mais sans faire plus que semblant. Le problème de la plainte de Bondurant contre Louis Opparizio avait été réglé lors des accords avant procès. Perry avait décidé de l'accepter ne serait-ce que pour rééquilibrer les chances de chacun après qu'il avait accepté de faire figurer le marteau et les résultats de l'analyse ADN dans les pièces à conviction de l'accusation. Il rejeta l'objection de Freeman et m'autorisa à poursuivre.

— Inspecteur Kurlen, vous avez dans les mains une lettre recommandée envoyée par la victime, Mitchell Bondurant, à Louis Opparizio, le président d'ALOFT, une société de sous-traitance sous contrat de la Westland National. Pouvez-vous, s'il vous plaît, lire cette lettre aux jurés ?

Kurlen regarda un bon moment la feuille que je lui tendais avant de commencer à la lire.

> *Cher Louis,*
> *Tu trouveras ci-joint le courrier d'un avocat du nom de Mickey Haller, qui représente les intérêts de la propriétaire d'une maison en passe d'être saisie dans une affaire dont tu t'occupes pour la Westland. Cette propriétaire s'appelle Lisa Trammel, le numéro de son prêt étant le 0-4-0-9-7-1-9. L'hypothèque est aux noms des époux Jeffrey et Lisa Trammel. Dans son courrier, maître Haller avance que le dossier de sa cliente regorge d'actes frauduleux perpétrés dans cette affaire. Tu remarqueras qu'il en donne des exemples précis, tous étant le fait d'ALOFT. Comme tu le sais et comme nous en avons déjà parlé, il y a déjà eu d'autres plaintes. Ces nouvelles allégations contre ALOFT, si elles étaient avérées, mettraient la Westland dans une position de vulnérabilité,*

*surtout vu l'intérêt que le gouvernement porte depuis quelque temps à cet aspect de l'industrie du prêt. À moins que nous n'arrivions à un accord sur ce sujet, je vais devoir recommander au conseil d'administration de la Westland de rompre pour motif suffisant le contrat qu'elle a conclu avec votre société et mettre fin à toutes les affaires en cours. Cette procédure impliquerait également que la banque dépose un RAS auprès des autorités compétentes. Je te prie donc de me contacter le plus tôt qu'il te sera possible pour en discuter plus avant.*

Kurlen me tendit la lettre comme s'il en avait fini avec elle. J'ignorai son geste.

— Merci, inspecteur. Dans cette lettre, il est fait mention d'un dépôt de RAS. Savez-vous ce que c'est ?

— Un rapport d'activités suspectes. Toutes les banques sont tenues d'en déposer un auprès de la Federal Trade Commission[1] dès que de tels actes sont portés à leur attention.

— Avez-vous déjà vu la lettre que vous avez en main, inspecteur ?

— Oui.

— Quand ?

— Lorsque j'ai examiné les dossiers en cours de la victime. C'est à ce moment-là que je l'ai remarquée.

— Pouvez-vous me donner une date ?

— Pas vraiment. Je dirais environ quinze jours après le début de l'enquête.

— Soit quinze jours après l'arrestation de Lisa Trammel pour meurtre. Avez-vous enquêté plus à fond dès que vous avez pris connaissance de cette lettre, disons… en parlant à M. Louis Opparizio ?

— À un moment donné, je me suis effectivement renseigné et j'ai appris que M. Opparizio avait un solide alibi pour l'heure du meurtre. Je n'ai pas poussé plus loin.

— Et les gens qui travaillaient pour lui ? Avaient-ils tous des alibis ?

— Je ne sais pas.

— Vous ne savez pas ?

1. Créé en 1914, cet organisme indépendant du gouvernement s'occupe de faire respecter le droit des consommateurs.

— C'est exact. Je n'ai pas poussé plus loin parce que cela ressemblait à un conflit d'affaires et ne m'a pas paru constituer un mobile suffisant pour tuer. Je ne vois rien de menaçant dans cette lettre.

— Vous n'avez pas trouvé inhabituel qu'à notre époque de communication instantanée la victime ait choisi d'envoyer une lettre recommandée plutôt qu'un texto ou un fax ?

— Pas vraiment, non. Il y avait d'autres copies de lettres recommandées. Cela m'a paru une façon comme une autre de mener des affaires et d'en garder la trace.

J'acquiesçai. Pourquoi pas ?

— Savez-vous si M. Bondurant a jamais déposé un RAS à l'encontre de Louis Opparizio ou de sa société ?

— J'ai vérifié auprès de la Federal Trade Commission, et non, il ne l'a pas fait.

— Avez-vous vérifié auprès d'autres agences gouvernementales si Louis Opparizio ou sa société ont jamais fait l'objet d'une enquête ?

— Je l'ai fait du mieux que je pouvais. Et il n'y a rien.

— « Du mieux que vous pouviez »... Ce qui fait que pour vous, tout cela était une impasse, c'est ça ?

— Tout à fait.

— Vous avez vérifié auprès de la FTC, évalué un alibi et laissé tomber. Vous aviez déjà un suspect et monter un dossier contre elle était facile et tombait pile dans vos plans, c'est bien ça ?

— Résoudre un meurtre n'est jamais facile. Il faut être exhaustif. On ne peut pas laisser des pistes inexplorées.

— Et celle du Secret Service ? Vous l'avez laissée inexplorée ?

— Le « Secret Service » ? Je ne suis pas sûr de comprendre.

— Avez-vous travaillé avec le Secret Service au cours de cette enquête ?

— Non.

— Et avec le Bureau de l'US Attorney de Los Angeles ?

— Non plus. Et je ne peux pas parler au nom de mon associé ou d'autres collègues qui ont travaillé sur cette affaire.

La réponse était bonne, mais pas assez. Du coin de l'œil, je vis que Freeman s'était calée au bord de son siège et n'attendait que le moment d'élever une objection contre mon angle d'attaque.

— Inspecteur Kurlen, repris-je, savez-vous ce qu'est une lettre de mise en cause fédérale ?

Freeman bondit aussitôt sur ses pieds avant même que Kurlen ait le temps de répondre. Elle éleva son objection et demanda une consultation auprès du juge.

— Je pense que nous ferions mieux de réintégrer mon bureau, dit ce dernier. J'entends que les jurés et le personnel d'audience restent en place jusqu'à la fin de cette consultation. Maître Haller ? Maître Freeman ? Allons-y.

Je sortis un document et son enveloppe d'un de mes dossiers et suivis Freeman jusqu'à la porte conduisant au cabinet du juge. J'étais sûr de faire pencher la balance du côté de la défense – ou de terminer en prison pour outrage à la cour.

## 29

Le juge Perry n'était pas un juriste heureux. Il ne se donna même pas la peine de passer derrière son bureau et de s'y asseoir. Dès que nous entrâmes dans son cabinet, il se tourna vers moi et croisa les bras. Et me dévisagea d'un air dur en attendant que sa sténo s'assoie et installe sa machine. Alors seulement il parla :

— Bien, maître Haller, dit-il, maître Freeman a décidé d'élever une objection parce qu'à mon avis, c'est la première fois qu'elle entend parler du Secret Service, du Bureau de l'US Attorney, d'une lettre de mise en cause fédérale et de tout ce que cela pourrait ou ne pourrait pas avoir à voir avec cette affaire. Et moi aussi, j'objecte, parce que mentionner le gouvernement fédéral est une première et que je ne vais pas vous laisser aller à la pêche dans ces eaux-là devant les jurés. Cela dit, si vous avez quelque chose, j'en veux une preuve tout de suite, et je veux aussi savoir pourquoi maître Freeman en ignore tout.

— Merci, monsieur le Juge ! s'écria Freeman en mettant les mains sur les hanches d'un air indigné.

J'essayai de détendre un rien l'atmosphère en m'écartant un peu du groupe compact que nous formions et en me dirigeant vers la vue que nous avions des Santa Monica Mountains. J'en voyais les maisons en surplomb tout le long de la ligne de crête. On aurait dit des boîtes d'allumettes prêtes à dégringoler lors du prochain tremblement de terre. M'accrocher au bord, je savais ce que c'était.

— Monsieur le Juge, mon cabinet a reçu au courrier une enveloppe anonyme contenant la copie d'une lettre de mise en cause fédérale adressée à ALOFT et à Louis Opparizio. On m'y informait qu'au nom des banques pour lesquelles ils travaillaient, Louis Opparizio et sa société faisaient l'objet d'une enquête pour pratiques frauduleuses en matière de saisies.

Et de lui montrer l'enveloppe et le document.

— Cette lettre, je l'ai ici même, enchaînai-je. Elle est datée de quinze jours avant le meurtre, soit huit exactement après que Bondurant s'est plaint à Opparizio par écrit.

— Quand avez-vous reçu cette enveloppe prétendument anonyme ? me demanda Freeman d'une voix ruisselante de scepticisme.

— Elle a atterri hier dans ma boîte postale, mais n'a pas été ouverte avant hier soir. Si maître Freeman ne me croit pas, je suis prêt à lui envoyer la patronne de mon cabinet et elle pourra lui poser toutes les questions qu'elle voudra. C'est elle qui l'a trouvée.

— Laissez-moi voir ça, dit le juge.

Je lui tendis la lettre et l'enveloppe, Freeman s'approchant de lui pour la lire elle aussi. La lettre était courte et le juge me la rendit vite sans demander à Freeman si elle avait fini de la lire.

— Vous auriez dû parler de ça ce matin, dit Perry. Et vous auriez dû, au minimum, en fournir une copie à la partie adverse et l'informer que vous aviez l'intention d'en faire état.

— Monsieur le Juge, c'est bien ce que j'aurais fait, mais il s'agit manifestement d'une photocopie et c'est ça qui m'est arrivé au courrier. Et l'on m'a déjà coincé par le passé. Comme nous tous, c'est probable. J'avais donc besoin d'authentifier la pièce et de m'assurer qu'il n'y avait pas fraude avant d'en parler à qui que ce soit. Et cette confirmation, je l'ai eue il y a moins d'une heure, lors de la pause de l'après-midi.

— Source de la confirmation ? demanda Freeman avant le juge.

— Je ne connais pas les détails exacts. Mon enquêteur m'a simplement dit que le document a été authentifié par les Feds. Si vous voulez en savoir plus, je peux aussi faire venir mon enquêteur.

— Ce ne sera pas nécessaire parce que je suis sûr que maître Freeman voudra vérifier tout cela par elle-même. Cela dit, sortir ce nouvel élément en plein interrogatoire en contre était tout à fait déplacé, maître Haller. Vous auriez dû informer dès ce matin la cour que vous aviez reçu au courrier quelque chose que vous étiez en train d'authentifier et aviez l'intention de produire en audience. Vous avez pris l'État et la cour à revers.

— Je vous présente mes excuses, monsieur le Juge. Ma seule intention était de gérer l'affaire de manière appropriée. Il faut croire que ce n'était de ma part que conduite apprise, vu la manière dont l'accusation m'a jusqu'à présent, et au minimum deux fois, elle-même pris à revers à l'aide de preuves surprises et de questions portant sur la chronologie et la conservation des preuves.

Il me décocha un regard plein de dureté, mais je compris qu'il acceptait. Pour finir, je le trouvais équitable et savais qu'il agirait comme il convenait. Il savait que la lettre était authentique et vitale pour la défense. Et l'équité minimale exigeait que je puisse poursuivre dans cette voie. Freeman avait dû lire la même chose dans ses yeux car elle tenta de lui faire perdre le fil.

— Monsieur le Juge, dit-elle, il est 16 h 15. Je demande que l'audience soit suspendue pour la journée afin que l'accusation puisse digérer ce nouvel élément et se prépare comme il le faut pour la séance de demain matin.

— Je n'aime pas faire perdre du temps à la cour, lui renvoya Perry en hochant la tête.

— Moi non plus, monsieur le Juge, mais comme vous venez de le dire, il ne fait aucun doute que je viens d'être prise à revers à mon tour. La partie adverse aurait dû faire état de ce renseignement dès ce matin. Vous ne pouvez donc pas l'autoriser à poursuivre sans que l'accusation soit prête, qu'elle ait mené à bien son authentification de la pièce et analysé ainsi qu'il convient le contexte dans lequel cela s'inscrit. Je vous demande donc trois quarts d'heure, monsieur le Juge. L'accusation doit sûrement y avoir droit.

Le juge me regarda pour connaître mes arguments en contre.

— Cela m'est égal, monsieur le Juge. Qu'elle prenne tout le temps qu'elle veut ne changera rien au fait qu'Opparizio était bel et bien, et est encore, sous le coup d'une enquête fédérale pour ses façons de procéder avec la Westland, entre autres banques. Dans le cas présent, cela ferait de la victime un témoin potentiel contre lui... la lettre que nous venons de présenter est plus que claire sur ce point. La police et l'accusation ont loupé, et complètement, cet aspect de l'affaire et maintenant maître Freeman voudrait accuser le messager au lieu de reconnaître le peu de sérieux de son enquê...

— Bien, maître Haller, nous ne sommes pas devant les jurés, me lança Perry en me coupant la parole. Je comprends ce que vous voulez dire. Je vais ajourner la séance assez tôt, mais j'entends que demain matin nous commencions à 9 heures pile, que toutes les parties soient prêtes et qu'il n'y ait pas de nouveaux délais.

— Merci, monsieur le Juge, dit Freeman.

— Retournons en audience, conclut Perry.

Et c'est ce que nous fîmes.

***

Ma cliente s'accrochait à moi lorsque nous quittâmes le tribunal. Elle voulait savoir si j'avais d'autres détails sur l'enquête fédérale. Herb Dahl nous suivait comme une queue de cerf-volant. J'étais mal à l'aise de leur parler à tous les deux.

— Écoutez, Lisa, lui dis-je, je ne sais pas ce que ça signifie exactement. C'est une des raisons pour lesquelles le juge a ajourné tôt la séance d'aujourd'hui. Pour qu'aussi bien la défense que l'accusation puissent travailler la question. Vous allez devoir me lâcher un peu et laisser mon équipe s'en occuper.

— Mais ça pourrait tout changer, pas vrai, Mickey ?

— Comment ça ?

— Ça pourrait être le truc qui montre que ce n'est pas moi... ça pourrait en être la preuve !

Je m'arrêtai et la regardai. Elle scrutait mon visage pour y trouver le moindre signe de confirmation. Pour la première fois, quelque chose dans son désespoir me fit penser qu'elle était peut-être effectivement victime d'un coup monté.

Mais croire à l'innocence de mes clients ne me ressemble pas.

— Écoutez, Lisa, repris-je, j'espère que cela démontrera très clairement aux jurés qu'il y a une autre explication possible, et avec tout ce qu'il y faut, mobile et occasion. Mais vous devez vous calmer et admettre que cela pourrait aussi ne rien prouver du tout. Je m'attends à ce que, dès demain, l'accusation nous sorte un argument qui nous interdise de présenter la pièce au jury. Il faut que nous soyons prêts à parer le coup et à continuer sans. Ce qui fait que j'ai un tas de...

— Mais ils peuvent pas faire ça ! C'est un élément de preuve !

— Lisa, ils peuvent présenter tous les arguments qu'ils veulent et ce sera au juge de décider. Ce que nous avons pour nous, c'est qu'il nous doit quelque chose. Deux choses en fait... La première pour le coup du marteau et la deuxième pour l'ADN qui nous est tombé dessus sans prévenir. J'espère qu'il fera ce qu'il faut et que nous arriverons à faire accepter le document. C'est pour ça que vous devez me laisser partir tout de suite. Il faut que je retourne au cabinet et que je me mette au travail.

— Bon, je comprends, dit-elle en tendant la main pour lisser ma cravate et ajuster le col de ma veste de costume. Faites ce que vous avez à faire, mais vous m'appelez ce soir, d'accord ? Je veux savoir où on en est.

— Si j'ai le temps, Lisa. Je vous appelle si je ne suis pas trop fatigué.

Je regardai Dahl qui se tenait cinquante centimètres derrière elle. De fait, j'avais besoin de lui.

— Herb, lui lançai-je, prenez soin d'elle. Raccompagnez-la chez elle de façon à ce que je puisse me remettre au travail.

— Je m'en occupe. Pas de soucis.

Pas de soucis, ben voyons ! C'était toute l'affaire dont j'avais à me soucier et je ne pouvais pas ne pas m'inquiéter de voir ma cliente s'en aller avec le type avec lequel je venais l'expédier. Dahl était-il ce qu'il disait être ou ne faisait-il que protéger son investissement ? Je les regardai traverser la place pour gagner le parking. Puis je longeai la bibliothèque et pris vers le nord et mon cabinet. J'étais probablement plus excité que Lisa par les possibilités que m'offrait ce qui venait de me tomber du ciel. Simplement, je ne le montrais pas. Ne jamais abattre ses cartes avant que l'adversaire ne demande à voir.

Je flottais encore sur mon petit nuage d'adrénaline lorsque j'arrivai au cabinet. J'avais la forme pure et à fort degré d'octane qui vous vient lorsque, sans que vous vous y attendiez, le hasard tourne en votre faveur. Cisco et Bullocks m'attendaient. Tous les deux se mettant à parler aussitôt, je dus lever les mains pour les arrêter.

— Minute, minute ! leur lançai-je. Un seul à la fois et c'est moi qui commence. Perry a levé plus tôt la séance pour que l'accusation puisse se ruer sur la lettre de mise en cause. Il faut que nous soyons prêts à répondre à ce qu'elle aura de mieux à nous opposer demain matin parce que je veux que les jurés aient connaissance de ce document. Bon, Cisco, qu'est-ce que tu as pour moi ? Parle-moi de cette lettre.

L'élan qui me portait depuis la salle d'audience nous poussant dans mon cabinet, je m'installai à mon bureau. Le siège était encore chaud, quelqu'un avait dû s'y asseoir et travailler toute l'après-midi.

— Bien, dit Cisco. Nous avons authentifié la lettre. Le Bureau de l'US Attorney n'a pas voulu nous répondre, mais j'ai découvert que Charles Vasquez, l'agent du Secret Service qui y est mentionné, a bien été versé dans un détachement spécial qui collabore avec le FBI pour examiner tout ce qui se fait en matière de fraude à l'hypothèque dans le district de Californie du Sud. Tu te rappelles l'année dernière, quand toutes les grandes banques ont suspendu leurs procédures de saisies et que tout le monde au Congrès a dit qu'il allait y avoir des enquêtes ?

— Ça ! J'ai même cru que j'allais faire faillite ! Jusqu'au moment où les banques se sont remises à saisir.

— Oui, eh bien, une des enquêtes qui a effectivement été lancée l'a été ici même. Et c'est Lattimore qui a monté ce détachement spécial.

Reggie Lattimore, l'US Attorney assigné au district. Je l'avais rencontré bien des années auparavant, à l'époque où il était avocat commis d'office. Plus tard, il avait changé de côté, était devenu procureur fédéral et nous avions suivi des trajectoires différentes. J'essayais d'éviter les tribunaux fédéraux. Mais je le croisais de temps en temps dans des cafètes du centre-ville.

— Bien, dis-je, il ne voudra pas nous parler. Et Vasquez ?

— J'ai essayé aussi. Je l'ai eu au téléphone, mais dès qu'il a compris de quoi il s'agissait, il a cessé de parler. Je l'ai rappelé, mais là, il m'a tout simplement raccroché au nez. À mon avis, si on veut vraiment lui parler, il va falloir y aller au papier timbré.

Je savais d'expérience qu'essayer de citer à comparaître un agent fédéral pouvait tenir de la pêche à la ligne sans hameçon. Ils trouvent toujours le moyen d'éviter le papier timbré.

— Il se pourrait qu'on n'ait pas à le faire, dis-je à Cisco. Le juge a levé tôt la séance de façon à ce que l'accusation puisse enquêter sur la lettre. Je pense que Freeman va nous amener Lattimore ou Vasquez et l'interroger devant les jurés avant qu'on puisse le faire. Comme ça, elle pourra essayer de tourner le truc à son avantage.

— Sauf qu'elle ne voudra pas que ça lui pète au nez dans la phase défense, fit remarquer Aronson en experte du prétoire qu'elle n'était pas. Et la meilleure façon d'empêcher ça, c'est de faire elle-même passer Vasquez à la barre des témoins.

— Qu'est-ce qu'on sait sur ce détachement spécial ? demandai-je.

— Je n'ai personne à l'intérieur, répondit Cisco. Mais j'ai quelqu'un d'assez proche pour savoir ce qui s'y passe. Ce détachement spécial est manifestement très politique. L'idée était qu'il y avait tellement de fraudes que ce serait comme de pêcher à la dynamite. L'équipe pourrait avoir la une des journaux et donner l'impression de faire quelque chose contre ce merdier. Et Opparizio est la cible idéale : il est riche, arrogant et républicain. Où que ces types en soient avec lui, ils ne font que commencer et ne sont pas encore allés très loin.

— Aucune importance, lui renvoyai-je. Cette lettre de mise en cause est tout ce dont nous avons besoin. La lettre de Bondurant n'en aura l'air que plus légitimement menaçante.

— Vous croyez vraiment que c'est ce qui s'est passé ou est-ce que nous ne nous servons de cette coïncidence que pour détourner l'attention des jurés ? voulut savoir Aronson.

Elle était toujours debout alors que Cisco et moi nous étions assis. Cela avait quelque chose de symbolique. C'était comme si en ne s'asseyant pas avec nous pour échafauder nos plans, elle ne mettait pas son âme à vendre.

— Ça n'a pas d'importance, lui dis-je. Nous avons un boulot et c'est d'inscrire « non coupable » à notre tableau de chasse. La manière dont nous y arriverons…

Je n'eus même pas besoin de finir. Je vis sur son visage qu'elle avait toujours du mal à digérer les leçons qu'on n'enseignait pas en fac de droit. Je me tournai vers Cisco.

— Et donc, qui a fait fuiter cette lettre ?

— Ça, je ne sais pas, mais je ne pense pas que ce soit Vasquez. Il me l'a jouée trop surpris et à cran au téléphone. Je penche plutôt pour quelqu'un du Bureau de l'US Attorney.

J'acquiesçai.

— Peut-être Lattimore en personne. Si nous avions assez de chance pour coller Opparizio à la barre des témoins, ça pourrait aider les Feds à l'enfermer dans un témoignage sous serment.

Cisco en fut d'accord. C'était tout aussi possible qu'autre chose. Je passai à la suite.

— Cisco, repris-je, le texto que tu m'as envoyé au tribunal laissait entendre que tu avais quelque chose d'autre à me dire.

— Non, à te montrer. Il faudrait qu'on aille faire un tour dès qu'on aura fini ici.

— Pour aller où ?

— Je préférerais te montrer.

Rien qu'à voir la façon dont son visage s'était figé, je sentis qu'il n'était pas prêt à parler en présence de Bullocks. Qu'elle fasse partie de l'équipe et que j'aie confiance en elle l'indifférait. Je compris le message et me tournai vers elle.

— Bullocks, lui lançai-je, vous vouliez me dire quelque chose quand je suis entré.

— Euh, non, je voulais juste vous parler de mon témoignage. Mais nous avons encore quelques jours avant de devoir faire le point. Il vaut peut-être mieux nous en tenir à aujourd'hui.

— Vous êtes sûre ? J'ai un peu de temps...

— Non, partez donc avec Cisco. On pourra voir ça demain.

Je sentis que quelque chose l'agaçait. Je laissai filer et me levai de mon bureau. J'avais de la sympathie pour elle, mais pas trop. L'idéalisme met longtemps à mourir chez tout le monde.

## 30

Cisco étant venu au travail en moto, je pris la Lincoln. Il me dit d'emprunter Van Nuys Boulevard vers le nord.

— Ça concerne le mari de Lisa ? lui demandai-je. Tu l'as retrouvé ?

— Euh, non, c'est autre chose. C'est les deux mecs du garage, patron.

— Quoi ? Les deux types qui m'ont agressé ? Tu as établi le lien avec Opparizio ?

— Oui et non. Ça les concerne, mais ce n'est pas lié à Opparizio.

— Ben alors, qui est-ce qui me les a envoyés, hein ?

— Herb Dahl.

— Quoi ? ! Tu te fous de moi ?

— J'aimerais bien.

Je jetai un coup d'œil à mon enquêteur. Je lui faisais entièrement confiance, mais je ne voyais pas ce qu'il y aurait eu de logique à ce que Dahl m'envoie ces deux nervis. Nous nous étions disputés sur la question des contrôles artistique et financier du film, mais en quoi me péter les côtes et me tordre les couilles aurait-il pu l'aider sur ces questions ? Au moment de l'agression, je venais juste de découvrir qu'il avait fait affaire avec McReynolds. Et je m'étais fait agresser avant même de pouvoir protester.

— Cisco, ça serait bien que tu m'expliques.

— Je peux pas vraiment le faire pour l'instant. C'est pour ça que nous sommes en voiture.

— Alors parle-moi. Qu'est-ce qui se passe ? Je suis en plein procès, moi !

— Bon, tu m'as dit que tu ne faisais pas confiance à Dahl et tu m'as demandé de me renseigner sur le bonhomme. C'est ce que j'ai fait. Et j'ai demandé à deux ou trois de mes types de l'avoir à l'œil.

— Deux ou trois de tes types étant… les *Saints* ?

— Voilà.

Il y a longtemps de ça, bien avant d'épouser Lorna, Cisco traînait avec les *Road Saints*, un groupe de motards à mi-chemin entre les *Hells Angels* et les comiques des Shriners[1]. Il avait réussi à ne plus en être membre, à en sortir sans casier judiciaire, mais il entretenait toujours des liens avec eux. Et moi aussi, pendant longtemps, en leur servant d'avocat et en réglant leurs histoires de violations du code de la route, de bagarres et d'accrocs à la législation sur les drogues. C'est d'ailleurs ainsi que j'avais fait la connaissance de Cisco. Il s'occupait des questions de sécurité pour le groupe et j'avais commencé à recourir à ses services dans les affaires criminelles qui me tombaient dessus. Et on connaît la suite.

À plus d'une occasion au fil des ans, Cisco avait embauché les *Saints* pour mon compte. Je leur reconnaissais même le mérite d'avoir épargné bien des dangers à ma famille lors de l'affaire Louis Roulet[2]. Ça ne m'étonnait donc pas qu'il ait à nouveau fait appel à eux, sauf qu'il ne s'était pas donné la peine de m'en aviser.

— Pourquoi tu ne me l'as pas dit ? lui demandai-je.

— Je ne voulais pas te compliquer la vie. Tu avais assez de soucis avec le procès. Moi, je m'occupais des deux ordures qui t'avaient foutu en l'air.

1. Nom donné à une société maçonnique qui organise des spectacles de cirque, contribue aux Oscars et finance des hôpitaux. Ses membres défilent souvent dans des tenues de motards qui font sourire.

2. Cf. *La Défense Lincoln*, du même auteur.

Par « foutu en l'air », il entendait un peu plus que le côté purement physique de la chose. Il me tenait à l'écart parce qu'il savait qu'une raclée psychologique est parfois bien pire qu'une simple volée physique. Il voulait que rien ne me distraie de ma tâche et m'éviter ainsi d'avoir à toujours regarder par-dessus mon épaule.

— Bon, je comprends, dis-je.

Il plongea la main dans son gilet en cuir noir de motard et en sortit une photo pliée. Il me la passa, j'attendis d'arriver au feu de Roscoe Street pour la regarder. Je la dépliai et y vis Herb Dahl monter dans une voiture avec les deux agresseurs en gants noirs qui m'avaient si expertement jeté par terre dans le parking du Victory Building.

— Tu les reconnais ? me demanda Cisco.

— Oui, c'est bien eux ! lui répondis-je en sentant la moutarde me monter au nez. Putain de Dahl ! Je vais lui botter le cul, à cet enfoiré !

— Peut-être. Tourne à gauche, là. On va au complexe.

Je regardai par-dessus mon épaule et engageai la voiture dans la voie de sortie juste au moment où le feu changeait. Comme nous prenions vers l'ouest, je dus abaisser le pare-soleil pour ne pas être ébloui par le soleil couchant. Par « complexe », je savais qu'il désignait l'endroit où se réunissaient les *Saints*, pas très loin de la brasserie, de l'autre côté de la 405. Ça faisait un moment que je n'y avais pas mis les pieds.

— Quand la photo a-t-elle été prise ?

— Pendant que tu étais à l'hôpital. Ils ne...

— Et tu ne m'en parles que maintenant ?

— Calme-toi. Je ne vérifiais pas tous les jours auprès de mes gars, tu comprends ? En plus, ils ne savaient pas que tu t'étais fait botter les fesses. Bref, ils ont vu ces types avec Dahl, ils ont pris des photos et ne me les ont pas montrées parce qu'ils ont mis plus d'un mois à les faire imprimer. On a merdé, c'est vrai, mais ces gars-là ne sont pas des pros. Et ils sont fainéants. J'en prends la responsabilité. Ce qui fait que si t'as quelqu'un à engueuler, c'est moi. Je n'ai vu la photo qu'hier soir. Autre chose : les gars m'ont aussi dit qu'ils avaient vu Dahl filer une liasse de billets à ces deux trouducs.

Pour moi, tout ça est assez clair. C'est lui qui les a embauchés pour te dérouiller.

— Un vrai fils de pute.

À nouveau, j'éprouvai le sentiment d'impuissance qui m'avait envahi lorsqu'un de mes agresseurs m'avait bloqué les bras pour que l'autre puisse me cogner de ses poings gantés. Je sentis la sueur perler à mon front. Et, de sympathie, la douleur vibra dans mes côtes et mes testicules.

— Si jamais j'ai l'occasion de…

Je m'arrêtai et regardai Cisco en face de moi. Un léger sourire jouait sur son visage.

— C'est ça ? T'as ces deux mecs au complexe ?

Il ne répondit pas, mais continua de sourire.

— Cisco, je suis en plein milieu d'un procès et c'est maintenant que tu me dis que le type qui a des vues sur le pactole de ma cliente est celui qui m'a organisé ce… cette agression ? J'ai pas le temps pour ça, *man*. J'ai trop de…

— Ils veulent causer.

Cela mit vite fin à mes protestations.

— Tu les as interrogés ?

— Non. Je me disais que c'était toi qui devais y aller en premier.

Je gardai le silence pendant le reste du trajet et me demandai ce qui m'attendait. Bientôt, nous nous arrêtâmes devant le complexe, à l'est de la brasserie. Cisco descendit ouvrir le portail, la voiture étant aussitôt envahie par l'odeur nauséabonde de la bière.

Le complexe était entouré par un grillage surmonté de barbelés à lames de rasoir tout du long. Posée au milieu d'un terrain misérable, la bâtisse en béton avait l'air lamentable comparée aux machines étincelantes garées en rang devant elle. Triumph et Harley, rien d'autre. Pas de brûleurs de riz[1] pour ces messieurs.

Nous entrâmes dans le bâtiment et mîmes un moment à accommoder notre vision, puis je vis Cisco gagner un bar en self-service devant lequel deux autres types en gilet de cuir avaient pris place sur des tabourets.

1. Surnom péjoratif donné aux motos japonaises.

— On est prêt à y aller ? lança-t-il.

Les deux types dégringolèrent de leurs tabourets et se redressèrent. L'un comme l'autre, ils faisaient un bon mètre quatre-vingt-quinze et pesaient dans les cent trente kilos. Des types qui faisaient rendre gorge. Cisco me les présenta. Le premier s'appelait Tommy Guns et le second Bing Bing.

— Ils sont là-bas derrière, m'informa Tommy Guns.

Ils nous firent descendre un couloir derrière le bar. Ils étaient si énormes qu'ils durent marcher l'un derrière l'autre. Il y avait des portes des deux côtés du couloir. Bing Bing en ouvrit une au milieu à droite et nous entrâmes dans une pièce sans fenêtres, aux murs peints en noir et au plafond d'où pendait une seule et unique ampoule électrique. Dans la semi-obscurité, je vis des dessins sur les murs. Tous de barbus à cheveux longs. Je compris que nous nous trouvions dans une manière de chapelle sombre élevée à la mémoire des *Saints* tombés au champ d'honneur. Je regardai, ma première pensée allant à *Pulp Fiction.* Et ma deuxième : je n'avais pas envie d'être là. Pieds et poings liés, deux types étaient allongés par terre, bras et jambes remontés dans le dos. Et on leur avait passé à chacun un sac noir sur la tête.

Bing Bing se pencha vers eux et se mit en devoir de leur ôter leurs sacs. Aussitôt l'on grogna en chœur et poussa des cris effrayés.

— Une minute, lançai-je à Cisco. Je ne peux pas être ici. Tu es en train de m'amener dans un…

— C'est eux ? me renvoya-t-il sans attendre que j'aie fini de protester. Regarde bien. Faudrait surtout pas que tu te goures.

— Moi ? Mais c'est pas moi qui me goure ! Je ne t'ai pas demandé de faire ça !

— Calme-toi. T'es là, tu jettes un coup d'œil. Rien de plus. C'est eux ?

— Putain de Dieu !

Les deux hommes avaient la tête complètement enveloppée de ruban adhésif, leurs visages étant en plus déformés par les bleus et les boursouflures qui leur montaient autour des yeux. Ils avaient été battus. Leurs traits ne correspondaient pas au souvenir que j'avais de ce qui s'était passé dans le garage du Victory Building, voire à la photo que Cisco m'avait montrée un peu plus tôt. Je me penchai pour regarder de plus près. Les deux hommes levèrent la tête vers moi, les yeux pleins de terreur.

— Je sais pas, dis-je.

— C'est oui ou c'est non, Mick.

— Bien sûr, mais ils n'étaient pas morts de trouille quand ils m'ont dérouillé et ils étaient pas bâillonnés.

— Enlevez-leur l'adhésif, ordonna Cisco.

Bing Bing s'avança, ouvrit un cran d'arrêt et trancha grossièrement l'adhésif du premier homme. Puis il l'arracha, en lui emportant des bouts de poils de la nuque. Le prisonnier glapit de douleur.

— La ferme, connard ! hurla Tommy Guns.

Le deuxième prisonnier retint la leçon. Il supporta l'arrachage de l'adhésif sans proférer un son. Bing Bing jeta le bâillon de côté, puis se plaça derrière les deux hommes. Attrapa le nœud de la corde qui leur liait les bras et les jambes et renversa les deux types sur le côté de façon à ce que je puisse mieux voir leurs visages.

— Je vous en prie, ne nous tuez pas, dit un des deux types, la voix étranglée de désespoir. C'était pas personnel. On nous avait payés pour ce boulot. On aurait pu vous tuer, mais on l'a pas fait.

Brusquement, je reconnus en lui celui qui n'arrêtait pas de parler.

— C'est eux, dis-je en les montrant du doigt. Lui, c'est celui qui causait et l'autre, celui qui me tabassait. Qui c'est, ces types ?

Cisco hocha la tête comme si pareille confirmation n'était que pure formalité.

— C'est des frères, dit-il. Le causeur, c'est Joey Mack. Le cogneur, c'est hé... non mais hé ! Angel Mack !

— Écoutez, on savait même pas de quoi il s'agissait, hurla le Causeur. S'il vous plaît, on a fait une erreur. On...

— Ça, t'as raison : pour avoir fait une erreur, t'en as fait une ! cria Cisco, sa voix leur tombant dessus comme la colère de Dieu. Et maintenant, ben, vous payez. Qui c'est qui veut y aller le premier ?

Le Cogneur se mit à gémir. Cisco gagna une table de jeu, où s'étalaient des outils et des armes, en plus du rouleau d'adhésif. Il y choisit une clé à molette et des pinces et se retourna. Je me dis, et espérai, qu'il ne s'agissait que d'une comédie. Sauf que si c'en était une, il nous faisait un numéro digne d'un Oscar. Je lui posai ma main sur l'épaule et l'empêchai d'approcher des deux hommes. Je n'eus rien à dire – le message était clair : laisse-moi m'en occuper moi-même.

Je lui pris la clé à molette et m'accroupis tel l'attrapeur de baseball devant les deux captifs. Je soulevai quelques instants le lourd outil dans ma main et en sentis bien le poids avant de parler.

— Qui vous a embauchés pour me cogner ?

Le Causeur répondit aussitôt. Il se foutait pas mal de protéger quiconque, hormis lui-même et son frère.

— Un certain Dahl. Il nous a dit de vous cogner fort, mais pas de vous tuer. Vous pouvez pas faire ça, *man*.

— J'ai plutôt l'impression qu'on peut faire tout ce qu'on veut. D'où connaissez-vous Dahl ?

— On le connaît pas. Mais on avait un contact commun.

— Qui était... ?

Pas de réponse. Je n'eus pas à attendre longtemps avant que Bing Bing se montre à la hauteur de son surnom, se penche en avant et *bing bing*, leur colle, tel un piston, deux énormes coups de poing à la mâchoire. Le Causeur crachait du sang lorsqu'il me donna enfin le nom.

— Jerry Castille, dit-il.

— Et c'est qui ?

— Écoutez, ça, vous pouvez le dire à personne.

— Tu n'es pas en position de me dire ce que je peux ou ne peux pas faire, d'accord ? Qui est Jerry Castille ?

— Le représentant de la côte ouest.

J'attendis, mais ce fut tout.

— Bon, mec, lui dis-je, j'ai pas toute la nuit. C'est le représentant côte ouest de quoi ?

L'ensanglanté hocha la tête comme s'il savait qu'il n'y avait qu'une façon de procéder.

— D'un organisme de la côte est. Tu vois ?

Je regardai Cisco. Herb Dahl aurait eu des liens avec le crime organisé de la côte est ? Ça me semblait tiré par les cheveux.

— Non, c'est toi qui vois pas, dis-je. Je suis avocat et je veux une réponse claire. De quelle organisation parles-tu ? Tu as exactement cinq minutes avant...

— Il bosse pour Joey Giordano, le type de Brooklyn, OK ? Bon et maintenant que t'as scellé notre sort de toute façon, tu peux aller te faire enculer.

Il fit un bond en arrière et me cracha du sang à la figure. J'avais laissé ma veste de costume et ma cravate au bureau. Je baissai les yeux sur ma chemise blanche et vis une tache de sang que ma cravate ne pourrait pas couvrir.

— C'est une chemise à monogramme, espèce d'enflure !

Soudain, Tommy Guns se plaça entre nous et j'entendis l'impact brutal d'un poing sur un visage, mais n'en vis rien tellement Tommy était massif. Puis il recula d'un pas et je constatai que le Causeur s'était mis à cracher des dents.

— Une chemise à monogramme, mec, répéta Tommy Guns comme pour lui offrir l'explication de sa brutalité.

Je me relevai.

— Bon, on les relâche, lançai-je.

Cisco et les deux *Saints* se tournèrent vers moi.

— On les relâche, répétai-je.

— T'es sûr ? me demanda Cisco. Y a toutes les chances pour qu'ils aillent retrouver ce fumier de Castille et lui disent qu'on sait.

Je regardai les deux types par terre et hochai la tête.

— Non, ils ne le feront pas. Qu'ils leur disent qu'ils ont causé et ils finiront morts, c'est probable. Alors, relâchez-les et faisons comme si rien de tout ça ne s'était passé. Ils disparaîtront du paysage jusqu'à ce que leurs bleus soient partis. Et on n'en parlera plus.

Je me penchai pour être près des captifs.

— J'ai pas raison, dites ?

— Si, si, s'écria le Causeur, une bosse grosse comme une bille commençant à se former sur sa lèvre supérieure.

Je regardai son frère.

— J'ai raison ? répétai-je. Je veux vous l'entendre dire tous les deux.

— Raison, oui, oui, dit le Cogneur.

Je regardai Cisco. Nous en avions terminé. Il donna l'ordre.

— OK, Guns, écoute un peu. T'attends qu'il fasse nuit. Tu les laisses ici et t'attends qu'il fasse nuit. Et là, tu les ficelles et tu les emmènes où ils veulent. Tu les largues et tu les laisses tranquilles. Pigé ?

— Oui, c'est pigé.

Pauvre Tommy Guns. Il avait l'air vraiment déçu.

Je jetai un dernier regard aux deux ensanglantés par terre. Et eux me regardèrent. L'impression de tenir leur sort entre mes mains m'expédia comme un choc électrique dans tout le corps. Cisco me donna une tape dans le dos et je le suivis hors de la pièce en fermant la porte derrière moi. Nous reprenions le couloir lorsque je posai la main sur le bras de mon enquêteur et l'arrêtai.

— T'aurais pas dû faire ça, lui dis-je. T'aurais pas dû m'amener ici.

— Tu rigoles ? Il le fallait.

— Qu'est-ce que tu racontes ? Pourquoi ?

— Parce qu'ils t'ont fait quelque chose. En dedans. Tu y as perdu quelque chose, Mick, et si tu le récupères pas, tu vas pas te faire beaucoup de bien, ni à toi, ni aux autres.

Je le dévisageai longuement, puis acquiesçai.

— Je l'ai récupéré.

— Bien. Et maintenant, on n'aura plus jamais à en reparler. Tu peux me ramener au cabinet que je puisse reprendre ma moto ?

— Oui, je peux.

## 31

En roulant tout seul après avoir lâché Cisco au garage, je songeai à la loi et à celle de la rue et à ce qui les différencie. Je me dressais dans des prétoires et insistais pour que la loi soit appliquée de manière juste et appropriée. Il n'y avait rien eu de juste et d'approprié dans ce à quoi j'avais pris part dans la pièce noire.

Il n'empêche, cela ne me gênait pas. Cisco avait raison. Il fallait que je reprenne la haute main dans mon âme avant de pouvoir l'emporter au tribunal ou ailleurs. Je me sentis revivre derrière mon volant. J'ouvris toutes les fenêtres de la Lincoln et laissai l'air du soir passer dans la voiture tandis que je descendais Laurel Canyon pour rentrer chez moi.

Cette fois, Maggie s'était servie de sa clé. Chose à quoi je ne m'attendais pas mais, surprise bien agréable, elle était déjà dans la maison lorsque j'entrai. Elle avait ouvert la porte du frigo et se penchait pour regarder dedans.

— En fait, je ne suis venue que parce que tu avais l'habitude de faire des provisions juste avant de te lancer dans un procès. Ton frigo donnait l'impression de descendre l'allée des surgelés de chez Gelson. Mais là... qu'est-ce qui se passe ? Il n'y a rien là-dedans !

Je laissai tomber mes clés sur la table. Elle était passée chez elle après le travail et s'était changée. Elle portait un jean passé, une chemise paysanne et des sandales à gros talons en liège. Elle savait que j'aimais beaucoup cette tenue.

— Faut croire que j'ai pas eu le temps de m'en occuper cette fois-ci, lui répondis-je.

— Ben, c'est dommage que je ne l'aie pas su. J'aurais pu envisager d'aller passer ailleurs ma seule soirée de libre cette semaine parce que j'ai un baby-sitter, me renvoya-t-elle avec un sourire rusé.

Je n'arrivai toujours pas à comprendre pourquoi nous ne vivions plus ensemble.

— Et si on allait Chez Dan ?

— Dan Tana ? Je croyais que tu n'y allais que quand tu gagnais un procès ! Tu en es déjà à vendre la peau de l'ours ?

Je souris et hochai la tête.

— Non, non, il n'est pas question de ça. Mais si je n'y allais que lorsque je gagne, je n'y mangerais pratiquement jamais.

Elle me montra du doigt et sourit. C'était là un petit numéro auquel nous étions bien habitués. Elle referma le frigo, franchit la porte de la cuisine et passa devant moi sans même un baiser.

— Chez Dan Tana reste ouvert tard, dit-elle.

Je la regardai descendre le couloir vers la grande chambre. Elle se passa la chemise paysanne par-dessus la tête juste au moment où elle disparaissait dans la pièce.

Nous ne fîmes pas vraiment l'amour. Quelque chose de ce que j'avais vu et ressenti dans la pièce noire du complexe des *Saints* ne voulait pas me quitter. Agressivité résiduelle ou libération de la colère impuissante que j'avais éprouvée, va savoir. Quoi que ç'ait pu être, tous les gestes que j'avais eus pour elle en étaient marqués. Je tirai et poussai trop fort. Je lui mordis la lèvre et lui immobilisai les poignets au-dessus de la tête. Je la contrôlais et savais fort bien de quoi il s'agissait en le faisant. Au début, elle me suivit. C'était nouveau et ça devait l'intriguer. Mais la curiosité finissant par se transformer en inquiétude, elle détourna le visage et tenta de libérer ses mains. Je lui serrai les poignets encore plus fort. Pour finir, je vis des larmes se former dans ses yeux.

— Quoi ? lui murmurai-je à l'oreille, le nez dans ses cheveux.

— Termine, me renvoya-t-elle.

Tout ce que j'avais d'agressivité, d'élan et de désir partit à vau-l'eau après ça. Ses larmes et l'ordre qu'elle m'avait donné de « terminer » m'en rendirent incapable. Je me retirai et roulai sur mon côté du lit. Je me cachai les yeux derrière le bras, mais sentis qu'elle m'observait encore.

— Quoi ?

— Qu'est-ce que t'as ce soir ? me demanda-t-elle. Ç'a à voir avec Andrea ? Tu te venges de ce qui se passe au tribunal ou quoi ?

Je la sentis quitter le lit.

— Maggie, bien sûr que non ! m'écriai-je. Ça n'a rien à voir avec le tribunal.

— C'est quoi, alors ?

Mais la porte de la salle de bains se referma avant que je puisse répondre et la douche aussitôt enclenchée, notre échange s'arrêta net.

— Je te le dirai au dîner ! lui lançai-je alors même que je savais parfaitement qu'elle ne pouvait pas m'entendre.

***

Le restaurant était bondé, mais Christian se montra à la hauteur et nous trouva vite un box dans le coin gauche. Maggie et moi ne nous étions pas parlé pendant les quinze minutes qu'avait duré le trajet pour rejoindre West Hollywood. J'avais bien essayé de lui servir quelques papotages sur notre fille, mais elle s'était montrée si peu réceptive que j'avais laissé tomber. Je m'étais dit que je réessaierais au restaurant.

Nous commandâmes tous les deux le steak Helen, avec des pâtes en accompagnement. Alfredo pour elle, bolognaise pour moi. Maggie se choisit un rouge italien et je commandai une bouteille d'eau gazeuse. Dès que le garçon fut parti, je tendis la main et la lui posai sur le poignet, doucement cette fois.

— Je m'excuse, Maggie, lui dis-je. Recommençons du début.

Elle dégagea son bras.

— Tu me dois toujours une explication, Haller. Ce n'était pas de l'amour. Je ne sais pas ce que tu as. Tu ne devrais traiter personne de cette façon, et surtout pas moi.

— Maggie, je pense que tu exagères un peu. Pendant un moment, ça t'a même plu et tu le sais.

— Et après, tu as commencé à me faire mal.

— Je m'excuse. Je n'ai jamais voulu te faire mal.

— Et n'essaie pas de faire comme si c'était un truc sans importance. Si tu veux vraiment être avec moi, tu ferais bien de me dire ce qui t'arrive.

Je hochai la tête et regardai la salle pleine de monde. Un match des Lakers passait à la télé au-dessus du bar qui divisait la salle en deux. Les gens s'entassaient sur trois rangs derrière les clients qui avaient eu la chance de s'asseoir sur les tabourets. Le garçon nous apportant nos boissons, cela me donna encore un peu de temps. Mais dès qu'il quitta la table, Maggie me sauta dessus.

— Parle-moi, Michael, sinon j'emporte le steak chez moi. Je prendrai un taxi.

Je bus un grand verre d'eau et la regardai.

— Cela n'a rien à voir avec le tribunal, Andrea Freeman ou qui que ce soit d'autre que tu connais, d'accord ?

— Non, pas d'accord. Je t'écoute.

Je reposai mon verre et croisai les bras sur la table.

— Cisco a retrouvé les deux types qui m'ont agressé, lui dis-je.

— Où ça ? Qui c'est ?

— Ça n'a pas d'importance. Il n'a pas appelé les flics et ne les leur a pas livrés.

— Tu veux dire qu'il... qu'il les a juste laissés filer ?

Je ris et hochai la tête.

— Non, il les a gardés prisonniers. Lui et deux de ses potes des *Saints*. Ils me les ont gardés pour moi. À leur complexe. Pour que j'en fasse ce que je voulais. Tout ce que je voulais. Et Cisco m'a dit que j'en avais besoin.

Elle tendit le bras au-dessus de la nappe à carreaux et posa la main sur mon bras.

— Qu'est-ce que tu as fait, Haller ? me demanda-t-elle.

Je soutins son regard un instant.

— Rien. Je les ai interrogés et après, j'ai dit à Cisco de les laisser partir. Je sais qui les a embauchés.

— Qui est-ce ?

— Je ne veux pas entrer là-dedans. Ça n'a pas d'importance. Mais tu sais quoi, Maggie ? Quand j'étais à l'hôpital et que j'attendais de savoir s'ils allaient pouvoir me sauver ma couille tordue, je ne voyais qu'une chose dans ma tête et c'étaient des images de violence quand je les retrouverais. Des trucs de torture à la Jérôme Bosch. Des machins du Moyen Âge. Ce que j'avais envie de leur faire mal ! Et puis voilà que j'en ai l'occasion – et crois-moi, ces gars auraient tout simplement disparu après – mais je les laisse filer... et après, je suis avec toi et...

Elle se rassit dans le box. Regarda en l'air, la tristesse et la résignation se mêlant sur son visage.

— Sacrément con, non ?

— J'aurais préféré que tu ne me dises rien de tout ça.

— Quoi ? Au procureur que tu es ?

— Y a ça aussi.

— Sauf que tu n'arrêtais pas de demander. J'aurais peut-être dû inventer quelque chose comme quoi j'en voulais à mort à Andrea Freeman. T'aurais préféré, c'est ça ? Si ç'avait été une histoire de mecs et de bonnes femmes, t'aurais pu comprendre ?

Elle me regarda.

— Pas de condescendance, tu veux ?

— Je m'excuse.

Nous gardâmes le silence et observâmes ce qui se passait au bar. Des gens y buvaient, des gens y étaient heureux. En apparence du moins. Les garçons en smoking allaient et venaient en se faufilant entre les tables pleines de clients.

Lorsque nos plats arrivèrent, je n'avais plus vraiment faim alors que j'avais le meilleur steak de la ville dans mon assiette.

— Je peux te poser une dernière question sur tout ça ? me demanda Maggie.

Je haussai les épaules. Je ne voyais pas ce qu'on aurait pu y gagner à en parler encore, mais je me laissai fléchir.

— Vas-y, pose.

— Comment peux-tu être sûr que Cisco et ses potes aient laissé filer ces deux types ?

Je commençai à couper mon steak et du sang coula dans mon assiette. Il n'était pas assez cuit. Je levai la tête et regardai Maggie.

— Faut croire que je ne peux pas en être sûr, lui répondis-je.

Puis je retournai à mon assiette et là, du coin de l'œil, je vis Maggie faire signe à un garçon.

— Je vais emporter ça chez moi et essayer de prendre un taxi devant chez vous, lui dit-elle. Vous pourrez me l'apporter ?

— Bien sûr, madame. Tout de suite.

Il disparut avec l'assiette.

— Maggie...

— J'ai juste besoin d'un peu de temps pour réfléchir à tout ça, dit-elle en se glissant hors du box.

— Je peux te ramener.

— Non, ça ira.

Elle resta debout près de la table et ouvrit son sac.

— T'inquiète pas pour ça, lui dis-je. Je m'en occupe.

— Tu es sûr ?

— S'il n'y a pas de taxi devant, regarde au bout de la rue, au Palm. Il pourrait y en avoir à cet endroit.

— Merci.

Elle me quitta pour attendre son doggy bag dehors. Je repoussai un peu mon assiette et contemplai le verre de vin à moitié plein qu'elle avait laissé en partant. Cinq minutes plus tard, j'étais toujours à le regarder lorsqu'elle reparut soudain, son doggy bag à la main.

— Il a fallu qu'ils appellent un taxi, dit-elle. Il devrait arriver d'une minute à l'autre. (Elle prit son verre et but un peu de vin.) On parlera après le procès.

— D'accord.

Elle reposa son verre, se pencha et m'embrassa sur la joue. Puis elle partit. Je restai encore là un instant à penser à des trucs. Et me dis que ce dernier baiser m'avait peut-être bien sauvé la vie.

## 32

Cette fois, dès qu'il arriva dans son cabinet, le juge Perry s'assit. Mercredi matin, 9 h 05, j'y étais déjà en compagnie d'Andrea Freeman et de la greffière. Avant de rouvrir l'audience, le juge avait accédé à la demande de Freeman qui désirait une consultation de plus en privé. Perry attendit que nous nous installions et vérifia que la greffière avait bien les doigts sur sa machine.

— Bien, dit-il, à verser au dossier Californie contre Trammel. Maître Freeman, vous avez demandé la tenue d'une consultation *in camera*. J'espère que vous n'allez pas me dire que vous avez besoin de plus de temps pour étudier le problème de la lettre de mise en cause fédérale.

Freeman s'avança tout au bord de son siège.

— Pas du tout, monsieur le Juge. Il n'y a rien à étudier de ce côté-là. Tout a été entièrement authentifié, mais savoir tout ce qui se passe du côté des agences fédérales ne me réjouit pas. Pour moi, et d'après ce que je sais, il est clair que maître Haller va essayer de faire dérailler ce procès à l'aide de « problèmes » qui n'ont rien à voir avec ce qui est soumis à la réflexion des jurés.

Je m'éclaircis la gorge, mais le juge me précéda.

— Nous avons réglé le problème de la culpabilité des tiers avant le procès, maître Freeman. Je permettrai donc à la défense de poursuivre dans cette voie, mais seulement jusqu'à un certain point. Mais vous, maître Freeman, il faut que vous me donniez quelque chose, et tout de suite. Ce n'est pas parce que vous ne voulez pas que maître Haller pousse dans cette voie que la question de cette lettre de mise en cause fédérale devient sans objet.

— Je comprends, monsieur le Juge. Mais quel...

— Je vous demande pardon, dis-je, mais... c'est quand mon tour ? J'aimerais assez répondre à l'insinuation de maître Freeman selon laquelle je...

— Laissez finir maître Freeman et vous aurez tout le temps d'y aller, maître Haller, je vous le promets. Maître Freeman ?

— Merci, monsieur le Juge. Ce que j'essaie de vous dire, c'est qu'une lettre de mise en cause fédérale ne signifie, en gros, pratiquement rien. Elle indique seulement qu'une enquête est en instance. Il ne s'agit nullement d'une mise en accusation. Cela ne relève même pas de l'allégation. Cela ne signifie en rien que quelque chose a été découvert ou va l'être. C'est tout simplement l'outil qui permet aux fédéraux de dire : « Hé là, on a entendu dire des choses et on va aller vérifier. » Mais manipulé devant le jury par maître Haller, ça va devenir un signe avant-coureur de catastrophe et il se fera un plaisir de relier ça à quelqu'un qui n'est même pas incriminé dans ce procès. C'est Lisa Trammel que l'on juge ici, et toute cette histoire de lettres de mises en cause fédérales n'a rien à voir, même de très loin, avec les questions soulevées. Je vous demande donc d'interdire à maître Haller de poser d'autres questions à l'inspecteur Kurlen à ce sujet.

Le juge s'était reculé dans son fauteuil, les mains devant la poitrine, les doigts bien serrés les uns contre les autres. Il pivota pour me regarder. Enfin, j'avais le feu vert.

— Monsieur le Juge, si j'étais à votre place, je crois que je demanderais à maître Freeman, puisqu'elle nous dit avoir complètement authentifié le document et son origine, si, par hasard, un grand jury fédéral n'aurait pas été convoqué pour aller mettre son nez dans les fraudes à la saisie immobilière en Californie du Sud. Et après, je lui demanderais comment elle peut en conclure qu'une lettre de mise en cause fédérale « ne signifie, en gros, pratiquement rien ». Parce que moi, je ne pense pas que la cour ait une vision très précise de ce que signifie cette lettre et de l'impact qu'elle a dans cette affaire.

Le juge se retourna vers Freeman et libéra un de ses doigts pour le pointer dans sa direction.

— Que dites-vous de ça, maître Freeman ? Un grand jury a-t-il été convoqué ?

— Monsieur le Juge, vous me mettez dans une position bien embarrassante. Les grands jurys travaillent dans le secret...

— Maître Freeman, il n'y a que des amis ici, lui renvoya sèchement le juge. Un grand jury a-t-il été convoqué ?

Elle hésita, puis fit oui de la tête.

— Il y en a un, monsieur le Juge, mais il ne lui a été apporté aucun témoignage contre Louis Opparizio. Comme je vous l'ai dit, la lettre de mise en cause fédérale n'est rien de plus qu'un avis signalant qu'une enquête est en instance. Tout cela n'est que ouï-dire, monsieur le Juge, et il n'y a là aucune exception aux règles que nous nous sommes fixées qui serait recevable dans ce procès. Cette lettre a été certes signée par l'US Attorney de ce district, mais elle a été rédigée par un agent du Secret Service en charge de cette enquête. Cet agent attend en bas, dans mon cabinet. Si la cour le désire, je peux vous l'amener ici dans dix minutes et il vous dira très exactement ce que je viens de vous dire. Qu'il s'agit là d'un bel écran de fumée monté par maître Haller. Au moment où M. Bondurant est mort, il n'y avait aucune enquête en cours, ni aucun lien entre ces deux personnes. Il n'y avait que cette lettre.

Elle venait de commettre une erreur. En révélant que Vasquez, l'agent du Secret Service qui avait rédigé la lettre, se trouvait dans le bâtiment, elle mettait le juge dans une position délicate. Que cet agent se trouve à proximité et qu'il soit facilement joignable lui rendait nettement plus difficile d'évacuer tout de suite le problème. Je m'interposai avant qu'il puisse réagir.

— Monsieur le Juge Perry ? Maître Freeman nous disant avoir l'agent fédéral qui a rédigé cette lettre ici même dans ce bâtiment, je suggère qu'elle le fasse tout simplement comparaître à la barre des témoins de façon à ce qu'il puisse s'opposer à tout ce que je pourrais tirer de l'inspecteur Kurlen lors de mon interrogatoire en contre. Si maître Freeman est à ce point sûre que cet agent nous dira que la lettre qu'il a rédigée n'a en gros aucune importance, eh bien mais... qu'il le dise donc aux jurés ! Qu'il me coule entièrement ! Je rappellerai seulement à la cour que nous avons déjà trempé nos orteils dans ces eaux-là. C'est hier que j'ai interrogé Kurlen sur cette lettre. Reprendre les débats sans en reparler ou en vous forçant à dire aux jurés de laisser tomber ce signal d'alarme et de l'effacer de leur mémoire pourrait être bien plus dommageable à la cause que nous défendons tous que de tout dévoiler de ce problème.

Perry répondit sans la moindre hésitation.

— Je tends à penser que vous avez raison sur ce point, maître Haller. Je n'aime pas l'idée d'avoir laissé les jurés passer la nuit à se poser des questions sur cette mystérieuse lettre de mise en cause et de leur couper l'herbe sous le pied ce matin.

— Monsieur le Juge, l'interrompit aussitôt Freeman, puis-je être à nouveau entendue ?

— Non, je ne pense pas que ce soit nécessaire. Il faut arrêter de perdre du temps et reprendre l'audience.

— Mais, monsieur le Juge, il y a un autre problème urgent que la cour n'a même pas encore envisagé.

Le juge eut l'air frustré.

— Et ce serait, maître Freeman ? Ma patience a des limites.

— Permettre qu'on témoigne sur une lettre de mise en cause adressée au témoin clé de la défense a toutes les chances de compliquer la décision déjà prise par ce témoin de ne pas recourir au cinquième amendement durant son témoignage. Louis Opparizio et son représentant pourraient très bien revenir sur cette décision dès que cette lettre sera introduite et discutée publiquement dans les débats. Voilà pourquoi il se pourrait que maître Haller nous construise une stratégie de défense qui aura pour conséquence ultime de voir son témoin clé et disons... « homme de paille »... refuser de témoigner.

Je veux donc qu'il soit clairement noté que s'il décide de jouer à ce petit jeu, maître Haller devra en supporter les conséquences. Si la semaine prochaine, Louis Opparizio décide qu'il est de son intérêt de ne pas témoigner et de demander une autre audience concernant sa citation à comparaître, je ne veux pas que l'avocat de la défense se mette à pleurnicher et à demander qu'on reprenne tout à zéro. On ne revient pas en arrière, monsieur le Juge.

Le juge acquiesça.

— J'imagine que ça équivaudrait à ce que le type qui a tué ses parents demande à la cour d'avoir pitié de lui parce que maintenant il est orphelin. Je suis d'accord avec maître Freeman, maître Haller. Vous êtes ici avisé que si c'est ainsi que vous voulez jouer le coup, vous devrez en accepter les conséquences.

— Je comprends, monsieur le Juge, lui dis-je. Et je ferai en sorte que ma cliente en fasse autant. Je n'ai qu'un reproche à faire à l'accusation, c'est d'avoir traité Louis Opparizio d'« homme de paille ». Il n'a rien d'un homme de paille, et nous le prouverons.

— Eh bien… au moins aurez-vous la possibilité de le faire, dit le juge. Bon et maintenant, assez de temps perdu. Retournons au prétoire.

Je suivis Freeman hors de la pièce et laissai au juge le temps d'enfiler sa robe. Je m'attendais à ce que Freeman m'agresse verbalement, mais j'eus droit à tout le contraire.

— Bien joué, maître, me dit-elle.

— Merci ! Enfin…

— Qui vous a envoyé cette lettre, à votre avis ?

— J'aimerais bien le savoir.

— Les Feds vous ont contacté ? J'ai dans l'idée qu'ils vont vouloir savoir qui se permet de faire passer des documents sensibles et confidentiels au public.

— Pour l'instant, personne n'a moufté. Et si c'étaient eux qui l'avaient fait fuiter ? Si j'arrive à coller Opparizio à la barre des témoins, il sera coincé avec son témoignage. Dans cette histoire, je ne suis peut-être qu'un instrument du gouvernement fédéral. Ça vous serait déjà venu à l'esprit ?

L'idée parut la ralentir dans sa marche. Je la dépassai en souriant.

En entrant dans la salle d'audience, je vis Herb Dahl assis au premier rang du public, juste derrière la table de la défense. Je réprimai l'envie de le faire passer par-dessus la barrière et de lui écraser la figure sur le sol en pierre. Freeman et moi prîmes place à nos tables respectives et je murmurai à ma cliente ce qui s'était passé chez le juge. Qui entra et fit venir les jurés. La dernière pièce fut apportée au tableau lorsque l'inspecteur Kurlen revint à la barre des témoins. Je m'emparai de mes dossiers et de mon bloc-notes, puis retournai au lutrin. J'avais l'impression qu'il s'était passé une semaine depuis qu'on avait interrompu mon interrogatoire en contre. En fait, moins d'une journée s'était écoulée. Je fis comme si cela remontait à moins d'une minute.

— Bien, inspecteur Kurlen, lui lançai-je, lorsque nous nous sommes arrêtés hier, je venais juste de vous demander si vous saviez ce qu'est une lettre de mise en cause fédérale. Pouvez-vous répondre à cette question maintenant ?

— D'après ce que j'en comprends, lorsqu'une agence fédérale songe à rassembler des renseignements sur un individu ou une société, elle envoie parfois une lettre dans laquelle elle informe cet individu ou cette société qu'elle souhaite lui parler. C'est donc une espèce de lettre où il est dit : « Venez donc nous voir et parlons de ceci ou de cela afin qu'il n'y ait pas de malentendus entre nous. »

— Et c'est tout ?

— Je ne suis pas agent fédéral.

— Bon, mais pensez-vous que c'est sérieux quand on reçoit une lettre du gouvernement fédéral où l'on vous informe que vous faites l'objet d'une enquête ?

— Ça pourrait, je pense. Je dirais que ça dépend peut-être du crime sur lequel on enquête.

Je demandai au juge la permission de montrer un document au témoin. Freeman éleva une objection à verser aux minutes pour non-pertinence. Le juge passa outre sans faire de commentaire et m'autorisa à donner la pièce au témoin.

Je la lui tendis, puis je regagnai le lutrin et demandai au juge de l'enregistrer comme *Pièce à conviction de la défense n°3*. Je demandai enfin à Kurlen de la lire.

— « Cher M. Opparizio, Par cette lettre, vous êtes informé… »

— Attendez ! m'écriai-je en l'interrompant. Pourriez-vous commencer par nous lire et décrire ce que vous voyez en haut du document ? L'en-tête.

— Il y a écrit : *Bureau de l'Attorney des États-Unis, Los Angeles,* et il y a l'image d'un aigle d'un côté et le drapeau américain de l'autre. Je vous lis la partie lettre ?

— Oui, je vous en prie.

*Cher M. Opparizio,*
*Par cette lettre, vous êtes informé que la société A. Louis Opparizio Financial Technologies, connue sous le sigle ALOFT, et vous-même faites partie des cibles retenues par une commission spéciale interagences ayant pour mission d'enquêter sur tous les niveaux de fraudes à la saisie hypothécaire en cours en Californie du Sud. Recevoir cette lettre signifie qu'il vous est enjoint de ne faire disparaître ou détruire aucun document ou matériel ayant trait à votre affaire. Si vous désirez parler de cette enquête et coopérer avec les membres de cette commission, n'hésitez pas à nous appeler ou demandez à votre avocat de prendre contact avec moi ou avec Charles Vasquez du Secret Service qui s'est vu assigner la tâche d'enquêter sur ALOFT. Nous ferons tout ce qui sera en notre pouvoir pour vous rencontrer et parler de ce sujet. Si vous ne souhaitez pas coopérer avec nous, vous pouvez être sûr que des agents de notre commission vous contacteront bientôt. Je tiens encore une fois à vous rappeler de ne faire disparaître ou détruire aucun document ou produit de votre travail de vos bureaux et dépendances. Le faire après réception de cet avis serait commettre un crime grave à l'encontre des États-Unis d'Amérique.*
*Sincèrement à vous,*

*Reginald Lattimore, US Attorney, Los Angeles.*

« C'est tout, sauf qu'on y trouve aussi les numéros de téléphone de tout le monde au bas du document.

Un murmure parcourut le prétoire. J'étais sûr que la grande majorité de nos citoyens ignorait tout de ces lettres de mise en cause fédérales et autres choses de ce genre. De l'application de la loi en cette ère nouvelle ! J'étais tout aussi sûr que cette prétendue commission se résumait à quelques contributions de pure forme de la part d'agents recrutés à droite et à gauche et sans aucun budget. Au lieu de monter des enquêtes dispendieuses, on essayait de faire très peur aux gens pour qu'ils se présentent d'eux-mêmes et supplient qu'on ait pitié d'eux. Tout cela étant destiné à cueillir les fruits des branches basses de l'arbre, à récolter quelques belles manchettes dans les journaux... et à ne pas pousser plus loin. Des gens comme Opparizio avaient dû se servir de cette lettre recommandée comme de papier toilette. Mais ça ne me faisait ni chaud ni froid. Mon plan était de me servir de ce document pour continuer à garder ma cliente hors de prison.

— Merci, inspecteur Kurlen. Bien, et maintenant, pouvez-vous nous dire si cette lettre est datée ?

Il vérifia avant de répondre.

— Elle est datée du 18 janvier de cette année.

— Bien, inspecteur. Aviez-vous vu cette lettre avant la journée d'hier ?

— Non, pourquoi aurais-je dû la voir ? Cela n'a rien à voir avec...

— À effacer des minutes pour refus de répondre, m'empressai-je de déclarer. Monsieur le Juge, la question était simplement de savoir s'il avait déjà vu cette lettre.

Le juge ordonna à Kurlen de ne répondre qu'à la question qu'on lui posait.

— Non, dit-il, je n'avais pas lu cette lettre avant la journée d'hier.

— Merci, inspecteur. Et maintenant, revenons à l'autre lettre que je vous ai demandé de lire hier. Celle envoyée par la victime, Mitchell Bondurant, à ce même Louis Opparizio qui fait l'objet de cette mise en cause fédérale. L'avez-vous dans votre classeur ?

— Si vous voulez bien me donner un instant...

— Je vous en prie.

Il trouva la lettre dans le classeur, l'en sortit et la tint en l'air.

— Bien. Pouvez-vous nous en dire la date, s'il vous plaît ?

— Le 10 janvier de cette année.

— Et cette lettre a bien été envoyée en recommandé à M. Opparizio ?

— Elle lui a bien été envoyée en recommandé. Je ne peux pas vous dire s'il l'a reçue ou s'il l'a jamais lue. L'accusé de réception porte la signature de quelqu'un d'autre.

— Quel que soit l'individu qui a signé, il est certain qu'elle a été envoyée le 10 janvier, n'est-ce pas ?

— Je le pense.

— Et la deuxième lettre dont nous avons parlé ici même, la lettre de mise en cause rédigée par l'agent du Secret Service, a bien elle aussi été envoyée en recommandé, n'est-ce pas ?

— C'est exact.

— La date du 18 janvier est donc bien celle qui certifie le jour de l'envoi.

— Effectivement.

— Alors, voyons un peu si j'ai bien tout compris. M. Bondurant envoie à Louis Opparizio une lettre recommandée dans laquelle il le menace de révéler les pratiques frauduleuses en vigueur dans sa société et, huit jours plus tard, une commission d'enquête fédérale envoie à ce même M. Opparizio une autre lettre recommandée, celle-là pour l'informer qu'il fait l'objet d'une enquête pour fraude à la saisie hypothécaire. La chronologie est-elle bonne, inspecteur Kurlen ?

— Pour autant que je sache, oui.

— Et moins de quinze jours après, M. Bondurant est sauvagement assassiné dans le garage de la Westland, c'est bien ça ?

— C'est exact.

Je marquai une pause et me frottai le menton tel le grand penseur. Je voulais attirer l'attention des jurés sur ce point. Je voulais voir leurs visages, mais je savais que cela révélerait ma tactique. Voilà pourquoi je leur faisais le coup du grand penseur.

— Inspecteur, vous nous avez parlé de votre grande expérience d'inspecteur des Homicides, n'est-ce pas ?

— J'en ai une grande expérience, oui.

— Hypothétiquement parlant, auriez-vous aimé savoir à ce moment-là ce que vous savez maintenant ?

Kurlen cligna des paupières comme s'il était perdu, alors même qu'il savait parfaitement ce que j'étais en train de faire et où cela conduisait.

— Je ne suis pas sûr de bien comprendre, dit-il.

— Disons ça autrement : aurait-il été bon que vous ayez ces lettres en votre possession le premier jour de votre enquête pour homicide ?

— Bien sûr. Pourquoi ne m'aurait-ce pas profité ? Qu'on me donne toutes les preuves et tous les renseignements tout de suite, et je prends !

— Toujours hypothétiquement parlant… Si vous aviez su que votre victime, Mitchell Bondurant, avait envoyé une lettre dans laquelle il menaçait de dévoiler les activités criminelles de quelqu'un huit jours à peine avant que ce quelqu'un apprenne qu'il était la cible d'une enquête criminelle, cela ne vous aurait-il pas ouvert une piste d'importance ?

— Difficile à dire, me renvoya-t-il.

Je me tournai vers les jurés. Kurlen louvoyait et refusait de reconnaître ce que le sens commun l'obligeait à admettre. Il n'y avait pas besoin d'être inspecteur de police pour comprendre ce que je disais.

— « Difficile à dire » ? répétai-je. Seriez-vous en train de suggérer que si vous aviez eu ces informations et ces lettres le jour du meurtre, il vous aurait été difficile d'affirmer qu'elles constituaient une piste sérieuse ?

— Non, ce que je dis, c'est que nous n'avons pas tous les détails et qu'il est donc difficile d'estimer à quel point ceci ou cela était important. Mais de manière plus générale, sachez que toutes les pistes sont suivies. C'est aussi simple que ça.

— Aussi simple que ça, à ceci près que cette piste-là, vous ne l'avez jamais suivie, je me trompe ?

— Je n'avais pas cette lettre. Comment aurais-je pu suivre la piste qu'elle m'ouvrait ?

— Mais la lettre de la victime, vous l'aviez, et vous n'en avez rien fait, n'est-ce pas ?

— Ce n'est pas vrai du tout. J'ai vérifié et conclu qu'elle n'avait rien à voir avec cet assassinat.

— Mais n'est-il pas vrai qu'à ce moment-là, vous aviez déjà votre assassin supposé et aucune envie que quoi que ce soit vienne bouleverser ce que vous pensiez ou vous fasse dévier de votre route ?

— Non, ce n'est pas vrai. Ce n'est pas vrai du tout.

Je le dévisageai longuement en espérant qu'on voie bien le dégoût sur mon visage.

— Je n'ai plus d'autres questions à poser pour l'instant, dis-je enfin.

# 33

Freeman garda Kurlen encore un quart d'heure à la barre et fit de son mieux pour transformer son compte rendu d'enquête en un vibrant effort dans la lutte contre le crime. Quand elle eut fini, je ne me donnai pas la peine de le remettre sur la sellette parce que j'étais convaincu d'avoir pris de l'avance. J'avais tout fait pour que son enquête ait l'air d'avoir été menée par un type avec des œillères. Et je pensais avoir réussi.

Freeman, elle, semblait penser que s'attaquer à la question de la lettre de mise en cause fédérale était d'une grande urgence. Son témoin suivant fut l'agent du Secret Service, Charles Vasquez. Elle ne le connaissait même pas vingt-quatre heures plus tôt, mais il se trouvait maintenant inséré dans le défilé de témoins et de pièces à conviction qu'elle avait savamment orchestré. J'aurais pu m'élever contre son témoignage en faisant valoir que je n'avais pas eu le temps d'interroger Vasquez ou de me préparer à sa venue, mais je me disais que ç'aurait été pousser le juge Perry à bout. Je décidai donc de voir un peu ce que l'agent avait à dire avant de m'y résoudre.

Âgé d'une quarantaine d'années, Vasquez avait le teint mat et les cheveux à l'avenant. Il commença par dire qu'il avait travaillé pour la DEA[1] avant de passer au Secret Service. Il avait ainsi poursuivi des trafiquants de drogue, puis traqué des faux-monnayeurs avant de se joindre au détachement spécial chargé d'enquêter sur les fraudes à la saisie immobilière. Il précisa ensuite que ce détachement spécial était placé sous la direction d'un superviseur et comptait dix agents du Secret Service, du FBI, de la Poste et des Impôts. Un attorney adjoint fédéral contrôlait leur travail, mais organisés en tandems, ses

1. *Drug Enforcement Administration*, service fédéral américain chargé de la répression du trafic de drogue.

agents travaillaient en gros de manière autonome et avaient toute latitude pour poursuivre qui ils voulaient.

— Agent Vasquez, le 18 janvier de cette année, vous avez rédigé ce qu'on appelle « une lettre de mise en cause fédérale » adressée à un certain Louis Opparizio, cette lettre portant la signature de l'US Attorney Reginald Lattimore. Vous en souvenez-vous ?

— Oui.

— Avant que nous entrions dans le vif du sujet, pourriez-vous dire aux jurés ce qu'est une lettre de mise en cause fédérale ?

— C'est un outil dont nous nous servons pour enfumer suspects et contrevenants.

— Comment ça ?

— Fondamentalement, nous les informons que nous examinons leurs affaires, leurs pratiques et les mesures qu'ils ont prises. La lettre de mise en cause fédérale invite toujours celui qui la reçoit à venir discuter de la situation avec nos agents. Et dans une grande majorité de cas, c'est exactement ce que font les destinataires de ces courriers. Parfois cela se termine par un procès et parfois, cela fait démarrer d'autres enquêtes. Cet outil est devenu très utile dans la mesure où une enquête coûte très cher. Et nous n'avons pas de budget. Quand une de nos lettres a pour résultat une inculpation, la coopération du suspect ou l'ouverture d'une piste intéressante, c'est tout bon pour nous.

— Pour en revenir à Louis Opparizio… qu'est-ce qui vous a poussé à lui envoyer une lettre de mise en cause ?

— Eh bien, mon collègue et moi connaissions très bien son nom, il revenait souvent dans d'autres affaires sur lesquelles nous travaillions. Pas forcément en mal, simplement parce que sa société est ce que nous appelons une « usine à saisies ». Elle gère toute la paperasse et toutes les demandes de saisies pour de nombreuses banques opérant en Californie du Sud. Cela représente des milliers d'affaires. Nous n'arrêtions donc pas de tomber sur cette société… ALOFT… et parfois, on se plaignait des méthodes auxquelles elle recourait. Mon collègue et moi avons alors décidé d'aller y voir de plus près. Nous avons donc envoyé cette lettre pour voir quel genre de réaction elle susciterait.

— Cela veut-il dire que vous cherchiez au hasard ?

— Non, nous n'allions pas à la pêche. Comme je l'ai dit, il y avait beaucoup de fumée qui montait de cet endroit. Nous cherchions l'incendie et il arrive que la réaction que suscite ce genre de lettre nous dicte la marche à suivre.

— Au moment où vous avez rédigé et envoyé cette lettre, aviez-vous rassemblé des preuves montrant que Louis Opparizio ou sa société se livraient à des activités criminelles ?

— À ce moment-là, non.

— Que s'est-il passé après l'envoi de cette lettre ?

— Rien, pour l'instant.

— Louis Opparizio y a-t-il répondu ?

— Nous avons reçu la réponse d'un avocat nous disant que M. Opparizio nous remerciait de notre invitation qui lui donnait l'occasion de montrer qu'il menait son affaire de manière irréprochable.

— L'avez-vous pris au mot et enquêté plus avant sur lui ou sa société ?

— Non, nous n'en avons pas encore eu le temps. Nous avons plusieurs autres enquêtes en cours qui nous semblent plus prometteuses.

Freeman vérifia ses notes avant d'en terminer.

— Pour finir, agent Vasquez, dit-elle, Louis Opparizio ou ALOFT font-ils actuellement l'objet d'une enquête de la part de votre détachement spécial ?

— Techniquement non. Mais nous avons l'intention de ne pas en rester là.

— Votre réponse est donc non ?

— Exact.

— Merci, agent Vasquez.

Freeman se rassit. Elle était radieuse et manifestement très satisfaite des réponses qu'elle avait obtenues. Je me levai et remportai mon bloc-notes grand format jusqu'au lutrin. J'y avais noté quelques questions au cours de cet interrogatoire.

— Agent Vasquez, êtes-vous en train de dire aux jurés que tout individu dont la réaction à votre lettre n'est pas d'immédiatement venir vous voir et avouer doit être considéré comme innocent de tout méfait ?

— Pas du tout.

— Parce que Louis Opparizio a réagi de cette manière, considérez-vous qu'il est maintenant à l'abri de toute poursuite ?

— Absolument pas.

— Avez-vous pour habitude d'envoyer des lettres de mise en cause fédérales à des individus que vous considérez innocents de toute activité criminelle ?

— Bien sûr que non.

— Alors, où est le seuil, agent Vasquez ? Que faut-il pour qu'un individu reçoive cette lettre ?

— En gros, si vous apparaissez sur mon radar de manière suspecte, je me livre à quelques vérifications préliminaires qui peuvent conduire à l'envoi de cette lettre. Nous n'envoyons pas ces lettres au hasard. Nous savons très bien ce que nous faisons.

— Avez-vous, vous, votre collègue ou quelqu'un de ce détachement spécial, parlé avec Mitchell Bondurant des pratiques d'ALOFT ?

— Non. Personne ne l'a fait.

— Aurait-il été quelqu'un à qui vous auriez parlé ?

Freeman éleva une objection en faisant valoir que la question était vague. Le juge retint l'objection. Je décidai de laisser la question flotter sans réponse devant les jurés.

— Merci, agent Vasquez.

Après Vasquez, Freeman reprit son déroulé de l'affaire et appela à la barre le jardinier qui avait trouvé le marteau dans les buissons de la maison, à un bon pâté d'immeubles de la scène de crime. Son témoignage fut bref et sans surprises, ce qui, en soi, était sans grande importance. Jusqu'au moment où il serait relié aux témoignages de l'équipe de médecine légale de l'État. Je marquai un petit point en faisant reconnaître au jardinier qu'il avait travaillé au moins dix ou douze autres fois autour de ces buissons avant d'y trouver le marteau. Ce n'était qu'une petite graine plantée dans la tête des jurés, l'idée étant que le marteau pouvait avoir été déposé sciemment dans ces buissons longtemps après le meurtre.

Après le jardinier, l'accusation m'asséna quelques petits coups rapides à l'aide des témoignages du propriétaire de la maison et des flics qui avaient assuré la garde du marteau jusqu'à ce qu'il soit livré au labo. Je ne me donnai même pas la peine de les interroger en contre. Je n'allais pas contester la qualité de cette garde ou le fait que ce marteau était bien l'arme du crime. Mon plan était de dire que, non seulement c'était l'outil qui avait servi à tuer Mitchell Bondurant, mais qu'en plus, il appartenait effectivement à Lisa Trammel.

La manœuvre serait inattendue, mais la seule qui s'accorde à la théorie de la défense selon laquelle on avait affaire à un coup monté. La piste d'un Jeff Trammel qui affirmait que le marteau aurait pu se trouver à l'arrière de la BM qu'il avait abandonnée en filant à Mexico n'avait rien donné. Cisco avait réussi à retrouver la voiture, toujours utilisée chez le concessionnaire où Jeff Trammel avait travaillé, mais il n'y avait pas de marteau dans le coffre et le type en charge de la flotte des voitures avait affirmé qu'il n'y en avait jamais eu. J'avais rejeté la théorie de Jeff et n'y avais vu qu'une tentative de se faire payer un renseignement qui aurait pu aider l'épouse qu'il avait laissé tomber.

La séquence « arme du meurtre » nous amena au déjeuner, le juge, comme cela commençait à devenir son habitude, levant la séance avec un quart d'heure d'avance. Je me tournai vers ma cliente et l'invitai à déjeuner avec moi.

— Et Herb ? me demanda-t-elle. Je lui avais promis de déjeuner avec lui.

— Il peut venir lui aussi.

— Vraiment ?

— Bien sûr. Pourquoi ne le pourrait-il pas ?

— Parce que je croyais que vous ne... bon, peu importe, je vais le prévenir.

— Bien. On prendra ma voiture.

Je demandai à Rojas de venir nous chercher et nous descendîmes Van Nuys Boulevard jusqu'au Hamlet, près de Ventura Boulevard. L'établissement était là depuis des décennies et s'il était monté en grade depuis l'époque où il ne s'appelait encore que le « Hamburger Hamlet », la nourriture y était toujours la même. Le juge nous ayant lâchés tôt, nous évitâmes la queue de midi et nous vîmes aussitôt attribuer un box.

— J'adore cet endroit, lança Dahl. Mais ça fait des éternités que je n'y suis pas venu.

Je m'assis en face de lui et de ma cliente. Je ne réagis pas à son enthousiasme pour le restaurant. J'étais bien trop occupé à chercher la façon dont j'allais jouer mon coup.

Nous commandâmes rapidement parce que même en commençant tôt, nous n'avions que peu de temps. La conversation se concentra sur l'affaire et sur la façon dont Lisa voyait les choses. Pour l'instant, elle était satisfaite.

— Vous arrachez toujours à vos témoins quelque chose qui m'aide, dit-elle. C'est vraiment remarquable.

— Peut-être, mais la vraie question est la suivante : cela suffit-il ? lui renvoyai-je. Et ce qu'il ne faut pas oublier, c'est que la montagne devient de plus en plus haute à gravir avec chaque nouveau témoin. Vous connaissez le morceau de musique intitulé *Boléro* ? C'est de la musique classique. Je crois que le compositeur est Maurice Ravel.

Elle me regarda d'un œil vide.

— Bo Derek dans *Ten* ! s'écria Dahl. J'adore !

— Voilà. Bref, l'essentiel, c'est que c'est un morceau qui dure, disons... pas loin de quinze minutes, et qu'il commence lentement avec à peine quelques instruments et que, petit à petit, il prend de l'élan et monte de plus en plus en un crescendo qui se termine en apothéose avec tous les instruments de l'orchestre qui entrent dans la danse. Et, dans le même temps, les émotions des auditeurs n'arrêtent pas de monter elles aussi et se rejoignent au même instant. Et c'est exactement ce que l'accusation est en train de faire en ce moment. Elle est en train de faire monter et le volume et l'élan. Nous n'avons pas encore eu droit à ce qu'elle a de meilleur parce qu'elle va tout réunir juste à la fin avec les percussions, les cordes et les vents. Est-ce que vous comprenez, Lisa ?

Elle acquiesça à contrecœur.

— Je n'essaie pas de vous foutre par terre. Vous êtes tout excitée, pleine d'espoir et sûre de votre bon droit, et je veux que vous le restiez. Parce que ça, les jurés le sentent, et ça m'aide tout autant que ce que je fais d'autre dans ce prétoire. Mais n'oubliez surtout pas que la montagne devient de plus en plus haute. L'accusation doit encore faire venir la Scientifique et les jurés adorent ça parce que ça leur donne la possibilité de fuir, de remettre la décision à d'autres. Les gens disent souvent avoir envie de faire partie d'un jury. On est libéré de son travail, on est au premier rang d'une affaire intéressante et c'est à un drame grandeur nature qu'on assiste plutôt qu'à un truc à la télé. Sauf que pour finir, le juré est bien obligé de retourner dans cette salle et de regarder tous les autres pour décider. Et ce sur quoi il doit statuer, c'est la vie de quelqu'un. Croyez-moi, ils ne sont pas très nombreux, les gens qui ont envie de faire ça. C'est là que l'appel à la science rend les choses plus faciles. « Oui, mais bon, si l'ADN correspond, c'est sûrement ça : coupable de tous les chefs d'accusation. » Vous voyez ? C'est à ça que nous avons encore à faire face, Lisa, et je ne veux pas qu'on se berce de la moindre illusion.

Dahl posa galamment la main sur le bras qu'elle avait posé sur la table et le lui serra un rien en signe de réconfort.

— Bon alors, qu'est-ce qu'on va faire de leur ADN ? me demanda Trammel.

— Rien, lui répondis-je. Je ne peux rien y faire. Je vous ai dit avant le procès que j'avais demandé à notre équipe de l'analyser et qu'on était arrivés au même résultat. Tout est réglo.

Elle avait baissé les yeux en signe de défaite et j'y vis des larmes commencer à se former – ce qui était exactement ce que je voulais. Ce fut le moment que choisit la serveuse pour nous apporter nos plats. J'attendis que nous soyons à nouveau seuls pour enchaîner.

— Courage, Lisa. L'ADN, c'est de la poudre aux yeux, rien d'autre.

Elle releva la tête et me regarda d'un air perdu.

— Mais… vous venez de dire que c'était réglo ?

— Ça l'est. Mais cela ne veut pas dire qu'il n'y a pas d'explications. L'ADN, je m'en charge. Comme vous l'avez dit quand nous nous sommes assis, mon boulot est de faire tomber une pincée de doute sur les pièces de leur puzzle. Ce que nous espérons, c'est que, lorsque toutes seront en place et qu'ils montreront le tableau fini aux jurés, chaque petite graine de doute semée aura suffisamment grandi pour modifier le tableau. Si nous y arrivons, nous pourrons partir au soleil.

— Quoi ? Qu'est-ce que ça veut dire ?

— Que nous rentrerons à la maison. Et qu'après, nous pourrons aller bronzer à la plage.

Je lui souris et elle me renvoya mon sourire. Ses larmes lui avaient barbouillé tout le maquillage sophistiqué auquel elle s'était livrée ce matin-là.

Le reste du déjeuner ne donna lieu qu'à de petits bavardages et autres observations ineptes ou mal informées sur la justice pénale de la part de ma cliente et de son amant. C'était là quelque chose que j'avais souvent remarqué chez mes clients. Ils ignorent tout du droit, mais sont prompts à me dire là où il pèche. J'attendis que Trammel se soit enfourné sa dernière feuille de salade dans la bouche.

— Lisa, lui dis-je, votre mascara a un peu coulé pendant la première partie de notre conversation. Il est très important que vous restiez solide et que ça se voie. J'aimerais que vous alliez aux toilettes et que vous fassiez tout pour avoir l'air forte, d'accord ?

— Je peux pas faire ça au tribunal ?

— Non, parce qu'on risque d'y entrer en même temps que des jurés ou des journalistes. On ne sait jamais qui pourrait vous voir. Et je ne veux pas qu'on se dise que vous avez passé tout votre déjeuner à pleurer, d'accord ? Donc, faites ça tout de suite. Pendant ce temps-là, j'appellerai Rojas pour qu'il passe nous prendre.

— Ça risque de prendre quelques minutes.

— Pas de problème, prenez votre temps. Je vais attendre un peu pour Rojas.

Dahl se leva pour la laisser sortir du box. Enfin nous étions seuls. J'avais repoussé mon assiette de côté et posé les coudes sur la table. J'avais aussi joint mes mains devant ma bouche comme le joueur de poker qui tient haut ses cartes pour se cacher le visage. Dans son cœur, tout bon avocat est un négociateur. Et le moment était venu de négocier la sortie d'Herb Dahl.

— OK, Herb, dis-je. C'est le moment de partir.

Il me gratifia d'un petit sourire d'incompréhension.

— Que voulez-vous dire ? Nous sommes venus tous ensemble.

— Non, c'est de l'affaire que je parle. Le moment est venu de laisser Lisa. De disparaître.

Il garda son petit air « je ne comprends pas ».

— Pas question de partir. Lisa et moi… sommes proches. Et j'ai engagé beaucoup d'argent dans ce truc.

— Sauf que votre argent a disparu. Et que pour ce qui est de Lisa, la comédie s'arrête tout de suite.

Je glissai la main dans la poche intérieure de ma veste et en sortis la photo d'Herb avec les frères Mack que Cisco m'avait donnée la veille au soir. Je la lui tendis par-dessus la table. Il y jeta un bref coup d'œil et eut un petit rire embarrassé.

— OK, je mords à l'hameçon. C'est qui ?

— Les frères Mack. Les types que vous avez embauchés pour me travailler au corps.

Il fit non de la tête et regarda par-dessus son épaule le couloir du fond qui conduisait aux toilettes. Puis il se retourna vers moi.

— Désolé, Mickey, mais je ne sais pas de quoi vous parlez. Je crois, moi, que vous ne devez pas oublier que vous et moi avons un accord pour le film. Un accord dont, j'en suis sûr, le barreau de Californie aimerait connaître certaines circonstances, mais en dehors de ça…

— Vous me menacez ? Parce que si c'est ça, vous êtes en train de commettre une grosse erreur.

— Non, non, aucune menace là-dedans. J'essaie seulement de voir d'où ça sort.

— Ça sort d'une pièce aveugle où j'ai eu une conversation intéressante avec les frères Mack.

Il replia la photo et me la rendit.

— Ces deux types-là ? Ils me demandaient leur chemin, c'est tout.

— Leur chemin, hein ? Vous êtes sûr que ce n'était pas du fric ? Parce que ça aussi, on l'a en photo.

— Oh, il n'est pas impossible que je leur aie filé quelques dollars. Ils m'avaient demandé de l'aide et me semblaient être des gens bien.

Ce fut à mon tour de sourire.

— Vous savez que vous n'êtes pas mauvais, Herb, mais ils m'ont tout raconté. Alors, on laisse tomber les conneries et on passe au coup suivant.

Il haussa les épaules.

— OK, c'est votre show. C'est quoi, le coup suivant ?

— Ce que je vous ai dit au début. C'est fini, Herb. Vous dites adieu à Lisa. Vous dites adieu au film et vous dites adieu à votre fric.

— Ça fait beaucoup d'adieux. Et j'ai droit à quoi pour tout ça ?

— À éviter la taule, voilà ce à quoi vous avez droit.

Il hocha la tête et regarda encore une fois par-dessus son épaule.

— Sauf que ça ne marche pas comme ça, Mick. Ce n'était pas mon argent, vous voyez ? Il ne venait pas de moi.

— De qui alors ? De Jerry Castille ?

Ses yeux bougèrent un bref instant, puis se calmèrent. Le nom l'avait frappé comme un coup de poing invisible. Il savait maintenant que les frères Mack avaient cané et parlé.

— Eh oui, je sais pour Jerry et je sais aussi pour Joey à New York. Aucun sens de l'honneur chez les nervis, Herb. Les frères Mack sont prêts à se mettre à table. Et au menu, il y a toi, mon gros. Tu es ficelé tout ce qu'il y a de bien dans un beau paquet, et à moins que tu ne décides de disparaître de la vie de Lisa et de la mienne aujourd'hui même, ce paquet, je vais le déposer au Bureau du district attorney où il se trouve que j'ai une ex procureur que cette agression a beaucoup affligée.

« Je pense qu'elle va filer cette histoire à un grand jury en moins d'une matinée et que toi, espèce de petit con, tu vas tomber pour coups et blessures volontaires. Ce qui constitue un facteur aggravant. Et te vaudra trois ans de plus lors de ta condamnation. Même que moi, en ma qualité de victime, je vais insister là-dessus. Pour ma couille tordue. Je dirais donc que, tout bien considéré, même avec des réductions de peine, c'est du quatre ans de taule qui t'attend, Herb. Et il y a encore un truc que tu devrais savoir : à Soledad, le symbole de la paix, on te le laisse pas porter.

Il mit les coudes sur la table et se pencha en avant. Pour la première fois, je vis du désespoir dans ses yeux.

— Tu sais vraiment pas où tu fous les pieds. Tu sais vraiment pas à qui t'as affaire !

— Écoute, petit con… je peux t'appeler comme ça, dis ? Je me fous pas mal de savoir à qui j'ai affaire. Je te regarde, toi, et je veux que tu déguerpisses de ma vie et de cette affaire, et que…

— Non, non, tu ne comprends pas. Je peux t'aider. Tu crois savoir ce qui se passe dans cette affaire ? Eh ben, tu sais que dalle. Mais je peux te l'apprendre, Haller. Je peux t'aider à arriver à la plage où on pourra tous bronzer.

Je reculai, le bras posé sur le dossier rembourré du box. C'était à mon tour d'être perdu. J'agitai le poignet comme si tout cela me faisait perdre mon temps.

— Vas-y, mets-moi au courant, lui dis-je.

— Tu crois donc que je n'ai fait que me pointer aux manifs de Lisa pour lui dire : « Allez, on fait un film » ? Espèce de pauv'abruti ! On m'y a envoyé. Avant même que Bondurant se fasse descendre, je m'étais rapproché de Lisa. Et tu crois que c'était un hasard ?

— Qui t'a envoyé ?

— Devine un peu.

Je le dévisageai et sentis se fondre tous les aspects de l'affaire comme les rivières vont au fleuve. L'hypothèse de l'innocence n'en était plus une. Le coup monté était réel.

— Opparizio.

Il me le confirma d'un léger hochement de tête. Et c'est à ce moment-là que je vis Lisa revenir par le couloir du fond et se diriger vers nous, les yeux tout brillants et bien clairs pour le prétoire. Je me retournai vers Dahl. Je voulais lui poser des tas de questions, mais nous n'avions pas le temps.

— Dix-neuf heures, ce soir. Dans mon bureau. Seul. Tu me dis pour Opparizio. Tout… ou je vais voir le district attorney.

— Une seule chose : je ne confirmerai rien par témoignage. Jamais.

— Dix-neuf heures.

— Je suis censé dîner avec Lisa.

— Eh bien… tu changes de plan. Trouve quelque chose. Mais tu es là. Et maintenant, allons-y.

Je commençais à me glisser hors du box lorsque Lisa arriva. Je sortis mon téléphone et appelai Rojas.

— On est prêts. Passe nous prendre devant le restaurant.

# 34

La séance ayant repris, l'accusation appela l'inspectrice Cynthia Longstreth à la barre des témoins. En choisissant de convoquer la coéquipière de Kurlen juste après lui, Freeman ne faisait que confirmer ce que je sentais de plus en plus clairement : sa version du *Boléro* allait trouver son apogée avec l'arrivée de la science. C'était astucieux. S'appuyer sur ce qui ne saurait être mis en doute ou nié. Dérouler toute l'enquête en faisant passer Kurlen puis Longstreth et tout fondre ensemble avec les conclusions du labo. Elle allait mettre fin à sa prestation avec le légiste et les preuves ADN. Bien ficelé, tout ça.

L'inspectrice Longstreth n'avait pas l'air aussi dure et sévère que lorsque je l'avais rencontrée au commissariat de Van Nuys le premier jour de l'enquête. Et d'un, elle portait une robe qui la faisait plus ressembler à une maîtresse d'école qu'à un inspecteur de police. J'avais déjà assisté à ce genre de transformation et cela m'agaçait toujours. Que ce soit sur les instructions du procureur ou par sa volonté propre, je m'étais souvent trouvé confronté à une inspectrice qui se transformait pour avoir l'air plus douce et plus agréable aux yeux des jurés. Mais si je le faisais remarquer au juge, ou à n'importe qui d'autre d'ailleurs, je courais le risque de me faire taper sur les doigts pour misogynie.

La plupart du temps, je ne pouvais que sourire et manger mon chapeau.

Freeman se servait de Longstreth pour donner les grandes lignes de la deuxième partie de l'enquête. Son témoignage aurait essentiellement pour objet la fouille de la maison de Trammel et ce qui y avait été découvert. Je ne m'attendais à aucune surprise de ce côté-là. Après avoir fait reconnaître officiellement l'authenticité de son témoin, Freeman alla droit au but.

— Avez-vous obtenu un mandat de perquisition d'un juge vous donnant accès au domicile de Lisa Trammel ?

— Oui.

— Comment cela se passe-t-il ? Comment faites-vous pour qu'un juge donne cet ordre ?

— Nous lui préparons une requête contenant une déclaration de cause probable avec la liste de tous les faits et éléments de preuves qui nous amènent à avoir besoin de cette fouille. C'est ce que j'ai fait en reprenant et les déclarations du témoin qui affirmait avoir vu l'accusée près de la banque et celles, inconsistantes, recueillies pendant l'interrogatoire de ladite accusée. Le mandat ayant alors été signé par le juge Companioni, nous nous sommes dirigés vers la maison qui se trouve dans les Woodland Hills.

— Ce « nous » étant... ?

— Mon coéquipier, l'inspecteur Kurlen, et moi. Nous avons aussi décidé de prendre un caméraman et une équipe de techniciens de scène de crime pour traiter tout ce que nous pourrions trouver pendant la fouille.

— Ce qui fait que toute cette opération a été filmée ?

— C'est-à-dire que... non, je ne dirais pas qu'elle l'a été entièrement. Mon coéquipier et moi nous sommes séparés pour que ça aille plus vite. Mais comme il n'y avait qu'un caméraman, il ne pouvait pas être avec nous deux en même temps. Nous avons donc procédé comme ceci : dès que nous trouvions quelque chose qui ressemblait à une pièce à conviction ou que nous voulions garder pour examen, nous l'appelions.

— Je vois. Et... avez-vous apporté cette vidéo avec vous aujourd'hui ?

— Oui. Elle est dans l'appareil et tout est prêt.

— Parfait.

Les jurés eurent alors droit à une vidéo de quatre-vingt-dix minutes avec narration de Longstreth. La caméra y suivait les policiers en train d'arriver à la maison et d'en faire le tour complet avant d'entrer. Au moment où l'on découvrait l'arrière du bâtiment, Longstreth ne manqua pas de montrer les marches du jardin renforcées à l'aide de traverses de chemin de fer et les endroits où la terre venait d'être retournée. Les grands cinéastes en jouent pour suggérer des choses à venir. Ce que cela signifiait ne deviendrait clair que plus tard, lorsqu'on filmerait dans le garage.

J'avais du mal à me concentrer sur le témoignage. Dahl avait lâché une bombe en me révélant le lien avec Opparizio. Je n'arrêtais pas de penser au scénario possible et à ce que cela pouvait vouloir dire pour l'affaire. Je voulais qu'on en finisse avec l'audience et qu'il soit déjà 19 heures.

Dans la vidéo, une clé prise dans les affaires de Lisa Trammel après son arrestation servait à entrer dans les lieux sans que la propriété soit endommagée. Une fois à l'intérieur, l'équipe de policiers se lançait dans une fouille systématique des lieux, fouille qui donnait l'impression de suivre un protocole reflétant une longue expérience. On y examinait les bondes de la douche et de la baignoire pour y trouver du sang. Même chose pour la machine à laver et le sèche-linge. La séquence la plus longue avait pour objet les penderies, où toutes les chaussures et tous les vêtements étaient soigneusement examinés et soumis à des traitements chimiques et lumineux destinés à faire ressortir d'éventuelles traces de sang.

Pour finir, la caméra suivait l'inspectrice Longstreth au moment où elle franchissait une porte latérale et passait sous un petit portique pour en gagner une autre. Qui n'était pas fermée à clé et qu'elle franchissait à son tour, la caméra la suivant à l'intérieur. C'est là que Freeman figea l'image. En véritable virtuose du cinéma hollywoodien, elle avait fait monter l'attente des spectateurs et maintenant, on arrivait à ce qui devait les titiller au maximum.

— Ce qui a été découvert dans ce garage est devenu très important pour l'enquête, n'est-ce pas, inspecteur ?

— Absolument.

— Qu'avez-vous découvert ?

— Eh bien, en l'occurrence, c'est plutôt ce que nous n'avons pas découvert.

— Pouvez-vous nous expliquer ce que vous entendez par là ?

— Oui. Il y avait un établi le long du mur du fond et on avait l'impression qu'aucun outil n'y manquait. Les trois quarts d'entre eux pendaient à des crochets attachés au panneau perforé installé au-dessus de l'établi. Les endroits où accrocher tel ou tel outil étaient indiqués par le nom de l'outil. Tout avait une place précise sur ce panneau.

— Bien. Vous pouvez nous montrer ?

La vidéo remise en route, on y découvrait bientôt une vue frontale du panneau. Freeman choisit ce moment pour figer l'image sur les écrans installés en hauteur.

— OK, c'est donc bien le panneau à outils que nous voyons, n'est-ce pas ?

— Oui.

— Et nous voyons les outils qui y sont accrochés. En manque-t-il ?

— Oui, le marteau n'y est pas.

Freeman demanda au juge la permission d'écarter Longstreth de la barre et de se servir d'une flèche laser pour montrer l'emplacement du marteau sur le panneau. Le juge la lui donna. Longstreth l'indiqua sur les deux écrans, puis revint à la barre des témoins.

— Bien, inspecteur, cet emplacement était-il marqué comme étant celui où devait se trouver un marteau ?

— Oui.

— Et donc, il manquait.

— Il n'a été retrouvé nulle part, ni dans le garage ni dans la maison.

— Y a-t-il eu un moment où vous avez pu identifier la marque et le modèle des outils accrochés au panneau ?

— Oui, en nous servant des outils qui y étaient toujours accrochés, nous avons pu déterminer que les Trammel possédaient des outils de la marque Craftsman, tous faisant partie d'un ensemble précis. Cet ensemble dit « du charpentier » comportait deux cent trente-neuf pièces.

— Ce marteau était-il commercialisé séparément ?

— Non, il ne l'était pas. Il faisait partie de cet ensemble particulier.

— Et il manquait à celui du garage de Lisa Trammel.

— Exact.

— Bien. Y a-t-il eu un moment dans l'enquête où ce marteau a été apporté à la police après avoir été découvert près de l'endroit où Mitchell Bondurant a été assassiné ?

— Oui, un marteau a été effectivement trouvé par un jardinier dans des buissons, à un gros pâté de maisons de l'endroit où ce crime a été commis.

— L'avez-vous examiné ?

— Je l'ai examiné brièvement avant de le confier à la police scientifique aux fins d'analyse.

— De quelle sorte de marteau s'agissait-il ?

— Il s'agissait d'un marteau fendu.

— Et savez-vous quel en est le fabriquant ?

— Il est fabriqué par la Sears Craftsman.

Freeman s'arrêta comme si elle s'attendait à ce que pareille révélation coupe le souffle à tous les jurés alors même que tout le monde dans la salle savait exactement ce qui allait arriver. Puis elle gagna la table de l'accusation et y ouvrit un sac marron à éléments de preuves. Et en sortit un marteau enfermé dans un sachet en plastique transparent. Et revint au lutrin en le tenant bien haut.

— Monsieur le Juge, puis-je m'approcher du témoin avec une pièce à conviction ?

— Vous pouvez.

Elle rejoignit Longstreth avec le marteau et le lui tendit.

— Inspecteur, je vous demande donc d'identifier le marteau que vous avez dans les mains.

— C'est celui qui a été retrouvé et qu'on m'a donné. Mes initiales et mon numéro d'écusson se trouvent sur ce sachet à éléments de preuves.

Freeman lui reprit le marteau et demanda qu'il soit enregistré comme pièce à conviction pour l'accusation. Le juge Perry donna son accord. Freeman reposa le marteau sur la table de l'accusation, regagna le lutrin et reprit son interrogatoire.

— Vous venez bien de dire que ce marteau avait été confié à la SID aux fins d'analyse ?

— C'est exact.

— Avez-vous reçu un compte rendu de cette analyse ?

— Oui, et je l'ai ici même.

— Quelles en sont les conclusions ?

— Deux choses en ressortent. La première est que ce marteau a été identifié comme étant exclusivement fabriqué pour L'Ensemble du Charpentier de la marque Craftsman.

— Soit celui qui a été découvert dans le garage de l'accusée ?

— C'est ça.

— Mais sans le marteau.

— Exact.

— Quelle est l'autre conclusion importante du labo ?

— Qu'il a été trouvé du sang sur le manche du marteau.

— Même après être resté plusieurs semaines dans ces buissons ?

Je me dressai pour élever une objection en faisant remarquer qu'aucun témoignage ou élément de preuve n'établissait combien de temps le marteau était resté dans ces buissons.

— Monsieur le Juge, lança Freeman. Le marteau a été trouvé plusieurs semaines après le meurtre. Il est évident qu'il n'a pas bougé de ces buissons de tout ce temps.

Avant même que le juge puisse prendre sa décision, je m'empressai de contrer Freeman.

— Encore une fois, monsieur le Juge, l'accusation n'a rien montré en termes d'éléments de preuves ou de témoignages permettant de conclure que ce marteau s'est trouvé dans ce buisson pendant aussi longtemps. En fait, l'homme qui l'a trouvé a même déclaré avoir travaillé tout autour de ces buissons au moins douze fois depuis le meurtre sans rien voir jusqu'au matin où il l'a effectivement découvert. Ce marteau a donc très bien pu être placé là la veille au soir avant d'être…

— Objection, monsieur le Juge ! hurla Freeman. L'avocat de la défense se sert de son objection pour mettre en avant sa théorie parce qu'il sait qu'il…

— Ça suffit ! cria le juge. Tous les deux ! L'objection est retenue. Maître Freeman, vous allez devoir reformuler votre question de façon à ce qu'elle ne pose pas l'authenticité de faits qui ne sont pas prouvés.

Freeman baissa le nez sur ses notes et se calma.

— Inspecteur, avez-vous vu du sang sur ce marteau lorsqu'il vous a été restitué ?

— Non, je n'en ai pas vu.

— Combien y en avait-il donc réellement ?

— Le rapport parle de traces. D'une faible quantité découverte sous le haut du revêtement en caoutchouc qui entourait le manche en bois.

— Bien. Et donc, qu'avez-vous fait après avoir reçu ce rapport ?

— J'ai pris mes dispositions pour que ce sang soit testé pour l'ADN par un laboratoire privé de Santa Monica.

— Pourquoi n'avez-vous pas fait appel au laboratoire régional de criminologie de Cal State ? Ce n'est pas la procédure normale ?

— C'est bien la procédure normale, mais nous voulions accélérer les choses. Nous avions le budget pour et nous nous sommes dit que nous devions faire vite. J'ai fait examiner les résultats par notre labo.

Freeman marqua une pause et demanda au juge d'inclure le rapport médico-légal sur le marteau dans les pièces à conviction de l'accusation. Je ne m'y opposai pas et le juge l'y autorisa. Freeman changea alors de tactique et laissa les révélations de l'ADN à l'expert qui viendrait témoigner à la fin de la phase d'accusation.

— Revenons au garage, inspecteur, enchaîna-t-elle. D'autres découvertes significatives y ont-elles été faites ?

Nouvelle objection de ma part, cette fois sur le formulé de la question qui laissait entendre que des découvertes significatives avaient été faites alors que, de fait, aucun témoignage n'en apportait la preuve. Le coup était bas, mais je le portai parce que ma dernière escarmouche avait brisé l'élan de Freeman. Et je voulais continuer dans cette voie. Le juge ordonna à Freeman de reformuler sa question, ce qu'elle fit.

— Inspecteur, vous nous avez parlé de ce que vous n'aviez pas trouvé dans ce garage. À savoir le marteau. Que pouvez-vous nous dire sur ce que vous y avez trouvé ?

Freeman se tourna vers moi comme si elle me demandait mon approbation. Je lui fis oui de la tête et souris. Le seul fait qu'elle reconnaisse mon existence disait assez que je l'avais bien agacée avec mes deux dernières objections.

— Nous avons trouvé une paire de chaussures de jardinage et avons eu une réaction positive lorsque nous l'avons soumise au test du Luminol pour y trouver du sang.

— Le Luminol étant un des agents qui réagit à la présence du sang sous rayonnement ultraviolet, c'est bien ça ?

— C'est bien ça. On y a recours pour déceler les endroits où du sang a été nettoyé ou effacé.

— Où ce sang a-t-il été trouvé dans ce cas ?

— Sur le lacet de la chaussure gauche.

— Pourquoi avez-vous passé ces chaussures au Luminol ?

— Premièrement, il est de pure routine d'y passer toutes les chaussures et tous les vêtements lorsqu'on cherche des éléments de preuves par le sang. Lorsqu'il y en a sur les lieux du crime, on part de l'hypothèse qu'une partie aurait pu éclabousser l'agresseur. Deuxièmement, nous avions remarqué que des travaux avaient été récemment effectués dans le jardin de derrière. Et que ces chaussures étaient très propres alors que le sol avait été remué.

— Mais… n'est-il pas normal de nettoyer ses chaussures de jardinage avant de rentrer dans la maison ?

— Peut-être, mais ce n'était pas dans la maison que nous étions. C'était dans le garage et les chaussures se trouvaient dans une boîte en carton où il y avait beaucoup de terre, sans doute du jardin, alors que ces chaussures étaient vraiment propres. Cela a attiré notre attention.

Freeman mit la vidéo en avance rapide et l'arrêta au moment où apparaissaient les chaussures. Elles étaient côte à côte dans une boîte marquée Coca-Cola, la boîte se trouvant sur une étagère sous l'établi. Pile à l'endroit où elles devaient être rangées d'habitude.

— Ce sont nos chaussures ?

— Oui. Vous pouvez voir les techniciens de scène de crime en train de les prendre.

— Vous nous dites donc que c'est parce qu'elles étaient si propres alors qu'elles se trouvaient dans une boîte sale que vous avez eu des soupçons.

J'élevai une objection en faisant remarquer que Freeman influençait le témoin. Je l'emportai, le message n'étant pas perdu pour les jurés. Freeman enchaîna.

— Qu'est-ce qui vous a fait penser que ces chaussures appartenaient à Lisa Trammel ?

— Elles étaient petites, c'étaient évidemment des chaussures de femme, et nous avions trouvé dans la maison une photo encadrée montrant Lisa en train de travailler dans le jardin avec ces chaussures aux pieds.

— Merci, inspecteur. Qu'est-il advenu de ces chaussures et de la tache découverte sur le lacet testé positif à la présence de sang ?

— Le lacet a été confié au laboratoire régional d'analyse criminelle de Cal State pour test ADN.

— Pourquoi n'avez-vous pas eu recours aux services du laboratoire privé pour cela ?

— L'échantillon de sang était minuscule. Nous avons décidé de ne pas courir le risque de le perdre dans ce laboratoire en externe. Mon coéquipier et moi nous sommes même donné la peine de l'apporter nous-mêmes au labo de Cal State. Nous avons aussi envoyé d'autres échantillons aux fins de comparaisons.

— « D'autres échantillons aux fins de comparaison »... Que voulez-vous dire ?

— Que du sang de la victime a été aussi envoyé, et séparément, au labo de façon à ce qu'on le compare à celui découvert sur la chaussure.

— Pourquoi « séparément » ?

— Pour qu'il n'y ait aucun risque de contamination.

— Merci, inspecteur Longstreth. Je n'ai plus de questions à vous poser pour l'instant.

Le juge ordonna la pause de l'après-midi avant que ne commence l'interrogatoire en contre. Ignorant tout du but véritable de mon invitation à déjeuner, ma cliente me proposa alors d'aller prendre un café avec Dahl. Je déclinai son offre en prétendant que j'avais à rédiger mes questions pour l'interrogatoire qui allait commencer. La vérité était que je les avais déjà préparées. Même si, avant le procès, je m'étais dit que Freeman se servirait du témoignage de Kurlen pour parler du marteau, des chaussures et de la fouille de la maison, j'étais prêt : l'interrogatoire s'était déroulé exactement comme je m'y attendais. Je passai donc la pause à téléphoner à Cisco pour le préparer au rendez-vous que j'allais avoir avec Dahl à 19 heures. Je lui demandai de mettre Bullocks au courant et de prier Tommy Guns et Bing Bing de se trouver devant le Victory Building pour ma sécurité. Je ne savais pas trop si Dahl allait se comporter correctement, mais qu'il le fasse ou pas, moi, je serais prêt.

## 35

Après la pause, l'inspecteur Longstreth revint à la barre et le juge me passa la main. Je ne fis pas de cadeaux et allai droit à l'essentiel de ce que je voulais prouver aux jurés. À savoir, en gros, que ce témoignage avait pour but d'informer les jurés que les alentours de la Westland avaient été fouillés par la police le jour même du meurtre. Ce qui incluait la maison, mais sans doute aussi le jardin où l'on avait fini par retrouver le marteau.

— Inspecteur, n'avez-vous pas été troublée que ce marteau ait été découvert si longtemps après le meurtre et pour autant aussi près de la scène de crime, à savoir à un endroit situé à l'intérieur d'un périmètre ayant déjà fait l'objet d'une fouille passablement intense ?

— Non, pas vraiment. Quand le marteau a été découvert, je suis allée voir les buissons qui se trouvent devant la maison. Ils étaient très grands et très denses. Il ne m'a donc ni surpris ni troublé le moins du monde que ce marteau ait pu s'y trouver aussi longtemps. En fait, je me suis dit que nous avions eu beaucoup de chance de même seulement le retrouver.

La réponse était bonne. Je commençai à comprendre pourquoi Freeman avait réparti son affaire entre Kurlen et elle. Longstreth était sacrément talentueuse à la barre, peut-être même meilleure que son coéquipier plus âgé. Je passai à autre chose. Une des règles du jeu est de toujours se distancier de ses erreurs. Surtout ne pas aggraver son cas en s'y attardant.

— Bien, dis-je, passons à la maison de Woodland Hills. Seriez-vous d'accord pour dire que cette fouille a fait chou blanc ?

— Chou blanc ? Je ne dirais pas ça. Je...

— Avez-vous trouvé les vêtements de l'accusée pleins de sang ?

— Non, nous ne les avons pas trouvés.

— Avez-vous trouvé du sang de la victime dans les bondes de la douche ou de la baignoire ?

— Non, nous n'en avons pas trouvé.

— Et dans la machine à laver ?

— Non plus.

— Quel élément de preuve qu'on aurait découvert dans la maison de l'accusée l'accusation nous a-t-elle présenté dans ce procès ? Je ne parle pas du garage, seulement de la maison.

Longstreth prit un long moment de silence pour mener à bien son inventaire dans sa tête. Et finit par hocher la tête.

— Je ne vois rien pour l'instant, dit-elle. Mais cela ne signifie pas que la fouille n'ait rien donné. Il est parfois tout aussi utile de ne pas trouver tel ou tel élément de preuve que de le trouver.

Je marquai une pause. Elle m'appâtait. Elle voulait que je lui demande d'expliquer. Mais le faire pouvait m'emmener n'importe où. Je décidai de me retenir, de ne pas mordre à l'hameçon et de passer à autre chose.

— Bien, mais le vrai trésor... l'élément de preuve que vous avez effectivement trouvé... c'est dans le garage que vous l'avez découvert, n'est-ce pas ? Celui qui a été effectivement présenté ou le sera devant cette cour.

— C'est ce que je pense, oui.

— C'est bien de la chaussure avec du sang dessus et de la panoplie d'outils où il manque le marteau que nous parlons, n'est-ce pas ?

— C'est bien ça.

— J'oublierais quelque chose ?

— Je ne pense pas.

— Bien, alors permettez que je vous montre quelque chose sur les écrans en hauteur.

Je m'emparai de la télécommande, que Freeman avait fort commodément laissée sur le lutrin. Je rembobinai la vidéo en gardant l'œil sur les images. Je dépassai celles que je cherchais, arrêtai la machine, la remis en marche au bon endroit et figeai l'image.

— Bien, pouvez-vous dire au jury ce qui est en train de se passer à l'écran ?

J'appuyai sur la touche « play », les images recommencèrent à défiler. On y voyait Longstreth et un des techniciens de scène de crime quitter la maison principale, franchir le portique et gagner la porte du garage.

— Euh... c'est le moment où nous allons entrer dans le garage, dit Longstreth.

Puis sa voix monta de l'enregistrement lui-même :

« — On aura peut-être besoin de la clé de Kurlen. »

Sauf que sur la vidéo, elle posait une main gantée sur le bouton de porte et qu'il tournait.

« — On oublie, c'est ouvert. »

Je laissai défiler les images jusqu'au moment où Longstreth et le technicien de scène de crime entraient dans le garage et y allumaient les lumières. Je figeai à nouveau l'image.

— Était-ce la première fois que vous entriez dans ce garage, inspecteur ?

— Oui.

— Je vois que vous allumez les lumières. Quelqu'un de l'équipe était-il jamais entré dans ce garage avant vous ?

— Non, personne.

Je remontai lentement en arrière, jusqu'au moment où elle ouvrait la porte. Je remis en route et posai mes questions tandis que l'enregistrement défilait.

— Je remarque que vous ne vous servez pas d'une clé pour entrer, inspecteur. Pourquoi donc ?

— J'ai essayé la porte, comme vous pouvez le voir ici, et elle n'était pas fermée à clé.

— Savez-vous pourquoi ?

— Non, il se trouve simplement qu'elle n'était pas fermée à clé.

— Y avait-il quelqu'un dans la maison quand l'équipe préposée à la fouille est arrivée ?

— Non, il n'y avait personne.

— Et la porte de la maison était, elle, fermée à clé, c'est bien ça ?

— Oui, Mme Trammel l'avait fermée à clé après avoir accepté de descendre à Van Nuys avec nous.

— A-t-elle voulu la fermer à clé de son propre chef ou avez-vous été obligée de le lui demander ?

— Non, elle l'a voulu toute seule.

— Ce qui fait qu'au moment où elle fermait la maison, elle laissait ouverte la porte qui conduisait au garage, c'est ça ?

— C'est bien ce qu'il semble.

— Il est donc sans danger de dire que cette porte n'était pas fermée à clé lorsque vous et les autres êtes arrivés avec votre mandat de perquisition, n'est-ce pas ?

— C'est ça.

— Ce qui veut dire que n'importe qui aurait pu entrer dans ce garage pendant que sa propriétaire, Lisa Trammel, était sous bonne garde policière, c'est ça ?

— Ce devait être possible, oui.

— À propos… Lorsque l'inspecteur Kurlen et vous avez quitté la maison avec Mme Trammel ce matin-là, avez-vous laissé un policier en poste à la maison pour disons… la surveiller et s'assurer que rien n'y soit changé ou volé ?

— Non, nous ne l'avons pas fait.

— Ne pensiez-vous pas que ç'aurait été prudent, étant donné que cette maison pouvait contenir des pièces à conviction ayant trait à une affaire de meurtre ?

— À ce moment-là, Mme Trammel n'était suspectée de rien. C'était seulement quelqu'un avec qui nous voulions parler.

Je ris presque, et elle aussi. Elle venait juste d'éviter, comme en marchant sur la pointe des pieds, le piège que je lui tendais. Pour être bonne, elle l'était.

— Ah, dis-je, c'est vrai ! Elle n'était pas encore considérée comme un suspect. Et donc, combien de temps, à votre avis, cette porte latérale est-elle restée ouverte et le garage accessible à n'importe qui ?

— Il me serait impossible de le dire. Pour commencer, je ne sais pas depuis quand il avait été laissé ouvert. Il n'est pas impossible qu'elle ne l'ait jamais fermé.

Je hochai la tête et soulignai sa réponse en marquant une pause.

— Vous ou l'inspecteur Kurlen avez-vous jamais demandé aux techniciens de scène de crime de voir s'il y avait des empreintes digitales sur la porte donnant dans le garage ?

— Non, nous ne l'avons pas fait.

— Pourquoi, inspecteur ?

— Nous ne pensions pas que ce soit nécessaire. Nous procédions à une fouille. Nous ne voyions pas ce garage comme une scène de crime.

— Permettez que je vous soumette une hypothèse, inspecteur. Pensez-vous que quelqu'un qui aurait soigneusement planifié et exécuté un meurtre laisserait ensuite une paire de chaussures ensanglantées dans son garage ouvert à tout le monde ?

Freeman éleva une objection en arguant que la question était à plusieurs niveaux et posait la réalité de faits non prouvés. Je m'en moquais. La question ne s'adressait pas à Longstreth, mais aux jurés.

— Je retire ma question, lançai-je au juge. Et je n'ai plus d'autres questions à poser au témoin.

Je quittai le lutrin, me rassis et regardai ostensiblement les jurés, mes yeux passant d'une rangée à l'autre de leur box. Pour finir, je m'arrêtai sur le juré n° 3, Furlong. Il soutint mon regard et ne se détourna pas. J'y vis un très bon signe.

## 36

Herb Dahl vint seul. Cisco le retrouva à la porte de l'appartement et l'escorta jusqu'à mon bureau, où je l'attendais. Bullocks ayant pris place à ma gauche, il ne lui restait plus qu'un siège juste devant mon bureau. Cisco, lui, resta debout, délibérément. Je voulais qu'il fasse les cent pas d'un air pensif. Et que Dahl se sente mal à l'aise et se dise qu'un mot de trop et le grand costaud au tee-shirt noir moulant risquait de se déchaîner.

Je ne lui offris ni café, ni soda, ni eau. Je ne commençai pas par des platitudes et ne cherchai nullement à apaiser nos relations plus que tendues. Je me contentai d'entrer dans le vif du sujet.

— Voici ce que nous allons faire, lui lançai-je. Nous allons chercher à savoir exactement ce que tu as fabriqué, jusqu'où tu es mouillé avec Louis Opparizio et comment nous allons gérer ça. Personne n'ayant à ma connaissance besoin de moi jusqu'à demain matin 9 heures, nous avons toute la nuit devant nous si c'est nécessaire.

— Avant de commencer, je veux être sûr que nous aurons un accord si je coopère, me renvoya-t-il.

— Je t'ai dit ce midi que le deal est que tu n'iras pas en prison. En échange, toi, tu me dis tout ce que tu sais. En dehors de ça, il n'y a pas de promesses.

— Il n'est pas question que je témoigne sur quoi que ce soit. Cette réunion est purement informative. En plus de quoi, j'ai quelque chose de bien mieux pour toi qu'un simple témoignage.

— Nous verrons bien. Mais pour l'heure, pourquoi ne pas commencer par le début ? Tu m'as dit qu'on t'avait demandé de rejoindre Lisa Trammel à ses manifestations. Partons de là.

Il fit oui de la tête, puis changea d'avis.

— Non, je pense qu'il faut remonter plus loin, dit-il. Tout a commencé au début de l'année dernière.

Je levai les deux mains en l'air.

— Vas-y. On a toute la nuit.

Il se mit alors en devoir de me raconter en long et en large comment, un an avant, il avait produit un film intitulé *Le Pur-sang*. Tendre et destiné à un public familial, il avait pour sujet une fille à qui l'on fait cadeau d'un cheval appelé Chester. Un jour, elle découvre un numéro tatoué dans la lèvre inférieure de l'animal, ce numéro renvoyant à un pur-sang qu'on croyait avoir péri dans l'incendie d'une grange quelques années plus tôt.

— Donc, son papa et elle se livrent à des recherches plus poussées et…

— Écoute, lui dis-je, l'histoire semble intéressante, mais… et si on parlait de Louis Opparizio, hein ? J'ai peut-être toute la nuit devant moi, mais n'oublions pas l'essentiel.

— Mais c'est justement ça, l'essentiel. Ce film. C'était censé rester jusqu'au bout un film à petit budget, mais j'adore les chevaux. Je les adore depuis que je suis tout petit. Et je pensais vraiment sortir des bacs avec lui.

— « Sortir des bacs » ?

— Des petites merdes qui passent directement en DVD comme on en voit partout. Je me disais que c'était un truc en or et que si on jouait le coup comme il fallait, on pourrait obtenir une grande sortie en salle. Mais pour ça, il faut une production de qualité et ça, ça demande beaucoup d'argent. On en revient toujours à ça.

— Et cet argent, tu l'as emprunté.

— Je l'ai emprunté et je l'ai mis dans le film. Ce qui était con, je sais. Parce que c'était en plus de la mise de fonds que j'avais obtenue avant de commencer. Et le metteur en scène était une espèce de fondu de la perfection. Un Espagnol qui parlait à peine anglais, mais que nous avions engagé. Il prenait prises sur prises… jusqu'à trente pour une scène dans un snack-bar, bordel ! Résultat des courses, nous nous sommes retrouvés à court de fric et il me fallait encore deux cent cinquante mille dollars rien que pour finir le film. J'étais déjà allé voir tout le monde et plus personne n'avait de pognon. Et moi, j'adorais toujours mon film. Pour moi, c'était le petit film qui sait qu'il peut[1], vous voyez ?

— C'est le milieu qui t'a filé le fric, lâcha Cisco quelque part dans son dos.

Dahl se retourna pour le regarder et acquiesça d'un signe de tête.

— Oui, un type que je connaissais. Un nez cassé[2].

— Qui s'appelle ? lui demandai-je.

— Y a pas besoin de savoir son nom, me répondit Dahl.

— Mais si. Comment s'appelle-t-il ?

— Danny Greene.

— Tu n'as pas dit…

1. Allusion au « petit train qui pouvait », histoire célèbre qui, écrite au début du XX^e^ siècle, sert à enseigner les vertus du travail et de l'optimisme aux enfants.

2. Membre du crime organisé.

— Si, je sais. C'en est un, mais il s'appelle Greene… j'y peux rien. Green avec un *e* au bout.

Je jetai un regard à Cisco. Il allait devoir vérifier.

— Bon d'accord. Et donc, tu as emprunté deux cent cinquante mille dollars à Danny Greene et qu'est-ce qui s'est passé ?

Il leva les mains en l'air en signe de frustration.

— Eh bien justement, il ne s'est rien passé du tout. J'ai terminé le film, mais je n'ai pas pu le vendre. Je l'ai présenté dans tous les festivals d'Amérique du Nord et personne n'en a voulu. Je l'ai fait voir à l'American Film Market, même que j'ai loué une putain de suite au Loews de Santa Monica, et je n'ai réussi à le vendre qu'à l'Espagne. Évidemment. Le seul pays à s'y intéresser était celui de mon connard de metteur en scène.

— Ce qui fait que Danny Greene ne devait pas être très content, c'est ça ?

— Non, il ne l'était pas. Enfin, je veux dire… j'avais honoré mes traites, mais c'était un prêt à six mois et il a exigé d'être remboursé tout de suite. Et je n'ai pas pu. Je lui ai donné l'argent de l'Espagne, mais l'essentiel était encore à venir. Il y a les frais de doublage et autres conneries et je ne verrai la plus grosse partie du fric qu'à la fin de cette année lorsque le film sortira. Bref, j'étais dans la merde.

— Qu'est-ce qui s'est passé ?

— Eh bien… un jour, Danny passe me voir. Enfin… il se pointe comme ça et moi, je me dis qu'il est venu me péter les guiboles. Mais non. Au lieu de ça, il me dit qu'on a besoin que je fasse quelque chose. C'est comme qui dirait un boulot à long terme et si j'y arrive, on me renégociera mon emprunt et je pourrai même oublier une grosse partie du principal qu'il me reste à régler. Putain, *man*, moi, je suis là et j'ai pas le choix. Qu'est-ce que je peux faire ? Lui dire non ? Ben, c'est pas comme ça que ça marche.

— Et donc, tu as dit oui.

— Voilà, j'ai dit oui.

— Et c'était quoi, ce boulot ?

— D'approcher les gens qui faisaient de l'agitation et protestaient contre les saisies immobilières. L'organisation FLAG. Il voulait que je m'introduise dans leur camp si je pouvais. Je l'ai fait et c'est comme ça que j'ai rencontré Lisa. C'était elle qui organisait l'agitation. Ça m'avait l'air cinglé, mais je suis entré dans le jeu.

— On t'a dit pourquoi ?

— Pas vraiment. On m'a seulement dit qu'il y avait un type qui était du genre parano et qui voulait savoir ce qu'elle fabriquait. Il avait conclu une espèce de marché et n'avait pas envie que ces gens-là le lui foutent en l'air. Et donc, dès que Lisa préparait une manifestation ou un truc, j'étais censé dire à Danny où ça allait se passer, qui en serait la cible et le reste.

Son histoire commençait à sonner vrai. Je songeai à l'accord LeMure. Opparizio avait lancé le processus de vente d'ALOFT à cette société cotée en Bourse. Il était donc prudent de surveiller toutes les menaces susceptibles de peser sur ce deal avant qu'il ne soit conclu en février. Ce qui pouvait même inclure Lisa Trammel. Tout ce qui était mauvaise publicité pouvait entraver la vente. Les actionnaires veulent toujours que les acquisitions soient impeccables.

— Bien, quoi d'autre ?

— Pas énormément de choses. Rien que de la collecte de renseignements. Je me suis beaucoup rapproché de Lisa, mais là, disons… un mois plus tard, elle s'est fait gauler pour le meurtre. Et Danny est revenu. Je pensais qu'il allait me dire qu'il n'y avait plus d'accord vu qu'elle était en prison. Mais il voulait que je verse du fric pour la faire sortir. Fric qu'il m'a donné dans un sac… deux cent mille dollars. Après, dès la libération de Lisa, je devais refaire le même truc, mais avec vous autres. Me glisser dans le camp de la défense, voir ce qui s'y passait et l'en informer.

Je regardai encore une fois Cisco. Ses airs pensifs n'étaient plus de la comédie. Nous savions tous les deux que Dahl n'était peut-être que la partie émergée d'un iceberg susceptible de complètement crever l'accusation et de l'envoyer par le fond. Nous savions aussi que nous pouvions avoir en Lisa Trammel une cliente absolument détestable, mais innocente.

Et si elle l'était…

— Qu'est-ce qu'Opparizio a à voir avec tout ça ? demandai-je.

— Eh bien, pas grand-chose, enfin… pas directement. Mais quand j'appelle Danny pour lui faire mon rapport, il veut toujours savoir ce que vous avez contre lui. C'est comme ça qu'il dit : « Qu'est-ce qu'il a contre moi ? » Et il le demande chaque fois. Ce qui fait que je me dis que… que c'est peut-être pour ce type que je fais ce boulot, vous voyez ?

Je ne répondis pas tout de suite. Je pivotai dans mon fauteuil pour réfléchir à toute cette histoire.

— Hé, Dahl, tu sais ce que je ne pige pas et ce qui manque dans ton histoire ? demanda Cisco.

— Non, quoi ?

— Le passage où tu embauches ces deux mecs pour s'occuper de Mick. Cette partie-là, t'en as pas parlé, connard.

— Qu'est-ce que t'en dis ? ajoutai-je.

Il leva les mains en l'air en signe de reddition pour montrer son innocence.

— Eh mais… c'est ce qu'on m'a dit de faire ! Et on m'a envoyé ces deux types.

— Pourquoi me foutre une raclée ? Ça menait à quoi ?

— Ça t'a ralenti, non ? Ils veulent que Lisa tombe pour le meurtre et ils commençaient à se dire que t'étais trop bon. Ils voulaient te freiner.

Dahl évitait le contact oculaire en s'essuyant une peluche imaginaire sur la cuisse, tout cela sans cesser de parler. Cela me fit penser que, peut-être, il mentait sur la raison véritable de mon agression. C'était la première fausse note que je remarquai dans sa confession. Je me dis qu'il avait fait ça en free-lance, que c'était peut-être lui qui voulait me faire du mal. Je regardai Bullocks, puis Cisco. Mon problème avec la dernière réponse de Dahl mis à part, une ouverture se présentait à nous. Je savais ce qu'il allait m'offrir : lui-même en agent double. La plage, nous y arriverions avec lui en faux informateur d'Opparizio. Il fallait que j'y réfléchisse. Je pouvais très facilement donner à Dahl des informations trompeuses à transmettre à Danny Greene. Mais la manœuvre comportait des risques, sans même parler des questions d'éthique.

Je me levai et fis signe à Cisco de gagner la porte.

— Tout le monde reste tranquille une minute, lançai-je. J'ai besoin de parler à mon enquêteur.

Nous passâmes dans la partie réception de l'étude et je fermai la porte derrière moi. Puis je gagnai le bureau de Lorna.

— Tu sais ce que ça signifie ? demandai-je à Cisco.

— Ça signifie que nous allons gagner ce putain de procès.

J'ouvris le tiroir du milieu du bureau et en sortis une pile de menus de fast-food et de restaurants du coin livrant à domicile.

— Non, je te parle des deux mecs du complexe. Il n'est pas impossible que ce soit eux qui aient tué Bondurant et que nous ayons merdé en jouant à nos petits trucs dans l'arrière-salle.

— Je sais pas, moi, patron.

— Ouais et… Qu'est-ce qu'ils en ont fait, tes deux associés ?

— Exactement ce que je leur avais dit d'en faire : les relâcher. Ils m'ont dit plus tard que tous les deux, ils voulaient qu'on les dépose dans un club de bibine du centre-ville. C'est tout. Et je rigole pas, Mick.

— N'empêche que c'est la merde.

Les menus à la main, je me dirigeai vers la porte de mon bureau.

— Tu le crois, le Dahl ? me lança Cisco dans mon dos.

Je le regardai par-dessus mon épaule avant d'ouvrir la porte.

— Jusqu'à un certain point.

J'entrai et posai mes menus au milieu du bureau. Puis je repris mon siège et regardai Dahl. Une vraie belette toujours à chercher le bon coup. Et j'étais à deux doigts de le suivre dans cette voie.

— On ne devrait pas le faire, dit Bullocks.

Je la regardai.

— On ne devrait pas faire quoi ?

— Nous servir de lui pour faire passer de fausses infos à Opparizio. On devrait le citer à comparaître et l'obliger à raconter cette histoire aux jurés.

Dahl protesta aussitôt.

— Il n'est pas question que je témoigne ! Mais c'est qui, cette nana, pour dire comment…

Je levai la main en un geste d'apaisement.

— Tu ne témoigneras pas. Même si je le voulais, je ne pourrais pas te coller à la barre des témoins. Tu n'as rien qui relie directement Opparizio à cette affaire. L'as-tu même seulement rencontré ?

— Non.

— L'as-tu jamais vu ?

— Oui, au tribunal.

— Non, avant ça ?

— Non, et je n'avais jamais entendu parler de lui avant que Danny ne me pose des questions sur lui.

Je regardai Bullocks et hochai la tête.

— Ils sont trop malins pour laisser traîner un lien direct avec l'affaire. Le juge lui interdirait de même seulement s'approcher de la barre.

— Bon mais… et Danny Greene ? C'est lui qu'on colle à la barre.

— Et on a quoi pour l'obliger à témoigner ? Il se réfugierait derrière le cinquième amendement avant même qu'on arrive à son nom.

J'attendis qu'elle proteste encore, mais elle finit par garder un silence maussade. Je me retournai vers Dahl. Il me déplaisait profondément et j'étais aussi prêt à lui faire confiance qu'à croire que ses cheveux étaient bien les siens. Mais cela ne m'empêcha pas de pousser plus loin.

— Dahl, lui dis-je, comment prend-on contact avec Danny Greene ?

— En général, je l'appelle vers 22 heures.

— Tous les soirs ?

— Oui, c'est comme ça depuis le début du procès. Il veut toujours que je lui donne les nouvelles. La plupart du temps, il décroche, et quand il ne le fait pas, il me rappelle assez vite.

— Bien, allez, on attaque et on commande à bouffer. Ce soir, c'est d'ici que tu passeras ton coup de fil.

— Pour lui dire quoi ?

— Ça, nous allons y travailler dès maintenant et ce jusqu'à 22 heures, quand tu l'appelleras. Mais en gros, tu vas lui dire que Louis Opparizio n'a pas à s'inquiéter de la date à laquelle il passera à la barre des témoins. Tu vas lui dire qu'on n'a rien, qu'on bluffait et que la voie est libre.

## 37

Ce jeudi-là était celui où tous les éléments orchestrés par l'accusation devaient s'unir en un grand crescendo. Depuis la veille au matin, Andrea Freeman avait très soigneusement déroulé son affaire et facilement géré variables et inconnues (tels les tirs au jugé que je lui avais décochés et l'intrusion de la lettre de mise en cause fédérale) pour les fondre en une montée stratégique qui n'avait fait que prendre de la puissance pour arriver à ce jour sans qu'on puisse rien y faire. Ce jeudi-là était celui de l'appel à la science, celui où tous les éléments de preuves et tous les témoignages seraient reliés aux vérités inattaquables du fait scientifique. La stratégie était bonne, mais c'était justement là que j'avais l'intention de lui chambouler tous ses plans. Au prétoire, il y a trois choses que l'avocat ne doit jamais oublier : ce qui est connu, les inconnues connues et les inconnues inconnues. Que ce soit à la table de l'accusation ou à celle de la défense, il est du devoir de l'avocat de maîtriser les deux premiers termes de l'équation et d'être toujours prêt à contrer le troisième. Et ce jeudi-là, j'avais l'intention de compter au nombre des inconnues inconnues. Je voyais venir Andrea à des kilomètres. Ma stratégie, elle ne la verrait pas avant d'avoir déjà un pied dans les sables mouvants et de voir son crescendo réduit au silence.

Son premier témoin était le docteur Joachim Gutierrez, l'adjoint au médecin légiste qui avait autopsié le corps de Mitchell Bondurant. En se servant d'un diaporama particulièrement morbide contre lequel je m'étais élevé en vain et sans grande conviction, il emmena les jurés dans un voyage enchanté qui leur fit découvrir le corps de la victime et en cataloguer les moindres bleus, écorchures et dents cassées. Et bien sûr, il passa l'essentiel de son temps à décrire et à montrer à l'écran les dégâts occasionnés par les trois impacts de l'arme du crime. Il indiqua quel coup avait été porté en premier et pourquoi il s'était avéré fatal. Il traita les deux coups suivants – ceux donnés à la victime alors qu'elle était déjà étendue face contre terre – d'« exagérés », cette exagération étant à ses yeux d'expert toujours associée à un contexte émotionnel. Pour lui, ces trois coups d'une grande brutalité disaient clairement que l'assassin en voulait personnellement à la victime. J'aurais pu m'élever et contre la question et contre la réponse, mais elles se fondaient très joliment en une question que je lui poserais plus tard.

— Docteur, lança Freeman à un moment donné, vous avez donc trois coups brutaux portés au sommet du crâne, tous à l'intérieur d'un cercle de dix centimètres de diamètre. Comment se fait-il que vous puissiez nous dire lequel a été porté en premier et lequel a été fatal ?

— C'est le résultat d'un processus minutieux et pourtant fort simple. Les coups portés au crâne de la victime ont engendré deux types de fractures. L'impact immédiat, et aussi le plus dévastateur, se trouve dans la zone de contact où chaque coup porté a créé ce qu'on appelle une fracture de type « dépression de la calvaria », ce qui est une façon compliquée de dire qu'il y a fait un creux… une entaille dans le crâne.

— Une « entaille » dans le crâne ?

— Ce qu'il faut voir, c'est que tous les os ont une certaine élasticité. Dans des blessures de ce genre… après un fort impact traumatique… l'os crânien prend la forme de l'objet qui l'a frappé, deux choses se produisant alors. On obtient deux lignes parallèles de cassure en surface… appelées « fractures en terrasses »… et à l'intérieur une embarrure profonde, l'entaille. À l'intérieur du crâne, cette embarrure engendre une fracture que nous appelons « esquille pyramidale ». Cette esquille est projetée directement dans le cerveau à travers la dure-mère qui en est la doublure. Souvent, et c'est le cas ici, cette esquille se brise et est alors propulsée très profondément dans le tissu cervical, comme une balle. Elle met aussitôt fin à toutes les fonctions cérébrales et entraîne la mort.

— « Comme une balle », dites-vous. Ces trois impacts sur le crâne de la victime ont donc été si violents que c'est comme si on lui avait, et littéralement, tiré trois balles dans la tête.

— Voilà. Mais il n'a fallu qu'une seule de ces esquilles pour le tuer. La première.

— Ce qui me ramène à ma première question. Comment pouvez-vous nous dire quel a été le premier impact ?

— Je peux vous le démontrer ?

Le juge donna la permission à Gutierrez de faire apparaître le schéma d'un crâne sur les écrans vidéo. C'était une vue en hauteur où l'on voyait les trois points d'impact du marteau, ces points étant dessinés en bleu. Les autres fractures étaient en rouge.

— Pour déterminer l'ordre des coups portés dans un cas de traumatisme multiple, il faut s'intéresser aux fractures secondaires. Celles en rouge. Je les ai qualifiées de « fractures en terrasses » parce que, comme je l'ai dit plus tôt, elles ressemblent à des marches qui s'éloignent de plus en plus du point d'impact. Une fracture, ou fissure, de ce genre peut s'étendre sur toute la surface de l'os et ici, on voit bien que dans le cas de cette victime, ces lignes de fracture s'étendent dans toute la région pariéto-temporale. Cela dit, ces fractures s'arrêtent toujours lorsqu'elles rencontrent une fracture déjà existante. L'énergie qui la meut est tout simplement absorbée par la fracture existante. Il s'ensuit qu'en examinant le crâne de la victime pour y suivre le tracé des fractures en terrasses, il devient possible de déterminer laquelle de ces fractures s'est formée la première. Et bien sûr, il n'y a plus qu'à les remonter jusqu'au point d'impact pour en déduire facilement l'ordre des coups portés.

Sur le schéma, les numéros 1, 2 et 3 étaient déjà présents à l'écran, donnant ainsi l'ordre des coups qui avaient plu sur le crâne de Mitchell Bondurant. Le premier – celui qui avait été fatal – lui avait été donné tout en haut du crâne.

À partir de là, Freeman enchaîna et passa l'essentiel de la matinée à exploiter à fond ce témoignage, en arrivant même à tellement insister sur des évidences qu'elle finit par poser trop de questions répétitives, voire sans pertinence. Par deux fois, le juge lui demanda de s'intéresser à d'autres aspects du témoignage. Je commençai à me dire qu'elle essayait de gagner du temps. Elle était obligée de garder son témoin toute la matinée durant parce que le suivant n'était peut-être pas disponible, ou lui avait peut-être même fait faux bond.

Mais si un problème l'inquiétait, elle n'en montrait rien. Elle continuait de se concentrer sur Gutierrez et, inébranlable, l'obligea à aller jusqu'au bout de son témoignage pour finir par le plus important – relier le marteau de marque Craftsman retrouvé dans les buissons aux blessures à la tête de Bondurant. À cette fin, elle sortit tout son attirail. Après l'autopsie de la victime, Gutierrez avait fait un moulage de son crâne. Il avait aussi pris toute une série de photos de sa boîte crânienne avec tirages papier montrant les blessures à l'échelle un sur un.

Gutierrez, à qui l'on venait de présenter le marteau introduit comme pièce à conviction, le sortit de son sachet en plastique et commença à démontrer comment sa table plate et circulaire correspondait parfaitement aux blessures portées au crâne de la victime. Tout en haut de sa table, le marteau était aussi muni d'une encoche dont on pouvait se servir pour tenir un clou. Et cette encoche était clairement visible dans la dépression qui s'était formée dans le crâne. Tout cela s'emboîtait parfaitement dans le puzzle. Freeman rayonnait lorsque enfin elle vit cet élément clé se matérialiser devant les jurés.

— Docteur, reprit-elle, éprouvez-vous la moindre hésitation à dire aux jurés que cet outil pourrait avoir occasionné la blessure fatale infligée à la victime ?

— Absolument pas.

— Vous n'ignorez pas que cet outil n'a rien d'unique, n'est-ce pas ?

— Bien sûr que non. Je ne vous dis pas que c'est ce marteau précis qui a causé ces blessures. Je vous dis seulement que c'est ou ce marteau ou un autre sorti du même moule. Je ne peux pas être plus précis.

— Merci, docteur. Et maintenant, parlons un peu de cette encoche dans la surface portante du marteau. Que pouvez-vous nous dire de son emplacement dans le dessin de la blessure ?

Gutierrez tint le marteau en l'air et y montra l'encoche.

— Elle se trouve au bord supérieur de l'outil, dans une région qui est magnétisée. Vous mettez le clou en place ici, le marteau l'y retient et vous pouvez alors le faire entrer dans le matériau sur lequel vous travaillez. Parce que nous savons que cette encoche se trouve au bord supérieur du marteau, nous pouvons regarder les blessures et en déduire de quelle direction elles proviennent.

— Et de quelle direction s'agit-il ?

— Elles viennent de l'arrière. La victime a été frappée par-derrière.

— Il est donc possible qu'elle n'ait même pas vu venir son agresseur.

— C'est exact.

— Merci, docteur Gutierrez. Je n'ai plus d'autres questions à vous poser pour l'instant.

Le juge me confiant le témoin, lorsque je croisai Freeman pour gagner le lutrin, celle-ci me décocha un regard de marbre qui disait clairement : « Fais de ton mieux, connard ! »

J'en avais bien l'intention. Je posai mon grand bloc-notes sur le lutrin, resserrai ma cravate et montrai mes manchettes, puis je regardai le témoin.

Je voulais l'avoir écrabouillé lorsque je me rassiérais.

— Au bureau du légiste, on vous appelle bien « Docteur Boyaux », n'est-ce pas, monsieur ?

C'était une bonne question, pour commencer. Elle allait obliger le témoin à se demander quels autres renseignements j'avais en interne et ceux que j'allais peut-être lui jeter à la tête.

— Euh, oui, parfois. Familièrement, je dirais.

— Pourquoi donc, docteur ?

Freeman éleva une objection de pertinence qui retint l'attention du juge.

— Voulez-vous me dire en quoi cette question a un lien quelconque avec la raison de notre présence ici, maître Haller ? me lança-t-il.

— Si vous permettez, monsieur le Juge, la réponse que le docteur Gutierrez va nous donner devrait nous révéler que son expertise en pathologie n'a pas grand-chose à voir avec les empreintes d'outils et les blessures à la tête.

Le juge Perry réfléchit et finit par acquiescer.

— Le témoin répondra à la question, dit-il.

Je me tournai vers Gutierrez.

— Docteur, vous pouvez répondre à la question. Pourquoi vous appelle-t-on « Docteur Boyaux » ?

— C'est parce que, comme vous venez de le dire, mon expertise est dans l'identification des maladies du tractus gastro-intestinal...

les boyaux… ce qui va aussi avec mon nom, surtout quand il est mal prononcé[1].

— Merci, docteur. Bien et maintenant pouvez-vous me dire combien de fois dans votre carrière vous vous êtes trouvé en présence d'une affaire dans laquelle vous avez dû faire correspondre un marteau aux blessures portées au crâne de la victime ?

— Ce doit être la première.

Je hochai la tête pour souligner sa réponse.

— Ce qui fait que vous êtes une manière de bleu pour tout ce qui est meurtres à coups de marteau.

— C'est exact, mais j'ai travaillé avec minutie et prudence. Mes conclusions ne sont pas fausses.

Le travailler au complexe de supériorité. Je suis médecin, donc je ne me trompe pas.

— Vous êtes-vous jamais trompé en témoignant devant un tribunal ?

— Tout le monde faisant des erreurs, je suis sûr d'en avoir commis moi aussi.

— Dans l'affaire Stoneridge, par exemple ?

Comme je savais qu'elle allait le faire, Freeman s'empressa d'élever une objection. Elle demanda une consultation en aparté au juge et le juge nous fit signe d'avancer. Je savais que ça n'irait pas plus loin, mais j'avais réussi à sortir ça aux jurés. Du peu qui venait d'être dit, ils savaient maintenant qu'à un moment donné de son passé, Gutierrez s'était trompé dans son témoignage. Je n'avais pas besoin de plus.

— Monsieur le Juge, nous savons tous où la défense veut en venir et non seulement cela n'a aucun rapport avec ce procès, mais l'affaire Stoneridge fait toujours l'objet d'une enquête et aucune conclusion officielle n'a été rendue. Qu'est-ce qui pourrait…

— Je retire ma question. (Freeman me décocha un regard d'une hostilité aveuglante.) Pas de problème, j'en ai une autre.

— Ah, parce que du moment que le jury entend la question, vous vous moquez bien d'en connaître la réponse ? Monsieur le

1. *Gut* signifie « boyau ».

Juge, je veux que vous statuiez sur ce point parce que ce qu'il fait est vraiment mal.

— Je m'en occupe. Retournez à vos places. Et… maître Haller ? Faites attention à vous.

— Merci, monsieur le Juge.

Il donna ordre aux jurés de ne pas tenir compte de la question et leur rappela qu'il ne serait pas juste de leur part de prendre en considération quoi que ce soit qui sorte des domaines de la preuve et des témoignages lorsque viendrait l'heure de délibérer. Puis il me demanda de reprendre et je partis dans une autre direction.

— Docteur, concentrons-nous donc sur la blessure fatale et entrons un peu plus dans les détails. Vous avez parlé d'embarrure, c'est bien ça ?

— En fait non, j'ai qualifié la blessure de fracture de type « dépression de la calvaria ».

J'adorais que le témoin de l'accusation me reprenne.

— Bien, et donc, cette dépression ou cet enfoncement laissé par l'impact traumatique, l'avez-vous mesuré ?

— Mesuré dans quel sens ?

— Disons en profondeur. L'avez-vous mesuré ?

— Oui. Puis-je me référer à mes notes ?

— Mais bien sûr, docteur.

Il jeta un œil à son exemplaire du rapport d'autopsie.

— Oui, nous avons donné à l'impact fatal le nom de blessure 1-A. Et oui, j'en ai effectivement pris les mesures. Voulez-vous que je vous les donne ?

— Ce sera ma question suivante. Je vous en prie, docteur Gutierrez, quelles sont ces mesures ?

— Ces mesures ont été faites en quatre points de l'impact circulaire. En procédant dans le sens des aiguilles d'une montre, on a la première à 3 heures, la deuxième à 6, la troisième à 9 et la dernière à 12. C'est à 12 que se trouve l'entaille relevée en surface.

— Et que vous ont appris ces mesures ?

— Qu'il y a très peu de différences dans ces chiffres. Moins d'un quart de centimètre les sépare. Chiffre moyen : sept millimètres de profondeur, soit en gros un quart de pouce.

Il leva le nez de dessus ses notes. J'écrivais ces chiffres alors même que je les avais déjà trouvés dans le rapport d'autopsie. Je jetai un coup d'œil vers le box des jurés et en vis quelques-uns les prendre en note. C'était bon signe.

— Bien, docteur, je remarque que cette partie de votre travail n'a pas fait l'objet d'un interrogatoire de la part de maître Freeman. Que vous ont dit ces mesures en termes d'angles d'impacts de l'arme ?

Il haussa les épaules. Coula un regard à Freeman et reçut le message : « Ici, on fait très attention. »

— En fait, il n'y a rien à conclure de ces chiffres.

— Vraiment ? Le fait que cette trace laissée dans l'os... ce que vous avez qualifié d'« entaille »... ait été presque identique en tous ses points mesurables ne vous indiquerait donc pas que ce marteau a frappé la victime très également au sommet du crâne ?

Il regarda de nouveau ses notes. C'était un homme de science. Je venais juste de lui poser une question de type scientifique, il savait comment y répondre. Mais il savait aussi que, Dieu sait comment, il venait d'entrer dans un champ de mines. Il ne savait ni comment ni pourquoi, seulement que l'avocate de l'accusation assise à cinq mètres de lui était inquiète.

— Docteur ? Voulez-vous que je vous répète la question ?

— Non, ce ne sera pas nécessaire. Il faut se rappeler que, scientifiquement parlant, une différence d'un dixième de centimètre peut être très importante.

— Monsieur, seriez-vous donc en train de me dire que le marteau n'aurait pas frappé M. Bondurant de manière égale ?

— Non ! s'écria-t-il, agacé. Ce que je vous dis seulement, c'est que ce n'est pas aussi simple que ça. Mais oui, il semble bien que ce marteau ait frappé la victime à plat, si vous voulez.

— Merci, docteur. Et lorsque vous regardez la profondeur des deuxième et troisième blessures, vous vous retrouvez avec des coups inégaux, c'est ça ?

— C'est ça. Pour ces deux impacts, la variation va jusqu'à trois millimètres.

Je le tenais. J'avais le vent en poupe. Je m'écartai du lutrin et commençai à partir vers la gauche, dans l'espace ouvert entre le lutrin et le box des jurés. Je mis mes mains dans mes poches et adoptai la pose du type qui a pleinement confiance en lui-même.

— Ainsi donc, docteur, nous avons un coup fatal porté proprement et à plat sur le haut de la tête, mais pour les deux suivants, ce n'est pas la même chose. Cette différence serait due à quoi, à votre avis ?

— À l'inclinaison de la tête. Le premier coup a stoppé toutes les fonctions cérébrales en une seconde. Les écorchures et autres blessures corporelles – par exemple, les dents cassées – indiquent toutes une chute immédiate de la victime. Il y a de fortes chances pour que les deuxième et troisième coups aient été portés lorsque M. Bondurant était déjà par terre.

— Vous venez de dire que « les autres blessures indiquent toutes une chute immédiate de la victime ». Pourquoi êtes-vous donc si sûr qu'elle se tenait debout lorsqu'elle a été agressée par-derrière ?

— Les écorchures aux genoux l'indiquent clairement.

— Ce qui fait qu'il n'aurait pas pu se tenir à genoux au moment de l'agression ?

— Ça semble peu probable. Les écorchures aux genoux disent autre chose.

— Et s'il s'était accroupi… comme un attrapeur au base-ball ?

— Là encore, ce n'est pas possible quand on regarde les dégâts infligés à ses genoux. Les écorchures sont profondes et il y a une fracture à la patella gauche. La « rotule », comme on l'appelle plus communément.

— Il n'y a donc aucun doute dans votre esprit : il était debout lorsqu'il a reçu le coup fatal.

— Aucun.

C'était peut-être la réponse la plus importante faite à toutes les questions de ce procès, mais je glissai comme s'il ne s'agissait là que de simple routine.

— Merci, docteur. Et maintenant, revenons un instant à notre crâne. Quelle est, à votre avis, sa résistance dans la région où cet impact fatal a été porté ?

— Cela dépend de l'âge du sujet. Le crâne s'épaissit au fur et à mesure du vieillissement.

— Notre sujet est Mitchell Bondurant, docteur. Quelle épaisseur avait son crâne ? L'avez-vous mesurée ?

— Oui. Il faisait huit millimètres d'épaisseur dans la zone de l'impact. Disons environ un tiers de pouce.

— Et avez-vous procédé à une quelconque étude ou mené un test afin de déterminer le degré de force qu'il aurait fallu à un marteau pour occasionner l'entaille fatale à laquelle nous sommes confrontés ?

— Non, je ne l'ai pas fait.

— Avez-vous connaissance d'une étude quelconque portant sur cette question ?

— Il y en a. Les conclusions en sont très générales et il se trouve que pour moi, chaque cas est unique. On ne peut pas se fier à des études aussi vastes.

— N'est-il cependant pas assez largement reconnu que le seuil minimal de pression requis pour créer une embarrure est de mille livres par pouce carré ?

Freeman se leva, son objection étant que je posais des questions qui excédaient l'expertise du docteur Gutierrez en sa qualité de témoin.

— Maître Haller n'a lui-même pas hésité à déclarer dans son interrogatoire en contre que le domaine d'expertise du témoin était les maladies du tractus gastro-intestinal, et pas du tout l'élasticité osseuse et les dépressions de l'os.

Sa situation étant de celles où on ne peut pas l'emporter, à savoir griller son témoin ou me laisser continuer à lui poser des questions auxquelles il n'avait pas de réponses, elle avait choisi le moindre mal.

— Objection retenue, dit le juge. Activons, maître Haller. Posez votre question suivante.

— Oui, monsieur le Juge.

Je tournai quelques pages de mon bloc-notes et fis comme si je lisais. Ainsi gagnais-je quelques instants pour envisager la manœuvre suivante. Puis je me tournai et regardai la pendule accrochée au mur du fond. On était à un quart d'heure du déjeuner. Si je voulais y expédier les jurés avec quelque chose à quoi réfléchir, c'était maintenant que je devais agir.

— Docteur, dis-je, avez-vous noté la taille de la victime ?

Gutierrez vérifia dans ses notes.

— M. Bondurant faisait un mètre quatre-vingt-six au moment de sa mort.

— Ce qui fait que la zone du haut du crâne dont nous parlons se trouvait à une hauteur de un mètre quatre-vingt-six du sol. Est-il juste de le dire, docteur ?

— C'est juste, en effet.

— En fait, M. Bondurant portant des chaussures, il devait même être un peu plus grand, n'est-ce pas ?

— Oui, de trois ou quatre centimètres, à cause des talons.

— Bien. Et donc, vu la taille de la victime et le fait que le coup fatal a été porté à plat sur le haut de son crâne, qu'est-ce que nous avons comme angle d'attaque ?

— Je ne suis pas sûr de bien comprendre ce que vous entendez par « angle d'attaque ».

— Vous êtes sûr, docteur ? Ce dont je vous parle, c'est l'angle d'attaque du marteau par rapport à la zone d'impact.

— Mais c'est impossible à déterminer parce que nous ignorons comment se tenait la victime, si elle s'est baissée pour éviter le coup, bref, dans quelle situation on était exactement quand elle a été frappée.

Et de conclure sa réponse avec un petit hochement de tête comme s'il était fier de la façon dont il avait relevé le défi.

— Mais docteur, ne venez-vous pas de déclarer lors de votre interrogatoire par maître Freeman qu'il vous semblait... à tout le moins... que M. Bondurant avait été frappé par-derrière lors d'une attaque surprise ?

— Si.

— Et cela ne contredirait pas ce que vous venez de dire sur le fait que M. Bondurant se serait peut-être baissé pour éviter le coup ? Quelle solution choisissez-vous, docteur ?

Se sentant coincé, il réagit de la façon dont réagissent les trois quarts des gens qui se sentent coincés : avec arrogance.

— Ce que je dis, c'est que nous ne savons pas exactement ce qui s'est produit dans ce garage, dans quelle position se trouvait la victime et l'inclinaison de son crâne au moment où elle a reçu le coup de marteau fatal. Estimer précisément la chose et anticiper quoi que ce soit à ce stade serait se dépenser inutilement.

— Vous nous dites donc qu'il serait stupide d'essayer de comprendre ce qui s'est passé dans le garage ?

— Non, ce n'est pas du tout ce que je dis ! Vous déformez mes paroles !

Freeman devait faire quelque chose. Elle se leva et éleva une objection au propos que je harcelais le témoin. Je ne faisais rien de tel et le juge ne dit pas autre chose, mais cette courte interruption suffit à Gutierrez pour retrouver son calme et ses airs supérieurs. Je décidai de conclure. Je m'étais en grande partie servi du docteur Boyaux pour ouvrir la voie à mon propre expert, celui-ci devant témoigner pendant la phase du procès réservée à la défense. Pour moi, nous y étions presque.

— Docteur, seriez-vous d'accord pour dire que si nous pouvions déterminer et la façon dont se tenait la victime et l'inclinaison de son crâne au moment où elle a reçu ce premier coup qui lui a été fatal, nous aurions une idée plus précise de l'angle selon lequel l'assassin tenait son arme ?

Il réfléchit plus longtemps à la question qu'il ne m'en avait fallu pour la poser, puis il acquiesça à contrecœur.

— Oui, cela nous donnerait une idée plus précise. Mais il est impossible…

— Merci, docteur. Ma question sera donc celle-ci : si nous savions tout cela… la posture de la victime, l'inclinaison de son crâne, l'angle d'attaque de l'arme… ne serions-nous pas alors en mesure d'avancer quelques hypothèses sur la taille de l'agresseur ?

— Ça n'a aucun sens. Il est impossible de savoir tout ça.

Et de lever les mains en l'air de frustration en se tournant vers le juge pour avoir de l'aide. Il n'en eut aucune.

— Docteur, repris-je, vous n'avez pas répondu à ma question. Permettez que je vous la repose. Si nous connaissions effectivement tous ces facteurs, pourrions-nous avancer quelques hypothèses sur la taille de l'agresseur ?

Il laissa retomber les bras en un geste de renoncement.

— Bien sûr, bien sûr, dit-il. Mais nous ne les connaissons pas.

— « Nous », docteur ? Ne voulez-vous pas plutôt dire que « vous » ne les connaissez pas parce que « vous » n'avez pas cherché à les connaître ?

— Non, je…

— Ne voulez-vous pas plutôt dire que vous n'avez pas voulu connaître ces facteurs parce qu'ils vous auraient montré qu'il était physiquement impossible à l'accusée, qui ne mesure que un mètre soixante et un, d'avoir jamais commis…

— Objection !

— … pareil crime sur la personne d'un homme qui mesurait vingt-cinq centimètres de plus qu'elle ?

Heureusement qu'en Californie les juges ne se servent plus d'un marteau dans leurs prétoires. Perry aurait fait passer le sien au travers de son lutrin tant il l'y écrasa avec force !

— Objection retenue ! Retenue ! Re-te-nue ! s'écria-t-il.

Je repris mon bloc-notes et en tournai toutes les pages pliées en une grande démonstration d'irrévocable frustration.

— Je n'ai plus de ques…

— Maître Haller ! aboya le juge. Je vous ai mis et remis en garde contre toute pitrerie en présence des jurés. Ceci constitue votre dernier avertissement. La prochaine fois, cela se paiera.

— C'est noté, monsieur le Juge. Merci.

— Les jurés ne tiendront aucun compte du dernier échange entre l'avocat de la défense et le témoin. Il sera rayé des minutes du procès.

Je me rassis sans oser couler un regard vers le box des jurés. Mais cela ne me gênait pas – j'en sentais les vibrations. Ils me suivaient. Peut-être pas tous, mais assez.

## 38

Je passai l'heure du déjeuner à dire et à redire à Lisa Trammel ce à quoi elle devait s'attendre dans l'après-midi. Herb Dahl n'était pas là – on lui avait confié une mission bidon afin que je puisse être seul avec ma cliente. Du mieux que je pus, je tentai de lui expliquer les risques que nous allions devoir affronter au fur et à mesure que la phase de l'accusation prenait fin et que la défense se retrouverait à occuper le devant de la scène. Elle avait peur, mais me faisait confiance et c'est à peu près tout ce qu'on peut demander à un client. La vérité ? Non. Mais la confiance, oui.

Dès la reprise de l'audience, Freeman appela le docteur Henrietta Stanley à la barre des témoins. Celle-ci s'identifia comme étant la biologiste en chef du Regional Crime Laboratory de l'université de Cal State, campus de Los Angeles. Je songeai que ce serait le dernier témoin de l'accusation et que son témoignage serait d'une importance capitale sur deux points. Elle confirmerait que l'ADN testé sur l'échantillon de sang retrouvé sur le marteau correspondait parfaitement à celui de Mitchell Bondurant et que le sang décelé sur la chaussure de jardinage de Lisa Trammel correspondait lui aussi à celui de la victime.

Le sang étant le lien, tout serait ramené à la case départ avec ce témoignage scientifique. Ma seule intention était de priver l'accusation de ce grand moment.

— Docteur Stanley, lança Freeman, vous avez bien ou mené ou supervisé vous-même toutes les analyses ADN ayant trait à l'enquête sur le meurtre de Mitchell Bondurant, n'est-ce pas ?

— J'ai supervisé et reconfirmé une analyse effectuée par un labo extérieur. Et j'ai personnellement dirigé l'autre analyse. Mais je dois ajouter que je dispose de deux adjoints dans mon laboratoire et que ce sont eux qui effectuent une grande partie du travail sous ma supervision.

— À un moment donné de l'enquête, il vous a été demandé d'analyser une petite quantité de sang retrouvé sur un marteau aux fins de comparaison ADN avec le sang de la victime, c'est bien ça ?

— Le temps étant le facteur clé, nous avons eu recours à un labo extérieur pour cette analyse. Je l'ai supervisée et en ai confirmé les conclusions plus tard.

— Monsieur le Juge ? demandai-je, debout à la table de la défense.

Le juge me regarda d'un air agacé d'interrompre ainsi l'interrogatoire de Freeman.

— Qu'y a-t-il, maître Haller ?

— Afin de ne pas faire perdre de temps à la cour et aux jurés en obligeant tout le monde à suivre une longue explication de ce qu'implique une analyse ADN aux fins de comparaison, la défense est prête à stipuler…

— Que quoi, maître Haller ?

— Que le sang trouvé sur le marteau est effectivement celui de Mitchell Bondurant.

Le juge n'en rata pas une. La possibilité d'écourter la séance d'une heure, voire plus, fut bien accueillie, mais avec prudence.

— Très bien, maître Haller. Mais vous ne pourrez plus remettre cette affirmation en doute pendant la phase consacrée à la défense. Vous le savez, n'est-ce pas ?

— Je le sais, monsieur le Juge. Il n'y aura nul besoin de la remettre en question.

— Et votre cliente n'a rien à objecter à cette tactique ?

Je me tournai légèrement vers Lisa Trammel et lui fis un signe.

— Elle est parfaitement consciente de ce que cela implique et est d'accord. Elle est aussi prête à le déclarer officiellement, si vous souhaitez le lui demander vous-même.

— C'est inutile. Qu'en pense l'accusation ?

— Monsieur le Juge, lança Freeman, je veux qu'il soit clairement établi que l'accusée reconnaît que le sang trouvé sur le marteau est effectivement celui de Mitchell Bondurant. Et j'entends qu'elle signe aussi une clause de renonciation possible aux services de la défense pour cause d'incompétence.

— Je ne pense pas que cette clause soit nécessaire, lui renvoya Perry. Mais je vais moi-même demander à l'accusée si elle est d'accord pour cette reconnaissance expresse par voie de stipulation.

Sur quoi il posa un certain nombre de questions à Lisa, toutes confirmant que cette reconnaissance avait son accord.

Freeman une fois satisfaite, Perry pivota dans son fauteuil et le fit rouler jusqu'au bout de son estrade de façon à pouvoir s'adresser aux jurés.

— Mesdames et messieurs les jurés, dit-il, le témoin s'apprêtait à vous expliquer tout le processus scientifique qui permet de cataloguer et de comparer divers ADN, cela afin que le témoin puisse vous faire part de ses conclusions concernant les analyses du sang trouvé sur le marteau introduit comme pièce à conviction et de celui de notre victime, Mitchell Bondurant. En procédant à cette reconnaissance officielle par stipulation écrite, la défense affirme être d'accord avec ces conclusions et déclare qu'elle ne s'élèvera pas contre elles. Ce que vous devez en conclure, c'est que le sang trouvé sur le manche du marteau découvert dans les buissons près de la banque est bien celui de la victime, Mitchell Bondurant. Cela est maintenant reconnu comme un fait avéré et je vous en ferai parvenir le texte écrit dès que vous entamerez vos délibérations.

Sur quoi, il hocha la tête une fois, regagna sa place et demanda à Freeman de poursuivre. Son rythme ainsi cassé par ma manœuvre inattendue, elle demanda au juge de lui accorder quelques instants pour faire le point et trouver l'endroit d'où faire repartir son interrogatoire. Enfin elle releva la tête et regarda son témoin.

— Bien, docteur Stanley, dit-elle, le sang du marteau n'est pas le seul échantillon de sang qu'on vous a demandé d'analyser dans cette affaire, n'est-ce pas ?

— Effectivement. On nous a aussi confié un échantillon de sang découvert sur une chaussure retrouvée dans l'enceinte de la maison de l'accusée. Dans son garage, je crois. Nous avons...

— Monsieur le Juge, dis-je en me levant à nouveau de mon siège, la défense souhaite encore une fois reconnaître officiellement les faits.

Cette fois ma manœuvre plongea le prétoire dans un silence total. Personne pour murmurer dans le public, l'huissier ne se servait plus de sa main pour assourdir ce qu'il disait au téléphone, les doigts de la greffière s'étaient figés au-dessus de son clavier. Silence complet. Le juge s'était croisé les doigts des deux mains sous le menton. Il maintint cette posture pendant un long moment avant de se servir de deux d'entre eux pour nous faire signe d'approcher.

— Par ici ! dit-il.

Freeman et moi nous tînmes l'un à côté de l'autre en face de lui.

— Maître Haller, lança Perry en chuchotant, votre réputation vous avait précédé lorsque vous êtes arrivé dans mon prétoire pour plaider cette affaire. Je me suis laissé dire, et par plus d'un, que vous étiez un remarquable avocat et que vous ne lâchiez jamais le morceau. Mais là, je dois vous demander si vous savez ce que vous faites. Vous voulez signifier votre accord à la thèse de l'accusation selon laquelle le sang de la victime aurait été découvert sur la chaussure de votre cliente ? Vous en êtes bien sûr, maître Haller ?

Je hochai la tête comme pour lui concéder qu'il pointait quelque chose d'important en mettant en doute ma stratégie.

— Monsieur le Juge, lui répondis-je, nous avons nous aussi fait faire ces analyses et la correspondance a été avérée. La science ne ment pas et la défense ne voit aucun intérêt à essayer de tromper la cour ou les jurés. S'il est établi que le procès a pour but la recherche de la vérité, que cette vérité éclate donc. Et donc oui, la défense reconnaît ces conclusions. Nous prouverons plus tard que ce sang a été déposé sur la chaussure. Car c'est là que réside la vérité vraie, pas dans la question de savoir si ce sang était ou n'était pas celui de la victime. Nous reconnaissons que c'était son sang et nous sommes prêts à poursuivre.

— Monsieur le Juge, puis-je être entendue ? demanda Freeman.

— Je vous en prie, maître Freeman.

— L'accusation s'oppose à la stipulation.

Elle avait enfin compris. Le juge avait l'air atterré.

— Je ne comprends pas, maître Freeman, dit-il. Vous venez d'obtenir ce que vous vouliez. À savoir que c'est bien le sang de la victime qui se trouve sur la chaussure de l'accusée.

— Monsieur le Juge, le docteur Stanley est mon dernier témoin. Maître Haller essaie de minimiser la portée de nos accusations en me privant de la possibilité de présenter mes arguments comme je l'entendais. Le témoignage du Dr Stanley est dévastateur pour la défense. Maître Haller n'entend accepter nos conclusions que pour mieux en réduire l'impact sur les jurés. Cela dit, cette disposition doit recevoir l'accord des deux parties. J'ai commis une erreur en l'acceptant pour le marteau, mais cette fois-ci, il n'en est pas question. Pas pour les chaussures. L'accusation s'y oppose.

Le juge ne se laissa pas démonter. Il y voyait au minimum une économie d'une demi-journée de procès et n'avait pas l'intention de la laisser filer.

— Maître, dit-il, comprenez bien que la cour a toute latitude pour rejeter votre objection dans l'intérêt de l'économie ainsi réalisée pour la justice. Je préférerais ne pas avoir à le faire.

Il lui demandait de ne pas s'opposer à lui sur ce point. D'accepter ma proposition.

— Je suis désolée, monsieur le Juge, mais l'accusation s'y oppose.

— Objection rejetée. Vous pouvez vous retirer.

Ainsi en alla-t-il. Comme pour le marteau, le juge expliqua ce qu'était cette reconnaissance officielle aux jurés et promit de leur faire parvenir un document où seraient consignés les preuves et les faits reconnus dès qu'ils entameraient leurs délibérations. Je venais de réussir à casser le crescendo de l'accusation. Au lieu de partir en fanfare avec cymbales, tambours et pièces à conviction hurlant « C'EST ELLE ! C'EST ELLE ! C'EST ELLE ! », l'accusation se retirait sur un gémissement. Freeman était folle de rage. Elle savait toute l'importance du bénéfice à retirer d'un bon crescendo. On n'écoute pas le *Boléro* dix minutes durant pour l'arrêter deux minutes avant la fin.

Non seulement lui tronquer ainsi son affaire lui avait fait mal, mais en plus, je venais de lui transformer son dernier et plus important témoin en premier témoin de la défense. En reconnaissant leur validité, je donnais à penser que les conclusions des analyses d'ADN étaient en fait la première étape de ma démonstration. Et Freeman ne pouvait rien y faire. Elle avait tout donné et se retrouvait avec rien. Après avoir remercié Stanley, elle se rassit à la table de l'accusation et reprit ses notes en se demandant probablement s'il ne valait pas le coup de faire revenir Kurlen ou Longstreth à la barre afin d'en terminer sur une récapitulation des éléments de preuves par les inspecteurs en charge de l'affaire. Mais cela présentait des risques. Elle s'était préparée à leurs premiers témoignages. Mais pas à ceux-là.

— Maître Freeman ? lui lança le juge. Avez-vous un autre témoin ?

Elle regarda le box des jurés. Il fallait qu'elle croie tenir le verdict. Les éléments de preuves n'avaient pas été présentés selon sa chorégraphie ? Et alors ? Ils n'en étaient toujours pas moins là et officiellement. Le sang de la victime se trouvait toujours bien sur le marteau et sur la chaussure de l'accusée. C'était plus qu'il n'en fallait. Elle l'avait dans sa poche, ce verdict.

Elle se leva lentement sans cesser de regarder les jurés. Puis elle se tourna et s'adressa au juge.

— Monsieur le Juge, au nom du peuple, l'accusation en restera là.

Le moment était solennel et, à nouveau, toute la salle se figea dans le silence, cette fois pendant presque une minute.

— Très bien, dit enfin le juge. Je ne pense pas que quiconque se soit imaginé en arriver là aussi vite. Maître Haller, êtes-vous prêt à nous présenter les arguments de la défense ?

Je me levai.

— Monsieur le Juge, la défense y est prête.

Perry acquiesça d'un signe de tête. Il avait toujours l'air un peu commotionné par ma décision de reconnaître et d'accepter comme un fait avéré la présence du sang de la victime sur les chaussures de l'accusée.

— Nous ferons donc notre pause de l'après-midi un peu plus tôt, reprit-il. Et lorsque nous reviendrons, ce sera la phase consacrée à la défense qui commencera.

# QUATRIÈME PARTIE

## LE CINQUIÈME TÉMOIN

# 39

Si la tactique adoptée par la défense pendant les derniers moments de la phase de l'accusation fut des plus surprenantes, ma première mesure en contre ne fit rien pour apaiser les doutes de certains observateurs quant à mes compétences d'avocat. Une fois tout le monde de retour à sa place après la pause de l'après-midi, je gagnai le lutrin et y allai d'une autre manœuvre à la que-diable-qu'est-ce-qu'on-risque ? et lançai :

— La défense appelle l'accusée, Lisa Trammel !

Le juge demanda qu'on fasse silence tandis que ma cliente se levait et gagnait lentement la barre. Que je l'y ai même seulement appelée avait de quoi choquer et suscita des bavardages et des chuchotements dans toute la salle. En règle générale, les avocats de la défense n'aiment pas demander à leur client de témoigner. Question rapport risques/résultats, pareille tactique est proche de zéro. On ne peut jamais être sûr de ce que le client va déclarer parce qu'on ne peut jamais vraiment croire tout ce qu'il vous a raconté. Et se faire prendre en flagrant délit de mensonge sous serment par-devant douze individus qui ont pour tâche de décider de votre culpabilité ou de votre innocence est dévastateur.

Mais l'occasion et l'affaire étaient différentes. Lisa Trammel n'avait jamais varié dans ses protestations d'innocence. Pas une fois elle n'avait louvoyé en réaction aux éléments de preuves qu'on lui opposait. Et jamais au grand jamais elle ne s'était montrée intéressée, même de loin, par le moindre règlement à l'amiable. À cause de tout cela et des dernières révélations sur les relations Herb Dahl/Louis Opparizio, je ne la voyais plus comme au début du procès. Elle avait beaucoup insisté pour avoir la possibilité de dire aux jurés qu'elle était innocente, et la veille au soir, il m'était venu à l'esprit qu'on devait la lui donner dès que l'occasion s'en présenterait. Elle allait donc être mon premier témoin.

Elle prêta serment avec un léger sourire. Il n'est pas impossible que certains aient trouvé cela déplacé. Dès qu'elle s'assit et que son nom fut consigné aux minutes, je fonçai.

— Lisa, lui lançai-je, je vous ai vu sourire un rien lorsque vous avez juré de dire toute la vérité et rien que la vérité. Pourquoi ce sourire ?

— Oh, la nervosité, vous savez bien. Et le soulagement.

— Le « soulagement » ?

— Oui, le soulagement. Enfin j'ai la possibilité de donner ma version de cette affaire. De dire la vérité.

Ça commençait bien. Je la guidai aussitôt dans les questions standard sur son identité, la manière dont elle gagnait sa vie et l'état de son couple, sans oublier son statut de propriétaire de sa maison.

— Connaissiez-vous Mitchell Bondurant, la victime de ce terrible crime ? lui demandai-je.

— Le connaître, non. Mais avoir entendu parler de lui, oui.

— Que voulez-vous dire par là ?

— Eh bien, que toute l'année dernière ou à peu près, quand j'ai commencé à avoir des ennuis avec mes traites, je l'ai effectivement vu. C'est que je suis allée plusieurs fois à la banque pour plaider ma cause. On ne m'a jamais laissée lui parler, mais je l'ai vu tout au fond, dans son bureau. Ses murs étaient en verre, une vraie plaisanterie. Genre on pouvait le voir, mais pas lui parler !

Je jetai un coup d'œil aux jurés. Je ne vis pas de hochements de têtes manifestes, mais me dis que sa réponse et l'image qu'elle avait fait naître dans les esprits étaient parfaites. Le banquier qui se cache derrière un mur de verre alors que les opprimés et défavorisés sont tenus à l'écart.

— L'avez-vous jamais vu dans un autre endroit ?

— Le matin du meurtre. Je l'ai vu à la cafète où je m'arrête. Il était deux places derrière moi dans la queue. C'est à cause de ça que j'étais un peu perdue en parlant aux inspecteurs. Ils me posaient des questions sur M. Bondurant et je venais juste de le voir le matin même. Je ne savais pas qu'il était mort. Je ne me rendais pas compte qu'ils m'interrogeaient pour un meurtre dont je ne savais même pas qu'il avait été commis.

Pour l'instant tout allait bien. Elle jouait le coup comme nous en avions discuté et l'avions répété, jusqu'à toujours se référer à la victime avec un total respect, voire de la sympathie.

— Avez-vous parlé à M. Bondurant ce matin-là ?

— Non. J'avais peur qu'il s'imagine que je le suivais et me défère devant un tribunal. Sans même parler du fait que vous m'aviez avertie d'éviter toute rencontre ou confrontation avec des gens de la banque. Ce qui fait que je me suis vite payé mon café avant de filer.

— Lisa, avez-vous tué M. Bondurant ?

— Non ! Bien sûr que non !

— Vous êtes-vous glissée en catimini derrière lui avec un marteau de votre garage et l'en avez-vous frappé si fort sur la tête qu'il en est mort avant même de toucher le sol ?

— Absolument pas !

— L'avez-vous encore frappé deux fois lorsqu'il était à terre ?

— Non !

Je m'arrêtai comme pour étudier mes notes. Je voulais que ses dénégations se répercutent en échos dans toute la salle et dans l'esprit de chacun des jurés.

— Lisa, vous vous êtes fait une sacrée réputation en vous opposant à la saisie de votre maison, non ?

— Ce n'était pas dans mes intentions. Je voulais seulement la garder pour moi et pour mon fils. Je faisais ce que je pensais être juste. Ça a fini par attirer beaucoup d'attention.

— Cette attention n'étant pas bonne pour la banque, n'est-ce pas ?

Freeman éleva une objection au motif que je posais une question à laquelle le témoin ne pouvait répondre par manque de connaissances. Le juge l'accepta et me demanda d'en poser une autre.

— Il est bien arrivé un moment où la banque a cherché à mettre un terme à vos protestations et autres activités, n'est-ce pas ?

— Oui, j'ai été déférée devant la justice et j'ai reçu une injonction du tribunal m'interdisant de protester devant cet établissement. J'ai donc commencé à manifester devant le tribunal.

— Des gens se sont-ils joints à votre cause ?

— Oui, j'ai ouvert un site Web et des centaines de gens... beaucoup qui perdaient leur maison comme moi... m'ont rejointe.

— Vous êtes devenue quelqu'un de très en vue en votre qualité de chef de ce groupe, correct ?

— Il faut croire. Mais ça n'a jamais été pour attirer l'attention sur moi. C'était pour dénoncer ce qu'ils faisaient, les fraudes auxquelles ils se livraient en reprenant aux gens leurs maisons, leurs appartements en copropriété et tout.

— Combien de fois pensez-vous avoir été mentionnée aux informations télévisées ou dans le journal ?

— Je ne les ai pas comptées, mais je suis passée plusieurs fois sur des chaînes nationales. Je suis passée à CNN et à Fox.

— À propos de chaînes nationales... êtes-vous passée devant la Westland National de Sherman Oaks le matin du meurtre ?

— Non.

— Ce n'est pas vous qu'on a vue sur le trottoir à un gros pâté de maisons de là ?

— Non, ce n'est pas moi.

— La femme qui dit vous y avoir vue a donc menti sous serment lors de son témoignage ?

— Je n'ai aucune envie de traiter quiconque de menteur, mais ce n'était pas moi. Peut-être s'est-elle tout simplement trompée.

— Merci, Lisa.

Je consultai mes notes et changeai d'angle d'attaque. En faisant semblant de constamment déséquilibrer ma cliente en changeant de sujets et de questions, c'était en fait les jurés que je visais. Je ne voulais pas qu'ils voient plus loin que moi. C'était leur attention sans partage que je voulais, en plus de leur faire avaler l'histoire par petits bouts et dans l'ordre que j'avais choisi.

— Gardez-vous normalement la porte de votre garage fermée à clé ? repris-je.

— Oui, toujours.

— Pourquoi donc ?

— Eh bien mais, il n'est pas d'un seul tenant avec la maison. Il faut sortir de la maison pour y entrer. C'est pour ça que la porte en est toujours fermée à clé. J'y entrepose surtout des vieilleries, mais il s'y trouve quand même des choses qui ont de la valeur. Mon mari s'occupait toujours de ses outils comme s'ils étaient précieux et j'y ai rangé le réservoir d'hélium pour les ballons et les fêtes et je ne veux pas que les gamins plus âgés du quartier y aient accès. Et bon... un jour j'ai lu un article sur une femme qui avait un garage séparé comme le mien et qui ne le fermait jamais à clé. Et une fois, elle y est entrée et il y avait un type qui y volait des trucs. Il l'a violée. C'est pour ça que je ferme toujours mon garage à clé.

— Pourquoi, à votre avis, ne l'était-il pas quand la police est venue fouiller votre maison le jour du meurtre ?

— Je ne sais pas. Je le gardais toujours fermé à clé.

— Quand avez-vous vu pour la dernière fois avant ce procès le marteau de votre établi à sa place dans le garage ?

— Je ne me rappelle pas l'y avoir jamais vu. C'était mon mari qui avait installé tous les outils. Je ne suis pas très douée de ce côté-là.

— Et les outils de jardinage ?

— Oh, là, je retire ce que j'ai dit si c'est de ces outils-là que vous parlez. C'est moi qui m'occupe du jardin et ce sont mes outils à moi.

— Pourquoi, à votre avis, une microgoutte du sang de M. Bondurant a-t-elle fini sur une de vos chaussures de jardinage ?

Elle regarda fixement devant elle, l'air troublé. Son menton tremblait légèrement lorsqu'elle se remit à parler.

— Je n'en sais rien. Il n'y a pas d'explication. Je n'avais pas porté ces chaussures depuis un bon moment et je n'ai pas tué M. Bondurant.

Elle avait prononcé ces derniers mots presque comme une supplique, tout cela sentant fort le désespoir et la vérité. Je marquai une pause pour savourer en espérant que les jurés l'aient remarqué eux aussi.

Je passai encore une demi-heure avec elle, en gros pour travailler et retravailler les mêmes thèmes et dénégations. J'entrai plus en détail dans sa rencontre avec Bondurant à la cafète et m'étendis sur le processus de la saisie et les espoirs qu'elle avait de remporter son procès.

Pour la défense, son témoignage avait trois fonctions. J'avais besoin que ses dénégations et explications soient officielles. J'avais besoin que sa personnalité suscite la sympathie des jurés et qu'un visage humain apparaisse enfin dans cette affaire de meurtre. Et enfin, j'avais surtout besoin que les jurés commencent à se demander si cette femme minuscule et d'apparence fragile pouvait vraiment avoir dressé un guet-apens et flanqué un énorme coup de marteau sur la tête d'un homme. À trois reprises.

Lorsque j'arrivai à la fin de mon interrogatoire, j'eus l'impression d'avoir beaucoup fait pour y arriver. J'essayai alors de terminer sur un petit crescendo bien à moi.

— Haïssiez-vous M. Bondurant ? lui demandai-je.

— Je détestais ce que lui et ses amis de la banque me faisaient à moi et à d'autres personnes comme moi. Mais personnellement, non, je ne le haïssais pas. Je ne le connaissais même pas.

— Mais vous aviez perdu votre mari et votre travail et vous risquiez aussi de perdre votre maison. Vous n'aviez pas envie de vous déchaîner contre les forces qui, selon vous, vous faisaient du mal ?

— Je le faisais déjà. Je protestais contre la façon dont on me maltraitait. J'avais engagé un avocat et je me battais contre ma saisie. Oui, j'étais en colère. Mais je n'étais pas violente. Je ne suis pas quelqu'un de violent. Je suis enseignante. Oui, je me déchaînais, si c'est le mot qu'il faut employer, mais de la seule façon que je connaissais : en m'opposant de manière pacifique à quelque chose qui était mal. Tout à fait et définitivement mal.

Je jetai un coup d'œil aux jurés et crus bien surprendre une femme assise au dernier rang en train d'essuyer une larme. Je priai Dieu que ce soit bien le cas. Je me retournai vers ma cliente et me préparai pour le bouquet final.

— Lisa, encore une fois je vous le demande : avez-vous tué Mitchell Bondurant ?

— Non, je ne l'ai pas tué.

— Avez-vous pris un marteau et l'en avez-vous frappé dans le garage de la banque ?

— Non, parce que je n'y étais pas. Ce n'est pas moi qui ai fait ça.

— Alors comment se fait-il que le marteau de votre garage à vous ait servi à le tuer ?

— Je n'en sais rien.

— Comment se fait-il que du sang de Mitchell Bondurant se soit retrouvé sur vos chaussures ?

— Je n'en sais rien ! Ce n'est pas moi ! C'est un coup monté !

Je m'arrêtai un instant et me calmai la voix avant d'en terminer.

— Une dernière question, Lisa : combien mesurez-vous ?

Elle eut l'air perdue, comme une poupée de chiffon qu'on tire dans un sens, puis dans l'autre.

— Que voulez-vous dire ?

— Dites-nous seulement combien vous mesurez.

— Je mesure un mètre soixante et un.

— Merci, Lisa, je n'ai pas d'autres questions à vous poser.

Freeman avait du pain sur la planche. Lisa Trammel s'était montrée solide à la barre et l'accusation allait avoir du mal à la briser. Elle essaya bien de lui arracher quelques réponses contradictoires ici et là, mais Lisa lui résista plus qu'honorablement. Au bout d'une demi-heure que Freeman passait à essayer de forcer une porte avec un cure-dent, je commençai à croire que ma cliente allait s'en sortir sans problème. Sauf que ça ne paie jamais de se croire à l'abri tant que le client n'a pas quitté la barre pour venir s'asseoir à côté de vous. Freeman, qui avait encore au moins une carte dans la manche, finit par la jouer.

— Quand maître Haller vous a demandé il y a quelques instants si vous aviez commis ce crime, vous avez répondu que vous n'étiez pas quelqu'un de violent. Vous nous avez dit être enseignante et non violente, vous vous rappelez ?

— Oui, c'est vrai.

— Mais n'est-il pas vrai que vous avez été obligée de changer d'école et de suivre un traitement de contrôle de la colère il y a quatre ans de cela lorsque vous avez frappé un élève avec une règle à trois faces ?

Je me dressai aussitôt, élevai une objection et demandai une consultation en aparté. Le juge nous autorisa à venir le voir.

— Monsieur le Juge, murmurai-je avant même qu'il me demande ce qui se passait, il n'est nulle part mentionné la présence d'une quelconque règle à trois faces dans la liste des pièces échangées par les deux parties. D'où cela sort-il ?

— Monsieur le Juge, murmura Freeman avant même qu'il lui pose la question, c'est un nouvel élément d'information qui nous est parvenu à la fin de la semaine dernière. Nous avons dû le vérifier.

— Oh, allons ! m'exclamai-je. Vous allez nous dire que vous n'avez pas pris connaissance, et dès le début, de tout le passé d'enseignante de ma cliente ? Vous pensez vraiment que nous allons le croire ?

— Croyez ce que vous voulez, me renvoya Freeman. Si nous ne vous l'avons pas transmis lors de l'échange des pièces entre les parties, c'est que je n'avais aucune intention d'en parler avant que votre cliente ne se mette à nous évoquer son passé de non-violente. Cet élément disant clairement qu'elle ment, il devient légitime d'en parler.

Je me concentrai à nouveau sur Perry.

— Monsieur le Juge, lui lançai-je, ses excuses n'ont aucune importance. Elle viole les règles de l'échange des pièces entre les parties. La question devrait être rayée des minutes et maître Freeman ne pas avoir le droit de poursuivre dans cette voie.

— Monsieur le Juge, c'est...

— La défense a raison, maître Freeman. Vous pouvez garder ça pour votre réfutation, à condition que vous nous présentiez le témoin qui l'affirme, mais il n'est pas question de vous servir de ça maintenant. Cet élément aurait dû faire partie des pièces échangées entre les parties.

Nous regagnâmes nos places. J'allais devoir demander à Cisco de se renseigner sur cet incident parce qu'il ne faisait aucun doute que Freeman y reviendrait plus tard. Cela m'agaçait beaucoup dans la mesure où l'une des premières tâches que j'avais assignées à mon enquêteur avait été de tout savoir sur notre cliente. Et Dieu sait comment, il avait loupé ça.

Le juge ordonna aux jurés de ne tenir aucun compte de la question de l'accusation, puis il demanda à Freeman de reprendre son interrogatoire en changeant de direction. Mais je savais que le coup avait porté haut et fort dans la tête des jurés. La question avait peut-être été effacée des minutes, mais pas dans leurs esprits.

Freeman poursuivit son interrogatoire en contre en tirant ici et là au jugé sur Lisa, mais sans vraiment fissurer l'armure qu'elle s'était construite lors de son témoignage. Rien ne put ébranler la thèse de ma cliente selon laquelle elle ne s'était jamais trouvée près de la Westland National le matin du meurtre. Hormis l'histoire de la règle à trois faces, c'était un excellent début qui faisait tout de suite comprendre aux jurés que nous partions dans une défense positive[1]. Nous ne succomberions pas sans nous battre.

L'accusation fit durer jusqu'à 17 heures, se gardant ainsi la possibilité de trouver autre chose pendant la nuit et de le lancer à la tête de Trammel dès le lendemain matin. Le juge ajourna la séance et tout le monde fut renvoyé chez soi. Tout le monde sauf moi. Moi, je repartis au bureau. Il y avait encore du travail.

Avant de quitter le prétoire, je me serrai contre ma cliente à la table de la défense et lui chuchotai toute ma colère.

— Merci de m'avoir averti pour la règle à trois faces ! Autre chose que je ne saurais pas ?

— Non, rien, c'était idiot.

— Qu'est-ce qui était idiot ? Que vous ayez frappé un gamin avec une règle ou que vous ne m'en ayez rien dit ?

— Ça remonte à quatre ans et il le méritait. C'est tout ce que je vais en dire.

— Sauf que ce ne sera pas à vous d'en décider. Freeman pouvant toujours en reparler dans sa réfutation, vous feriez mieux de commencer à réfléchir à ce que vous allez raconter.

L'inquiétude se marqua sur son visage.

— Comment le pourrait-elle ? Le juge a dit aux jurés d'oublier que ç'avait été mentionné.

— Elle ne pourra pas le faire en contre, mais elle trouvera un moyen d'en reparler plus tard. Les règles de la réfutation ne sont pas les mêmes. Bref, vous feriez mieux de tout me raconter de l'affaire et de me dire tout ce que je devrais savoir mais que vous avez négligé de me rapporter.

1. Type de défense qui peut amener aux circonstances atténuantes ou à la condamnation du tiers coupable.

Elle regarda par-dessus mon épaule et je compris qu'elle cherchait Herb Dahl. Elle n'avait aucune idée de ce qu'il m'avait révélé ou du travail d'agent double dans lequel il s'était lancé.

— Dahl n'est pas là, lui dis-je. Parlez-moi à moi, Lisa. Que devrais-je savoir d'autre ?

***

En arrivant à l'étude, je trouvai Cisco à la réception. Les mains dans les poches, il baratinait Lorna assise derrière le bureau.

— Qu'est-ce qui se passe ? demandai-je. Je croyais que t'allais chercher Shami à l'aéroport.

— J'y ai envoyé Bullocks, me répondit-il. Elle l'a trouvée et elles reviennent.

— Elle aurait dû rester ici à préparer son témoignage, qui aura probablement lieu demain. L'enquêteur, c'est toi, et c'est toi qui aurais dû aller à l'aéroport ! Même à elles deux, elles ne sont probablement pas assez fortes pour porter le mannequin.

— Détends-toi, patron, elles ont réglé ça. Et tout va très bien entre elles. Bullocks vient juste d'appeler. Alors, cool, cool, on s'occupe du reste.

Je le dévisageai sans gentillesse. Je me foutais bien qu'il me rende trente-cinq kilos de muscles et fasse vingt centimètres de plus que moi. C'était moi qui avais tout supporté et j'en avais ma claque.

— Tu veux que je me détende ? m'écriai-je. Tu veux que je reste cool ? Va te faire enculer, Cisco ! On vient juste d'attaquer la phase défense et notre problème, c'est que côté défense, on n'a rien. Du bla-bla, j'en ai plein, plus un mannequin. Le problème, c'est qu'à moins que tu veuilles bien sortir tes mains de tes poches et me trouver quelque chose, celui qui va avoir l'air aussi con qu'un mannequin, ce sera moi. Alors ne me dis pas d'être cool, d'accord ? Celui qui se tient tous les jours devant les jurés, c'est moi !

Ce fut Lorna qui commença à éclater de rire, bientôt suivie par Cisco.

— Et vous trouvez ça drôle ? m'écriai-je, totalement outré. Ça n'a rien de drôle ! Qu'est-ce qui vous fait croire que c'est drôle, bordel ?

Cisco leva les mains en l'air en signe d'apaisement jusqu'à ce qu'il ne puisse plus se contenir.

— Désolé, patron, dit-il, c'est juste que quand tu te montes le bourrichon… non, et le truc du mannequin !

Cela fit partir Lorna dans un autre round d'éclats de rire. Je me jurai de la virer après le procès. En fait même, je les virerais tous les deux. Parce que ça, ça serait vraiment drôle.

— Écoute, reprit Cisco qui devait avoir senti que je ne voyais pas trop l'humour de la situation, va dans ton bureau, enlève ta cravate et assieds-toi dans ton grand fauteuil. Pendant ce temps-là, je vais aller chercher mes trucs et je te montrerai ce que j'ai mis en route. J'ai passé toute ma journée à travailler les mecs de Sacramento et ça va lentement, mais on approche du but.

— Les mecs de Sacramento ? Ceux du labo d'analyses criminelles ?

— Non, ceux des dossiers d'entreprises. Les bureaucrates de la capitale, Mickey. C'est pour ça que ça prend un temps fou. Mais t'as pas à t'inquiéter. Tu fais ton boulot et moi, je ferai le mien.

— Sauf que j'ai du mal à faire le mien quand je suis obligé d'attendre que tu fasses le tien.

Et je me dirigeai vers mon bureau. Et jetai un regard torve à Lorna en passant devant elle, ce qui ne servit qu'à la faire rigoler à nouveau.

## 40

Je n'avais pas été invité et on ne m'attendait pas. Mais n'ayant pas vu ma fille pendant une semaine – j'avais dû annuler la soirée crêpes du mercredi à cause du procès – et ayant laissé partir Maggie sur une note désagréable, je me sentais tenu de passer les voir à l'appartement qu'elles partageaient à Sherman Oaks. Maggie m'ouvrit d'un air désapprobateur, après, semble-t-il, m'avoir reconnu par le judas.

— C'est pas le bon soir pour les visites surprises, me lança-t-elle.

— Ben, je vais juste dire bonjour à Hayley un instant, si c'est possible.

— Non, la mauvaise soirée, c'est elle qui se la paie, dit-elle en s'effaçant pour me laisser passer.

— Vraiment ? C'est quoi, le problème ?

— Elle a une tonne de devoirs et elle ne veut pas qu'on l'embête… personne. Même pas moi.

De l'entrée, je jetai un œil dans la salle de séjour, mais n'y vis pas ma fille.

— Elle est dans sa chambre et elle a fermé la porte. Bonne chance, Mike. Je retourne nettoyer dans la cuisine.

Et elle me laissa là, à regarder le haut des marches. C'était là qu'était la chambre d'Hayley et, tout d'un coup, y monter me parut bien menaçant. Ma fille était une adolescente et donc sujette à tous les changements d'humeur qu'implique pareil état. On ne sait jamais ce qu'on va récolter.

J'accomplis quand même le périple, mon petit *toc toc* bien poli à sa porte ayant droit à un : « Quoi ! »

— C'est moi, papa. Je peux entrer ?

— Papa, j'ai une tonne de boulot !

— Ça veut donc dire que je peux pas entrer ?

— M'est égal.

J'ouvris la porte et entrai. Elle était dans son lit, les couvertures remontées, avec des classeurs, des livres et un grand ordinateur portable tout autour d'elle.

— Et tu peux pas me faire la bise parce que j'ai mis de la crème pour mes boutons.

Je me coulai à côté du lit et réussis à l'embrasser sur le haut du crâne avant qu'elle ne me repousse de son bras.

— T'as encore beaucoup de devoirs ?

— Je te l'ai dit : j'en ai des tonnes.

Elle avait ouvert son livre de maths à l'envers pour ne pas perdre la page. Je le pris pour voir à quelle leçon elle en était.

— Ne me perds pas la page ! s'écria-t-elle d'une voix pleine de panique pure et d'angoisse existentielle style fin du monde.

— Ne t'inquiète pas. Ça va faire bientôt quarante ans que je manipule des livres.

Pour ce que j'arrivais à en comprendre, la leçon portait sur les équations avec valeurs attribuées à *x* et *y* – je fus vite complètement perdu. On lui enseignait des trucs bien au-delà de mes capacités. Dommage que ça ne lui serve probablement jamais à rien.

— Ben dis donc ! Je pourrais pas t'aider même si je voulais.

— Je sais, et maman non plus. Je suis toute seule dans ce monde.

— Comme nous tous, non ?

Je me rendis alors compte qu'elle ne m'avait même pas regardé une fois depuis que j'étais entré. C'était déprimant.

— Bon ben, je voulais juste te dire bonjour. Je vais m'en aller.

— Bye, je t'aime fort.

Toujours pas de contact visuel.

— Bonne nuit.

Je refermai la porte derrière moi et redescendis à la cuisine. L'autre femme qui semblait capable de contrôler mes humeurs s'était assise sur un tabouret au bar de la cuisine. Elle avait un verre de chardonnay et un dossier ouvert devant elle. Elle ne sourit pas, mais accepta le contact visuel, ce que je pris pour une grande victoire dans ces lieux. Puis son regard revint sur le dossier.

— Sur quoi tu travailles ?

— Oh, je me rafraîchis juste la mémoire. Demain j'ai une audience préliminaire pour une affaire de vol à main armée et je n'ai pas vraiment regardé le dossier depuis que j'ai introduit ma requête.

Les corvées habituelles du système judiciaire. Elle ne m'offrit pas de verre de vin parce qu'elle savait que je ne buvais pas. Je m'appuyai au comptoir en face du bar.

— Bon alors, je pensais me présenter au poste de district attorney, lançai-je.

Elle releva brusquement la tête et me regarda.

— Quoi ?

— Rien, j'essayais juste d'attirer l'attention de quelqu'un dans cette maison.

— Je suis désolée, mais ce soir, je suis occupée. Il faut que je travaille.

— Ouais, bon, je vais y aller. Ta copine Andy va probablement travailler tard elle aussi.

— Je crois, oui. Je devais aller prendre un verre avec elle après le boulot, mais elle a annulé. Qu'est-ce que tu lui as fait, Haller ?

— Oh, je lui ai juste coupé un peu les ailes à la fin de sa prestation et j'ai entamé la mienne en roulant les mécaniques. Elle doit être en train de chercher une parade.

— Y a des chances, dit-elle avant de revenir à son dossier.

J'étais clairement en train de me faire virer sans un mot. D'abord par ma fille, et maintenant par l'ex que j'aimais toujours. Mais je n'avais aucune envie de partir en douceur dans cette bonne nuit[1].

— Et nous là-dedans ? demandai-je.

— Quoi, « nous là-dedans » ?

— Toi et moi. Ça ne s'est pas bien terminé l'autre soir chez Dan Tana.

Elle ferma son dossier, le fit glisser de côté et me regarda. Enfin.

— Il y a des soirs comme ça. Ça ne change rien.

Je m'écartai du comptoir et gagnai le bar. Et y posai les deux coudes. Nous étions les yeux dans les yeux.

— Et nous, si rien n'a changé ? Qu'est-ce qu'on fabrique ?

Elle haussa les épaules.

— Je veux réessayer. Je t'aime encore, Mags. Tu le sais.

— Je sais aussi que ça n'a pas marché avant. Nous sommes des gens qui rapportent leurs emmerdes à la maison. Ce n'est pas bon.

— Je commence à croire que ma cliente est innocente, qu'elle est victime d'un coup monté et que malgré tout, il se pourrait bien que je n'arrive pas à la sauver. Qu'est-ce que tu dirais de rapporter ça chez toi le soir ?

— Si ça te turlupine autant, alors oui, peut-être que tu devrais te présenter au poste de district attorney. Il est à prendre, tu sais ?

— Oui bon, peut-être que je vais le faire.

— « Haller au nom du peuple » !

— Ouais.

Je traînai encore quelques minutes après cet échange, mais je voyais bien que je n'avançais guère avec elle. Elle était très douée dans l'art de vous glacer et de vous le faire sentir.

1. Célèbre vers de Dylan Thomas.

Je lui répétai que j'allais partir et lui demandai d'informer Hayley que je lui souhaitais bonne nuit. Et ce n'était pas la peine de se ruer sur la porte pour m'empêcher de partir. Mais Maggie me lança quand même quelque chose qui me fit du bien.

— Il faut du temps, Michael, me dit-elle.

Je me retournai vers elle.

— De quoi tu parles ?

— Non, pas « de quoi », mais « de qui ». D'Hayley... et de moi.

J'acquiesçai et lui répondis que je leur en laisserais.

En revenant chez moi en voiture, je laissai ce que j'avais accompli au tribunal ce jour-là me remonter le moral. Je commençai à réfléchir au témoin que j'allais appeler à la barre après Lisa. La tâche qui m'attendait était encore redoutable, mais il ne servait à rien de penser aussi loin en avance. C'est avec l'élan du moment qu'on démarre et après, on avise.

Je pris Beverly Glen Boulevard jusqu'en haut, puis Mullholland Drive vers l'est pour rejoindre Laurel Canyon. J'entrevis les lumières de la ville au nord et au sud. Los Angeles s'étendait sous mes yeux tel un océan qui scintille. Je ne mis pas la radio, je baissai les vitres et laissai la fraîcheur de l'air me glacer les os telle une grande solitude.

# 41

Tout ce qui avait été gagné la veille fut perdu en moins de vingt minutes lorsque, ce vendredi matin-là, Andrea Freeman reprit son interrogatoire en contre de Lisa Trammel. Se faire assommer par l'accusation en plein procès n'est certainement jamais bon, mais c'est acceptable sous bien des rapports : cela fait partie du jeu. C'est une des inconnues inconnues. Mais se faire assommer par son propre client est ce qui peut vous arriver de pire. La personne que l'on défend ne devrait jamais être une de ces inconnues inconnues.

Trammel une fois en place à la barre, Freeman gagna le lutrin avec un gros document aux bords nets d'où sortait un Post-it rose. Je me dis qu'il devait s'agir d'un accessoire destiné à me faire perdre le fil et n'y prêtai aucune attention. Freeman attaqua aussitôt avec des questions que je dirais du genre « machination à venir ». Elles ont pour but d'intégrer les réponses du témoin aux minutes pour pouvoir en montrer la fausseté ensuite. Je voyais bien le piège se refermer, mais n'étais pas trop sûr de l'endroit où le filet allait tomber.

— Bien, hier, vous avez déclaré ne pas connaître Mitchell Bondurant, n'est-ce pas ?

— C'est bien ça.

— Vous ne l'avez donc jamais rencontré ?

— Jamais, non.

— Et vous ne lui avez jamais parlé ?

— Non plus.

— Mais vous avez essayé de le rencontrer et de lui parler, non ?

— Oui, je me suis rendue deux fois à la banque dans l'espoir de le voir et de lui parler de ma maison, mais il a refusé de me voir.

— Vous rappelez-vous le jour où vous avez essayé ?

— C'était l'année dernière. Mais je ne me rappelle plus la date exacte.

Freeman parut alors changer d'angle d'attaque, mais je savais que tout cela faisait partie d'un plan mûrement réfléchi.

Elle lui posa une série de questions apparemment inoffensives sur son organisation et sur ses buts, l'essentiel en ayant déjà été évoqué lors de mon interrogatoire. Je ne voyais toujours pas où elle voulait en venir. Je jetai un coup d'œil au document avec son Post-it rose et commençai à me dire qu'il ne s'agissait nullement d'un accessoire. La veille au soir, Maggie m'avait lâché que Freeman s'était mise de service de nuit. Maintenant je savais pourquoi. Elle avait manifestement trouvé quelque chose. Je me penchai en travers de la table de la défense et tendis le cou vers la barre des témoins, comme si me rapprocher de la source allait accélérer le moment où la lumière se ferait en moi.

— Et vous avez un site Web dont vous vous servez pour soutenir les actions de FLAG, c'est bien ça ? demanda Freeman.

— Oui, répondit Lisa. Le californiaforeclosurefighters.com.

— Et vous êtes aussi sur Facebook, n'est-ce pas ?

— Oui.

Je sus tout de suite, rien qu'à la manière timide et prudente dont ma cliente avait prononcé ce mot, que c'était là que résidait le piège. Pour moi, que Lisa soit sur Facebook était une première.

— Pour les membres du jury qui pourraient ne pas le savoir, qu'est-ce que Facebook exactement, madame Trammel ?

Je me calai dans mon fauteuil et sortis mon portable en catimini. J'envoyai vite un texto à Bullocks pour lui dire de laisser tomber ce qu'elle faisait et de me donner tout ce qu'elle pourrait trouver sur la page Facebook de Lisa. *Dites-moi ce qu'il y a dedans*, lui ordonnai-je.

— Eh bien, il s'agit d'un réseau social qui me permet de rester en contact avec les gens impliqués dans les activités de FLAG. J'y publie des mises à jour sur ce qui se passe. Je leur dis où nous allons nous retrouver ou défiler, des trucs comme ça. On peut le configurer de façon à être automatiquement averti sur son portable ou sur son ordinateur chaque fois que j'y mets quelque chose. Ça nous a beaucoup servi pour organiser les gens.

— Et vous pouvez aussi y poster des choses à partir de votre téléphone portable, c'est bien ça ?

— Oui, oui.

— Et ce lieu numérique où vous postez des publications est bien appelé votre « mur », n'est-ce pas ?

— Oui.

— Et vous vous êtes servie de ce mur pour faire bien plus que simplement envoyer des messages sur vos défilés de protestations, n'est-ce pas ?

— Parfois.

— Vous y avez aussi effectué des mises à jour régulières sur votre affaire de saisie, non ?

— Si si, je voulais que ç'ait l'air du journal personnel d'une saisie immobilière.

— Vous êtes-vous aussi servie de Facebook pour avertir les médias de vos activités ?

— Oui, ça aussi.

— Ce qui fait que pour recevoir ces informations, il faut devenir votre ami, exact ?

— Oui, c'est comme ça que ça marche. Les gens qui veulent être mes amis en font la demande, je les accepte et ils ont accès à mon mur.

— Combien de ces amis avez-vous ?

Je ne savais pas où on allait, mais je savais que ça ne serait pas bon. J'élevai une objection en faisant remarquer que tout cela ressemblait beaucoup à de la pêche aux infos et que la pertinence du propos ne s'imposait pas clairement. Freeman promettant aussitôt que côté pertinence, tout serait bientôt évident, Perry la laissa poursuivre.

— Vous pouvez répondre à la question, dit-il à Trammel.

— Euh, je crois… eh bien, la dernière fois que j'ai vérifié, j'en avais plus de mille.

— Quand avez-vous rejoint Facebook pour la première fois ?

— L'année dernière. Je crois que c'est en juillet ou en août que j'ai rempli le dossier d'ouverture de FLAG et que j'ai ouvert un compte. J'ai fait tout ça en même temps.

— Et donc, soyons bien clairs. Pour ce qui est du site Web, il suffit d'avoir un ordinateur et l'Internet pour y avoir accès, c'est ça ?

— C'est ça.

— Mais votre page Facebook est un peu plus personnelle et privée. Pour y avoir accès, il faut être accepté par vous en qualité d'ami. C'est ça ?

— Oui, mais en général j'accepte tous ceux qui me le demandent. Je ne les connais donc pas tous parce qu'il y en a trop. Je suppose seulement qu'ils ont entendu parler du bon boulot qu'on fait et que ça les intéresse. Je ne rejette personne. C'est comme ça que je suis arrivée à mille personnes en moins d'un an.

— Et vous avez posté très régulièrement des publications sur votre mur depuis que vous avez rejoint Facebook, c'est ça ?

— Assez régulièrement, oui.

— En fait, vous y avez même posté des avis sur ce procès, n'est-ce pas ?

— Oui, juste pour dire ce que je pensais.

Je sentis ma température monter d'un coup. Je commençai à avoir l'impression que mon costume était en plastique et empêchait ma chaleur corporelle d'en sortir. J'eus envie de desserrer ma cravate, mais je savais que si jamais un juré me voyait agir ainsi pendant cet interrogatoire, le message serait désastreux.

— Bien et… n'importe qui peut-il aller sur votre page et y poster quelque chose sous votre nom ?

— Non, il n'y a que moi qui peux le faire. On peut y réagir et poster ses propres publications, mais pas sous mon nom.

— Combien de publications avez-vous postées sur votre mur depuis l'été dernier, à votre avis ?

— Aucune idée. Beaucoup.

Freeman leva alors le gros document d'où sortait le Post-it rose.

— Le croiriez-vous si je vous disais que vous y avez posté plus de douze cents publications ?

— Je ne sais pas.

— Mais moi, si. Et j'ai tous vos textes imprimés ici même. Monsieur le Juge, puis-je m'approcher du témoin avec ce document ?

Avant même que Perry ne puisse répondre, je demandai une consultation en aparté. Il nous fit signe d'approcher, Freeman apportant son gros document avec elle.

— Monsieur le Juge, m'écriai-je, mais qu'est-ce qui se passe ? J'ai la même objection qu'hier au motif que l'accusation a refusé, et délibérément, de nous livrer toutes ses pièces lors de l'échange entre les parties. Il n'a encore jamais été fait mention de ce document et maintenant, elle voudrait que la cour accepte l'introduction de douze cent publications postées sur Facebook comme pièces à conviction ? Allons, allons, monsieur le Juge, ce n'est pas juste.

— S'il n'y a rien eu là-dessus dans la phase échange des pièces, c'est que ce compte Facebook nous était inconnu jusqu'à hier soir.

— Monsieur le Juge ! Si vous croyez ça, moi, j'ai du terrain à l'ouest de Malibu que j'aimerais vous vendre !

— Monsieur le Juge, ce n'est qu'hier après-midi que mon étude est entrée en possession d'un tirage papier de tout ce que l'accusée a posté sur sa page Facebook. Et c'est là que mon attention a été attirée par quelques publications remontant au mois de septembre dernier, toutes ayant trait à notre affaire et au témoignage de l'accusée. Si l'autorisation de poursuivre m'est donnée, leur pertinence deviendra plus qu'évidente, même aux yeux de la défense.

— « … est entrée en possession » ! m'exclamai-je. Mais qu'est-ce que ça veut dire ? Monsieur le Juge, il faut y avoir été invité en tant qu'ami pour accéder au mur de ma cliente ! Si le ministère public se lance ainsi dans des subter…

— Ce tirage m'a été confié par un représentant des médias qui est ami de l'accusée sur Facebook, lança Freeman en m'interrompant. Il n'y a aucun subterfuge là-dedans. Mais la source du document ne saurait être la question ici. *Res ipsa loquitur…* le document parle de lui-même, monsieur le Juge, et je suis bien sûre que l'accusée pourra identifier ses propres publications pour les jurés. La défense ne fait qu'essayer d'empêcher le jury de voir ce qu'il sait bien être la preuve que sa cliente…

— Monsieur le Juge, je ne sais même pas de quoi elle parle ! Ce n'est que lors de son interrogatoire en contre que j'ai appris l'existence de cette page Facebook. La défense voit donc…

— Très bien, maître Freeman. Passez le document à l'accusée, mais allez vite au but !

— Merci, monsieur le Juge.

Je me rasseyais à ma place lorsque je sentis mon portable vibrer dans ma poche. Je l'en sortis et lus le texto sous la table de la défense, hors de vue du juge Perry. Il émanait de Bullocks qui me disait seulement qu'elle avait eu accès au mur de Lisa et qu'elle travaillait à ce que je lui avais demandé. D'une main, je lui enjoignis d'aller voir ce qui y avait été posté en septembre et remis mon portable dans ma poche.

Freeman donna le tirage papier à Trammel et lui demanda de vérifier que les toutes dernières publications avaient bien été postées sur son mur.

— Merci, madame Trammel, dit-elle. Et maintenant, pourriez-vous, s'il vous plaît, vous reporter à la page marquée d'un Post-it ?

Lisa s'exécuta à contrecœur.

— Vous verrez que j'y ai surligné une série de trois de vos publications du 7 septembre dernier. Pourriez-vous, s'il vous plaît, lire la première aux jurés et nous préciser l'heure de l'envoi ?

— Hmm… *13 h 46. Je me dirige vers la Westland National pour y voir Bondurant. Cette fois, il n'y a pas de non qui tienne.*

— Bien, vous venez de prononcer le mot « Bondurant », mais dans votre texte, il est mal orthographié, n'est-ce pas ?

— Oui.

— Comment l'y avez-vous épelé ?

— C-O-N-D-U-R-A-N-T.

— « Condurant ». Je remarque que ce nom est écrit de cette façon dans tous les textes où vous parlez de lui. Était-ce intentionnel ou s'agit-il d'une faute de frappe ?

— Il était en train de me prendre ma maison.

— Pourriez-vous répondre à la question, s'il vous plaît ?

— Oui, c'était intentionnel. Je l'ai appelé Condurant parce que ce n'était pas un type gentil.

Je sentis la sueur me couler dans les cheveux. La Lisa cachée était sur le point de se révéler.

— Pourriez-vous, s'il vous plaît, lire le texte suivant que j'ai surligné ? Avec l'heure.

— *14 h 18. Ils ont encore refusé de me laisser le voir. Totalement injuste.*

— Et maintenant, s'il vous plaît, le troisième texte, toujours avec l'heure.

— *14 h 21. Ai trouvé son emplacement. Vais l'attendre dans le garage.*

Silence de mort dans la salle.

— Madame Trammel, avez-vous attendu Mitchell Bondurant dans le parking de la Westland National le 7 septembre de l'année dernière ?

— Oui, mais pas longtemps. Je me suis rendu compte que c'était bête et qu'il ne sortirait même pas avant la fin de la journée. Alors je suis partie.

— Êtes-vous retournée dans ce garage et l'avez-vous attendu le jour où il a été assassiné ?

— Non ! Je n'y étais pas.

— Vous l'avez vu à la cafète, ça vous a mise en colère et vous saviez exactement où il allait se rendre, n'est-ce pas ? Vous êtes allée au garage, vous l'avez attendu et…

— Objection ! hurlai-je.

— … vous l'avez tué à coups de marteau, n'est-ce pas ?

— Non, non et non ! s'écria Trammel. Je ne l'ai pas tué !

Elle fondit en larmes et se mit à gémir comme une bête aux abois.

— Objection, monsieur le Juge ! Elle harcèle…

Perry parut sortir brusquement d'une sorte de rêverie en regardant Trammel.

— Objection retenue !

Freeman s'arrêta. La salle d'audience fut à nouveau plongée dans le silence hormis pour les sanglots de ma cliente. Le garde s'approcha avec une boîte de mouchoirs en papier et les larmes de Lisa cessèrent enfin.

— Merci, monsieur le Juge, dit Freeman. Je n'ai plus de questions à poser à l'accusée.

***

Je demandai une interruption de séance tôt dans la matinée afin que ma cliente puisse se remettre et que moi, j'aie le temps de décider s'il fallait oui ou non poursuivre en contre. Le juge accéda à ma requête – probablement par pitié pour moi.

Les larmes de Lisa n'entamaient en rien le fait que Freeman l'avait piégée de main de maître. Mais tout n'était pas perdu. Ce qu'il y a de mieux dans la défense antipiège est que chaque élément de preuve ou de témoignage qui tue, y compris ce qui émane du client, peut en devenir partie intégrante.

Dès que les jurés furent conduits hors de la salle, je gagnai le box des témoins pour consoler Lisa. Je sortis deux mouchoirs en papier de la boîte et les lui tendis. Elle les prit et commença à sécher ses larmes. Je couvris le micro de ma main afin d'éviter que notre conversation ne soit retransmise dans tout le prétoire. Et fis de mon mieux pour contrôler le ton de ma voix.

— Lisa, lui dis-je, pourquoi est-ce seulement maintenant que j'entends parler de ces trucs sur Facebook, bon sang ! Vous imaginez un peu ce que ça pourrait faire à notre dossier ?

— Je pensais que vous étiez au courant. J'avais accepté Jennifer comme amie.

— Ma Jennifer à moi ?

— Oui !

Rien de tel que d'avoir sa jeune associée et sa cliente en savoir plus long que soi !

— Mais… et ces publications postées en septembre ? Savez-vous à quel point elles nous sont préjudiciables ?

— Je m'excuse ! Je les avais complètement oubliées. Ça remonte à si loin…

Tout indiquait qu'une autre cascade de larmes allait se déclencher. Je tentai de la prévenir.

— Eh bien, nous avons de la chance, repris-je. Nous allons peut-être arriver à faire jouer ce truc en notre faveur.

Elle cessa de se tamponner le visage avec son mouchoir et me regarda.

— Vraiment ?

— J'ai dit « peut-être ». Mais il faut que je sorte d'ici et que j'appelle Bullocks.

— Bullocks ? Qui est-ce ?

— Désolé, mais c'est comme ça qu'on appelle Jennifer. Restez tranquille et remettez-vous.

— On va me poser d'autres questions ?

— Oui. Je veux reprendre en contre.

— Alors, est-ce que je peux me refaire une beauté ?

— Très bonne idée. Mais ne traînez pas.

***

Je sortis enfin du prétoire et appelai Bullocks.

— Avez-vous vu les publications du 7 septembre ? lui demandai-je en guise de salutations.

— Je viens de les découvrir. Si jamais Freeman…

— C'est déjà fait.

— Ah merde !

— Oui, bon, ça ne nous a pas fait de bien, mais il y a peut-être un moyen d'en sortir. Lisa me dit que vous étiez son amie sur Facebook.

— Oui, et j'en suis navrée. Je savais qu'elle avait une page. Il ne m'est jamais venu à l'idée de remonter en arrière et d'aller voir ce qu'elle avait déjà posté sur son mur.

— On reparlera de tout ça plus tard. Pour l'instant, j'ai besoin de savoir si vous avez accès à sa liste d'amis ?

— Je la regarde en ce moment même.

— Bien, et d'un, je veux que vous en imprimiez tous les noms, que vous les passiez à Lorna et que vous demandiez à Rojas de l'apporter ici. Tout de suite. Après, je veux que Cisco et vous commenciez à travailler ces noms et que vous me trouviez qui sont ces gens.

— Il y en a plus de mille ! Vous voulez qu'on les vérifie tous ?

— Si c'est nécessaire. Je cherche un lien avec Opparizio.

— Opparizio ? Pourquoi voudriez...

— Pour lui, Trammel était une menace, tout comme elle l'était pour la banque : elle protestait contre les fraudes à la saisie. Et c'était la société d'Opparizio qui les commettait. Or par Herb Dahl, nous savons que Trammel était sur l'écran radar d'Opparizio. Il est donc raisonnable de penser que quelqu'un dans sa société la surveillait par Facebook. Lisa vient juste de déclarer qu'elle acceptait tous ceux qui voulaient devenir ses amis. Nous aurons peut-être la chance de trouver le nom de quelqu'un que nous connaissons.

Il y eut un silence, puis Bullocks tomba pile sur ce que je pensais.

— En la suivant sur Facebook, ils pouvaient savoir ce qu'elle avait en tête.

— Et qu'une fois déjà elle avait attendu Bondurant dans le garage.

— Et donc bâtir toute cette histoire d'assassinat autour de cette trace.

— Bullocks, lui lançai-je, ça ne me plaît vraiment pas de vous dire ça, mais vous pensez comme un avocat de la défense.

— On s'y met tout de suite.

J'entendis l'urgence dans sa voix.

— Bien, mais d'abord, vous m'imprimez cette liste et vous me la faites parvenir. Je commence l'interrogatoire en contre dans un quart d'heure. Dites à Lorna de me l'apporter directement. Et si Cisco et vous trouvez quelque chose, envoyez-moi immédiatement un texto.

— C'est entendu.

# 42

Freeman était encore toute gonflée d'orgueil après sa victoire du matin lorsque je réintégrai le prétoire. Elle s'approcha d'un pas sautillant, croisa les bras et s'appuya de la hanche à la table de la défense.

— Haller, me lança-t-elle, dites-moi que tout ça n'était que comédie, que de fait vous saviez tout de cette page Facebook.

— Désolé, mais ça, je ne peux pas vous le dire.

Elle leva les yeux au ciel.

— Aïe, aïe, dit-elle, on dirait que quelqu'un aimerait bien avoir une cliente qui ne lui cache pas des trucs… ou alors… un nouvel enquêteur qui, lui, pourrait les trouver ?

J'ignorai la raillerie et espérai qu'elle arrête de jubiler et retourne à sa table. Je commençai à feuilleter les pages d'un bloc-notes en faisant semblant d'y chercher quelque chose.

— Une vraie manne céleste que ç'a été hier soir quand j'ai imprimé ces trucs et suis tombée sur ces publications ! reprit-elle.

— Ça, vous avez dû être sacrément fière de vous. Et… qui est donc le trou du cul de journaliste qui vous les a filés ?

— Vous aimeriez bien le savoir, pas vrai ?

— Mais je le saurai. Le premier type du Bureau du district attorney à nous sortir une exclusivité sera celui qui vous aura aidée. Ils n'arriveront jamais à m'arracher le moindre « sans commentaire ».

Elle ricana. Ma menace n'avait rien à voir avec elle. Elle venait de balancer ces publications aux jurés et c'était tout ce qui comptait. Je finis par lever les yeux vers elle et la regardai de côté.

— Vous ne comprenez donc pas, c'est ça ?

— Qu'est-ce que je ne comprends pas ? Que les jurés savent maintenant que votre cliente s'était déjà trouvée sur les lieux du crime… prouvant ainsi qu'elle savait où trouver la victime ? Non, ça, je le comprends parfaitement.

Je me détournai et hochai la tête.

— Vous verrez. Si vous voulez bien m'excuser...

Sur quoi, je me levai et gagnai la barre des témoins. Lisa Trammel venait juste de revenir des toilettes. Elle s'était remaquillé les yeux. Dès qu'elle se remit à parler, je couvris à nouveau le microphone.

— Qu'est-ce que vous faisiez à parler à cette salope ? me demanda-t-elle. Elle est horrible.

Un peu abasourdi par cette colère débridée, je me retournai et jetai un regard à Freeman qui était maintenant assise à la table de l'accusation.

— Elle n'est pas horrible et ce n'est pas une salope, vu ? Elle fait juste son...

— Bien sûr que si. Mais vous ne le savez pas.

Je me penchai tout près d'elle et lui murmurai :

— Parce que quoi ? Vous le sauriez, vous ? Écoutez, Lisa, ne me faites pas le coup de la bipolaire. Vous avez encore un peu moins d'une demi-heure de témoignage. Essayons de la passer sans mettre les jurés au courant de vos problèmes personnels, d'accord ?

— Je ne sais pas de quoi vous parlez, mais ça fait très mal.

— Eh bien, j'en suis désolé. J'essaie de vous défendre et ça ne m'aide pas de devoir découvrir des trucs du style Facebook quand vous êtes interrogée en contre par l'accusation.

— Je vous ai déjà dit que j'étais désolée. Mais votre associée savait.

— Oui bon, mais pas moi.

— Écoutez, tout à l'heure vous m'avez dit qu'on pourrait peut-être tourner tout ça à mon avantage. Comment ?

— C'est simple. Si quelqu'un avait voulu vous piéger, cette histoire de page Facebook aurait été un bon truc pour démarrer.

Parlez d'une manne tombée du ciel ! Elle leva les yeux en l'air et ce fut le soulagement le plus pur qui colora son visage tandis qu'elle comprenait peu à peu la tactique que j'allais employer. La colère qui avait assombri ses traits à peine une minute auparavant fut bientôt complètement dissipée. C'est pile à ce moment-là que le juge entra dans la salle, prêt à y aller. J'adressai un hochement de tête à ma cliente et retournai à la table de la défense alors que le juge ordonnait au garde de faire entrer les jurés.

Tout le monde enfin à sa place, il me demanda si je souhaitais poser des questions en contre à ma cliente. Je bondis de mon siège comme si cela faisait dix ans que j'attendais cette occasion. Cela me coûta cher. Une douleur fulgurante me traversa le torse. Mes côtes étaient peut-être guéries, mais faire un mauvais mouvement m'embrasait encore.

Juste au moment où je gagnais le lutrin, la porte du fond s'ouvrit sur Lorna. Le timing était parfait. Un dossier à la main et un casque de motard sur la tête, elle descendit prestement l'allée centrale jusqu'à la barrière.

— Monsieur le Juge, puis-je avoir quelques instants avec mon associée ? demandai-je à Perry.

— Faites vite, s'il vous plaît.

Je retrouvai Lorna à la barrière et elle me tendit le dossier.

— C'est la liste de tous ses amis Facebook, mais au moment où je suis partie, ni Dennis ni Jennifer n'avaient trouvé le moindre lien avec qui tu sais.

Il était étrange de l'entendre appeler Cisco et Bullocks par leurs prénoms véritables. Je regardai le casque qu'elle portait et chuchotai :

— Tu as pris la moto de Cisco pour venir ?

— Tu voulais ce truc rapidement et je savais pouvoir me garer pas loin d'ici.

— Où est Rojas ?

— Je ne sais pas. Il n'a pas décroché son portable.

— Génial. Écoute, je veux que tu laisses la bécane de Cisco là où elle est et que tu retournes au bureau à pied. Je ne veux pas que tu remontes sur cet engin de mort.

— Je ne suis plus ta femme. Je suis la sienne.

À l'instant même où elle murmurait ces mots, je regardai par-dessus son épaule et vis Maggie McPherson assise dans le public. Je me demandai si elle venait pour moi ou pour Freeman.

— Écoute, dis-je. Ça n'a rien à voir avec...

— Maître Haller ? entonna le juge dans mon dos. Nous vous attendons.

— Oui, monsieur le Juge, dis-je très fort, mais sans me retourner.

Puis, dans un murmure, j'ajoutai à l'adresse de Lorna :

— Tu rentres à pied.

Et je regagnai le lutrin en ouvrant le dossier. Il ne contenait que des données brutes… quelque mille noms et plus rangés sur deux colonnes par page… mais je le regardai comme si l'on venait de me donner le Saint Graal.

— Bien, Lisa, lançai-je, parlons de cette page Facebook. Vous avez déclaré un peu plus tôt que vous aviez plus de mille amis. Connaissez-vous personnellement toutes ces personnes ?

— Non, pas du tout. Parce qu'il y a tant de gens qui me connaissent à cause de FLAG, je suppose que lorsque quelqu'un veut devenir mon ami, c'est parce qu'il soutient ma cause. Et je l'accepte.

— Ce qui fait que les publications postées sur votre mur sont ouvertes à un nombre important de vos amis Facebook, mais qu'en réalité, tous ces gens vous sont de parfaits inconnus. Est-ce que je me trompe ?

— Non, c'est tout à fait ça.

Je sentis mon portable vibrer dans ma poche.

— Ce qui fait aussi que n'importe lequel de ces inconnus qui s'intéresserait ou se serait intéressé à votre mouvement pourrait très bien accéder à votre page et voir ce que vous avez laissé sur votre mur, exact ?

— Exact.

— Quelqu'un pourrait, par exemple, aller sur votre page aujourd'hui, remonter toutes vos mises à jour et voir qu'en septembre dernier vous avez traîné dans le garage de la Westland pour y attendre Mitchell Bondurant, n'est-ce pas ?

— Effectivement.

Je sortis mon portable de ma poche et, en me servant du lutrin comme d'un paravent, je le déposai sur le plateau. Et tout en feuilletant les pages de ma sortie d'imprimante d'une main, de l'autre j'ouvris le texto que je venais de recevoir. Le message émanait de Bullocks.

*Troisième page, colonne de droite, cinquième nom à partir du bas – Don Driscoll. Nous avons un Donald Driscoll qui a travaillé à ALOFT, section TI. On bosse la question.*

*Bingo !* Enfin j'avais une balle que je pouvais frapper à toute volée.

— Monsieur le Juge, repris-je, j'aimerais montrer ce document au témoin. Il s'agit d'une sortie d'imprimante contenant les noms de tous les gens qui sont devenus amis avec Lisa Trammel sur Facebook.

Freeman, qui voyait sa matinée victorieuse soudain menacée, éleva une objection, mais le juge la rejeta sans même que j'aie à me justifier : à ses yeux, c'était Freeman qui avait ouvert la porte à ce genre de situation. Je tendis la liste à ma cliente et regagnai le lutrin.

— Pourriez-vous, s'il vous plaît, aller à la page 3 de cette sortie d'imprimante et lire le cinquième nom à partir du bas dans la colonne de droite ?

Freeman éleva une nouvelle objection en arguant que l'authenticité de la liste n'avait pas été vérifiée. Le juge lui conseilla de la mettre en doute en contre si elle croyait vraiment que je me permettrais de présenter un faux. J'informai Lisa qu'elle pouvait lire le nom.

— Don Driscoll, dit-elle.

— Merci. Bien. Ce nom vous est-il familier ?

— Pas vraiment, non.

— Mais c'est un de vos amis Facebook.

— Je sais, mais c'est comme je vous ai dit : je ne connais pas tous les gens qui deviennent mes amis. Il y en a trop.

— Bon, mais vous rappelez-vous si Don Driscoll vous a jamais contactée directement et s'il vous a jamais fait savoir qu'il travaillait pour une société appelée ALOFT ?

Freeman éleva une objection et demanda à voir le juge. Nous fûmes appelés à le rejoindre.

— Monsieur le Juge, mais qu'est-ce qui se passe ? lança-t-elle. Maître Haller ne peut pas jeter des noms au hasard. Je veux la preuve qu'il ne se contente pas de balancer des flèches à droite et à gauche pour trouver le bon nom sur la liste.

Perry hocha la tête d'un air pensif.

— Je suis assez d'accord avec elle, maître Haller, dit-il.

Mon portable était toujours sur le lutrin. Si j'avais reçu d'autres renseignements de Bullocks, ils n'allaient certainement pas m'aider maintenant.

— Monsieur le Juge, nous pourrions passer dans votre cabinet et appeler mon enquêteur si vous le désirez. Mais là, j'aimerais demander un peu de latitude à la cour. Ce n'est que ce matin que l'accusation a soulevé la question Facebook et je fais de mon mieux pour y répondre. Nous pourrions ou suspendre les débats un instant pour vous fournir la preuve de ce que nous avançons ou alors, nous pouvons attendre que la défense appelle Don Driscoll à la barre et que maître Freeman puisse le questionner et voir si j'en fais quelqu'un qu'il n'est pas.

— Vous allez l'appeler ?

— Je ne vois pas que j'aurais le choix vu la décision de l'accusation de s'en prendre aux publications postées sur Facebook par ma cliente.

— Très bien, nous attendrons donc le témoignage de M. Driscoll. Ne me décevez pas en revenant au prétoire pour me dire que vous avez changé d'avis, maître Haller. Je serais très malheureux si cela se produisait.

— Je ne le ferai pas, monsieur le Juge.

Nous regagnâmes nos places et je reposai la question à Lisa.

— Don Driscoll vous a-t-il jamais contactée sur Facebook ou ailleurs pour vous dire qu'il travaillait à ALOFT ?

— Non, jamais.

— Cette société vous dit-elle quelque chose ?

— Oui. C'est le nom de l'usine à saisies à laquelle font appel les banques du genre Westland pour remplir tous les papiers de saisies.

— Cette société a-t-elle jamais été impliquée dans la saisie de votre maison ?

— Oh, absolument.

— ALOFT est-il un acronyme et savez-vous de quoi ?

— Oui. C'est A. Louis Opparizio Financial Technologies. C'est le nom de la société.

— Bien, et que cela voudrait-il dire à vos yeux si ce Donald Driscoll, qui était un de vos amis Facebook, travaillait pour le compte d'ALOFT ?

— Cela voudrait dire que quelqu'un de cette société recevait toutes mes publications.

— Et donc que ce Driscoll savait où vous étiez allée et où vous projetiez de vous rendre, c'est bien ça ?

— Tout à fait.

— Il aurait donc été au courant des publications postées en septembre, celles dans lesquelles vous dites avoir trouvé l'emplacement réservé à la voiture de M. Bondurant et avoir décidé de l'y attendre, n'est-ce pas ?

— C'est exact.

— Merci, Lisa, je n'ai rien d'autre à ajouter.

En regagnant ma place, je ne pus m'empêcher de jeter un coup d'œil à Freeman. On ne rayonnait plus du tout. On regardait fixement devant soi. Alors je cherchai Maggie dans l'assistance, mais elle avait filé.

## 43

L'après-midi fut tout entière consacrée à Shamiram Arslanian, mon experte en médecine légale. J'avais tiré un beau profit de ses prestations lors de procès antérieurs et l'idée était de recommencer. Diplômée de Harvard, de MIT et du John Jay College, elle faisait alors des recherches pour cette institution et était dotée d'une personnalité aussi télégénique qu'engageante. En plus de quoi elle faisait preuve d'une intégrité qu'on remarquait dans tout ce qu'elle disait à la barre. Le rêve de tout avocat de la défense, voilà ce qu'elle était. Elle vendait ses services, c'est certain, mais elle ne prenait le boulot que si elle avait foi dans ce que lui disaient ses analyses scientifiques et dans ce qu'elle allait déclarer devant les jurés. Qui plus est, pour moi, il y avait un bonus dans cette affaire : elle faisait exactement la même taille que ma cliente.

Pendant la pause-déjeuner, elle avait installé un mannequin devant le box des jurés, celui d'un homme qui faisait exactement un mètre quatre-vingt-onze, soit la taille de Mitchell Bondurant en chaussures. Il était vêtu d'un costume semblable à celui que

Bondurant portait le matin de son meurtre, chaussé exactement comme lui et muni d'articulations qui permettaient de lui faire prendre toutes sortes de postures naturelles.

La séance ayant repris son cours et mon témoin se trouvant à la barre, je pris tout mon temps pour détailler les innombrables références de mon experte. Je voulais que les jurés mesurent bien tous les talents de cette femme et qu'ils apprécient sa façon désinvolte de répondre aux questions. Je voulais aussi qu'ils comprennent que ses compétences et son savoir la mettaient au-dessus des témoins de médecine légale convoqués par l'accusation. Bien au-dessus.

Cette impression une fois installée, je m'occupai du mannequin.

— Bien, docteur Arslanian, repris-je, je vous ai demandé d'étudier certains aspects du meurtre de Mitchell Bondurant, c'est bien ça ?

— C'est bien ça.

— Et d'étudier plus particulièrement la mécanique de ce crime, exact ?

— Oui, en gros vous m'avez demandé de vous dire si votre cliente pouvait avoir effectivement commis ce crime comme le prétend la police.

— Et… avez-vous conclu qu'elle aurait pu le faire ?

— Eh bien, oui et non. J'ai déterminé que oui, elle aurait pu commettre ce crime, mais que cela ne se serait pas passé comme l'ont dit les inspecteurs.

— Pourriez-vous nous expliquer vos conclusions ?

— Je préférerais vous démontrer tout cela en prenant la place de votre cliente.

— Quelle taille faites-vous, docteur Arslanian ?

— Un mètre soixante et un en chaussettes, soit, me dit-on, la même taille que Lisa Trammel.

— Et vous ai-je envoyé la copie exacte du marteau retrouvé par la police, marteau qui, pour elle, est l'arme du meurtre ?

— Oui. Et je l'ai apporté avec moi.

Elle le tint devant elle au-dessus du rebord du box des témoins.

— Et avez-vous reçu de ma part des photos où l'on voit les chaussures de jardinage saisies dans le garage non fermé à clé de l'accusée, chaussures sur lesquelles il a été plus tard retrouvé du sang de la victime ?

— Oui, ça aussi vous l'avez fait, ce qui m'a permis de me procurer une paire de chaussures de jardinage identique sur Internet. Je les porte d'ailleurs en ce moment même.

Elle leva une jambe sur le côté du box des témoins, montrant ainsi à tout le monde sa chaussure imperméable à l'eau. Un petit rire poli parcourut la salle. Je demandai au juge d'autoriser le témoin à nous démontrer ce qu'elle avait trouvé, il accepta malgré l'objection de l'accusation.

Arslanian quitta le box des témoins avec son marteau et se lança dans sa démonstration.

— La question que je ne cessais de me poser était de savoir comment une femme de la taille de l'accusée, soit, comme moi, de un mètre soixante et un, pouvait avoir porté le coup fatal sur le haut du crâne d'un homme de un mètre quatre-vingt-onze en chaussures. C'est vrai que de ce point de vue-là, le marteau aide un peu en ajoutant vingt-cinq centimètres à la portée de la main, mais est-ce bien suffisant ? Telle était ma question.

— Docteur, si je peux vous interrompre, pouvez-vous nous parler de votre mannequin et de la façon dont vous l'avez préparé pour ce témoignage ?

— Bien sûr. OK, tout le monde : je vous présente Manny. Je me sers de lui chaque fois que je dois témoigner dans un procès et quand je procède à des expériences dans mon laboratoire de John Jay. Il a toutes les articulations d'un être humain, se démonte complètement si j'en ai besoin et ce qu'il y a de mieux, c'est qu'il ne me répond jamais et ne me dit pas davantage si j'ai l'air un peu enveloppée dans mon jean.

Encore une fois, elle eut droit à quelques rires polis.

— Merci, docteur, dis-je vite avant que le juge ait le temps de lui dire de rester sérieuse. Si vous voulez bien poursuivre votre démonstration…

— Bon alors, ce que j'ai fait, c'est me servir du rapport d'autopsie, des photos et des croquis pour localiser très exactement l'endroit du crâne de mon mannequin où le coup fatal a été porté. Or à cause de la marque visible sur la face portante, nous savons que M. Bondurant a été frappé par-derrière. Nous savons aussi qu'étant donnée la profondeur égale de la fracture de dépression, il a été frappé à plat sur le haut du crâne. Ce qui fait qu'en mettant le marteau à plat comme ceci…

En montant sur un petit escabeau posé près de Manny, elle fut à même de placer la face portante du marteau à plat sur le haut de son crâne et de l'y maintenir en place à l'aide de deux élastiques passant sous le menton du mannequin sans visage. Puis elle descendit de l'escabeau et montra le marteau et son manche, lequel se trouvait alors à angle droit et parallèle au plancher.

— Comme vous le voyez, reprit-elle, ça ne marche pas. Je fais un mètre soixante-quatre dans ces chaussures, l'accusée fait elle aussi un mètre soixante-quatre dans ces chaussures et le manche du marteau est là-haut, tout là-haut.

Et de tendre la main pour l'attraper, mais impossible pour elle de s'en saisir comme il fallait.

— Ce que cela nous dit, c'est que le coup fatal n'a pas pu être porté par l'accusée avec la victime dans cette position… c'est-à-dire debout et la tête droite. Bon et maintenant, y a-t-il d'autres positions qui pourraient marcher avec ce que nous savons ? Nous savons que l'agression a eu lieu par-derrière, ce qui fait que si la victime se penchait en avant… disons parce qu'elle aurait laissé tomber ses clés ou autre… eh bien nous voyons que ça ne marche toujours pas parce que je ne peux pas atteindre le marteau par-dessus son dos.

Tout en parlant, elle manipula le mannequin de façon à le faire se pencher en avant au niveau de la taille et à tendre elle-même la main et attraper le manche du marteau par l'arrière.

— Eh non, ça ne marche toujours pas. Deux jours durant, entre mes cours, j'ai cherché d'autres façons de porter ce coup fatal, mais la seule que j'ai trouvée aurait exigé que la victime soit à genoux ou, Dieu sait pourquoi, accroupie, ou que par hasard elle ait été en train de regarder le plafond du garage.

Elle manipula de nouveau le mannequin et le remit droit. Puis elle lui pencha la tête en arrière par le cou et le marteau s'abaissa.

Elle s'en empara dans une posture qui paraissait confortable, mais le mannequin, lui, regardait pratiquement droit au-dessus de lui.

— Bien, dit-elle. D'après les conclusions de l'autopsie, il y avait des écorchures importantes sur les deux genoux de la victime, l'un d'eux ayant même la rotule fêlée. Ces blessures y sont dites d'impact et se seraient produites quand M. Bondurant est tombé par terre après le coup qu'il a reçu. Il a commencé par tomber à genoux, puis il a chuté en avant, tête la première. Bref, avec ce genre de blessure aux genoux, j'exclus qu'il ait été agenouillé ou accroupi près du sol. Ce qui ne nous laisse plus que ceci.

Elle montra la tête du mannequin tirée fortement en arrière et la surface portante du marteau à la verticale. Je jetai un coup d'œil aux jurés. Tous regardaient d'un air fasciné. Ça ressemblait à une séance de « regardez-je-vous-montre » de maternelle.

— Bien, docteur, enchaînai-je, êtes-vous arrivée à une série de tailles possibles pour le véritable assassin en remettant la tête du mannequin à l'horizontale, voire légèrement tirée en arrière ?

Freeman bondit et éleva une objection d'un ton complètement outré.

— Monsieur le Juge, il n'y a rien de scientifique là-dedans ! C'est de la science de pacotille. Tout cela n'est qu'écrans de fumée et voilà que maître Haller lui demande de lui donner la taille de quelqu'un qui aurait pu faire le coup ? Il est impossible de savoir exactement dans quelle position et comment était le cou de la victime de cet horrible…

— Monsieur le Juge, les dernières plaidoiries ne sont prévues que pour la semaine prochaine ! m'écriai-je. Si l'accusation a une objection à formuler, maître Freeman devrait le dire à la cour au lieu de s'adresser aux jurés pour essayer de leur vendre…

— Bon ! lança le juge. Vous arrêtez ça, tous les deux. Maître Haller, on vous a donné ample latitude pour interroger ce témoin et je commençais à être d'accord avec maître Freeman quand elle s'est mise à exagérer. L'objection est retenue.

— Merci, monsieur le Juge, dit Freeman comme si on venait de la sauver d'un abandon en plein désert.

Je me repris, regardai mon témoin et son mannequin, vérifiai mes notes et finis par hocher la tête. J'avais obtenu ce que je voulais.

— Je n'ai pas d'autres questions à poser, dis-je.

Freeman en avait bien d'autres, mais aussi fort qu'elle essayât d'ébranler Shami Arslanian dans son témoignage et ses conclusions, l'accusatrice chevronnée qu'elle était n'arriva jamais à faire reculer d'un centimètre le témoin tout aussi chevronné qu'elle interrogeait. Elle s'y employa pendant près de quarante minutes, mais le plus près qu'elle fut de marquer un point pour l'accusation fut d'obtenir qu'Arslanian reconnaisse qu'il n'y avait effectivement aucun moyen de savoir précisément ce qui s'était passé dans ce garage lorsque Bondurant y avait été tué. Le juge avait annoncé un peu plus tôt dans la semaine que l'audience de ce vendredi-là serait écourtée à cause de la réunion des juges du district prévue en fin d'après-midi. Il n'y eut donc pas de pause dans l'après-midi et nous travaillâmes jusqu'à presque quatre heures avant que Perry ne décide de suspendre les débats pour le week-end. Nous entrâmes ainsi dans une pause de deux jours où j'eus l'impression d'avoir enfin la main. Nous avions résisté aux preuves avancées par l'accusation en en flinguant une bonne partie et terminé la semaine sur les dénégations de Lisa Trammel, ses accusations de coup monté et l'hypothèse de mon témoin selon laquelle il était physiquement impossible à l'accusée d'avoir commis le crime. À moins, bien sûr, que par le plus grand des hasards, elle ait porté son coup fatal à la victime alors que celle-ci regardait le plafond du parking. Pour moi, les germes du doute raisonnable étaient solides. La situation me semblait même si bonne qu'après avoir rangé mes affaires dans ma mallette, je m'attardai à la table de la défense et cherchai dans un dossier quelque chose qui n'y avait jamais été : je m'attendais un peu à ce que Freeman vienne vers moi et me supplie de vendre à ma cliente l'idée d'un plaider-coupable.

Mais rien de tel ne se produisit. Lorsque enfin je levai la tête de ma prétendue recherche de document, elle avait disparu.

Je pris l'ascenseur et descendis au deuxième étage. Les juges pouvaient bien tous lâcher tôt le travail pour étudier ensemble l'érosion des règles du décorum à préserver dans les salles d'audience, je n'en pensais pas moins qu'au Bureau du district attorney, on travaillerait jusqu'à 17 heures. Arrivé à la réception, je demandai à voir Maggie

McPherson et on m'y autorisa. Elle partageait un bureau avec un autre adjoint du district attorney, mais celui-ci était heureusement en vacances. Nous étions seuls. Je tirai le fauteuil de l'adjoint absent et m'assis en face de Maggie.

— Je suis passée plusieurs fois au tribunal aujourd'hui, dit-elle. Je t'ai regardé interroger ta nana de John Jay. C'est un bon témoin.

— Oui, elle est pas mal. Et je t'ai vue moi aussi. Je me suis demandé pour qui tu étais venue... pour moi ou pour Freeman.

Elle sourit.

— Et si j'étais venue pour moi-même ? Tu m'apprends encore des trucs, Haller.

Là, ce fut à mon tour de sourire.

— Maggie McFierce à qui j'apprendrais des trucs ? Vraiment ?

— Eh bien...

— Non, ne réponds pas à la question.

Nous rîmes tous les deux.

— Quoi qu'il en soit, je suis content que tu sois venue. Qu'est-ce qu'Hay et toi avez au programme pour ce week-end ?

— Je ne sais pas. On sera là. Et toi, tu vas sans doute devoir travailler.

J'acquiesçai.

— On va devoir retrouver quelqu'un, dis-je. Et lundi et mardi seront les jours les plus importants du procès. Mais on pourrait peut-être se faire un cinéma ou autre chose ?

— OK.

Nous gardâmes le silence quelques instants. Je sortais d'une de mes meilleures journées jamais passées dans un tribunal, mais me sentais envahi par une impression grandissante de deuil et de tristesse. Je regardai mon ex.

— Nous ne nous remettrons jamais ensemble, n'est-ce pas, Maggie ?

— Quoi ?

— Ça vient juste de me frapper. Tu veux que ça continue comme c'est maintenant. C'est là quand l'un ou l'autre d'entre nous en a vraiment besoin, mais ce n'est jamais vraiment ce que c'était. Ça, tu ne me le donneras jamais plus.

— Pourquoi veux-tu parler de ça maintenant, Michael ? Tu es en plein milieu d'un procès. Tu dois...

— C'est en plein milieu de ma vie que je suis, Mags. Tout ce que je voudrais, c'est qu'il y ait moyen qu'Hayley et toi soyez fières de moi.

Elle se pencha vers moi et tendit la main. La posa un instant sur ma joue, puis la retira.

— Je crois qu'Hayley est fière de toi, dit-elle.

— Ah oui ? Et toi ?

Elle sourit, mais d'une manière un peu triste.

— Je pense que tu devrais rentrer chez toi et, ce soir, ne penser ni à ça ni au procès ni à rien. Laisse ton esprit se débarrasser de tout ce fouillis.

— Je ne peux pas. J'ai rendez-vous avec un mouchard à 17 heures.

— Pour l'affaire Trammel ? Quel mouchard ?

— T'occupe. En plus, t'essaies juste de changer de sujet. Tu n'arriveras jamais à oublier et à pardonner complètement, n'est-ce pas ? Tu n'en es pas capable, et c'est même peut-être ça qui fait de toi un procureur aussi doué.

— Ah ça, pour être douée, je suis douée ! C'est même pour ça que je suis coincée ici à Van Nuys, à m'occuper d'histoires de vols à main armée !

— Non, ça, c'est de la politique. Ça n'a rien à voir avec ton talent et ton dévouement.

— Ça n'a aucune importance et je ne peux pas parler de ça en ce moment. Je suis toujours à la bourre et toi, faut que t'ailles voir ton mouchard. Pourquoi tu ne m'appellerais pas demain si tu veux emmener Hayley au cinéma ? Je te laisserais l'emmener le temps d'aller faire deux, trois courses.

Je me levai. Je savais reconnaître une bataille perdue quand j'en avais une sous les yeux.

— D'accord, dis-je, je m'en vais. Je t'appelle demain. Mais j'espère que tu viendras au cinéma avec nous.

— Nous verrons.

— C'est ça.

Je descendis les escaliers pour filer au plus vite. Je traversai la place et pris Sylmar Avenue vers le nord, puis Victory Boulevard. Je tombai vite sur une moto garée le long du trottoir et la reconnus :

c'était celle de Cisco. Une superbe Harley panhead de 63 avec réservoir nacré noir et garde-boue assorti. Je gloussai. Lorna, ma deuxième ex, avait fait ce que je lui avais dit de faire. Elle avait laissé la moto sans mettre l'antivol, en se disant probablement qu'elle était à l'abri devant le tribunal et le commissariat juste à côté. Je la dégageai du trottoir et la poussai dans l'avenue. Je devais en jeter à pousser une Harley dans mon plus beau costume Corneliani, ma mallette en travers du guidon.

Lorsque enfin je retrouvai mon bureau, il n'était encore que 16 h 30, soit une demi-heure avant qu'Herb Dahl ne débarque pour recevoir ses instructions. Je convoquai une réunion générale et tentai de me remettre dans le dossier pour essayer de repousser les idées que ma conversation avec Maggie suscitait en moi. Je dis à Cisco où j'avais garé sa bécane et demandai qu'on me mette au courant des dernières avancées sur la liste des amis Facebook de ma cliente.

— Et d'abord, comment se fait-il que je n'aie rien su de son compte Facebook ? demandai-je.

— C'est ma faute, répondit tout de suite Aronson. Comme je vous l'ai dit plus tôt, j'en connaissais l'existence et avais même accepté sa demande d'amitié. C'est juste que je n'en mesurais pas toute la signification.

— Moi non plus, je n'ai rien vu venir, dit Cisco. Elle m'a aussi demandé d'être son ami. J'ai regardé et je n'ai rien vu. J'aurais dû regarder de plus près.

— Moi aussi, dit Lorna.

Je les regardai tous. Front uni.

— Génial, dis-je. Faut croire que tous les quatre nous avons loupé le coche et que notre cliente ne s'est pas donné la peine de nous en informer. Du coup, nous sommes virés, tous autant que nous sommes.

Et je marquai une pause pour que ça fasse de l'effet.

— Bon, et ce nom que vous avez trouvé, ce... Don Driscoll ? repris-je. D'où sort-il et en savons-nous plus sur lui ? Sans même le savoir, Freeman pourrait très bien nous avoir donné la clé de toute l'affaire ce matin, vous savez ? Qu'est-ce qu'on a ?

Bullocks regarda Cisco – elle préférait passer.

— Comme tu le sais, dit-il, ALOFT a été vendue en février au LeMure Fund, Opparizio restant à son poste pour en assurer la gestion. Mais parce que cette société est cotée en Bourse, tout ce deal a été suivi par la Federal Trade Commission et rendu public aux actionnaires. Y compris la liste des employés qui resteraient chez ALOFT après la transition. Cette liste, je l'ai, et elle est datée du 15 décembre.

— Nous avons donc commencé à la comparer avec celle des amis de Lisa sur Facebook, enchaîna Bullocks. Heureusement pour nous, Donald Driscoll était alphabétiquement au début. Nous l'avons trouvé assez rapidement.

Je hochai la tête, impressionné.

— Bon alors, c'est qui, ce Driscoll ?

— Dans les documents de la FTC, son nom apparaissait dans un groupe intitulé « Technologie de l'information », dit Cisco. Alors, bien sûr, j'ai appelé la section TI d'ALOFT et demandé après lui. On m'a répondu qu'il y avait travaillé, mais que son contrat se terminait au 1er février et qu'on ne l'avait pas renouvelé. Il est parti.

— Vous avez commencé à remonter la piste ? demandai-je.

— Oui. Mais c'est un nom assez commun et ça nous ralentit. Dès que nous aurons quelque chose, tu seras le premier informé.

Chercher des noms quand on est dans le privé prend toujours du temps. Ce n'est pas aussi facile que d'être flic et d'entrer tout simplement un nom dans l'une des innombrables bases de données des forces de l'ordre.

— On ne se relâche pas, dis-je. Toute la partie pourrait en dépendre.

— T'inquiète pas, patron, me renvoya Cisco. Personne ne se relâche.

## 44

Donald Driscoll, trente et un an, ancien employé d'ALOFT, vivait dans la partie Belmont Shore de Long Beach. Ce dimanche matin-là, j'y descendis avec Cisco pour lui délivrer une citation à comparaître en espérant qu'il veuille bien me parler avant que je le colle à la barre sans rien savoir de lui.

Rojas avait accepté de travailler pendant son jour de repos pour se faire pardonner ses méfaits. Il conduisait la Lincoln, Cisco et moi assis à l'arrière pour parler des résultats de ses dernières recherches sur le meurtre de Bondurant. Il ne faisait aucun doute que la défense commençait à s'organiser, Driscoll étant le témoin qui pourrait peut-être la couronner de succès.

— Tu sais que nous pourrions même l'emporter si Driscoll veut bien coopérer et dire ce que je crois qu'il va dire ? lançai-je à Cisco.

— C'est un gros « si », me renvoya-t-il. Et fais attention : il va falloir être prêt à tout avec ce mec. D'après ce qu'on sait, ça pourrait même être lui. Tu sais quelle taille il fait ? Un mètre quatre-vingt-quinze. C'est sur son permis de conduire.

Je le regardai.

— Permis de conduire que je n'étais pas censé voir, mais il se trouve que j'y ai eu accès, reprit-il.

— Cisco, je ne veux pas entendre parler de tes crimes et délits.

— Je te dis juste que j'ai vu l'info sur son permis, rien de plus.

— Parfait. Tu ne m'en dis pas plus. Et donc… que proposes-tu qu'on fasse quand on y sera ? Je me disais qu'on pourrait se contenter de frapper à la porte…

— Tout à fait, dit-il. Mais faut quand même faire gaffe.

— Je serais juste derrière toi.

— C'est ça, t'es un vrai pote.

— Et comment ! lui lançai-je. À propos… si je te colle à la barre des témoins demain, va falloir que tu te trouves une chemise avec des manches *et* un col. Rends-toi présentable, mec. Je ne sais vraiment pas comment Lorna supporte tes merdes.

— Pour l'instant, elle les a supportées plus longtemps que les tiennes.

— Ouais, faut croire que c'est vrai.

Je me détournai et regardai par la fenêtre. J'avais deux ex-épouses qui étaient probablement aussi mes deux meilleures amies. Mais ça n'allait pas plus loin. Je les avais eues, mais j'avais été incapable de les garder. Qu'est-ce que ça disait de moi ? Je vivais dans le rêve éveillé qu'un jour, Maggie, ma fille et moi vivions de nouveau ensemble, comme une famille. Mais la réalité était bien que rien de tout ça n'arriverait jamais.

— Ça va, patron ?

Je me retournai vers lui.

— Oui, pourquoi ?

— Je sais pas. T'as l'air un peu tremblouillant sur ce coup-là. Pourquoi tu ne me laisserais pas frapper seul à sa porte ? Et s'il se met à causer, je te sonne sur ton portable et tu arrives.

— Non, on fait ça ensemble.

— C'est toi le patron.

— Oui, c'est moi.

Mais j'avais l'impression d'être le perdant de l'affaire. Pile à cet instant, je décidai de tout changer et de trouver un moyen de me racheter. Juste après le procès.

***

Belmont Shore a un côté ville de plage rustique alors même qu'elle fait partie de Long Beach. Driscoll habitait dans un immeuble locatif de deux étages bleu et blanc, style années 50, en retrait de Bayshore Avenue, près de la jetée. Son appartement se trouvait au deuxième étage, un couloir extérieur courant tout le long de la bâtisse. L'appartement 24 était situé au milieu. Cisco frappa à la porte, puis se cacha et me laissa seul devant.

— Tu rigoles ou quoi ? lui lançai-je.

Il se contenta de me regarder. Il ne rigolait pas.

Je fis un pas de côté. Nous attendîmes, mais personne n'ouvrit alors qu'il n'était pas encore 10 heures et qu'on était dimanche. Cisco me regarda et leva les yeux en l'air comme pour me demander : « Qu'est-ce que tu veux faire ? »

Je ne répondis pas. Je me tournai vers la balustrade et jetai un œil au parking de devant. J'y découvris quelques emplacements vides, tous numérotés. Je les montrai du doigt.

— On essaie de trouver le 24, histoire de voir s'il est là.

— Vas-y, toi, me renvoya Cisco. Je vais vérifier un peu par ici.

— Quoi ?

Je ne voyais rien à vérifier. Nous nous trouvions dans une coursive de un mètre cinquante de large qui passait devant tous les appartements du deuxième étage. Ni meubles, ni bicyclettes, rien que du béton.

— Va juste voir le parking.

Je repris l'escalier. Après m'être baissé pour voir ceux de trois voitures peints sur le rebord du trottoir, je compris que les numéros des emplacements et des appartements ne correspondaient pas. L'immeuble comportait douze appartements numérotés 1 à 6 au rez-de-chaussée et 21 à 26 au premier. Les numéros des emplacements allaient, eux, de 1 à 16. Je pariai que dans ce système – et à condition que chaque appartement ait droit à un emplacement –, Driscoll avait le 10, ce qui était logique dans la mesure où il n'y avait que 16 emplacements et que, je le voyais, deux d'entre eux étaient marqués « visiteurs » et deux autres « handicapés ». J'étais en train de me repasser ces numéros dans la tête et contemplais la BMW vieille de dix ans garée au 10 lorsque Cisco m'appela de la coursive. Je levai la tête et vis qu'il me faisait signe. Lorsque je le retrouvai, il se tenait dans l'encadrement de la porte – ouverte – de l'appartement 24. Il m'invita à entrer.

Je le fis et découvris un type décoiffé assis sur un canapé dans une salle de séjour chichement meublée. Ses cheveux lui rebiquaient en nœuds et boucles figées sur le côté droit du crâne. Il se blottissait dans une couverture. Mais je voyais bien qu'il ressemblait à une photo que Cisco avait extraite de son compte Facebook.

— C'est un mensonge ! s'écria Driscoll. Je l'ai pas invité à entrer. Il est entré par effraction !

— Mais non, tu m'as invité ! Même que j'ai un témoin, lui renvoya Cisco en me montrant du doigt.

Le type aux yeux chassieux suivit la direction indiquée et me regarda pour la première fois. Je vis dans ses yeux qu'il me reconnaissait. Je sus alors que c'était bien lui et que nous allions découvrir des choses.

— Hé, écoutez un peu. Je sais pas ce que ce...

— Vous êtes bien Donald Driscoll ? lui demandai-je.

— Je vous dirai rien. On peut pas entrer comme ça chez les...

— Hé ! cria très fort Cisco.

Le type sursauta. Même moi je tressaillis – je ne m'attendais pas à cette nouvelle tactique d'interrogatoire.

— Tu réponds juste à la question, reprit Cisco d'une voix plus calme. T'es bien Donald Driscoll ?

— Et qui c'est qui veut le savoir ?

— « Qui c'est qui veut le savoir ? » Vous le savez très bien, enchaînai-je. Vous m'avez reconnu dès que vous m'avez regardé. Et vous savez très bien pourquoi nous sommes ici, n'est-ce pas, Donald ?

Je traversai la pièce en sortant la citation à comparaître de mon coupe-vent. Driscoll était grand, mais fluet et d'une blancheur de vampire, ce qui étonnait chez un type résidant à deux pas de la plage. Je laissai tomber le document sur ses genoux.

— C'est une citation à comparaître, lui dis-je. Vous pouvez la jeter par terre et décider de ne pas la lire, mais ça n'a aucune importance. Elle vous a été délivrée, Donald. J'ai un témoin et je suis officier de justice. Si vous ne vous pointez pas au tribunal demain matin à 9 heures pour témoigner, à midi, vous serez en taule pour outrage à la cour.

Il se pencha et s'empara de la citation.

— Vous vous foutez de moi, dites ? Vous allez me faire tuer !

Je jetai un coup d'œil à Cisco. Pour être à deux doigts de découvrir des choses, nous l'étions.

— Qu'est-ce que vous racontez ?

— Ce que je raconte, c'est que je ne peux pas témoigner ! Que je me trouve à dix mètres du tribunal et ils me flingueront. Putain, y a même des chances qu'ils surveillent l'appart en ce moment !

Je jetai un deuxième coup d'œil à Cisco, puis reportai mon attention sur le type assis sur le canapé.

— Qui va vous tuer, Donald ? lui demandai-je.

— Pas question que je vous le dise ! Qui c'est, hein ? À votre avis, bordel ?

Il me jeta sa citation, qui rebondit sur ma poitrine et retomba par terre en voletant. Puis il bondit du canapé et fonça vers la porte ouverte. Sa couverture tombant à terre, je vis qu'il ne portait qu'un short de gym et un tee-shirt. Il n'avait pas fait trois pas lorsque Cisco le plaqua comme un second rideau défensif au football américain. Driscoll s'écrasa dans le mur et dégringola sur le plancher. Le poster encadré d'une fille debout sur une planche de surf glissa le long du mur, son cadre venant se briser à côté de lui.

Très calme, Cisco se pencha en avant, remit Driscoll debout et le ramena directement au canapé. Je gagnai la porte et la fermai, au cas où les coups dans le mur auraient attiré l'attention d'un voisin. Puis je revins dans le séjour.

— Vous ne pouvez pas y échapper, dis-je à Driscoll. Dites-nous ce que vous savez et ce que vous avez fait et nous pourrons vous aider.

— M'aider à me faire tuer, oui, bande de connards ! Et j'ai l'impression que vous m'avez pété l'épaule !

Il se mit à remuer le bras et l'épaule comme s'il s'échauffait avant de se lancer dans neuf manches de base-ball. Il fit la grimace.

— Qu'est-ce que vous ressentez ? lui demandai-je.

— Je vous l'ai dit : c'est comme si j'avais quelque chose de cassé. J'ai senti un truc qui lâchait.

— Si c'était vrai, tu pourrais pas le bouger, lui renvoya Cisco.

Il y avait de la menace dans sa voix, comme s'il pouvait y avoir d'autres dégâts à venir – si tant est qu'il ait effectivement l'épaule cassée. Lorsque je parlai à mon tour, ce fut d'un ton calme et chaleureux.

— Que savez-vous, Donald ? Qu'est-ce qui ferait de vous un danger pour Opparizio ?

— Je ne sais rien et c'est pas moi qu'ai dit ce nom… c'est vous.

— Il faut que vous compreniez quelque chose : la citation à comparaître qu'on vient de vous délivrer est parfaitement légale. Ou bien vous vous pointez et vous témoignez, ou bien vous restez en taule jusqu'à ce que vous le fassiez. Mais pensez un peu à ceci, Donald : si vous dites ce que vous avez fait et ce que vous savez d'ALOFT dans votre témoignage, vous serez à l'abri. Personne ne s'en prendra à vous parce qu'on saurait tout de suite d'où ça vient. C'est la seule chose que vous avez à faire.

— On le saurait tout de suite s'ils le faisaient maintenant. Mais dans dix ans, hein ? Quand plus personne ne se souviendra de votre procès à la con et qu'eux, ils pourront se cacher derrière tout le fric du monde ?

Je n'avais pas vraiment de réponse à celle-là.

— Écoutez, lui dis-je, j'ai une cliente en plein procès et qui y joue sa vie. Elle a un petit gamin et ils essaient de tout lui prendre. Je ne vais pas...

— Va te faire mettre, mec, y a toutes les chances pour qu'elle l'ait fait. On parle de deux choses différentes. Je peux pas l'aider. Je n'ai aucune preuve. De fait, j'ai rien. Alors laissez-moi tranquille, bordel ! Et ma vie à moi, hein ? Moi aussi, j'ai envie de la vivre.

Je le regardai et hochai tristement la tête.

— Je ne peux pas vous laisser tranquille. Je vous colle à la barre des témoins dès demain. Vous pouvez refuser de répondre aux questions. Vous pouvez même invoquer le cinquième amendement si vous avez commis des crimes. Mais vous serez à la barre et eux aussi, ils seront là. Et ils sauront que le problème qu'ils ont avec vous n'est pas terminé. Ce que vous avez de mieux à faire, c'est de tout déballer. De tout révéler et d'être aussitôt à l'abri. Cinq ans ou dix, ils ne pourront plus jamais faire quoi que ce soit parce qu'il y aura une trace.

Il regardait fixement un cendrier rempli de pièces posé sur la table basse, mais c'était autre chose qu'il voyait.

— Je devrais peut-être me prendre un avocat, dit-il.

Je regardai Cisco. C'était exactement ce que je ne voulais pas : un témoin avec son avocat n'est jamais une bonne chose.

— OK, parfait, amenez-le si vous vous en trouvez un. Mais ce n'est pas un avocat qui va arrêter la progression de ce procès. La citation à comparaître résiste à tout, Donald. Un avocat va vous demander de passer devant un jury d'accusation pour essayer de la faire tomber, mais ça ne marchera pas. Ça ne fera que mettre le juge en colère contre vous à cause du temps de procès que vous lui aurez fait perdre.

Mon portable se mit à vibrer dans ma poche. Il était trop tôt un dimanche matin pour que ce soit habituel. Je le sortis pour regarder qui c'était. Maggie McPherson.

— Pensez à ce que je vous ai dit, Donald. Faut que je prenne cet appel, mais je ferai vite.

— Maggie ? dis-je en entrant dans la cuisine. Tout va bien ?

— Bien sûr. Pourquoi ça n'irait pas bien ?

— Je ne sais pas. Tu m'appelles passablement tôt pour un dimanche matin. Hayley dort encore ?

Le dimanche était le jour où elle rattrapait son sommeil en retard. Elle pouvait facilement dormir jusqu'à midi passé si on ne la réveillait pas.

— Évidemment. Je t'appelle parce qu'on n'a pas eu de nouvelles de toi hier et qu'aujourd'hui, ça doit donc être la journée cinéma.

— Euh…

Je me rappelais vaguement avoir promis une sortie cinéma lorsque j'étais allé voir Maggie dans son bureau le vendredi après-midi précédent.

— Tu es occupé, dit-elle.

Le fameux ton s'était glissé dans sa voix. Celui de la condamnation, du arrête-tes-conneries.

— À l'instant, oui. Je suis à Long Beach et je parle à un témoin.

— Bref, pas de cinéma ? C'est ça qu'il faut que je lui dise ?

J'entendais les voix de Cisco et de Driscoll dans la salle de séjour, mais étais bien trop troublé pour comprendre ce qu'ils disaient.

— Non, Maggie, ne lui dis pas ça. C'est tout bêtement que je ne sais pas quand je vais pouvoir sortir d'ici. Laisse-moi finir et je te rappelle. Tiens, avant même qu'elle se réveille, d'accord ?

— Parfait, nous t'attendrons.

Et avant que j'aie pu répondre, elle raccrocha. Je rangeai mon portable et regardai autour de moi. Tout indiquait que la cuisine était la pièce de l'appartement dont Driscoll se servait le moins.

Je retournai à la salle de séjour. Driscoll était toujours sur son canapé et Cisco assez près de lui pour prévenir toute autre tentative de fuite.

— Donald me disait juste combien il a envie de témoigner, me lança Cisco.

— Tiens donc ! Comment se fait-il que vous ayez changé d'avis, Donald ? demandai-je à Driscoll en passant devant Cisco pour me tenir en face de lui.

Il leva les yeux sur moi, haussa les épaules, puis m'indiqua Cisco d'un signe de tête.

— Il m'a dit que vous n'avez jamais perdu un témoin et que si on en arrivait là, il connaît des gens qui pourraient s'occuper des leurs sans se fouler. J'ai assez tendance à le croire.

J'acquiesçai et revis brièvement l'image de la salle du fond du club des *Saints*. Je l'écartai vite.

— Oui bon, il a raison. Et donc, vous êtes prêt à coopérer ?

— Oui, je vous dirai tout ce que je sais.

— Bien. Et... pourquoi ne pas commencer tout de suite ?

## 45

Au début du procès, Andrea Freeman avait réussi à tenir mon associée, Jennifer Aronson, à l'écart de la table de la défense en remettant en cause son droit à me seconder parce qu'elle était aussi témoin à décharge. Le lundi matin venu, au moment où Jennifer allait devoir témoigner, Freeman tenta de s'y opposer en arguant du manque de pertinence de son témoignage. Je n'avais pas réussi à défaire son argumentation la première fois, mais sentais que les dieux du droit étaient de mon côté pour la démolir la deuxième. J'avais aussi un juge qui me devait encore un service après avoir suivi l'accusation sur deux décisions critiques au début du procès.

— Monsieur le Juge, lançai-je, cette objection de maître Freeman ne peut pas être sincère. L'accusation a déjà proposé aux jurés le mobile qui aurait prétendument poussé l'accusée à commettre ce crime : la victime était en train de la déposséder de sa maison. Elle était frustrée et en colère et aurait donc tué. Telle est l'essence même de ce que l'accusation veut démontrer. Alors s'opposer maintenant à ce qu'un témoin puisse fournir les détails même de ce qui aurait poussé l'accusée à agir, à savoir la saisie de son bien, en arguant de son manque de pertinence, est au mieux spécieux et au pire hypocrisie pure.

Le juge ne perdit pas de temps pour réagir et trancher.

— L'objection est rejetée, dit-il. Faites entrer les jurés.

Ceux-ci une fois à leurs places et Aronson dans le box des témoins, je me mis en devoir de l'interroger et commençai par clarifier les raisons pour lesquelles elle était l'expert retenu par la défense dans le processus de saisie de la maison de Lisa Trammel.

— Bien, maître, lui dis-je, vous n'êtes pas l'avocate qui s'est occupée de la saisie, n'est-ce pas ?

— Non, je suis votre associée.

J'acquiesçai.

— Et c'est en cette qualité que vous avez fait tout ce travail en mon nom, exact ?

— Exact. J'ai préparé la plupart des pièces du dossier de saisie. Je suis impliquée de très près dans cette affaire.

— Tel est bien le lot de l'avocat de la défense en second, n'est-ce pas ?

— *A priori.*

Nous partageâmes un sourire. Cela posé, je lui fis reprendre une à une toutes les étapes de la saisie. Je ne dirai jamais qu'il faut parler aux jurés comme à des enfants, mais on doit quand même le faire d'une manière qui soit compréhensible par tous. Du boursicoteur à la maman qui emmène ses enfants aux entraînements de foot, il y a douze esprits dans un jury et tous ont mariné dans divers bouillons de vie. C'est à tous qu'il convient de servir la même histoire et on ne peut le faire qu'une fois. Douze esprits différents, une seule histoire. Elle doit donc parler à chacun d'entre eux.

Une fois établis les problèmes légaux et financiers auxquels était confrontée ma cliente, je passai à la manière dont la Westland et son mandataire, ALOFT, avaient joué la partie.

— Quelle a donc été la première chose que vous avez faite lorsqu'on vous a confié le dossier de cette affaire ?

— Eh bien, vous m'aviez dit de toujours vérifier toutes les dates et tous les détails. Vous m'aviez dit de toujours vérifier que le requérant est effectivement habilité à faire ce qu'il fait, autrement dit, que nous devions nous assurer que l'institution qui demandait la saisie avait autorité à le faire.

— Mais cela n'aurait-il pas été évident dans cette affaire étant donné que c'était à la Westland que les Trammel payaient leurs traites depuis près de quatre ans avant que leurs difficultés financières ne changent la donne ?

— Pas forcément. Nous avons en effet découvert que le business des prêts hypothécaires a véritablement explosé au milieu de la décennie. Il y a eu tellement de prêts consentis, puis renégociés et revendus que, dans bien des cas, les transferts de propriété n'ont jamais été effectués complètement. Que les Trammel règlent leurs traites à tel ou tel organisme n'avait aucune importance. Ce qui en avait, c'était de savoir quel organisme détenait légalement l'hypothèque.

— Bien, qu'avez-vous donc découvert quand vous avez vérifié les dates et détails de la saisie ?

Freeman éleva encore une fois une objection au titre du manque de pertinence de ce témoignage et encore une fois son objection fut rejetée. Je n'eus pas besoin de reposer la question à Jennifer.

— En vérifiant les dates et les détails de la saisie, j'ai découvert des écarts de formulation et des indices de fraude.

— Pouvez-vous nous décrire ces indices ?

— Oui. Certains éléments prouvent de manière irréfutable que les transferts de propriété ont été falsifiés de façon à donner illégalement à la Westland le droit de demander la saisie.

— Avez-vous ces documents, maître Aronson ?

— Oui, je les ai et suis à même de les présenter en PowerPoint.

— Allez-y, je vous en prie.

Elle ouvrit un ordinateur portable sur l'étagère devant elle et lança le logiciel. Le document apparaissant sur les écrans en hauteur, je la priai de nous donner de plus amples explications.

— Qu'avons-nous sous les yeux, maître Aronson ? lui demandai-je.

— Si vous permettez... il y a six ans de cela, Lisa et Jeff Trammel ont acheté leur maison et obtenu un prêt hypothécaire par l'entremise d'une entreprise de courtage, la City Pro Home Loans. Cette City Pro a ensuite regroupé leur prêt avec cinquante-neuf autres de même valeur dans un portefeuille qui a alors été acheté en entier par la Westland. À ce moment-là, c'était donc à la Westland de s'assurer que la propriété des hypothèques pour chacun de ces biens lui avait été convenablement transférée par les documents légalement adéquats. Sauf que ça ne s'est jamais produit. Dans le cas des Trammel, l'attribution de l'hypothèque n'a pas été effectuée.

— Comment le savez-vous ? Ce ne serait pas le document de transfert de propriété que nous avons sous les yeux ? demandai-je en m'écartant du lutrin et montrant les écrans du doigt.

— Ça en donne effectivement l'impression, reprit-elle, mais si on regarde la dernière page...

Elle appuya sur le bouton de la flèche de défilement de son ordinateur et arriva à la dernière page du document, celle des signatures. On y voyait celle d'un cadre de la banque et celle d'un notaire avec le sceau obligatoire de son cabinet.

— Il y a deux choses à remarquer, enchaîna-t-elle. En regardant cet acte, on voit qu'il aurait été signé le 6 mars 2007. Soit peu après que la Westland a acheté le portefeuille d'hypothèques à City Pro. Le cadre qui a signé le document d'achat a pour nom Michelle Monet. Or nous ne savons toujours pas à ce jour qui est cette Michelle Monet et si elle a jamais fait partie de la Westland National en telle ou telle capacité et ce, aussi bien au siège que dans n'importe quelle succursale de cet établissement. La deuxième chose à remarquer est que la date d'expiration de validité du sceau notarial est très clairement indiquée comme étant 2014.

Comme nous l'avions répété, elle marqua une pause comme si la fraude au sceau notarial était évidente pour tout le monde. Je gardai longtemps le silence comme si j'en attendais un peu plus.

— Bon, mais… qu'est-ce qui ne va pas dans cette date de 2014 ? demandai-je.

— Dans l'État de Californie, les autorisations d'exercice de la profession de notaire sont accordées pour cinq ans. Cela voudrait donc dire que la validité du sceau remonte à 2009 alors que la date portant notarisation de ce document est celle du 6 mars 2007. Or en 2007, ce sceau n'avait pas encore été autorisé par l'État. Pour nous, cela signifie que ce document a été créé pour transférer frauduleusement l'hypothèque des Trammel à la Westland National.

Je revins au lutrin pour vérifier mes notes et laisser flotter un peu plus longtemps la déclaration de Jennifer dans la salle. Je jetai un bref coup d'œil aux jurés et remarquai que plusieurs d'entre eux avaient encore les yeux rivés sur les écrans. C'était bon signe.

— Quelle conclusion avez-vous retirée de la découverte de cette fraude ?

— Que nous pouvions contester le droit de la Westland à saisir le bien des Trammel. La Westland n'était en effet pas la propriétaire légitime de cette hypothèque. Celle-ci appartenait toujours à City Pro.

— Avez-vous informé Lisa Trammel de cette découverte ?

— Le 17 décembre de l'année dernière, nous avons eu, vous et moi-même, une réunion clientèle à laquelle a assisté Lisa. Nous l'avons alors informée que nous avions la preuve manifeste d'une manœuvre frauduleuse de la banque dans son dossier de saisie. Nous lui avons aussi dit que nous nous servirions de cette preuve pour lui négocier une issue plus favorable.

— Quelle a été sa réaction ?

Freeman éleva une objection au motif que je posais une question dont la réponse ne pouvait être qu'ouï-dire. Je la contrai en arguant que j'avais le droit d'établir l'état d'esprit dans lequel se trouvait l'accusée au moment du meurtre.

— Elle en a été très heureuse et s'est montrée positive. Elle a parlé de cadeau de Noël un peu en avance : elle savait enfin qu'elle n'était pas près de perdre sa maison tout de suite.

— Merci, maître. Est-il venu un moment où vous avez écrit une lettre à la Westland National sous mon seing ?

— Oui, j'en ai écrit une dans laquelle je résumais les fraudes que j'avais découvertes. Cette lettre a été adressée, sous votre seing, à Mitchell Bondurant.

— Quel en était le but ?

— Elle faisait partie de la négociation dont nous avions parlé à Lisa Trammel. L'idée était d'informer M. Bondurant de ce qu'ALOFT se permettait de faire au nom de sa banque. Nous pensions que s'il craignait que la banque soit montrée du doigt, cela faciliterait une négociation profitable à notre cliente.

— Saviez-vous, lorsque vous avez écrit cette lettre sous mon seing, que M. Bondurant la ferait suivre à Louis Opparizio ?

— Non, je l'ignorais.

— Merci, maître Aronson. Je n'ai plus de questions à vous poser.

Le juge lançant la pause du matin, Aronson s'installa à la place de l'accusée lorsque Lisa et Herb Dahl partirent se dégourdir les jambes dans le couloir.

— Enfin, j'ai le droit de m'asseoir ici, dit-elle.

— Ne vous inquiétez pas. Vous y resterez dès aujourd'hui. Vous avez été géniale, Bullocks. C'est maintenant que ça va être dur.

Je jetai un coup d'œil du côté de Freeman, qui était restée à la table de l'accusation pendant la pause pour peaufiner son interrogatoire en contre.

— N'oubliez pas, repris-je à l'adresse de Jennifer : vous avez le droit de prendre votre temps. Quand elle vous posera les questions difficiles, respirez un grand coup, calmez-vous et répondez si vous avez la réponse.

Elle me regarda comme si elle doutait de ma sincérité : *Vous voulez dire… dire la vérité ?*

Je hochai la tête.

— Vous vous en sortirez très bien.

Après la pause, Freeman gagna le lutrin et ouvrit un dossier contenant ses notes et les questions qu'elle avait préparées par écrit. Pur spectacle pour l'essentiel. Elle fit de son mieux, mais il n'est jamais facile d'interroger en contre un avocat, même jeune. Pendant presque une heure, elle essaya de casser, mais en vain, ce qu'Aronson avait déclaré plus tôt.

Pour finir, elle changea de tactique et usa du sarcasme chaque fois que c'était possible. On n'aurait pu mieux dire qu'elle était frustrée.

— Et donc, après cette joyeuse et merveilleuse réunion client avant Noël, quand l'avez-vous revue pour la première fois, cette cliente ?

Aronson dut réfléchir un bon moment avant de répondre.

— Ça devait être après son arrestation.

— Eh bien mais... pas d'appels téléphoniques ? Après cette réunion client, quand lui avez-vous parlé au téléphone ?

— Je suis à peu près sûre qu'elle a parlé plusieurs fois avec maître Haller, mais moi, je ne lui ai pas reparlé avant son arrestation.

— Ce qui fait que pour la période qui va de cette réunion au meurtre de M. Bondurant, vous n'avez aucune idée de l'état d'esprit dans lequel elle se trouvait ?

Comme je le lui avais dit, ma jeune associée prit tout son temps pour répondre.

— S'il y avait eu un changement dans sa façon de voir l'affaire et d'en prévoir la suite, je crois que j'en aurais été informée soit directement par elle, soit par maître Haller. Mais rien de tel ne s'est produit.

— Je vous prie de m'excuser, mais je ne vous ai pas demandé ce que vous pensez. Je vous ai demandé ce que vous savez. Seriez-vous en train de dire aux jurés qu'en vous fondant sur cette réunion de décembre, vous pouvez juger de l'état d'esprit de votre cliente un mois entier plus tard ?

— Pas le moins du monde.

— Vous ne pouvez donc pas nous dire quel était l'état d'esprit de Lisa Trammel le matin du meurtre, n'est-ce pas ?

— Je ne peux vous dire que ce que je sais de cette réunion.

— Et vous pourriez nous dire ce qu'elle pensait quand, ce matin-là, à la cafète, elle a vu Mitchell Bondurant, l'homme qui essayait de lui prendre sa maison ?

— Non, je ne peux pas.

Freeman baissa les yeux sur ses notes et parut hésiter. Je savais pourquoi. Elle avait une décision difficile à prendre. Elle savait qu'elle avait marqué des points importants avec les jurés et qu'elle devait décider ou bien d'essayer d'en grappiller encore quelques-uns, ou bien de conclure sur un beau score. Pour finir, elle décida qu'elle en avait assez fait et referma son dossier.

— Monsieur le Juge, dit-elle, je n'ai plus de questions à poser au témoin.

Il était prévu que ce soit au tour de Cisco de passer à la barre, mais le juge suspendit l'audience pour un déjeuner un peu en avance. J'emmenai mon équipe au Jerry's Famous Deli de Studio City. Lorna m'y attendait dans un box près de la porte du bowling derrière le restaurant. Je m'assis à côté de Jennifer, en face de Lorna et de Cisco.

— Alors, comment ça s'est passé ce matin ? voulut savoir Lorna.

— Bien, je crois, répondis-je. Freeman a marqué des points en contre, mais je pense que, dans l'ensemble, nous sommes en tête. Jennifer a fait du très bon boulot.

Je ne sais pas si quelqu'un l'avait remarqué, mais j'avais décidé de ne plus l'appeler Bullocks. Pour moi, elle avait dépassé ce surnom par sa prestation à la barre des témoins. Elle n'était plus la jeune avocate à peine sortie de l'école de droit installée dans l'ancien grand magasin. Elle avait passé son rite d'initiation avec succès par son travail au prétoire et en dehors.

— Et maintenant, elle a le droit de s'asseoir à la grande table ! ajoutai-je.

Lorna applaudit et poussa des hourras.

— Et maintenant, c'est au tour de Cisco, dit Aronson clairement mal à l'aise de l'attention qu'on lui portait.

— Peut-être pas, dis-je. Pour moi, il vaudrait mieux appeler Driscoll.

— Pourquoi ça ? demanda Aronson.

— Parce que ce matin, dans le cabinet du juge, j'ai informé la cour et l'accusation de son existence et déclaré que je l'ajoutais à ma liste de témoins. Freeman s'y est opposée, mais comme c'est elle qui a mis Facebook sur le tapis, le juge a déclaré que je pouvais y aller.

Ce qui fait que je me dis maintenant que plus vite je m'en prendrai à lui et moins Freeman aura de temps pour se préparer. Si je m'en tiens au plan et fais passer Cisco maintenant, elle aura toute l'après-midi pour le travailler pendant que ses enquêteurs iront farfouiller dans le passé de Driscoll.

Seule Lorna trouva du mérite à mon raisonnement. Mais cela me suffit.

— Eh merde ! s'écria Cisco. Pour une fois que je m'habillais !

C'était vrai. Mon enquêteur portait une chemise à col et longues manches qui donnait l'impression de vouloir craquer aux coutures si jamais il bandait les muscles. Mais cette chemise, je l'avais déjà vue. C'était sa chemise de témoin.

J'ignorai sa récrimination.

— À propos de Driscoll, enchaînai-je, où en est-on avec lui ?

— Mes gars l'ont pris ce matin et emmené chez eux. Aux dernières nouvelles, il jouait au billard au club avec eux.

Je regardai fixement mon enquêteur.

— Ils ne vont pas le faire boire, hein ?

— Bien sûr que non.

— Non parce que c'est tout ce dont j'aurais besoin : un témoin saoul à la barre.

— T'inquiète pas. Je leur ai dit : pas d'alcool.

— Bon, appelle-les et demande-leur de nous livrer Driscoll au tribunal à 13 heures. C'est lui le prochain à la barre.

Il y avait trop de bruit dans le restaurant pour passer un appel. Cisco se glissa hors du box et se dirigea vers la porte en sortant son portable de sa poche. Nous le regardâmes partir.

— Vous savez qu'il a fière allure dans une vraie chemise comme celle-là ? dit Aronson.

— Vraiment ? lui renvoya Lorna. Moi, j'aime pas les manches.

## 46

Je faillis bien ne pas reconnaître Driscoll avec son costume et ses cheveux bien peignés. Cisco l'avait installé dans une pièce réservée aux témoins, un peu plus bas dans le couloir. Dès que j'y entrai, il leva les yeux de la table et me regarda d'un air effrayé.

— Alors, comment c'était, le club des *Saints* ? lui demandai-je.

— J'aurais préféré être ailleurs.

Je hochai la tête en faisant semblant de le comprendre.

— Et maintenant, vous êtes prêt ?

— Non, mais je suis venu.

— Bien. Dans quelques minutes, Cisco va venir vous chercher pour vous conduire au prétoire.

— Comme vous voudrez.

— Écoutez, je sais que ça n'en a pas l'air maintenant, mais vous faites ce qu'il faut.

— Là, vous avez raison… ça y ressemble même pas du tout !

Que répondre à ça ?

— Bon, je vous retrouve là-bas.

Je quittai la pièce et fis signe à Cisco qui se tenait dans le couloir avec deux des types qui s'étaient occupés de Driscoll. Je leur montrai la salle d'audience au bout du couloir et Cisco acquiesça d'un signe de tête. Je poursuivis mon chemin, entrai et tombai sur Jennifer Aronson et Lisa Trammel assises ensemble à la table de la défense. Je me posai, mais avant même que je puisse dire quoi que ce soit à l'une ou à l'autre, le juge entra et gagna son siège. Puis il fit entrer les jurés et nous nous retrouvâmes vite dans le débat officiel. J'appelai Donald Driscoll à la barre. Dès qu'il eut prêté serment, je passai aux choses sérieuses.

— Quelle est votre profession, monsieur Driscoll ?

— Je travaille dans la TI.

— Ce qui veut dire ?

— Les technologies de l'information. Cela veut dire que je travaille avec des ordinateurs et sur le Net. Je trouve les meilleures façons de rassembler de l'information pour le client, l'employeur ou autre.

— Vous êtes un ancien employé d'ALOFT, n'est-ce pas ?

— Oui, j'y ai travaillé dix mois jusqu'au début de cette année.

— Dans les technologies de l'information ?

— Oui.

— Que faisiez-vous exactement pour ALOFT ?

— J'avais plusieurs tâches. C'est une société où l'on demande beaucoup à la technologie. Il y a un grand nombre d'employés et un fort besoin d'accès à l'information par le Net.

— Et vous les aidiez à l'obtenir ?

— Oui.

— Bien, et maintenant, connaissez-vous l'accusée, Lisa Trammel ?

— Je ne l'ai jamais rencontrée. Mais j'ai entendu parler d'elle.

— À cause de cette affaire ?

— Oui, mais aussi d'avant.

— « D'avant » ? Comment ça ?

— Une de mes tâches chez ALOFT était d'essayer de tenir à l'œil Lisa Trammel.

— Pourquoi ?

— Je ne sais pas. On m'avait seulement dit de le faire et je l'ai fait.

— Qui vous a dit de la « tenir à l'œil » ?

— M. Borden, mon superviseur.

— Vous a-t-il demandé de tenir à l'œil d'autres personnes ?

— Oui, un certain nombre.

— C'est-à-dire ?

— Une dizaine.

— Qui étaient ces personnes ?

— D'autres personnes qui protestaient, comme Lisa Trammel. Et aussi des employés de certaines banques avec lesquelles nous traitions.

— Comme… ?

— Comme l'homme qui a été tué. M. Bondurant.

Je vérifiai mes notes un instant pour laisser l'info entrer dans le crâne des jurés.

— Bien, mais que voulez-vous dire par « tenir à l'œil » ?

— Je devais trouver tout ce qu'il y avait sur eux sur le Net.

— M. Borden vous a-t-il jamais dit pourquoi on vous donnait cette tâche ?

— Je lui ai posé la question une fois et il m'a répondu que c'était parce que M. Opparizio voulait ces renseignements.

— Louis Opparizio, le fondateur et P-DG d'ALOFT ?

— Oui.

— Aviez-vous des demandes précises de M. Borden pour Lisa Trammel ?

— Non. Disons que c'était plutôt du genre : « Essayez de trouver tout ce qu'il y a sur elle. »

— Quand cela est-il devenu votre tâche ?

— L'année dernière. J'ai commencé à travailler chez ALOFT en avril, ça devait donc être quelques mois plus tard.

— Est-ce que ç'aurait pu être en juillet ou en août ?

— Oui, à peu près à ce moment-là.

— Donniez-vous toutes les infos que vous trouviez à M. Borden ?

— Oui.

— Y a-t-il eu un moment où vous vous êtes rendu compte que Lisa Trammel était sur Facebook ?

— Oui, c'était une des choses évidentes à vérifier.

— Êtes-vous devenu un de ses amis sur Facebook ?

— Oui.

— Et cela vous a donné la possibilité de suivre ses publications sur l'organisation FLAG et la saisie de sa maison, c'est bien ça ?

— Oui.

— En avez-vous averti précisément votre superviseur ?

— Je l'ai informé qu'elle était sur Facebook et qu'elle s'y montrait assez active, et que c'était un bon endroit pour suivre ce qu'elle faisait et avait l'intention de faire avec FLAG.

— Quelle a été sa réaction ?

— Il m'a dit de la suivre et de lui envoyer une fois par semaine un résumé de mes découvertes par e-mail. C'est donc ce que j'ai fait.

— Vous êtes-vous servi de votre nom pour demander à Lisa Trammel de vous accepter comme ami ?

— Oui. J'étais déjà sur Facebook, comme… enfin vous voyez… sous mon propre nom. Je ne lui ai donc rien caché. Ce que je veux dire, c'est que… je doutais beaucoup qu'elle sache qui j'étais de toute façon.

— Quel genre de rapports avez-vous faits à M. Borden ?

— Vous savez bien… leur dire où et quand, si son groupe préparait une manifestation quelque part… ce genre de trucs.

— Vous venez de dire « leur dire ». Vous passiez ces rapports à quelqu'un d'autre que M. Borden ?

— Non, mais je savais qu'il les faisait suivre à M. Opparizio parce que de temps en temps, M. O., lui, m'envoyait des e-mails sur les trucs que je donnais à M. Borden. Je savais donc qu'il lisait mes rapports.

— Dans tout cela, avez-vous jamais fait quelque chose d'illégal en farfouillant à droite et à gauche pour MM. Borden et Opparizio ?

— Non, maître.

— Bien. L'un de vos rapports hebdomadaires sur les activités de Lisa Trammel a-t-il jamais fait référence aux publications où elle dit s'être trouvée dans le garage de la Westland National et avoir attendu l'arrivée de Mitchell Bondurant pour lui parler ?

— Oui, il y en a un. La Westland était un des plus gros clients de la société et je pensais que M. Bondurant devait peut-être savoir, si ce n'était pas déjà fait, que cette femme l'avait attendu à cet endroit.

— Vous avez donc donné à M. Borden tous les détails sur la façon dont Lisa Trammel avait découvert l'emplacement de M. Bondurant et l'y avait attendu ?

— Oui.

— Et il vous a remercié ?

— Oui.

— Et tout ça s'est fait par e-mails ?

— Oui.

— Avez-vous gardé une copie de celui que vous avez envoyé à M. Borden ?

— Oui.

— Pourquoi ?

— C'est disons… une habitude, je garde des copies, surtout quand il s'agit de gens importants.

— Auriez-vous par hasard apporté une copie de cet e-mail avec vous aujourd'hui ?

— Oui.

Freeman éleva une objection et demanda à être entendue par le juge. Et réussit à le convaincre qu'il n'y avait pas moyen d'authentifier ce qui était censément la sortie d'imprimante d'un ancien e-mail. Le juge m'interdit de présenter la pièce à la cour et m'informa que j'allais devoir m'en tenir aux souvenirs de Driscoll.

Je retournai au lutrin et arrêtai que j'avais plus que clairement fait comprendre aux jurés que Borden savait que Trammel s'était déjà trouvée dans le garage et que Borden servait de relais à Opparizio. Les éléments du piège étaient en place. L'accusation voulait faire croire aux jurés que la première fois que Lisa s'était rendue au garage n'était qu'une manière de répétition du meurtre qu'elle allait commettre. J'allais, moi, leur faire croire que, grâce à Facebook, l'individu qui piégeait Trammel avait tout ce qu'il devait savoir pour le faire.

Je passai à autre chose.

— Monsieur Driscoll, vous nous avez dit que Mitchell Bondurant était une des personnes sur lesquelles on vous demandait de recueillir des informations, c'est bien ça ?

— En effet.

— Quelles informations avez-vous recueillies sur son compte ?

— En gros, il s'agissait de ses biens immobiliers personnels. Quelles propriétés il avait, quand il en avait fait l'acquisition et pour combien. Qui en détenait les hypothèques. Ce genre de trucs.

— Vous avez donc fourni un rapport financier à M. Borden.

— C'est ça.

— Êtes-vous tombé sur des privilèges qu'on aurait eus sur M. Bondurant ou ses biens ?

— Oui, plusieurs. Il devait de l'argent un peu partout.

— Et tous ces renseignements allaient à Borden.

— Oui.

Je décidai d'en rester là pour Bondurant. Je n'avais pas envie que les jurés s'écartent trop du point central du témoignage de Driscoll, à savoir qu'ALOFT surveillait Lisa et avait tous les renseignements nécessaires pour la piéger et lui faire endosser le meurtre. Driscoll s'était montré efficace et j'allais mettre fin à son témoignage sur un coup d'éclat.

— Monsieur Driscoll, quand avez-vous quitté votre poste à ALOFT ? lui demandai-je.

— Le 1er février.

— Était-ce de votre fait ou avez-vous été licencié ?

— Je leur ai dit que j'allais arrêter, alors ils m'ont viré.

— Pourquoi vouliez-vous arrêter ?

— Parce que M. Bondurant s'était fait assassiner dans le garage et que je ne savais pas si la fille qui s'était fait arrêter, Lisa Trammel, avait fait le coup ou s'il se tramait d'autres choses. J'ai vu M. Opparizio dans l'ascenseur le lendemain du jour où la nouvelle est passée dans les journaux, et au bureau, tout le monde était au courant. Nous montions dans les étages, mais quand nous sommes arrivés au mien, il m'a retenu par le bras pendant que les autres descendaient. Nous sommes montés au sien tout seuls et il n'a rien dit avant l'ouverture des portes. Et là il a dit : « Tu fermes ta gueule, bordel », et il est descendu. Et les portes se sont refermées.

— « Tu fermes ta gueule, bordel » ? Ce sont bien ses mots ?

— Oui.

— A-t-il dit autre chose ?

— Non.

— Et c'est ce qui vous a poussé à quitter votre emploi.

— Oui. Une demi-heure après, j'ai donné un préavis de quinze jours. Mais dix minutes plus tard, M. Borden est venu à mon bureau et m'a annoncé que c'était fini pour moi. J'étais viré. Il m'a tendu un carton pour y mettre mes affaires personnelles et il avait avec lui un type de la sécurité qui m'a regardé les y mettre. Et après, ils m'ont raccompagné jusqu'à la porte.

— Vous a-t-on donné une indemnité de licenciement ?

— Au moment où je partais, M. Borden m'a donné une enveloppe contenant un chèque couvrant une année de salaire.

— Une année de salaire ? C'était plutôt généreux vu que vous n'aviez même pas travaillé un an et que vous aviez annoncé votre intention de partir, vous ne trouvez pas ?

Freeman éleva une objection pour manque de pertinence de la question et le juge la retint.

— Je n'ai pas d'autres questions à poser au témoin, dis-je.

Freeman prit ma place et ouvrit son fidèle dossier sur le lutrin dès qu'elle y arriva. Je n'avais pas inscrit Driscoll sur ma liste de témoins avant ce matin-là, mais son nom avait déjà surgi lors des témoignages du vendredi précédent. J'étais sûr que Freeman s'était préparée à son interrogatoire. J'allais maintenant savoir jusqu'où elle était allée.

— Monsieur Driscoll, dit-elle, vous n'avez pas la licence, n'est-ce pas ?

— Euh, non.

— Mais vous avez suivi des cours à la fac de UCLA, n'est-ce pas ?

— Oui.

— Pourquoi n'avez-vous pas obtenu votre licence ?

J'élevai une objection au motif que ces questions n'avaient pas grand-chose à voir avec le témoignage de Driscoll. Mais le juge me fit remarquer que j'avais ouvert la porte à ce genre de problèmes en demandant ses références et son expérience de technicien de l'information au témoin. Et il ordonna à Driscoll de répondre à la question.

— Je ne l'ai pas obtenue parce que j'ai été exclu.

— Pour quelle raison ?

— Parce que j'avais triché. J'étais entré dans l'ordinateur d'un prof et j'avais téléchargé le sujet d'un examen la veille du jour où il a eu lieu.

Il avait dit ça d'un ton de voix presque ennuyé. Comme s'il savait que ça allait arriver. Je savais que ça faisait partie de son passé. Je lui avais dit qu'il n'y avait qu'une option si jamais ça sortait : être absolument honnête. Sinon il courait au désastre.

— Ce qui fait que vous êtes un tricheur et un voleur, c'est ça ?

— Je l'ai été et ça remonte à plus de dix ans. Je ne triche plus. Je n'ai plus de raisons de le faire.

— Vraiment ? Et voler ?

— Même chose. Je ne vole pas.

— N'est-il pas vrai qu'il a été mis brutalement fin à votre emploi chez ALOFT lorsqu'il a été découvert que vous voliez, et systématiquement, la société ?

— C'est un mensonge. Je leur ai dit que je partais et c'est là qu'ils ont décidé de me virer.

— Et vous ne seriez pas celui qui ment en ce moment même ?

— Non, je dis la vérité. Vous croyez que je pourrais inventer des trucs pareils ? demanda-t-il en me jetant un coup d'œil désespéré.

J'aurais préféré qu'il s'en abstienne : on pouvait y voir le signe d'une collusion entre nous. Driscoll était seul devant les jurés. Je ne pouvais pas l'aider.

— En fait, j'en suis persuadée, monsieur Driscoll, lui renvoya Freeman. N'est-il pas vrai que vous vous étiez bâti un joli petit business chez ALOFT ?

— Non, lui répondit Driscoll en hochant ostensiblement la tête pour souligner son démenti.

Je vis aussitôt qu'il mentait et compris que j'avais de gros problèmes. *L'indemnité de licenciement*, pensai-je. La paie de toute une année de travail. On ne vire pas les gens en leur donnant un an de salaire s'ils ont volé. Vas-y, rappelle l'indemnité de licenciement !

— Ne vous serviez-vous pas d'ALOFT comme d'une façade derrière laquelle commander des logiciels de prix, en casser les codes de sécurité et en revendre des copies pirates sur le Net ?

— Ce n'est pas vrai. Je savais que ça allait arriver si je disais ce que je savais.

Cette fois, il fit plus que me jeter un coup d'œil. Il me montra du doigt.

— Je vous l'avais dit que ça allait arriver ! s'écria-t-il. Je vous l'avais dit que ces gens ne...

— Monsieur Driscoll ! tonna le juge. Vous répondez aux questions que vous pose l'avocat. Vous ne parlez pas à celui de la défense ou à n'importe qui d'autre !

Dans l'espoir de garder son élan, Freeman se rua pour l'hallali.

— Monsieur le Juge, puis-je présenter un document au témoin ?

— Vous le pouvez. Avez-vous l'intention de l'enregistrer ?

— *Pièce à conviction n° 9 présentée par l'accusation*, monsieur le Juge.

Elle en avait des copies pour tout le monde. Je me penchai tout près d'Aronson pour pouvoir la lire avec elle. C'était la copie d'un rapport d'enquête interne d'ALOFT.

— Vous étiez au courant de tout ça ? me chuchota Aronson.

— Bien sûr que non, lui renvoyai-je dans un souffle.

Je me penchai en avant pour me concentrer sur l'interrogatoire. Je ne voulais pas qu'une avocate de première année vienne me reprocher une gigantesque erreur de vérification.

— Quelle est la nature de ce document, monsieur Driscoll ? demanda Freeman.

— Je n'en sais rien, répondit le témoin. C'est la première fois que je le vois.

— Ce sont les conclusions d'un rapport d'enquête interne d'ALOFT, n'est-ce pas ?

— Si vous le dites.

— Quelle en est la date ?

— 1er février.

— C'est bien le dernier jour où vous avez travaillé chez ALOFT, n'est-ce pas ?

— C'est exact. Ce matin-là, j'ai donné mon congé de quinze jours à mon superviseur et c'est là qu'ils m'ont effacé ma signature Net et flanqué dehors.

— Pour cause réelle et sérieuse.

— Sans la moindre raison. Pourquoi pensez-vous qu'ils m'ont filé ce gros chèque à la sortie ? Je savais des choses et ils essayaient de me faire taire.

Freeman se tourna vers Perry.

— Monsieur le Juge, dit-elle, pourriez-vous ordonner au témoin de s'abstenir de répondre à mes questions par d'autres questions ?

Perry acquiesça.

— Le témoin répondra aux questions, dit-il. Il n'en posera pas.

Aucune importance, songeai-je. Driscoll avait fait passer le message.

— Monsieur Driscoll, pourriez-vous, s'il vous plaît, nous lire le paragraphe du rapport que j'ai surligné en jaune ?

J'élevai une objection au motif que le rapport n'était pas mis en évidence. Le juge me désavoua et autorisa la lecture du document sous réserve qu'il fasse plus tard l'objet d'une décision de valeur probante.

Driscoll lut le paragraphe en silence et hocha la tête.

— À haute voix, monsieur Driscoll ! lui lança Perry.

— Mais tout ça n'est que mensonges ! s'écria Driscoll. C'est ce qu'ils font…

— Monsieur Driscoll, entonna le juge, bougon. Lisez ce paragraphe à haute voix, s'il vous plaît.

Driscoll hésita une dernière fois et finit par lire.

— « L'employé reconnaît avoir fait l'acquisition de logiciels au nom de la société et les lui avoir rendus après en avoir copié les éléments sous copyright. L'employé reconnaît avoir vendu des copies contrefaites de ces logiciels en se servant des ordinateurs de la société pour faciliter son entreprise. L'employé reconnaît avoir gagné plus de cent mille… »

Soudain Driscoll écrasa le document à deux mains et en fit une boule qu'il jeta en travers de la salle d'audience. En plein sur moi.

— C'est vous qui avez fait ça ! me lança-t-il en suivant la direction de la boule de papier du doigt. Je me débrouillais très bien dans la vie avant que vous débarquiez !

Encore une fois, le juge Perry aurait pu faire usage d'un marteau. Il rappela tout le monde à l'ordre et ordonna aux jurés de rejoindre la salle des délibérés. Ceux-ci sortirent rapidement du prétoire en file indienne comme si Driscoll lui-même se ruait à leurs trousses. Une fois la porte close, le juge prit d'autres décisions et fit venir le garde.

— Jimmy, dit-il, emmenez le témoin en cellule le temps que les avocats et moi discutions de tout cela en mon cabinet.

Sur quoi il se leva, descendit de son siège et se glissa vite dans son cabinet avant que j'aie pu élever la moindre protestation contre la manière dont mon témoin était traité.

Freeman le suivit pendant que je faisais un détour par la barre.

— Allez-y, dis-je à Driscoll. Je me charge d'arrêter tout ça. Vous serez de retour ici en un rien de temps.

— Espèce d'enfoiré de menteur ! s'écria-t-il, de la colère plein les yeux. Vous m'aviez dit que ce serait facile et sans danger et regardez-moi un peu ça maintenant ! Le monde entier pense que je suis un voleur de logiciels ! Vous croyez que je vais pouvoir retrouver du travail après ça ?

— C'est-à-dire que… si j'avais su que vous piratiez des logiciels, je ne vous aurais probablement pas cité à comparaître.

— Allez vous faire foutre, Haller ! Vous feriez mieux d'espérer que ça se termine parce que si jamais je dois revenir ici, je vais inventer de jolies merdes sur vous !

Déjà, le garde l'emmenait vers la porte de la salle où se trouvait la cellule, tout près de la salle d'audience. Tandis qu'il s'en allait, je remarquai Aronson debout à la table de la défense. Son visage le disait clairement : tout le bon travail qu'elle avait fait dans la matinée était peut-être anéanti.

— Maître Haller ? me lança la greffière depuis son enclos. Le juge vous attend.

— Oui, dis-je. J'arrive.

Et je me dirigeai vers sa porte.

## 47

Le Four Green Fields était toujours mort le lundi soir. Ce bar répondait aux besoins d'une clientèle d'hommes de loi, lesquels ne commençaient à avoir besoin d'alcool pour arrondir les angles de leurs consciences que quelques jours après le début de la semaine. Nous aurions pu nous y installer n'importe où, mais nous décidâmes de rester au comptoir, Aronson s'y tenant assise entre Cisco et moi.

Nous commandâmes une bière, un cosmo[1] et une vodka tonic avec citron vert mais sans vodka. Toujours à en cuire après le fiasco Donald Driscoll, j'avais convoqué une réunion après le boulot pour parler du lendemain mardi. Et parce que j'avais dans l'idée que mes deux associés avaient peut-être besoin d'un remontant eux aussi.

1. Ou « cosmopolitan », cocktail à base de vodka, triple sec, jus de canneberge et jus de citron vert.

Il y avait un match de basket à la télé, mais je ne me donnai pas la peine de voir qui jouait et quel était le score. Ça m'était égal et j'avais du mal à voir plus loin que le désastre Driscoll. Son témoignage avait pris fin quand il avait explosé et m'avait montré du doigt. En son cabinet, le juge avait préparé un petit discours curatif pour dire aux jurés que l'accusation et la défense étaient tombées d'accord pour lui interdire de témoigner plus avant. Au mieux, son intervention se soldait par un coup pour rien. La première partie de son témoignage avait très certainement démontré l'hypothèse de la défense selon laquelle Louis Opparizio était bel et bien à l'origine de la mort de Mitchell Bondurant. Mais sa crédibilité avait été mise en doute lors de l'interrogatoire en contre et son instabilité et l'animosité qu'il m'avait témoignée n'avaient pas aidé. Sans oublier que le juge me tenait évidemment pour responsable de ce cirque et il y avait fort à parier que ça n'allait pas faire de bien à la défense.

— Alors, lança Aronson après avoir avalé sa première gorgée de cosmo. Qu'est-ce qu'on fait maintenant ?

— On continue à se battre, voilà ce qu'on fait. On a eu un mauvais témoin, ça a été un fiasco. Dans tous les procès, il y a des moments de ce genre, dis-je en montrant l'écran de la télé. Vous aimez le football américain, Jennifer ?

Je savais qu'elle était allée en fac à l'université de Californie, campus de Santa Barbara, pour sa licence, et qu'après elle avait rejoint celle de Southwestern. Ce qui faisait petite joueuse à côté des grands du foot.

— Ce n'est pas du football, dit-elle. C'est du basket.

— Oui, je sais, mais… est-ce que vous aimez le football américain ?

— J'aime bien l'équipe des Raiders.

— Je le savais ! s'écria Cisco en jubilant. Voilà une fille qui me plaît !

— Bon, dis-je, eh bien quand on est avocat de la défense, il faut être comme un demi de coin. On sait qu'on va se faire déchirer de temps en temps. Ça fait partie du jeu. Ce qui fait que quand ça se produit, il faut se relever, s'épousseter et tout oublier parce que les autres vont encore te piquer la balle. Aujourd'hui, on leur a concédé un essai, enfin… *je* leur en ai concédé un, mais la partie n'est pas finie, Jennifer. Tant s'en faut.

— D'accord et donc, qu'est-ce qu'on fait ?

— Ce qu'on prévoit de faire depuis le début : on s'attaque à Opparizio. Parce que tout se résume à lui. Il faut que je le pousse à bout. Je pense que Cisco m'a donné la puissance de feu pour y arriver et, espérons-le, Opparizio devrait avoir baissé la garde parce que grâce à Dahl, on lui a fait croire que son témoignage tiendrait de la promenade de santé. Mais soyons réalistes : pour l'instant, on est à égalité. Même avec l'explosion de Driscoll, je dirais qu'on est ou bien au même niveau ou bien un peu en dessous de l'accusation côté points. Il va falloir que je change ça dès demain. Si je n'y arrive pas, on perdra.

S'ensuivit un silence lugubre jusqu'au moment où Aronson posa une autre question.

— Et Driscoll, Mickey ?

— Quoi Driscoll ? On en a fini avec lui.

— Oui, mais vous l'avez cru pour ses histoires de logiciels ? Vous pensez qu'Opparizio l'a piégé ? Vous croyez que toute cette histoire de logiciels volés n'est que mensonges ? Parce qu'il ne faut pas oublier que maintenant, c'est dans tous les médias.

— Je ne sais pas. Freeman a été maligne. Elle a associé cette histoire à quelque chose qu'il ne voulait ou ne pouvait pas nier… le vol du sujet d'examen. Tout ça s'est gentiment assemblé. Mais de toute façon, ce n'est pas ce que je pense qui compte. C'est ce que pensent les jurés.

— Je crois que vous vous trompez. Pour moi, ce qu'on croit est toujours très important.

J'acquiesçai.

— Peut-être, Jennifer.

Je descendis une bonne gorgée de ma boisson anémique. Et Aronson partit dans une tout autre direction.

— Comment ça se fait que vous ne m'appeliez plus « Bullocks » ?

Je la regardai, puis baissai les yeux sur mon verre. Et haussai les épaules.

— Parce que vous avez fait de l'excellent travail aujourd'hui. C'est comme si vous aviez fini de grandir et qu'on ne devrait plus vous appeler par un surnom.

Je regardai derrière elle et montrai Cisco du doigt.

— Alors que lui… Avec un nom comme Wojciechowski, son surnom, c'est pour la vie. Et ça, y a rien à y faire.

Nous rîmes tous et cela parut détendre un peu l'atmosphère. Je savais que l'alcool pouvait aussi aider, mais ça faisait deux ans que je n'y touchais plus et j'étais solide. Je n'allais pas retomber.

— Qu'est-ce que t'as demandé à Dahl de raconter à son boss aujourd'hui ? me demanda Cisco.

Je haussai à nouveau les épaules.

— Que la défense est en miettes, qu'elle a gaspillé sa meilleure cartouche avec Driscoll quand Freeman l'a rétamé. Et après, le truc habituel : on a rien sur Opparizio et témoigner sera aussi facile que de couper du beurre laissé sur le comptoir de la cuisine. Il est censé m'appeler dès qu'il aura causé avec son patron.

Cisco approuva. Je poursuivis dans une autre direction.

— Pour moi, c'est avec Opparizio qu'il faut finir. Si par le jeu des questions-réponses j'arrive à faire passer aux jurés ce que Cisco m'a trouvé et que je le pousse à invoquer le cinquième amendement, je crois que j'en resterai là et que toi, Cisco, tu n'auras pas à témoigner.

Aronson plissa le front comme si elle doutait que ce soit la bonne solution.

— Parfait ! s'écria Cisco. Comme ça moi, demain, j'aurai pas à porter mon costume de singe de cirque.

Et de tirer sur son col de chemise comme s'il était en papier de verre.

— Non, faudra quand même que tu le portes, juste au cas où. Tu as bien une autre chemise comme ça, non ?

— Pas vraiment. Faudra sans doute que je lave celle-là ce soir.

— Tu te fous de moi ? Tu n'as qu'une…

Il poussa comme un sifflement étouffé et me montra la porte derrière moi d'un signe de tête. Je me retournai juste au moment où Maggie McPherson se glissait sur le tabouret libre à côté de moi.

— C'est donc là que tu es, dit-elle.
— Maggie McFierce.
Elle montra mon verre du doigt.
— Vaudrait mieux que ce ne soit pas ce que je crois, dit-elle.
— Ne t'inquiète pas. Ça ne l'est pas.
— Bien, bien.
Elle commanda une vraie vodka tonic à Randy, le barman, très vraisemblablement pour que ça fasse mal.
— Et donc, dit-elle, on noie son chagrin sans avoir de quoi le noyer. J'ai entendu dire que la journée avait été bonne pour les gens bien. À savoir l'accusation. Comme toujours.
— Peut-être. Tu as pris une baby-sitter pour un lundi soir ?
— Non, elle m'a proposé de venir ce soir. Je la prends quand je peux parce que maintenant qu'elle a un petit copain, c'en est probablement fini des vendredis et samedis soir où je pouvais m'amuser.
— Ah, et donc tu l'as ce soir et tu vas au bar toute seule ?
— Et si c'était toi que je cherchais, Haller ? T'as déjà pensé à ça ?
Je pivotai sur mon tabouret pour tourner le dos à Aronson et me retrouver directement en face de Maggie.
— Vraiment ? lui demandai-je.
— Qui sait ? Je me disais qu'un peu de compagnie te ferait peut-être du bien. Tu ne décroches pas ton portable.
— J'ai oublié. Je ne l'ai pas encore rallumé depuis l'audience.
Je le sortis de ma poche et le mis en route. Pas étonnant que je n'aie pas eu l'appel d'Herb Dahl.
— On va chez toi ? me demanda-t-elle.
Je la regardai longuement avant de répondre.
— Demain sera la journée la plus importante de ce procès. Je devrais…
— J'ai jusqu'à minuit.
Je respirai un grand coup, mais expulsai plus d'air que je n'en avais avalé. Je me penchai vers elle et m'inclinai de façon à ce que nos têtes se touchent, comme on croise les sabres avant un tournoi.
— Je peux pas continuer comme ça, lui soufflai-je à l'oreille. Ou bien on avance ou bien on arrête.

Elle posa la main sur ma poitrine et me repoussa. J'avais peur de ce à quoi ressemblerait ma vie si Maggie n'en faisait plus jamais partie. Je regrettai l'ultimatum que je venais de lui lancer parce que je savais que si je l'obligeais à choisir, elle dirait non.

— Et si on ne s'inquiétait que de ce soir, Haller ? me dit-elle.

— OK, lui renvoyai-je si vite que nous nous mîmes à rire tous les deux.

Je venais d'éviter une balle que je m'étais tirée dans le pied. Pour l'instant.

— Il faudra quand même que je travaille un peu à un moment donné.

— Ouais, bon, on verra.

Elle tendit la main pour prendre son verre, mais prit le mien par mégarde. Ou pas. Elle but une gorgée et grimaça de dégoût.

— C'est vraiment immonde sans vodka. À quoi bon boire un truc pareil ?

— Je sais. C'était quoi, ça ? Un test ?

— Non, juste une erreur.

— Ben voyons !

Elle but dans son verre. Je me tournai un rien et regardai Cisco et Aronson par-dessus mon épaule. Penchés l'un vers l'autre, ils avaient engagé une conversation et m'ignoraient complètement. Je me retournai vers Maggie.

— Épouse-moi une deuxième fois, Maggie. Je vais tout changer après ce procès.

— J'ai déjà entendu ça quelque part. La deuxième partie.

— Oui, mais cette fois, c'est vrai. J'ai déjà commencé.

— Il faut que je réponde tout de suite ? C'est une demande qui ne se reproduira pas ou je peux y réfléchir ?

— Pas de problème, t'as deux ou trois minutes. Je vais aux toilettes et je reviens.

Nous rîmes encore un coup, puis je me penchai vers elle, l'embrassai et enfouis mon visage dans ses cheveux.

— J'arrive pas à m'imaginer avec quelqu'un d'autre, lui soufflai-je à nouveau à l'oreille.

Elle se tourna vers moi, m'embrassa dans le cou, puis recula.

— Je déteste les démonstrations d'affection en public, surtout dans les bars. Ça fait vulgaire.

— Désolé.

— Allons-y. Tout de suite, dit-elle en glissant de son tabouret.

Et debout, elle avala une dernière gorgée de sa boisson.

Je sortis ma monnaie et laissai assez de billets pour couvrir les notes de chacun, sans oublier le barman. Puis je dis à Cisco et Aronson que j'y allais.

— Je croyais qu'on n'avait pas fini avec Opparizio ! protesta Aronson.

Je vis Cisco lui toucher le bras en douce pour lui faire comprendre : *pas maintenant.* J'appréciai.

— Vous savez quoi ? lui répondis-je. La journée a été longue. Des fois, ne penser à rien est la meilleure façon de se préparer. Je serai au cabinet tôt demain matin avant d'aller au tribunal. Si vous voulez passer… Sinon, je vous retrouve au prétoire à 9 heures.

Nous nous dîmes au revoir et je sortis du bar avec mon ex.

— Tu veux qu'on laisse une voiture ici ? lui demandai-je.

— Non, c'est trop dangereux de revenir ici après le dîner et la séance au pieu avec toi. J'aurai envie d'un dernier verre pour la route et il se pourrait que ça ne soit pas vraiment le dernier. Et puis, il faut que je libère la baby-sitter, et moi aussi, je travaille demain.

— Parce que c'est comme ça que tu vois les choses ? On dîne, on baise et on est rentrée à la maison pour minuit ?

Elle aurait pu me faire sérieusement mal en me faisant remarquer que je gémissais comme une femme qui se plaint des hommes. Mais elle n'en fit rien.

— Non, dit-elle. En fait, j'y vois la meilleure soirée de toute ma semaine.

Je lui posai la main sur la nuque tandis que nous regagnions nos voitures. Elle aimait toujours ça. Même s'il s'agissait d'une démonstration d'affection en public.

# 48

La tension était de plus en plus palpable à chaque pas que faisait Louis Opparizio pour gagner le box des témoins ce mardi matin-là. Il portait un costume marron clair, une chemise bleue et une cravate bordeaux. Il avait la dignité de celui qui a du pouvoir et de l'argent. Et il ne me vouait très clairement que du mépris. Il témoignait certes pour la défense, mais il n'y avait guère d'amour entre nous. C'était la première fois depuis le début même du procès que, côté culpabilité, je montrais du doigt quelqu'un d'autre que ma cliente. J'avais pointé le doigt sur lui et maintenant il était là, assis devant moi. Le grand moment était arrivé et il avait attiré la plus grande assistance de médias et de badauds de tout le procès.

Je commençai avec cordialité, mais n'avais aucune intention de continuer dans cette voie. Je n'avais qu'un seul but et le verdict dépendait de ma prestation. Il fallait que je pousse cet homme jusque dans ses derniers retranchements. Il n'était là que parce qu'il avait péché par avarice et vanité. Il avait ignoré les avocats, refusé de se cacher derrière le cinquième amendement et accepté de me défier – et seul à seul – devant une salle comble. Ma tâche consistait à lui faire regretter ces décisions. À le forcer à invoquer le cinquième amendement devant les jurés. S'il le faisait, Lisa Trammel sortirait libre du tribunal. Il ne pouvait y avoir de doute raisonnable plus solide que celui de voir l'individu que l'on montre du doigt depuis le début du procès se cacher derrière le cinquième amendement, refuser de répondre aux questions en arguant qu'il s'incriminerait à le faire. Comment un juré honnête pourrait-il voter la culpabilité au-delà de tout doute raisonnable après ça ?

— Bonjour, monsieur Opparizio, lui lançai-je. Comment allez-vous ?

— Je préférerais être ailleurs. Comment allez-vous, vous ?

Je souris. Bagarreur d'entrée de jeu.

— Je vous dirai ça dans quelques heures, lui renvoyai-je. Je vous remercie d'être ici aujourd'hui. Je remarque un rien d'accent du nord-est dans vos propos. Vous n'êtes pas de Los Angeles ?

— Je suis né à Brooklyn il y a cinquante et un ans de ça. Je suis venu ici pour étudier le droit et n'en suis jamais reparti.

— Votre société et vous-même avez été cités plus d'une fois dans ce procès. Il semblerait que vous ayez la part du lion dans les affaires de saisies, au moins dans ce comté. J'ai…

— Monsieur le Juge ? (C'était Freeman qui m'interrompait depuis sa table.) Où sont les questions dans tout cela ?

Perry la regarda un moment.

— Il s'agit d'une objection, maître Freeman ?

Elle se rendit compte qu'elle ne s'était pas levée alors que Perry nous avait enjoints de le faire, avant le procès, pour formuler une objection. Elle se leva dans l'instant.

— Oui, monsieur le Juge.

— Posez une question, maître Haller.

— J'étais sur le point de le faire, monsieur le Juge. Monsieur Opparizio, pourriez-vous nous dire à votre façon ce que fait ALOFT ?

Opparizio s'éclaircit la gorge et se tourna directement vers les jurés pour répondre. On était efficace et avait du savoir-vivre. J'allais avoir du pain sur la planche.

— J'en serais très heureux, dit-il. Pour l'essentiel, ALOFT est une société de traitement. De grosses firmes d'emprunts comme la Westland National nous paient pour gérer des saisies immobilières du début à la fin. Nous nous occupons de tout, de la création des documents à envoyer jusqu'à la remise des citations à comparaître devant les tribunaux, si c'est nécessaire. Tout cela pour une seule et unique somme qui inclut tous ces services. Personne n'a envie d'entendre parler de saisie. À un niveau ou à un autre, nous nous battons tous pour payer nos factures et essayer de garder nos maisons. Mais il arrive que ça ne marche pas et que la saisie soit nécessaire. C'est là que nous intervenons.

— Vous dites que « parfois ça ne marche pas ». N'est-il pas vrai qu'au fil des ans, ça a plutôt bien marché pour vous ?

— Nos activités connaissent effectivement une expansion extraordinaire depuis quatre ans et ce n'est que maintenant que ça commence à se tasser.

— Vous venez de nous dire que la Westland National comptait au nombre de vos clients. De vos clients importants, n'est-ce pas ?

— La Westland l'a été et l'est toujours.

— Combien de saisies gérez-vous pour la Westland par an ?

— Je ne saurais vous dire ça au débotté, mais il me semble raisonnable d'affirmer qu'avec toutes ses succursales dans l'ouest des États-Unis, nous en gérons près de dix mille chaque année.

— Le croiriez-vous si je vous disais que depuis plus de quatre ans la Westland National vous confie une moyenne de seize mille dossiers par an ? Ce chiffre figure dans son rapport d'activité annuel.

Je le levai en l'air afin que tout le monde le voie.

— Oui, je suis prêt à le croire. Les rapports d'activité ne mentent pas.

— Combien ALOFT demande-t-elle pour une saisie ?

— Pour les prêts à l'habitation, nous demandons deux mille cinq cents dollars et cela inclut absolument tout, y compris le procès éventuel.

— Ce qui nous donne quarante millions de dollars par an rien que pour la Westland, c'est bien ça ?

— Si les chiffres auxquels vous vous référez sont exacts, ça me paraît juste.

— J'imagine donc que le compte de la Westland National était plus qu'important chez vous, n'est-ce pas ?

— Oui, mais tous nos clients sont importants.

— Ce qui fait que vous avez dû plutôt bien connaître Mitchell Bondurant, la victime de ce meurtre, je me trompe ?

— Évidemment que je le connaissais bien et je trouve que ce qui lui est arrivé est une honte. C'était un homme bien qui essayait de faire du bon travail.

— Je suis sûr que nous apprécions tous cette expression de votre sympathie. Mais au moment de sa mort, vous n'étiez pas très content de lui, n'est-ce pas ?

— Je ne suis pas sûr de comprendre ce que vous voulez dire. Nous travaillions ensemble. Nous avions des petits différends de temps à autre, mais ça n'a rien d'extraordinaire dans des relations d'affaires normales.

— Je ne vous parle pas ici de « petits différends » ni de « relations d'affaires normales ». Je vous demande de me parler d'une lettre que M. Bondurant vous a envoyée peu de temps avant son assassinat, lettre dans laquelle il menaçait de dévoiler certaines pratiques frauduleuses en vigueur dans votre société. L'avis de réception de cette lettre recommandée a été signé par votre secrétaire personnelle. L'avez-vous lue ?

— Je l'ai parcourue. On m'y indiquait que l'un de mes cent quatre-vingt-cinq employés avait pris un raccourci. Il s'agissait là d'un différend mineur et il n'y avait, contrairement à ce que vous dites, rien de menaçant dans cette lettre. J'ai ordonné à la personne qui gérait ce dossier d'arranger ça. C'est tout, maître Haller.

Sauf que ce n'était pas tout ce que j'avais à dire de cette lettre. J'obligeai Opparizio à la lire aux jurés et, pendant la demi-heure qui suivit, je lui posai des questions de plus en plus précises et embarrassantes sur ce qui y était affirmé. Puis je passai à la lettre de mise en cause fédérale et l'obligeai aussi à la lire. Mais, là encore, il resta imperturbable et prétendit que ce n'était qu'une manœuvre au hasard.

— Je les ai accueillis à bras ouverts, me renvoya-t-il. Mais vous savez quoi ? Aucun de ces agents du FBI n'est jamais venu. Après tout ce temps, je n'ai toujours pas entendu parler de M. Lattimore, de l'agent spécial Vasquez ou d'aucun autre agent d'ailleurs. Parce que cette lettre n'a pas donné les résultats escomptés. Je ne me suis pas enfui, je n'ai pas tremblé, je n'ai pas crié au coup bas et je n'ai pas cherché à me cacher derrière un avocat. Je leur ai dit que je savais bien qu'ils avaient un boulot à faire et « Je vous en prie, passez donc nous voir pour vérifier. Nos portes vous sont ouvertes et nous n'avons absolument rien à vous cacher ».

Bonne réponse, assénée à point nommé. Opparizio était clairement le vainqueur des premiers rounds. Cela dit, pas de problème : je gardai mes meilleurs coups de poing pour plus tard. Je voulais qu'il se sente confiant et qu'il ait l'impression de tout contrôler. Par l'intermédiaire d'Herb Dahl, il avait été régulièrement abreuvé de discours apaisants. On lui avait fait croire que j'étais désespéré et n'avais que quelques soupçons de complot contre lui, soupçons qu'il pourrait écrabouiller sans difficulté comme il le faisait maintenant. À ceci près que lorsqu'il aurait trop confiance en lui et deviendrait suffisant, je lancerais l'attaque et chercherais le KO. Et ce combat ne durerait pas quinze rounds. Il ne le fallait pas.

— Bien. Au moment où ces lettres vous arrivaient, vous aviez entamé des négociations secrètes, n'est-ce pas ?

Pour la première fois depuis que je lui posais des questions, il marqua un temps d'arrêt.

— À l'époque, j'avais effectivement engagé des discussions d'affaires en privé, comme je le fais à peu près tout le temps. Je n'utiliserais pas le mot de « secrètes » à cause de ce que cela implique. Le secret est toujours néfaste lorsque s'en tenir à des négociations privées est ce qu'il y a de plus normal.

— Bon, d'accord. Mais ces discussions privées s'inscriraient dans le cadre d'une négociation destinée à vendre ALOFT à une société cotée en Bourse, c'est bien ça ?

— C'est bien ça, en effet.

— Une société qui avait pour nom LeMure.

— C'est exact.

— Et ce deal devait vous rapporter beaucoup d'argent, non ?

Freeman se leva et demanda à être entendue par le juge. Nous nous approchâmes de Perry, elle formula son objection en chuchotant fort.

— Je ne vois pas la pertinence de tout cela, dit-elle. Où allons-nous avec ça ? Maître Haller nous balade maintenant du côté de Wall Street, ce qui n'a rien à voir avec Lisa Trammel et les preuves amassées contre elle.

— Monsieur le Juge, m'empressai-je de répondre avant qu'il ait le temps de me couper la parole, la pertinence de ces questions va bientôt apparaître. Maître Freeman sait très bien où cela nous mène et n'a tout bonnement aucune envie de s'y rendre. Mais la cour m'a donné toute latitude pour monter une défense reposant sur la culpabilité d'un tiers. Eh bien, nous y sommes, monsieur le Juge. Nous sommes au moment même où tout va se recouper et je demande à ce que la cour m'accorde encore son indulgence.

Perry n'eut pas à réfléchir longtemps pour nous donner sa réponse.

— Vous pouvez continuer, maître Haller, dit-il, à condition que vous fassiez atterrir votre avion bientôt.

— Merci, monsieur le Juge.

Nous reprîmes nos places et je décidai de faire avancer les choses un peu plus vite.

— Monsieur Opparizio, revenons au mois de janvier, c'est-à-dire au moment où vous étiez en pleine négociation avec la société LeMure, repris-je. Vous saviez alors que vous vous feriez beaucoup d'argent si le deal était conclu, n'est-ce pas ?

— Je savais que je serais généreusement récompensé de toutes ces années passées à faire grandir la société.

— Mais si vous perdiez un de vos plus gros clients... qui vous rapportait dans les quarante millions de dollars par an... ce deal aurait été mis en danger, c'est bien ça ?

— Aucun client ne me menaçait de partir.

— Permettez que j'attire à nouveau votre attention sur la lettre que vous avait adressée à M. Bondurant. Ne diriez-vous pas qu'il vous y menace de vous retirer le compte de la Westland ? Il me semble que vous avez toujours devant vous une copie de cette lettre, au cas où vous voudriez vous y référer.

— Je n'ai pas besoin de la voir. Il n'y avait absolument aucune menace à mon égard. Mitch me l'a envoyée et j'ai réglé le problème.

— De la même façon que vous avez réglé le problème Donald Driscoll ?

— Objection ! lança Freeman. Propos polémiques.

— Je retire ma phrase. Monsieur Opparizio, vous avez reçu cette lettre en plein milieu de votre négociation avec LeMure, n'est-ce pas ?

— Je l'ai effectivement reçue pendant la négociation.

— Et au moment où vous l'avez reçue de M. Bondurant, vous saviez qu'il se trouvait dans une situation financière difficile, exact ?

— J'ignorais tout de la situation financière personnelle de M. Bondurant.

— Vous n'aviez donc pas d'employé pour vous renseigner sur l'état des finances de M. Bondurant et d'autres banquiers avec qui vous faisiez affaire ?

— Non, c'est ridicule. Celui qui vous a dit ça est un menteur.

L'heure était venue de tester le travail d'agent double effectué par Herb Dahl.

— Au moment où M. Bondurant vous a envoyé cette lettre, était-il au courant de vos négociations secrètes avec la société LeMure ?

Sa réponse aurait dû être : « Je ne sais pas », mais j'avais dit à Dahl de lui faire passer le message que l'équipe juridique de Lisa Trammel n'avait rien trouvé sur cet élément clé de sa défense.

— Il en ignorait tout, répondit-il. J'avais tenu dans le noir toutes nos banques clientes pendant la durée de ces négociations.

— Qui est le responsable financier de la société LeMure ?

Il parut un instant interloqué par ma question et le changement de direction qu'elle semblait traduire.

— Ce doit être Syd Jenkins. Sydney Jenkins.

— Était-ce lui le patron de l'équipe d'acquisition avec lequel vous travailliez dans l'affaire de la LeMure ?

Freeman éleva une objection et demanda où tout cela nous conduisait. Je dis au juge qu'il le saurait bientôt, il m'autorisa à poursuivre et ordonna à Opparizio de répondre à la question.

— Oui, c'est avec Syd Jenkins que je travaillais à l'acquisition.

J'ouvris un dossier, en sortis un document et demandai au juge la permission de la montrer au témoin. Comme il fallait s'y attendre, Freeman éleva une objection et nous eûmes une discussion animée devant le juge sur l'admissibilité de la pièce. Mais Freeman l'ayant emporté lorsqu'elle avait voulu montrer à Driscoll le rapport d'enquête interne d'ALOFT, le juge rétablit l'équilibre en m'autorisant à présenter le document à la cour étant entendu qu'il statuerait plus tard sur sa validité.

Cette autorisation accordée, j'en tendis une copie au témoin.

— Monsieur Opparizio, pouvez-vous dire au jury à quel genre de document nous avons affaire ?

— Je n'en sais trop rien.

— Ne s'agit-il pas du tirage papier d'une page de calendrier numérique ?

— Si vous le dites.

— Et quel est le nom porté en haut de cette feuille ?

— Mitchell Bondurant.

— Et quelle est la date portée sur la page ?

— 13 décembre.

— Pouvez-vous nous lire l'entrée du rendez-vous de 10 heures ?

Freeman demandant à être entendue par le juge, une fois encore nous nous tînmes devant lui.

— Monsieur le Juge, c'est Lisa Trammel qui passe en jugement. Ce ne sont ni Louis Opparizio ni Mitchell Bondurant. Voilà ce qui arrive quand on profite de la bonté d'une cour qui vous donne toute latitude. Je m'élève contre cette série de questions. L'avocat de la défense nous éloigne du sujet dont doit trancher le jury.

— Monsieur le Juge, répondis-je, encore une fois, cela nous renvoie à la culpabilité du tiers. Il s'agit d'une page du calendrier numérique qui a été donné à la défense lors de l'échange des pièces entre les parties. La réponse à cette question permettra aux jurés de voir clairement que, dans cette affaire, la victime s'appliquait très subtilement à extorquer des fonds au témoin. Et ça, c'est un mobile suffisant pour tuer.

— Monsieur le Juge, c'est...

— Ça suffit, maître Freeman. J'autorise la question.

Nous retournâmes à nos places et le juge ordonna à Opparizio de répondre à la question. Je la répétai pour le bénéfice des jurés.

— Qu'y a-t-il dans le calendrier de M. Bondurant à la case 10 heures du 13 décembre ?

— On y lit « Sydney Jenkins, LeMure ».

— Cette entrée ne vous fait donc pas penser que M. Bondurant était conscient du deal ALOFT-LeMure en décembre de l'année dernière ?

— Je serais bien incapable de savoir ce qui s'est dit lors de cette réunion, si même elle a eu lieu.

— Quelle raison pourrait avoir l'individu qui dirige l'acquisition d'ALOFT de rencontrer une des plus grosses banques clientes de cette société ?

— Il faudrait le demander à M. Jenkins.

— C'est peut-être ce que je vais faire.

Opparizio avait l'air de plus en plus renfrogné au fil de mes questions. L'espion Herb Dahl avait bien travaillé. Je poursuivis.

— Quand la vente d'ALOFT à la société LeMure a-t-elle été conclue ?

— À la fin février.

— Pour combien ALOFT a-t-elle été vendue ?

— Je préférerais ne pas le dire.

— La société LeMure est cotée en Bourse, monsieur. Le renseignement est public. Pourriez-vous nous économiser la peine et le temps…

— Quatre-vingt-seize millions de dollars.

— L'essentiel de cette somme vous revenant en tant que seul propriétaire d'ALOFT, n'est-ce pas ?

— Une bonne partie, oui.

— Et vous avez aussi des actions dans la société LeMure, non ?

— Si.

— Et vous êtes toujours président d'ALOFT, n'est-ce pas ?

— Oui, je dirige toujours la société. Mais je n'ai plus que des P-DG maintenant.

Il essaya un sourire, mais les trois quarts des gens qui bossaient dans la salle ne virent pas l'humour de ce commentaire étant donné le nombre de millions qu'il avait empochés à la conclusion de l'affaire.

— Vous êtes donc toujours intimement mêlé aux opérations quotidiennes de la société.

— Absolument, maître.

— Monsieur Opparizio, la vente d'ALOFT vous a-t-elle bien rapporté personnellement soixante et un millions de dollars comme l'affirme le *Wall Street Journal* ?

— Là, ils se sont trompés.

— Comment ça ?

— L'affaire valait bien ce montant-là, mais il ne m'a pas été versé en une fois.

— Vous avez donc droit à des paiements différés ?

— En quelque sorte, oui, mais je ne vois vraiment pas le rapport avec l'individu qui a tué Mitchell Bondurant, maître Haller. Pourquoi suis-je ici ? Je n'ai rien à…

— Monsieur le Juge ?

— Un instant, monsieur Opparizio, dit Perry.

Puis il se pencha par-dessus son bureau et marqua un temps d'arrêt comme s'il envisageait quelque chose.

— Nous allons faire la pause du matin tout de suite et les deux avocats me rejoindront en mon cabinet. L'audience est suspendue.

Une fois de plus, nous suivîmes Perry en son cabinet. Et une fois de plus, j'allais me retrouver sur la sellette. Mais j'étais tellement en colère contre lui que je passai à l'offensive. Je restai debout tandis que Freeman et lui prenaient des sièges.

— Monsieur le Juge, avec tout le respect qui vous est dû, j'avais pris de l'élan et entamer la pause du matin aussi tôt me le casse entièrement.

— Maître Haller, vous aviez peut-être beaucoup d'élan, mais il vous emmenait très loin de cette affaire. Je me suis plié en quatre pour vous permettre de développer votre stratégie de défense au tiers coupable, mais je commence à me dire que je me suis fait avoir.

— Monsieur le Juge, il me restait quatre questions à poser avant de tout ramener à l'affaire, mais vous venez de m'arrêter.

— C'est vous qui vous êtes mis dans cette position, maître Haller. Je ne peux pas continuer à rester là à ne rien faire et vous laisser poursuivre. Maître Freeman a déjà élevé des objections et c'est maintenant le témoin lui-même qui le fait. Et moi, j'ai l'air d'un clown. Vous allez à la pêche, maître Haller. Vous m'avez dit, et vous l'avez aussi dit aux jurés, que vous alliez prouver non seulement que votre cliente n'a pas commis ce crime, mais que vous alliez nous dévoiler le coupable. Mais là, nous en sommes déjà à cinq témoins pour la défense et vous en êtes toujours à aller à la pêche.

— Monsieur le Juge, je n'arrive pas à croire... écoutez, je ne suis pas du tout en train d'aller à la pêche. Je suis en pleine démonstration. Bondurant menaçait notre témoin de lui coûter soixante et un million de dollars. C'est l'évidence même et n'importe quel être doué de bon sens le comprend. Et si ce n'est pas un mobile de meurtre, alors il faut croire...

— Le mobile n'est pas la preuve ! lança Freeman. Il ne s'agit pas de preuves et il est clair que vous n'en avez pas. Tout ce système de défense est bidon. Qu'est-ce que vous allez nous faire encore ?

Donner les noms de tous les gens dont Bondurant saisissait les biens et en faire des suspects ?

Je la montrai du doigt assise dans son fauteuil.

— Ce ne serait pas une mauvaise idée, dis-je. Mais le fait est que cette défense n'est pas bidon et que si l'on me permet de poursuivre mon interrogatoire du témoin, cette preuve, j'y arriverai très vite.

— Asseyez-vous, maître Haller, et je vous en prie, faites attention au ton que vous employez en me parlant.

— Oui, monsieur le Juge. Je vous prie de m'excuser.

Je m'assis et attendis que Perry ait médité la situation. Enfin il parla.

— Autre chose, maître Freeman ?

— Je pense que la cour est tout à fait consciente de la façon dont l'accusation voit les choses, et notamment ce que maître Haller a eu l'autorisation de faire. J'ai très tôt et souvent averti qu'il allait nous donner un petit spectacle n'ayant rien à voir avec l'affaire qui nous occupe. Nous avons depuis longtemps dépassé ce stade et force m'est d'être d'accord avec l'appréciation de la cour, appréciation selon laquelle elle a l'air idiote et complètement manipulée.

Elle était allée trop loin. Je vis la peau se tendre autour des yeux de Perry lorsqu'elle déclara qu'il avait l'air idiot. Pour moi, alors qu'elle l'avait dans la poche, elle venait de le perdre.

— Eh bien… je vous remercie, maître Freeman. Je suis pour l'heure assez enclin à retourner au prétoire et à donner une dernière chance à maître Haller de tout emballer. Comprenez-vous bien ce que j'entends par « dernière chance », maître Haller ?

— Oui, monsieur le Juge. Et je m'y tiendrai.

— Ça vaudrait mieux, maître, parce que la patience de la cour est à bout. Allons-y.

Là-bas, à la table de la défense, je vis Aronson qui attendait toute seule et me rendis compte qu'elle ne m'avait pas suivi chez le juge. Je m'assis d'un air las.

— Où est Lisa ? lui demandai-je.

— Dans le couloir avec Dahl. Qu'est-ce qui s'est passé ?

— J'ai encore une chance. Il faut que j'accélère et que je passe à la curée.

— Vous allez pouvoir ?

— Nous verrons. Mais d'abord, il faut que je coure aux toilettes avant que nous recommencions. Pourquoi n'êtes-vous pas venue chez le juge ?

— Personne ne me l'a demandé et je ne savais pas si je devais vous suivre.

— La prochaine fois, vous me suivez et vous entrez avec moi.

Le plan des tribunaux est conçu pour tenir accusation et défense à l'écart l'une de l'autre. Les jurés ont leurs salles de réunions et de délibérations et il y a des allées et des barrières pour séparer les parties en conflit et leurs supporters. Mais les toilettes constituent le grand égalisateur. Entrez dans n'importe lesquelles et vous ne saurez jamais sur qui vous tomberez. Je poussai la porte de celles des hommes et faillis rentrer droit dans Opparizio qui se lavait les mains au lavabo. Il s'était penché et me vit dans la glace en relevant la tête.

— Alors, maître, me lança-t-il, le juge vous a-t-il tapé un peu sur les doigts ?

— Ça ne vous regarde pas. Je vais trouver d'autres toilettes.

Je me retournais pour partir lorsqu'il m'arrêta.

— Ne vous donnez pas cette peine. Je m'en vais.

Il secoua ses mains mouillées, partit vers la porte, passa très près de moi, et s'arrêta brusquement.

— Vous êtes méprisable, Haller, ajouta-t-il. Votre cliente est une meurtrière et vous avez le culot d'essayer de me faire porter le chapeau. Comment pouvez-vous vous regarder dans la glace ? (Il se retourna et me montra les WC.) C'est là qu'est votre place. Aux chiottes.

## 49

Tout se résumait à la demi-heure qui allait suivre – à l'heure, au grand maximum. Je m'assis à la table de la défense, ordonnai mes pensées et attendis. Tout le monde avait retrouvé sa place, hormis le juge qui était toujours dans son cabinet et Opparizio qui, l'air suffisant, conférait avec ses deux avocats assis au premier rang de l'assistance où ils avaient des sièges réservés. Ma cliente se pencha vers moi.

— Vous avez autre chose, pas vrai ? me demanda-t-elle en chuchotant de façon à ce que même Aronson ne puisse pas l'entendre.

— Je vous demande pardon ?

— Vous avez autre chose, n'est-ce pas, Mickey ? D'autres trucs à lui balancer, hein ?

Même elle se rendait compte que ce que j'avais baladé sous le nez des jurés ne suffisait pas.

— On le saura avant le déjeuner, lui chuchotai-je en retour. Ou bien nous boirons du champagne ou bien nous pleurerons dans le potage.

La porte du cabinet du juge s'ouvrit sur Perry. Il ordonna aux jurés et au témoin de rejoindre leurs box avant même de retrouver son fauteuil. Quelques instants plus tard, je fus de nouveau devant le pupitre et dévisageai Opparizio. Notre confrontation dans les toilettes semblait lui avoir donné un regain de confiance. Il adopta une posture détendue afin de bien dire au monde entier qu'il était au bout de ses peines. Je décidai qu'il n'y avait plus de raisons d'attendre. L'heure était venue de commencer à cogner.

— Bien, monsieur Opparizio, pour faire suite à notre conversation de tout à l'heure... vous n'avez pas été tout à fait sincère dans votre témoignage, n'est-ce pas ?

— J'ai été parfaitement honnête et votre question m'indigne.

— Vous nous mentez depuis le début, n'est-ce pas, monsieur ? Donner un faux nom lors du serment à la cour...

— J'ai changé de nom tout à fait légalement il y a trente et un ans de ça. Je n'ai pas menti et cela n'a rien à voir avec cette affaire.

— Quel est le nom porté sur votre acte de naissance ?

Il marqua une pause et je crus voir dans ses yeux le premier éclair de compréhension : enfin il devinait où je voulais en venir.

— Mon nom de naissance est Antonio Luigi Apparizio. Comme aujourd'hui, mais avec un A au lieu d'un O. Dans ma jeunesse, on m'appelait Lou ou Louie parce qu'il y avait des tas d'Anthony et d'Antonio dans le quartier. J'ai décidé de garder Louis. Et j'ai légalement changé mon nom en Anthony Louis Opparizio. Je l'ai américanisé. Un point c'est tout.

— Mais pourquoi avez-vous aussi changé l'orthographe de votre nom de famille ?

— À l'époque, il y avait un joueur de base-ball professionnel du nom de Luis Aparicio. Je me suis dit que Louis Apparizio et Luis Aparicio étaient des noms trop proches. Comme je ne voulais pas que le mien soit aussi semblable à celui d'une célébrité, j'en ai changé l'orthographe. Cela vous satisfait-il, maître Haller ?

Le juge l'avertit de se contenter de répondre aux questions et de ne pas en poser.

— Savez-vous quand Luis Aparicio a pris sa retraite du base-ball professionnel ? lui demandai-je, et je regardai le juge aussitôt après. Si sa patience était quasi à bout avant, maintenant, elle risquait de lâcher et de me valoir une accusation d'outrage à la cour.

— Non, je ne sais pas quand il a pris sa retraite.

— Vous étonnerait-il d'apprendre qu'il l'a fait huit ans avant que vous ne changiez de nom ?

— Non, ça ne me surprendrait pas.

— Mais vous pensez que le jury va vous croire lorsque vous lui dites que vous avez changé de nom pour éviter qu'il ne ressemble trop à celui d'un joueur de base-ball depuis longtemps hors course ?

Il haussa les épaules.

— C'est pourtant ce qui s'est passé.

— N'est-il pas vrai que vous avez changé Apparizio en Opparizio parce que vous étiez un jeune homme plein d'ambition et que, dans la forme du moins, vous vouliez vous distancer de votre famille ?

— Non, ce n'est pas vrai. Je voulais avoir un nom qui sonne plus américain, et je ne me distançais de personne.

Je le vis jeter un bref coup d'œil dans la direction de ses avocats.

— On vous a donné ces prénoms en l'honneur de votre oncle, n'est-ce pas ?

— Non, c'est faux, répondit-il vite. On ne m'a donné les prénoms de personne.

— Vous aviez un oncle portant le nom d'Antonio Luigi Apparizio, soit le même que celui porté sur votre acte de naissance, et vous nous dites que ce serait juste une coïncidence ?

Comprenant qu'il venait de faire une erreur en mentant ainsi, il essaya de se rattraper, mais ne réussit qu'à aggraver les choses.

— Mes parents ne m'ont jamais dit en l'honneur de qui ils m'avaient appelé, ni même si je portais le nom de celui-ci ou de celui-là.

— Et quelqu'un d'aussi intelligent que vous ne l'a jamais deviné ?

— Je n'y ai jamais pensé. Lorsque j'ai eu vingt et un ans, je suis parti dans l'ouest et me suis éloigné de ma famille.

— Vous voulez dire « géographiquement » ?

— De toutes les façons que vous voudrez. J'ai commencé une nouvelle vie. Et je suis resté ici.

— Votre père et votre oncle faisaient partie de la Mafia, n'est-ce pas ?

Freeman s'empressa d'élever une objection et demanda à être entendue par le juge. Dès que nous fûmes devant lui, elle fit tout sauf lever les yeux au ciel à se les faire sortir de la tête pour essayer de lui montrer à quel point elle était frustrée.

— Monsieur le Juge, assez, c'est assez ! Il se peut que maître Haller n'éprouve aucune honte à ternir la réputation de ses propres témoins, mais il faut que ça cesse. C'est d'un procès qu'il s'agit, monsieur le Juge, pas d'une expédition de pêche en eau profonde !

— Monsieur le Juge, vous m'avez dit de faire vite et c'est ce que je fais. Je peux vous offrir une preuve qui vous montrera que je ne vais pas à la pêche.

— C'est quoi, cette preuve, maître Haller ?

Je lui tendis un épais document relié que j'avais apporté avec moi. Plusieurs Post-it de couleurs différentes sortaient de ses pages.

— Voici un rapport de l'attorney général sur la Mafia demandé par le Congrès. Il est daté de 1986, l'attorney général de l'époque étant Edwin Meese. Allez au Post-it jaune, ouvrez la page et vous y verrez la preuve dans le paragraphe surligné en jaune.

Il lut le passage et fit passer le volume à Freeman pour qu'elle puisse le lire à son tour. Avant même qu'elle ait fini, il fit part de sa décision

— Posez votre question, maître Haller, mais je vous donne dix minutes pour relier les pointillés. Si ce n'est pas fait à ce moment-là, je vous coupe le sifflet.

— Merci, monsieur le Juge.

Je regagnai le pupitre et reposai ma question, mais d'une manière différente.

— Monsieur Opparizio, étiez-vous au courant que votre oncle et votre père faisaient partie d'un groupe du crime organisé connu sous le nom de « famille Gambino » ?

Il m'avait vu tendre le livre relié au juge. Il savait que j'avais de quoi justifier ma question. Au lieu de se fendre d'un déni complet, il préféra louvoyer.

— Comme je l'ai dit, j'ai laissé ma famille derrière moi quand je suis allé en fac. Après ça, je n'ai plus entendu parler d'elle. Et on ne m'avait rien dit avant.

Le moment était venu d'être implacable, de le faire reculer jusqu'au bord du précipice.

— Votre oncle n'était-il pas connu sous le surnom d'« Apparizio le Gorille » à cause de sa réputation de violence et de brutalité ?

— Je ne saurais vous dire.

— Votre oncle n'a-t-il pas joué le rôle du père lorsque le vôtre a passé le plus clair de vos années de jeunesse en prison pour extorsion de fonds ?

— Mon oncle a pris soin de nous financièrement, mais il n'avait rien d'une figure paternelle.

— Quand vous êtes parti dans l'ouest à l'âge de vingt et un ans, était-ce pour vous distancier de votre famille ou pour étendre ses activités jusqu'à la côte ouest ?

— Alors là, c'est un mensonge ! Je suis venu ici pour faire des études de droit. Je n'avais rien et n'ai rien apporté avec moi. Surtout pas un quelconque réseau familial.

— Connaissez-vous le terme d'« agent dormant » tel qu'on l'utilise dans les enquêtes sur le crime organisé ?

— Je ne vois pas de quoi vous parlez.

— Vous surprendrait-il d'apprendre que dès le début des années 80, le FBI a pensé que la Mafia essayait d'investir certaines activités légales du monde des affaires en envoyant sa jeune génération dans diverses écoles et autres endroits afin de s'y enraciner et de se lancer dans le business, et que ces personnes étaient qualifiées d'« agents dormants » ?

— Je suis un businessman tout ce qu'il y a de plus légitime. Personne ne m'a envoyé ici ou là et je me suis payé mes études de droit en travaillant pour un huissier de justice.

Je hochai la tête comme si je m'attendais à la réponse.

— À propos d'huissiers de justice... vous êtes propriétaire de plusieurs sociétés, n'est-ce pas, monsieur ?

— Je ne comprends pas.

— Permettez que je formule ma question autrement. Lorsque vous avez vendu ALOFT au LeMure Fund, vous avez bien gardé la propriété de plusieurs sociétés en contrat avec ALOFT, n'est-ce pas ?

Il prit tout son temps pour trouver sa réponse. Et coula un autre regard furtif du côté de ses avocats. Un regard qui signifiait : « Sortez-moi de là. » Il savait où je voulais en venir et savait aussi qu'il ne pouvait pas me laisser faire. Mais c'était à la barre des témoins qu'il était et il n'avait qu'une porte de sortie.

— Je possède entièrement et en partie diverses entreprises. Toutes légales, toutes dans les règles et toutes légitimes.

La réponse était bonne, mais n'allait pas l'être assez.

— De quel genre de sociétés parlons-nous ? Quels services offrent-elles ?

— Vous avez parlé des services de l'huissier, en voilà un. J'ai aussi une société d'évaluation et de placements d'auxiliaires juridiques. J'ai encore une société de personnel de bureau et une autre de mobilier de bureau. Et aussi...

— Avez-vous une société de messagerie ?

Il marqua une pause avant de répondre. Il essayait de penser deux questions en avance, mais je ne lui laissais pas le temps de les deviner.

— J'en suis un investisseur. Je n'en suis pas le seul propriétaire.

— Parlons un peu de cette société. Et d'abord, comment s'appelle-t-elle ?

— La Wing Nuts Courier Services[1].

1. Les Ailettes timbrées.

— Et cette société est basée à Los Angeles ?

— Elle a son siège social ici, mais des bureaux dans sept villes. Elle opère dans tout cet État et dans celui du Nevada.

— Quelle part de cette société possédez-vous exactement ?

— Je n'en possède qu'une partie. Quarante pour cent, je crois.

— Et quels sont certains des autres propriétaires ?

— Il y en a plusieurs. Certains ne sont pas des personnes, mais d'autres sociétés.

— Comme l'AA-Best Consultants of Brooklyn, New York, qui est répertoriée au registre des corporations de Sacramento en qualité de propriétaire partiel de la Wing Nuts ?

Encore une fois, Opparizio fut lent à répondre. Cette fois, il parut même plongé dans de sombres pensées jusqu'à ce que le juge l'incite à répondre.

— Oui, dit-il, je pense que c'est l'un de ses investisseurs.

— Bien. Le dossier de la corporation détenu par l'État de New York indique que l'investisseur majoritaire de cette AA-Best Consultants est un certain Dominic Capelli. Connaissez-vous cette personne ?

— Non, je ne la connais pas.

— Vous êtes donc en train de nous dire que vous ne connaîtriez pas un de vos partenaires à la Wing Nuts ?

— Cet AA-Best a investi dans cette société. Et moi aussi. Je ne connais pas tous les individus impliqués dans ces investissements.

Freeman se leva. Ce n'était pas trop tôt. Cela faisait quatre questions que j'attendais qu'elle élève une objection. Je faisais du surplace en attendant ce moment.

— Monsieur le Juge, lança-t-elle, y a-t-il un sens à tout cela ?

— Je commençais à me le demander moi aussi, répondit Perry. Vous voulez bien nous éclairer, maître Haller ?

— Encore trois questions, monsieur le Juge, et je pense que la pertinence de tout cela sera claire comme de l'eau de roche, lui dis-je. Je supplie la cour de me laisser poser juste trois questions de plus.

Je n'avais cessé de regarder Opparizio en disant cela : je lui envoyais le message. Arrête les frais tout de suite ou tes secrets vont s'étaler sur la place publique. Et le LeMure Fund le saura.

Comme tes actionnaires. Et le Bureau de l'US Attorney. Tout le monde le saura.

— Très bien, maître Haller.

— Merci, monsieur le Juge.

Je baissai les yeux sur mes notes. Enfin on y était. Si je ne me trompais pas sur le compte d'Opparizio, le moment était venu. Je relevai les yeux sur lui.

— Monsieur Opparizio, lui lançai-je, vous surprendrait-il d'apprendre que Dominic Capelli, le partenaire que vous prétendez ne pas connaître, figure dans une liste que l'État de New York…

— Monsieur le Juge ?

Opparizio. Il venait de me couper la parole.

— Sur les conseils de mon avocat et en vertu des droits et privilèges qui me sont conférés par le cinquième amendement à la Constitution des États-Unis et par l'État de Californie, je refuse très respectueusement de répondre à cette question et à toutes celles qui pourraient suivre.

Voilà.

Je restai parfaitement immobile, mais ce n'était qu'attitude de surface. En dedans, l'énergie m'inondait comme un cri. À peine si j'avais conscience des murmures qui parcouraient la salle. Puis une voix ferme s'éleva dans mon dos.

— Monsieur le Juge, pourrais-je m'adresser à la cour, s'il vous plaît ?

Je me retournai et vis qu'il s'agissait d'un des avocats d'Opparizio, Martin Zimmer.

Puis ce fut Freeman qui, la voix tendue et haut perchée, éleva une objection et exigea d'être entendue par le juge.

Mais je savais qu'aucune consultation n'allait réussir cette fois-ci. Et Perry le savait, lui aussi.

— Maître Zimmer, dit-il, vous pouvez vous rasseoir. Nous allons suspendre la séance pour le déjeuner et je compte bien que toutes les parties soient de retour dans cette salle à 13 heures. Les jurés ne doivent en aucun cas discuter de l'affaire entre eux ou inférer quoi que ce soit des déclarations et requêtes de ce témoin.

Tous se séparèrent bruyamment après cela, les représentants des médias ne cessant de parler entre eux. Alors que le dernier juré franchissait la porte, je m'écartai du pupitre et me penchai vers la table de la défense pour murmurer quelque chose à l'oreille d'Aronson.

— Ça serait bien que vous m'accompagniez au cabinet du juge ce coup-ci.

Elle allait me demander ce que j'entendais par là lorsque le juge Perry rendit la chose officielle.

— J'entends que les avocats de l'accusation et de la défense me rejoignent en mon cabinet. Immédiatement. Monsieur Opparizio, je vous ordonne de ne pas bouger de là où vous êtes. Vous pouvez consulter votre avocat, mais ne quittez pas ce prétoire.

Sur quoi, il se leva et partit. Je le suivis.

## 50

Je commençais à connaître intimement les tentures, le mobilier et tout le reste de ce qui se trouvait dans le cabinet du juge. Mais je pensais que c'y serait ma dernière visite, et probablement la plus difficile. Dès que nous entrâmes, Perry se débarrassa de sa robe et la jeta au hasard sur le portemanteau dans le coin de la pièce plutôt que de l'accrocher soigneusement à un cintre comme il l'avait fait lors des réunions précédentes. Puis il se laissa tomber dans son fauteuil et souffla bruyamment. Se renversa en arrière et regarda le plafond. Il avait l'air agacé, comme si ce qui l'inquiétait dans les décisions qui allaient être prises concernait plus sa réputation de juriste que la justice à rendre à la victime d'un meurtre.

— Maître Haller, dit-il comme s'il se libérait d'un lourd fardeau.

— Oui, monsieur le Juge ?

Il se frotta la figure.

— Dites-moi, je vous en prie, qu'il n'était pas dans vos intentions et ce, depuis le début de ce procès, d'obliger M. Opparizio à invoquer le cinquième amendement devant les jurés.

— Monsieur le Juge, je ne me doutais absolument pas qu'il allait l'invoquer. Après la requête en annulation de l'audience que nous avions eue, il n'y avait à mon avis aucun moyen qu'il le fasse. Je le bousculais, c'est vrai, mais je voulais des réponses à mes questions.

Freeman hocha violemment la tête.

— Vous avez quelque chose à ajouter, maître Freeman ?

— Monsieur le Juge, pour moi l'avocat de la défense n'a que mépris de la cour et du système judiciaire depuis le début de ce procès. Il n'a même pas répondu à votre question. Il n'a même pas dit que ce n'était pas dans ses intentions, monsieur le Juge ! Il vous a juste répondu qu'il « ne s'en doutait absolument pas ». Ce sont là deux choses différentes et cela montre bien que l'avocat de la défense est un sournois qui a essayé de saboter ce procès depuis le début. Et maintenant, il a réussi. Opparizio était évidemment un témoin qui invoquerait le cinquième amendement… un homme de paille que maître Haller pourrait présenter aux jurés, et abattre quand il invoquerait le cinquième. Tel était bien le plan de la défense et si ce n'est pas là une subversion totale du système du débat contradictoire, je ne sais pas ce que c'est !

Je jetai un coup d'œil à Aronson. Elle semblait mortifiée, voire ébranlée par la déclaration de Freeman.

— Monsieur le Juge, repris-je calmement, je ne puis dire qu'une chose à maître Freeman : prouvez-le. Si elle est si sûre qu'il s'agit d'une espèce de schéma directeur de ma défense, qu'elle essaie donc de le prouver. La vérité est bien, et ma jeune et très idéaliste collègue ici présente pourra vous le confirmer, que ce n'est que récemment que nous nous sommes rendu compte des liens qu'Opparizio entretenait avec la pègre. Mon enquêteur est tout bêtement tombé sur eux en examinant tous ses intérêts et participations tels qu'ils sont recensés auprès de la SEC[1]. La police et l'accusation avaient tout le temps de le faire, mais ou bien elles ont préféré l'ignorer, ou bien elles ont raté la cible. Je pense que le chagrin de maître Freeman vient en grande par-

1. Security and Exchange Commission. Équivalent américain de notre Autorité des marchés financiers.

tie de cela, et pas du tout des tactiques auxquelles j'aurais eu recours au prétoire.

Le juge, qui était toujours penché en arrière à regarder le plafond, fit un geste vague de la main. Pas moyen de savoir ce qu'il voulait dire.

— Oui, monsieur le Juge ?

Il pivota dans son fauteuil et se pencha en avant pour s'adresser à nous trois.

— Et donc, qu'est-ce qu'on fait avec tout ça ?

Et de me regarder en premier. Je jetai un coup d'œil à Aronson pour voir si elle avait quelque chose à nous dire, mais elle semblait comme figée sur place. Je me retournai vers le juge.

— Je ne crois pas qu'on puisse faire quoi que ce soit, lui répondis-je. Le témoin a invoqué le cinquième amendement, il ne peut plus témoigner. On ne peut pas le laisser en user chaque fois qu'il en aura envie. Il l'a invoqué, c'est fini pour lui. On passe au témoin suivant. J'en ai encore un et pour moi aussi, ce sera fini. Je serai prêt à prononcer ma plaidoirie dès demain matin.

Freeman était incapable d'en supporter davantage en restant assise. Elle se leva et se mit à marcher à petits pas près de la fenêtre.

— Ce que ça peut être injuste ! s'écria-t-elle. Comme si cela ne faisait pas partie du plan de maître Haller ! Il nous sort le témoignage qu'il veut lors de son interrogatoire et après, il accule Opparizio à invoquer le cinquième amendement ! L'accusation n'a alors plus aucun moyen de reprendre l'interrogatoire en contre et de rétablir l'équilibre. Ce serait donc juste, monsieur le Juge ?

Perry ne répondit pas. Il n'avait même pas besoin de le faire. Tout le monde dans cette pièce savait que c'était injuste pour l'accusation. Freeman n'avait maintenant plus aucune chance de mettre Opparizio sur le gril.

— Je vais annuler tout son témoignage, déclara Perry. Je vais dire aux jurés de ne pas le prendre en compte.

Freeman se croisa les bras sur la poitrine et hocha la tête de frustration.

— C'est un sacré son de cloche à étouffer, dit-elle. C'est un vrai désastre pour l'accusation, monsieur le Juge. C'est complètement injuste.

Je ne dis rien parce qu'elle avait parfaitement raison. Le juge pouvait bien dire aux jurés de ne tenir aucun compte de tout ce qu'avait déclaré Opparizio, c'était trop tard. Le message était passé et flottait dans toutes les têtes. Exactement comme je l'avais voulu.

— C'est triste à dire, reprit le juge, mais je ne vois pas d'alternative. Nous allons faire la pause-déjeuner et je vais encore réfléchir au problème. Si vous trouvez quelque chose avant 13 heures, je me ferai un plaisir de l'étudier.

Personne ne dit mot. Il était difficile de croire qu'on en était arrivé là. La fin du procès était en vue. Et tout se passait comme prévu.

— Ce qui signifie que vous pouvez tous partir maintenant, ajouta-t-il. Je dirai au garde que M. Opparizio est déchargé de ses devoirs de témoin. Il doit avoir tous les médias qui l'attendent dans le couloir pour le bouffer tout cru. Et c'est probablement vous, maître Haller, qu'il en tient pour responsable. Il ne serait peut-être pas mauvais que vous vous teniez à l'écart de M. Opparizio tant qu'il sera dans l'enceinte de ce tribunal.

— Oui, monsieur le Juge.

Il décrocha son téléphone pour appeler le garde tandis que nous nous dirigions vers la porte. Je suivis Freeman qui sortit et passa dans le couloir pour rejoindre le prétoire. Je m'y attendais un peu lorsqu'elle s'en prit à moi, colère pure et brûlante dans les yeux.

— Maintenant je sais, Haller, me lança-t-elle.

— Maintenant vous savez quoi ? lui renvoyai-je.

— Pourquoi Maggie et vous ne vous remettrez jamais ensemble.

Cela m'arrêta un instant, Aronson me rentrant dedans. Freeman se retourna et continua sa route.

— Sacré coup bas, Mickey, me dit Aronson.

Je regardai Freeman franchir la porte du prétoire.

— Non, répondis-je, ce n'en était pas un.

# 51

Mon dernier témoin fut mon très fidèle enquêteur. Dennis « Cisco » Wojciechowski se présenta à la barre après le déjeuner, lorsque le juge eut informé les jurés que tout le témoignage de Louis Opparizio était rayé des minutes. Cisco dut épeler deux fois son nom à la greffière, mais il fallait s'y attendre. Il portait effectivement la même chemise que la veille, mais sans veste ni cravate. L'éclairage fluo de la salle rendait bien visibles, sous les manches tendues à bloc de sa chemise bleu pâle, les chaînes tatouées à l'encre noire sur ses biceps.

— Je vais me contenter de vous appeler Dennis, si ça ne vous gêne pas, dis-je. Ça sera plus facile pour la greffière.

— Pas de problème, me renvoya le témoin.

— OK, bon. Vous travaillez pour moi, votre tâche consistant à enquêter pour les besoins de la défense, c'est bien cela, Dennis ?

— Oui, c'est bien ce que je fais.

— Et vous avez beaucoup travaillé pour la défense dans l'enquête sur le meurtre de Mitchell Bondurant, c'est bien ça ?

— Oui. On pourrait dire que j'ai calqué mon enquête sur celle de la police et que j'ai vérifié si elle avait oublié des trucs ou s'était trompée sur ceci ou cela.

— Avez-vous travaillé à partir des éléments de preuves donnés par l'accusation à la défense lors de l'échange des pièces ?

— Oui, c'est ce que j'ai fait.

— Et dans ces pièces, il y avait une liste de plaques d'immatriculation, c'est bien ça ?

— Oui, dans le garage de la Westland National, il y avait une caméra placée au-dessus de l'entrée. Les inspecteurs Kurlen et Longstreth avaient examiné les enregistrements vidéo de cette caméra et noté les numéros de plaque de tous les véhicules entrés dans le garage entre 7 heures du matin, soit l'heure d'ouverture, et celle où l'on avait établi que M. Bondurant était mort. Ils ont ensuite entré ces numéros dans les banques de données des forces de l'ordre pour savoir si l'un quelconque des conducteurs de ces véhicules avait un casier ou devait faire l'objet d'une enquête pour une autre raison.

— Cette liste a-t-elle donné lieu à des enquêtes supplémentaires ?

— D'après leurs documents d'enquêtes, non.

— Dennis, vous venez de dire que vous aviez « calqué » votre enquête sur la leur. Vous êtes-vous emparé de cette liste pour vérifier vous-même tous ces numéros de plaques ?

— Oui. Tous, et il y en avait soixante-dix-huit. Je l'ai fait aussi bien que je le pouvais car je n'ai pas accès aux ordinateurs des forces de l'ordre.

— L'une de ces plaques aurait-elle mérité un supplément d'enquête ou êtes-vous arrivé à la même conclusion que les inspecteurs Kurlen et Longstreth ?

— Il y avait une voiture qui, à mon avis, méritait notre attention. J'ai donc décidé de poursuivre l'enquête.

Je demandai l'autorisation de passer au témoin une copie des soixante-dix-huit numéros d'immatriculation. Perry me la donna. Cisco sortit ses lunettes de sa poche de chemise et les chaussa.

— Sur quelle plaque avez-vous voulu enquêter plus avant ?

— La W-N-U-T-Z-9

— Pourquoi vous intéressait-elle ?

— Parce qu'au moment où j'étudiais cette liste, nous avions déjà fait un bon bout de chemin dans d'autres secteurs de notre enquête. Je savais donc que Louis Opparizio était pour une part propriétaire d'une affaire intitulée *Wing Nuts* et je me suis dit qu'il y avait peut-être un lien avec le véhicule muni de cette plaque.

— Qu'avez-vous trouvé ?

— Que la voiture appartenait effectivement à la *Wing Nuts*, une société de messagerie dont Louis Opparizio est en partie propriétaire.

— Et je vous le redemande, pourquoi cela méritait-il qu'on s'y attarde ?

— Eh bien, comme je vous l'ai dit, j'avais l'avantage du temps. Kurlen et Longstreth avaient établi cette liste ensemble le jour même du meurtre. Ils ne connaissaient pas encore tous les facteurs et individus concernés. Moi, je regardais cette liste plusieurs semaines plus tard. Et à ce moment-là, je savais que la victime, M. Bondurant, avait envoyé une lettre incendiaire à M. Opparizio et que…

Freeman s'éleva contre cette caractérisation de la lettre et le juge ordonna qu'on biffe le terme « incendiaire » des minutes. Je demandai à Cisco de poursuivre.

— De notre point de vue, cette lettre faisait d'Opparizio un suspect potentiel pour la police et j'effectuais de nombreuses recherches sur son passé. C'est là que, par cette *Wing Nuts*, j'ai établi le lien avec un de ses partenaires du nom de Dominic Capelli. Et Dominic Capelli est connu des services de police de New York qui voient en lui un associé d'une famille du crime organisé dirigée par un certain Joey Giordano. Capelli a d'autres liens avec plusieurs entités passablement douteuses qui…

Encore une fois, Freeman éleva une objection et Perry la retint. Je fis de mon mieux pour montrer ma frustration en me conduisant comme si aussi bien le juge que l'accusation s'efforçaient de cacher la vérité aux jurés.

— Bien, dis-je. Revenons à la liste et à ce qu'elle signifie. Qu'est-ce qu'elle nous dit de ce qui s'est passé au garage pour cette voiture de la *Wing Nuts* ?

— Cela nous dit qu'elle est entrée dans le garage à 8 h 05.

— Et à quelle heure l'a-t-elle quitté ?

— La caméra de sortie indique qu'elle en est partie à 8 h 50.

— Ce qui fait que ce véhicule est entré dans ce garage avant le meurtre et en est sorti après. Ai-je bien compris ?

— Absolument.

— Et ce véhicule était la propriété d'une société détenue par un individu ayant des liens directs avec le crime organisé. Là encore, je comprends bien ?

— Tout à fait.

— Bien. Avez-vous pu établir si ce véhicule appartenant à la *Wing Nuts* avait une raison d'affaire légitime de se trouver dans ce garage ?

— Bien sûr, il s'agit d'une société de messagerie. ALOFT y fait régulièrement appel pour livrer des documents à la Westland

National. Mais ce qui me semblait curieux, c'était la raison pour laquelle cette voiture était entrée dans ce garage à 8 h 05 pour en repartir avant l'ouverture de la banque à 9 heures.

Je regardai Cisco un long moment. Mon instinct me disait que j'avais obtenu tout ce dont j'avais besoin. Il y avait encore de quoi se régaler, mais il y a des moments où il convient de repousser l'assiette. Parfois, laisser les jurés se poser des questions est la meilleure façon de procéder.

— Je n'ai plus de questions à poser au témoin, déclarai-je.

Mon interrogatoire avait été très précis dans ce qu'il couvrait : nous n'avions parlé que des plaques d'immatriculation. Cela laissait à Freeman très peu de choses à reprendre en contre. Néanmoins, elle réussit à marquer un point en poussant Cisco à rappeler aux jurés que la Westland National n'occupait que trois étages d'un bâtiment qui en comptait dix. Le messager de la Wing Nuts pouvait très bien s'être rendu ailleurs qu'à la banque, ce qui aurait expliqué qu'il arrive tôt dans le garage.

J'étais certain que s'il y avait trace d'une livraison à des bureaux autres que ceux de la banque, Freeman la fournirait – ou alors ce serait les gens d'Opparizio qui la lui donneraient – lorsqu'elle pourrait appeler des témoins en réfutation.

Au bout d'une demi-heure, elle jeta l'éponge et se rassit. Alors le juge me demanda si j'avais d'autres témoins à appeler.

— Non, monsieur le Juge, lui répondis-je. La défense s'en tiendra là.

Il renvoya les jurés pour la journée et leur ordonna de se trouver dans la salle de réunion le lendemain matin à 9 heures. Puis, dès qu'ils furent partis, il prépara le terrain pour la fin du procès en demandant aux deux parties si elles avaient des témoins à appeler en réfutation. Je lui répondis que non, Freeman lui faisant savoir qu'elle se réservait le droit d'en faire venir à la barre dans la matinée du lendemain.

— Bien, dans ce cas nous réserverons cette matinée pour les réfutations… s'il y en a, dit-il. Les plaidoiries commenceront donc tout de suite après la pause-déjeuner, chaque partie n'ayant droit qu'à une heure. Avec un peu de chance et à condition qu'il n'y ait plus de surprises, nos jurés devraient avoir déjà entamé leurs délibérations demain à la même heure.

Sur quoi, il quitta sa place et je me retrouvai seul à la table de la défense avec Aronson et Trammel. Lisa tendit le bras et posa sa main sur la mienne.

— Brillantissime, dit-elle. Toute cette matinée a été géniale. Je pense que les jurés comprennent enfin eux aussi. Je les ai observés. Pour moi, ils savent la vérité.

Je la regardai, puis je regardai Aronson – leurs visages disaient deux choses différentes.

— Merci, Lisa, dis-je. On ne devrait pas tarder à le savoir.

## 52

Le lendemain matin, Freeman me surprit... en ne me surprenant pas. Elle se posta devant le juge et l'informa qu'elle n'avait pas de témoins à citer en réfutation. Puis elle décida, elle aussi, d'en rester là.

Cela me fit réfléchir. J'étais venu en étant fin prêt pour une dernière passe d'armes avec elle. Un témoignage qui aurait expliqué la présence de la voiture de la *Wing Nuts* dans le garage de la banque ou alors le superviseur de Driscoll lui collant une épée dans les reins sous la forme d'un expert en saisies pour contredire les allégations d'Aronson. Mais non, rien. Elle pliait bagage.

Elle allait s'en tenir au sang. Que je l'ai privée de son crescendo genre *Boléro* ou pas, elle allait fonder sa démonstration sur le seul élément irréfutable de tout le procès : le sang.

Le juge Perry suspendit l'audience pour le reste de la matinée afin que les avocats puissent peaufiner leurs plaidoiries et qu'il puisse, lui, se retirer en son cabinet et rédiger ses directives aux jurés, les dernières instructions pour leurs délibérations.

J'appelai Rojas et lui demandai de passer me prendre dans Delano Street. Je n'avais pas envie de retourner au bureau. Trop de sujets de distraction. Je lui dis de se contenter de rouler et étalai mes notes et mes dossiers sur le siège arrière de la Lincoln. C'était là que je réfléchissais le mieux, que j'effectuais le meilleur travail de préparation.

À 13 heures pile, l'audience reprit. Comme tout au pénal, les plaidoiries penchent en faveur de l'accusation. C'est elle qui parle en premier et en dernier. La défense, elle, est coincée entre les deux. J'eus l'impression que Freeman avait choisi de s'en tenir à la formule standard. On bâtit l'édifice avec les faits au premier passage et on fait vibrer la corde sensible au deuxième.

Un élément après l'autre, elle aligna les preuves contre Lisa, sans, me sembla-t-il, en omettre un seul évoqué depuis le début du procès. D'où un discours assez sec, mais à l'effet cumulatif. Ainsi couvrit-elle les aspects moyens et mobiles pour tout ramener à l'élément sang, tout : le marteau, les chaussures et l'ADN que personne n'avait remis en cause.

— Je vous ai dit au début de ce procès que ce serait le sang qui dirait toute l'histoire, lança-t-elle. Eh bien, nous y sommes. Vous pouvez écarter tout le reste, mais à elle seule la preuve par le sang justifie que vous votiez coupable de tous les chefs d'accusation. Je suis certaine que vous suivrez ce que vous dit votre conscience et que vous le ferez.

Elle se rassit et ce fut à mon tour d'y aller. Je me levai dans l'espace ouvert juste devant le box des douze jurés et m'adressai directement à eux. Mais je n'y étais pas seul. Comme le juge m'y avait auparavant autorisé, j'avais amené Manny avec moi. L'ancien compagnon du docteur Shamiram Arslanian s'y tenait tout droit, le marteau attaché au sommet du crâne et la tête renversée en arrière selon l'angle inhabituel qu'elle devait avoir pour que Lisa Trammel ait pu y porter le coup fatal.

— Mesdames et messieurs les jurés, entonnai-je, j'ai de bonnes nouvelles à vous annoncer. Nous devrions tous être dehors et avoir retrouvé nos vies normales à la fin de la journée. J'apprécie votre patience et l'attention que vous avez manifestée tout au long de ce procès. Mais j'apprécie surtout la façon dont vous prenez en compte les éléments de preuves. Je ne vais pas vous prendre beaucoup de temps parce que j'ai envie de vous voir chez vous aussi vite que possible. Aujourd'hui, ce devrait être facile. Ça ira vite. Car cette affaire n'appelle qu'un verdict qui vous demandera à peine cinq minutes. Car il y a là un doute raisonnable si général que vous devriez arriver à un verdict unanime dès votre premier vote.

À partir de là, je repris les éléments de preuves avancés par l'accusation et en montrai toutes les déficiences et contradictions en reposant les questions auxquelles on n'avait pas répondu. Pourquoi la mallette était-elle ouverte ? Pourquoi avait-il fallu attendre si longtemps pour que le marteau soit retrouvé ? Pourquoi le garage de Lisa n'était-il pas fermé à clé et pourquoi quelqu'un qui allait on ne peut plus clairement réussir à défendre la saisie aurait-il voulu s'en prendre aussi violemment à Bondurant ?

Ce qui finit par m'amener au point central de ma plaidoirie – le mannequin.

— À elle seule, la démonstration du docteur Arslanian fait mentir les arguments de l'accusation, repris-je. Sans qu'il soit même besoin de prendre en compte un seul d'entre eux, Manny ici présent vous fournit le doute raisonnable. Nous savons à cause de ses blessures aux genoux que la victime se tenait debout lorsqu'elle a reçu le coup fatal. Et si elle était effectivement debout, telle est bien la seule position qu'elle pouvait avoir pour que Lisa Trammel soit l'assassin : tête rejetée en arrière, visage tourné vers le plafond. Mais est-ce bien possible, voilà la question que vous devez vous poser. Est-ce même vraisemblable ? Qu'est-ce qui pouvait faire que Mitchell Bondurant regarde en l'air ? Que regardait-il donc ?

Arrivé là, je marquai une pause et, une main dans la poche, je jouai la confiance et la désinvolture. Et les observai. Tous avaient les yeux rivés sur le mannequin. Alors j'attrapai le manche du marteau et lentement le remontai jusqu'à ce que le visage en plastique de Manny retrouve un niveau normal, le marteau étant alors positionné à quatre-vingt-dix degrés et bien trop haut pour que Lisa puisse s'en emparer.

— La réponse, mesdames et messieurs les jurés, est que Bondurant ne regardait rien du tout parce que Lisa Trammel n'a rien fait de tout cela. À ce moment-là, elle était en train de revenir chez elle avec son café pendant que quelqu'un d'autre faisait ce qu'il fallait pour éliminer la menace qu'en était venu à représenter Mitchell Bondurant.

Deuxième pause pour que ça rentre.

— Mitchell Bondurant avait piqué le tigre au vif avec la lettre qu'il avait envoyée à Louis Opparizio. Qu'il l'ait voulu ou non, cette lettre menaçait les deux choses qui donnent au tigre sa force et sa férocité – l'argent et la puissance. Elle menaçait un deal bien plus important que Louis Opparizio et Mitchell Bondurant. Elle menaçait le commerce et devait donc être liquidée.

« Et elle l'a été. Et c'est Lisa Trammel qu'on a choisie pour porter le chapeau. Elle était connue de ceux qui ont perpétré ce crime, ses faits et gestes étaient suivis par eux et elle avait quelque chose qui ressemblait à un mobile crédible. On ne pouvait rêver meilleur pigeon. Personne ne la croirait lorsqu'elle dirait : « Je n'ai pas fait ça. » Personne n'y réfléchirait même à deux fois. Un plan a donc été mis en œuvre et exécuté avec autant d'efficacité que d'effronterie. Mitchell Bondurant a été laissé mort sur le sol en béton d'un garage, sa mallette pillée juste à côté de lui par terre. Et quand elle s'est pointée, la police a marché comme un seul homme dans ce scénario.

Je hochai la tête de consternation, comme si je portais le dégoût de toute la société sur mon dos.

— La police avait des œillères, repris-je. Comme celles qu'on met aux chevaux pour qu'ils ne s'écartent pas de la voie tracée. Et en suivant cette voie, la police est arrivée à Lisa Trammel et n'a plus voulu rien voir d'autre. Lisa Trammel, Lisa Trammel, Lisa Trammel… Mais alors… et ALOFT et les dizaines de millions de dollars menacés par Mitchell Bondurant ? Non, non, non, pas intéressant ! Lisa Trammel, Lisa Trammel, Lisa Trammel ! Le train était sur ses rails, on était à bord, on est allé jusqu'au bout.

Je marquai une pause et fis les cent pas devant les jurés. Et pour la première fois, je regardai la salle. Elle était pleine à ras bord, des gens se tenant même debout au fond. Dont Maggie McPherson et ma fille à côté d'elle. Je suspendis mes pas, mais eus vite fait de me reprendre. Cela me fit chaud au cœur lorsque je me retournai vers les jurés et menai mes arguments à leur conclusion.

— Mais vous, vous voyez ce que la police n'a pas vu ou refusé de voir. Vous voyez qu'elle a suivi la mauvaise piste. Vous voyez avec quelle intelligence elle a été manipulée. Vous voyez la vérité.

Et je montrai le mannequin.

— Les preuves physiques ne collent pas. Les preuves indirectes ne collent pas davantage. Ces arguments ne résistent pas à l'examen en pleine lumière. Le seul résultat auquel on parvient dans cette affaire est le doute raisonnable. C'est le sens commun qui vous le dit. Et vos instincts. Voilà pourquoi je vous adjure de libérer Lisa Trammel. Laissez-la partir. C'est ce qu'il faut faire.

Puis je les remerciai et regagnai mon siège après avoir donné une petite tape sur l'épaule de Manny en passant. Comme nous avions décidé de le faire, Lisa Trammel m'attrapa le bras et le serra fort dès que je me rassis. Et articula « merci » de façon à ce que tous les jurés le voient.

Je consultai ma montre sous la table de la défense et m'aperçus que je n'avais parlé que vingt-cinq minutes. Je me préparais pour la deuxième partie de la plaidoirie de l'accusation lorsque Freeman demanda au juge de m'enjoindre de sortir le mannequin du prétoire. Le juge l'ayant fait, je me relevai.

Et portai Manny jusqu'au portillon, où m'attendait un Cisco qui était resté dans le public.

— Je le tiens, patron, me dit-il dans un chuchotement. Je vais le mettre dehors.

— Merci.

— T'as été bon.

— Merci.

Freeman gagna l'espace ouvert devant le box des jurés pour prononcer la deuxième partie de sa plaidoirie. Elle ne perdit pas de temps pour s'en prendre aux affirmations de la défense.

— Je n'ai, moi, nul besoin d'accessoires pour vous tromper, lança-t-elle. Je n'ai, moi, nul besoin d'invoquer des conspirations ou des tueurs inconnus ou sans nom. J'ai les faits et les preuves qui établissent, sans qu'il y ait place au moindre doute raisonnable, que c'est Lisa Trammel qui a assassiné Mitchell Bondurant.

Et le reste à l'avenant. Elle utilisa tout le temps qui lui était imparti pour marteler ses arguments et étayer les preuves qu'elle avait présentées. De la plaidoirie de pure routine à la Joe Friday[1]. On se contente des faits, réels ou supposés, et on les énumère comme on bat le tambour sans faire de fioritures. Pas mauvais, mais pas génial non plus. Je vis l'attention de certains jurés se relâcher à certains moments, ce qui pouvait être compris de deux façons. Un, on ne marche pas, ou deux, on est déjà convaincus et n'a pas besoin de se le faire répéter. Freeman fit monter régulièrement la tension jusqu'au bouquet final, tout cela se résumant au rappel de la puissance et de la force de l'État qui juge et demande justice.

— Dans cette affaire, dit-elle, les faits sont inattaquables. Les faits ne mentent pas. Les éléments de preuves montrent très clairement que l'accusée a attendu Mitchell Bondurant cachée derrière le pilier du garage. Les éléments de preuves montrent très clairement que lorsque celui-ci est descendu de sa voiture, l'accusée l'a agressé. C'est son sang que l'on a retrouvé sur le marteau, et son sang encore sur sa chaussure. Tels sont les faits, mesdames et messieurs les jurés. Et ils sont indiscutables. Tels sont les éléments de preuves. Et tous montrent au-delà de tout doute raisonnable que Lisa Trammel a tué Mitchell Bondurant. Qu'elle s'est approchée de lui par-derrière et l'a brutalement frappé avec son marteau. Qu'elle l'a même frappé encore et encore alors qu'il était déjà par terre, alors qu'il était déjà mort. Nous ne savons pas exactement dans quelles positions ils se trouvaient quand cela s'est produit. Cela, elle est la seule à le savoir. Mais nous, nous savons que c'est elle qui l'a tué. Toutes les preuves ne désignent qu'une seule personne – elle.

Et bien sûr, elle ne put s'empêcher de montrer Lisa du doigt.

— Oui, elle, Lisa Trammel, reprit-elle. C'est elle qui a commis ce crime et voilà maintenant que par les tours de passe-passe de son avocat, elle vous demande de la laisser libre ? N'en faites rien ! Rendez justice à Mitchell Bondurant. Déclarez cette meurtrière coupable de ce crime ! Merci.

Et elle se rassit. Je lui donnai un B, mais, égotiste que je suis, je m'étais déjà octroyé un A. Il n'empêche : en général, il ne faut

1. Inspecteur de la série télévisée *Dragnet* (*Badge 714*).

qu'un C pour assurer le triomphe de l'accusation. La donne est toujours en sa faveur, le meilleur travail de l'avocat de la défense n'étant tout simplement jamais assez bon pour l'emporter sur le pouvoir et la puissance de l'État.

Le juge Perry passa immédiatement à ses instructions aux jurés et leur lut les dernières qu'il avait préparées. Il ne s'agissait pas seulement des règles à observer lors des délibérations. Il y avait aussi des instructions spécifiques à cette affaire. Il accorda une grande attention à Louis Opparizio et les avertit qu'ils ne devaient pas prendre son témoignage en considération dans leurs débats.

Au bout du compte, tout cela dura presque aussi longtemps que ma plaidoirie, mais juste après 15 heures, il finit par renvoyer les douze jurés à la salle de réunion pour qu'ils s'attellent à leur tâche. En les regardant franchir la porte l'un derrière l'autre, je me sentis pour le moins détendu, sinon totalement confiant. J'avais certes fait des entorses au règlement et repoussé quelques limites. J'étais même allé jusqu'à me mettre en danger. En danger par rapport à la loi, mais aussi par rapport à bien plus que cela. Je m'étais mis en danger en croyant que ma cliente était peut-être innocente.

Je jetai un coup d'œil à Lisa au moment où la porte de la salle des délibérations se refermait. Je ne vis aucune peur dans ses yeux et une fois encore, je marchai. Elle était déjà sûre et certaine du verdict. Il n'y avait pas l'ombre d'un doute sur son visage.

— Qu'est-ce que vous en pensez ? me demanda Aronson dans un souffle.

— Je pense que c'est du fifty-fifty et que c'est mieux que ce qu'on a d'habitude, surtout pour un meurtre. Nous verrons.

Le juge suspendit la séance après s'être assuré que le greffier avait les coordonnées de toutes les parties et nous avoir adjurés de ne pas trop nous éloigner ; dès que le verdict tomberait, nous devions pouvoir revenir en un quart d'heure. Mon bureau se trouvant dans ce rayon, nous décidâmes d'y retourner. Je me sentais si magnanime et plein d'optimisme que je dis même à Lisa d'inviter Herb Dahl à venir avec nous. Je savais bien qu'un jour, j'allais devoir l'informer de la traîtrise de son ange gardien, mais cette conversation serait pour plus tard.

Dès que l'équipe de la défense entra dans le couloir, les médias commencèrent à se rassembler autour de nous et à demander à grands cris une déclaration à Lisa, ou au moins à moi. Derrière la foule, j'aperçus Maggie adossée à un mur, ma fille étant, elle, assise sur un banc près d'elle et envoyant des textos à qui mieux mieux. Je confiai le soin à Aronson de gérer les reporters et commençai à filer.

— Moi ? dit-elle.

— Vous savez ce qu'il faut dire. Mais surtout, empêchez Lisa de parler. Pas avant que nous ayons le verdict.

J'écartai d'un geste deux ou trois journalistes qui traînaient et rejoignis Maggie et Hayley. Je fis semblant de partir dans une direction, puis fonçai dans l'autre et embrassai ma fille sur la joue avant qu'elle puisse baisser la tête.

— *Papaaaaa !*

Je me redressai et regardai Maggie. Elle avait un petit sourire aux lèvres.

— Tu l'as sortie de l'école pour moi ? lui demandai-je.

— Je pensais qu'il fallait qu'elle soit là, me répondit-elle.

La concession était de taille.

— Merci. Alors, qu'est-ce que t'en dis ?

— J'en dis que tu serais capable de vendre de la glace en Antarctique.

Je souris.

— Mais ça ne veut pas dire que tu vas gagner, ajouta-t-elle.

— Merci quand même, dis-je en fronçant les sourcils.

— Ben quoi ? Qu'est-ce que tu crois ? Je suis procureur, Michael. Je n'aime pas voir filer les coupables.

— Bah, ça ne posera pas de problème dans cette affaire.

— Faut bien croire ce qu'il faut croire, pas vrai ?

Je me repris à sourire. Je jetai un coup d'œil à ma fille et vis que, comme d'habitude, elle s'était remise à envoyer des textos.

— Freeman t'a-t-elle parlé hier ?

— Tu veux dire parce que tu lui as joué le tour du témoin au cinquième amendement ? Oui, elle m'a parlé. Tu ne joues pas franc-jeu, Haller.

— Ce n'est pas un jeu honnête. T'a-t-elle dit ce qu'elle m'a dit après ?

— Non, qu'est-ce qu'elle t'a dit ?

— Non, rien. Elle avait tort.

Maggie fronça les sourcils. Elle était intriguée.

— Je te dirai plus tard. On va tous aller à mon bureau à pied pour attendre le verdict. Tu veux venir avec nous ?

— Non. Il va sans doute falloir que je ramène Hayley à la maison. Elle a des devoirs à faire.

Mon portable bourdonna dans ma poche. Je le sortis et regardai l'écran. On y lisait :

COUR SUPÉRIEURE DE LOS ANGELES

Je pris l'appel. C'était l'assistant du juge Perry. J'écoutai, puis raccrochai. Et regardai autour de moi pour m'assurer que Lisa Trammel était toujours dans le coin.

— Qu'est-ce que c'était ? me demanda Maggie.

Je me retournai vers elle.

— On a déjà un verdict. Un verdict qui a pris cinq minutes.

# CINQUIÈME PARTIE

## L'HYPOCRISIE DE L'INNOCENCE

# 53

Ils étaient venus en force de toute la Californie du Sud, tous avertis par les sirènes de Facebook. Lisa Trammel y avait annoncé la fête dès le lendemain matin du verdict et là, en ce samedi après-midi, ils se pressaient sur dix rangs aux bars payants. On agitait le drapeau des États-Unis, on portait du rouge, du blanc et du bleu. Se battre contre les saisies avec la chef, le presque martyr de la cause, était maintenant plus américain que jamais. À toutes les portes de la maison et à intervalles réguliers dans les jardins de devant et de derrière étaient disposés des seaux où jeter des dons pour rembourser Trammel de ses frais et poursuivre le combat. Pin's FLAG pour un dollar, tee-shirt en coton de mauvaise qualité pour dix. Et pour avoir sa photo avec Lisa, il fallait payer un minimum de vingt dollars.

Mais personne ne se plaignait. Jetée au four des fausses accusations, Lisa Trammel en était ressortie indemne et semblait sur le point de passer du rôle d'activiste à celui d'icône de la cause. Et cela ne lui déplaisait pas. On laissait entendre que Julia Roberts était en pourparlers pour l'incarner dans le film.

Mon équipe et moi avions pris place à une table de pique-nique avec parasol dans le jardin de derrière. Nous étions arrivés tôt et nous étions dégottés la bonne place. Cisco et Lorna buvaient des cannettes de bière, Aronson et moi nous en tenant à de l'eau minérale. Il y avait un peu de tension autour de la table et à force de capter une insinuation ici et là, j'avais fini par comprendre que cela avait à voir avec le fait que Cisco était resté bien tard au Four Green Fields avec Aronson le lundi soir précédent, après que j'avais filé avec Maggie McFierce.

— De Dieu ! s'exclama Lorna. Regardez-moi tous ces gens ! Ils ne savent donc pas qu'un verdict de non coupable ne signifie pas qu'elle est innocente ?

— Voilà qui est contraire aux convenances, Lorna, lui dis-je. On est censé ne jamais dire un truc pareil, surtout quand c'est de son client qu'on parle.

— Je sais, dit-elle en fronçant les sourcils et en hochant la tête.

— Tu n'y crois pas ?

— Ben, tu ne vas pas me dire que toi, tu y crois, si ?

Je fus content de porter des lunettes de soleil. Je n'avais aucune envie de me dévoiler sur ce coup-là. Je haussai les épaules comme si je ne savais pas ou que ça n'avait aucune importance.

Sauf que c'en avait. Il faut pouvoir vivre avec soi-même. Savoir qu'il y avait de fortes chances que Lisa mérite effectivement le verdict qu'elle avait obtenu rendait les choses nettement plus supportables quand je me regardais dans la glace.

— Que je te dise un truc, reprit Lorna. Notre téléphone n'arrête pas de sonner depuis que le verdict est tombé. Les affaires reprennent, et sérieusement.

Cisco approuva d'un signe de tête. C'était vrai. À croire que tous les criminels inculpés dans la ville voulaient m'engager. Ç'aurait été génial si j'avais voulu que ça continue comme avant.

— T'as vu le prix de la LeMure à la clôture du NASDAQ hier ? me demanda Cisco.

Je le regardai.

— Parce que tu suis les cotations à Wall Street maintenant ?

— Je voulais juste savoir si quelqu'un faisait attention à ce qui se passe et on dirait que oui. L'action a perdu trente pour cent de sa valeur en deux jours. Ça n'a évidemment pas beaucoup aidé que le *Wall Street Journal* publie un article sur les liens entre Opparizio et Joey Giordano et se soit préoccupé de savoir combien d'argent s'était retrouvé dans les poches de la Mafia sur les soixante et un millions de dollars qu'il a récoltés.

— Y a des chances pour que tout y soit tombé, dit Lorna.

— Alors Mickey ! me lança Aronson. Comment vous le saviez ?

— Comment je savais quoi ?

— Qu'Opparizio allait invoquer le cinquième ?

Je haussai encore une fois les épaules.

— Je ne le savais pas. Je me disais seulement que dès qu'il serait clair que ses liens avec le milieu allaient être révélés en plein tribunal, il ferait le nécessaire pour l'empêcher. Il n'avait qu'une solution. Invoquer le cinquième.

Elle n'eut pas l'air satisfaite de ma réponse. Je me détournai et regardai à l'autre bout du jardin noir de monde. Le fils de ma cliente était assis avec sa tante à une table voisine. Ils avaient tous les deux l'air de s'ennuyer ferme, comme si on les avait forcés à être là. Un groupe important d'enfants s'était rassemblé près du jardin en terrasse. Au milieu du cercle, une femme distribuait des bonbons qu'elle sortait d'un sac. Elle portait un chapeau rouge, blanc et bleu, comme celui d'Oncle Sam.

— Combien de temps faut-il qu'on reste, patron ? demanda Cisco.

— Vous n'êtes pas payés au temps passé, lui répondis-je. Je me disais seulement qu'on devait se montrer un peu.

— Moi, je veux rester, dit Lorna, juste pour contrarier Cisco, probablement. Peut-être qu'il y aura des gens d'Hollywood qui se pointeront.

Quelques minutes plus tard, la grande attraction du jour sortit de la porte de derrière, suivie par un journaliste et un cameraman. Ils choisirent un endroit avec la foule en arrière-plan et Lisa Trammel donna une brève interview. Je ne me fatiguai pas à l'écouter. Cette interview, je l'avais assez vue et entendue ces deux derniers jours.

Quand ce fut terminé, elle se sépara des journalistes, serra des mains et posa pour quelques photos. Elle finit par gagner notre table et s'arrêta pour ébouriffer les cheveux de son fils en passant.

— Les voici donc ! Les vainqueurs ! s'écria-t-elle. Comment se porte mon équipe aujourd'hui ?

Je réussis à sourire.

— Nous allons bien, Lisa. Et vous avez l'air d'aller bien, vous aussi. Où est Herb ?

Elle regarda autour d'elle comme si elle le cherchait dans la foule.

— Je ne sais pas, dit-elle. Il était censé venir.

— C'est dommage, dit Cisco. Il va nous manquer.

Lisa ne parut pas remarquer le sarcasme.

— Mickey, dit-elle, vous savez qu'il faut que je vous parle un peu plus tard. J'ai besoin de votre opinion sur l'émission télé où aller : *Good Morning America* ou *Today* ? Elles veulent toutes les deux m'avoir la semaine prochaine, mais il faut que j'en choisisse une parce que ni l'une ni l'autre ne veulent de moi en second.

J'y allai d'un petit geste de la main comme si la réponse était sans importance.

— Je ne sais pas. Herb devrait pouvoir vous aider sur ce point. C'est le spécialiste des médias.

Elle se retourna vers le groupe d'enfants et commença à sourire.

— Oh mais, j'ai juste ce qu'il leur faut à ces petits ! s'écria-t-elle. Excusez-moi tous.

Elle fila et disparut au coin de la maison.

— Elle a vraiment l'air d'apprécier, non ? lança Cisco.

— Moi aussi j'apprécierais, dit Lorna.

Je jetai un coup d'œil à Aronson.

— On est bien silencieuse, lui dis-je.

Elle haussa les épaules.

— Je ne sais pas, dit-elle. Je ne suis plus très sûre de beaucoup aimer défendre des criminels. Si vous décidez de prendre certains des individus qui nous téléphonent, j'aimerais m'en tenir aux saisies. Si ça ne vous gêne pas.

J'acquiesçai.

— Je crois savoir ce que vous ressentez, lui dis-je. Vous pourrez travailler sur les dossiers de saisies si vous le voulez. Il va y en avoir plein pendant un bon moment encore, surtout avec des mecs comme Opparizio toujours dans ces affaires. Mais ce sentiment que vous avez finit toujours par s'effacer. Croyez-moi, Bullocks, c'est comme ça.

Elle ne réagit ni au retour de son surnom ni au reste de mon discours. Je me tournai et regardai à l'autre bout du jardin. Lisa y était revenue avec sa bonbonne d'hélium qu'elle avait sortie du garage sur des roulettes. Elle dit aux enfants de se rassembler autour d'elle et commença à gonfler des ballons. Le cameraman de la télé s'approcha pour filmer la scène. Ce serait parfait pour les infos de 18 heures.

— Bon mais... elle fait ça pour les enfants ou pour la caméra ? demanda Cisco.

— Il fallait vraiment que tu te poses la question ? lui renvoya Lorna.

Lisa ôta un ballon bleu de l'embout de la bonbonne et le noua avec une ficelle d'une main experte. Puis elle le tendit à une fillette d'environ six ans et laissa le ballon s'envoler deux mètres au-dessus de sa tête. La fillette sourit et renversa la tête en arrière pour regarder son nouveau jouet. À cet instant précis, je sus ce que regardait Mitchell Bondurant quand Lisa l'avait frappé avec son marteau.

— C'est elle qui a fait le coup, murmurai-je *in petto.*

Et je sentis la brûlure de millions de synapses qui m'explosaient dans le cou et les épaules.

— Qu'est-ce que vous dites ? me demanda Aronson.

Je la regardai, mais ne répondis pas et me retournai vers ma cliente. Elle remplit un deuxième ballon de gaz, le noua et le tendit à un petit garçon. Qui tint la ficelle et renversa sa joyeuse frimousse en arrière pour regarder son ballon rouge. Regarder le ballon qui s'envole, la réaction est instinctive et naturelle.

— Oh, mon Dieu ! s'exclama Aronson.

Elle aussi venait de comprendre.

— C'est comme ça qu'elle a fait.

Cisco et Lorna s'étaient retournés.

— Le témoin a déclaré qu'elle marchait sur le trottoir en portant un grand sac de commissions, reprit Aronson. Assez grand pour contenir un marteau, bien sûr, mais assez grand aussi pour des ballons.

J'enchaînai.

— Elle se glisse dans le garage en catimini et les lâche au-dessus de l'emplacement de Bondurant. Peut-être même y a-t-il un mot attaché au bout de chacune des ficelles pour qu'il soit sûr de les voir.

— Oui, dit Cisco. Tiens, le voilà enfin ton règlement *in fine.*

— Elle se cache derrière le pilier et attend, repris-je.

— Et quand Bondurant lève la tête pour regarder les ballons, *pan* ! En plein sur le haut du crâne !

J'acquiesçai.

— Et les deux explosions qu'on a prises pour des coups de feu et qu'on a écartées en croyant qu'il s'agissait de ratés d'allumage n'étaient ni l'un ni l'autre, continuai-je. Elle a fait exploser les ballons en partant.

Un horrible silence s'abattit sur la table. Jusqu'à ce que Lorna prenne la parole.

— Minute, minute, dit-elle. Vous êtes en train de nous dire qu'elle avait tout planifié ? Comme si elle savait que le frapper sur le haut du crâne tromperait les jurés ?

Je hochai la tête.

— Non, ce n'est que de la chance. Elle voulait juste l'immobiliser, dis-je. Elle a eu recours aux ballons pour être sûre qu'il s'arrête un instant et pouvoir s'approcher de lui par-derrière. Le reste n'est qu'un simple et pur coup de chance... quelque chose dont un avocat de la défense a su se servir.

J'étais incapable de regarder mes collègues. Je regardai fixement Lisa en train de gonfler ses ballons.

— Nous l'avons donc... aidée à l'emporter au paradis, dit Lorna.

C'était une affirmation, pas une question.

— Interdiction de rejuger la chose jugée, dit Aronson. On ne pourra jamais la faire repasser devant un tribunal.

Comme si c'était un signal, Lisa nous regarda en nouant un ballon blanc. Elle le tendit à un autre enfant.

Et me sourit.

— Cisco, combien c'est, la bière ?

— Cinq dollars la cannette. C'est du vol.

— Non, Mickey ! me lança Lorna. Ça ne vaut pas le coup. T'as été vraiment bien.

Je détachai les yeux de ma cliente et regardai Lorna.

— « Bien » ? répétai-je. Tu veux dire que je fais partie des gens bien ?

Je me levai et les laissai pour gagner le bar du jardin de derrière, où je fis la queue. Je m'attendais à ce que Lorna me suive, mais ce fut Aronson qui me rattrapa.

— Écoutez, dit-elle à voix très basse, qu'est-ce que vous faites ? Vous m'avez dit de ne pas m'embarrasser d'une conscience. Vous seriez en train de me dire qu'il vous en est venu une ?

— Je ne sais pas, murmurai-je. Tout ce que je sais, c'est qu'elle m'a manipulé comme un pantin et vous savez quoi ? Elle sait que je sais. Ce sourire qu'elle m'a fait ! Je l'ai vu dans ses yeux. Elle en est fière. Elle a amené sa bonbonne dans le jardin pour que je la voie et que je sache que...

Je hochai la tête.

— Elle m'a trompé dès le premier jour. Tout faisait partie de son plan. Jusqu'au dernier...

Je m'immobilisai en me rendant compte de quelque chose.

— Quoi ? me demanda Aronson.

Je marquai une pause tout en continuant de reconstituer ce qui s'était passé.

— Quoi, Mickey ? insista Aronson.

— Ce n'était même pas son mari.

— Comment ça ?

— Le type qui m'a appelé... celui qui s'est pointé. Où est-il donc aujourd'hui alors que c'est jour de paie ? Il n'est pas ici parce que ce n'était pas lui. Il faisait juste partie de la distribution.

— Mais alors... où est le mari ?

C'était bien la question. Mais je n'avais pas de réponse. Des réponses, je n'en avais plus aucune maintenant.

— Je m'en vais, dis-je.

Je lâchai la file et me dirigeai vers la porte de derrière.

— Mickey, où allez-vous ?

Je ne répondis pas. Je traversai vite la maison et sortis par la porte de devant. J'étais arrivé assez tôt pour trouver une place de parking à peine deux maisons plus bas dans la rue. J'étais presque à la Lincoln lorsque j'entendis qu'on m'appelait.

C'était Lisa. Elle venait vers moi.

— Mickey ! s'écria-t-elle. Vous partez ?

— Oui, je m'en vais.

— Mais pourquoi ? La fête ne fait que commencer.

Elle s'approcha tout près et s'arrêta.

— Je m'en vais parce que je sais, Lisa. Je sais.

— Qu'est-ce que vous croyez savoir ?

— Que vous vous êtes servie de moi comme vous vous servez de tout le monde. Y compris de Dahl.

— Oh allons ! Vous êtes avocat de la défense, non ? Grâce à ça, vous allez avoir plus de travail que vous n'en avez jamais eu.

Comme ça, tout naturellement, elle venait de tout reconnaître.

— Et si je n'en voulais pas, de ce travail ? Et si je voulais seulement croire que la vérité existe ?

Elle marqua une pause. Elle ne saisissait pas.

— Reprenez-vous, Mickey, dit-elle. Réveillez-vous.

J'acquiesçai. Le conseil était bon.

— Qui était-ce, Lisa ? lui demandai-je.

— Qui ça ?

— Le type que vous m'avez envoyé et qui m'a affirmé être votre mari.

Un petit sourire de fierté ourla sa lèvre inférieure.

— Au revoir, Mickey, dit-elle. Et merci pour tout.

Puis elle se retourna et repartit chez elle. Je montai dans ma Lincoln et m'éloignai.

## 54

J'étais à l'arrière de la Lincoln et traversais lentement le tunnel de la Troisième Rue lorsque mon portable se mit à bourdonner. D'après l'écran, c'était Maggie. Je demandai à Rojas d'arrêter la musique – *Judgement Day*, un morceau du dernier CD d'Eric Clapton – et pris l'appel.

— Tu l'as fait ? me demanda-t-elle tout de suite.

Je regardai par la fenêtre au moment où nous sortîmes du tunnel et retrouvâmes le grand soleil. Cela convenait bien avec ce que je ressentais. Cela faisait trois semaines que le verdict était tombé et plus je m'en éloignais, mieux je me sentais. J'étais déjà en route vers autre chose.

— Oui.

— Hou là ! Félicitations !

— C'est quand même loin d'être fait. Y en a plein d'autres et je n'ai pas d'argent.

— Aucune importance. Tu t'es fait un nom dans cette ville et il y a une certaine intégrité en toi qu'on voit bien et qui emporte l'adhésion. La mienne en tout cas. En plus de quoi, tu es un outsider, et les outsiders gagnent toujours. Alors arrête de te raconter des histoires, l'argent viendra.

Je n'étais pas trop certain que les mots *intégrité* et *moi* doivent figurer dans la même phrase. Cela étant, je n'allais pas cracher sur le reste et en plus, cela faisait très très longtemps que je n'avais pas entendu Maggie aussi heureuse.

— Bon, nous verrons, dis-je. Mais aussi longtemps que j'aurai ton vote de confiance, je me fous bien d'en avoir un autre.

— Ça, c'est gentil, Haller. Et maintenant ?

— Bonne question. Il faut que j'ouvre un compte, que je rassemble des…

Mon portable s'était mis à sonner. J'avais un autre appel. Je consultai l'écran et vis qu'il était bloqué.

— Mags, repris-je, attends une seconde. Laisse-moi voir qui c'est.

— Vas-y.

Je pris l'autre appel.

— Mickey Haller à l'appareil, dis-je.

— C'est vous qui m'avez fait ça.

Je reconnus sa voix pleine de colère. Lisa Trammel.

— Ça quoi ?

— Les flics sont là ! Ils creusent dans le jardin pour le trouver. C'est vous qui les avez envoyés !

Je supposai que ce « le » auquel elle se référait était son mari manquant, celui qui n'était jamais vraiment arrivé au Mexique. Elle avait le ton de voix suraigu qu'elle prenait lorsqu'elle était au bord de la crise de nerfs.

— Lisa, je...

— J'ai besoin de vous ici ! J'ai besoin d'un avocat. Ils vont m'arrêter !

Elle savait donc ce que la police allait découvrir dans le jardin.

— Lisa, je ne suis plus votre avocat. Je peux vous en recommander...

— Nooooon ! Vous ne pouvez pas m'abandonner ! Pas maintenant !

— Lisa, vous venez juste de m'accuser de vous avoir envoyé les flics. Et maintenant vous voudriez que je vous représente ?

— J'ai besoin de vous, Mickey. Je vous en prie.

Elle se mit à pleurer, à avoir ces longs sanglots que j'avais trop souvent entendus.

— Trouvez-vous quelqu'un d'autre, Lisa. Moi, c'est fini. Avec un peu de chance, il se pourrait même que ce soit moi qui vous poursuive.

— Qu'est-ce que vous racontez ?

— Je viens juste de déposer ma candidature. Je me présente au poste de district attorney.

— Je ne comprends pas.

— Je change de vie. J'en ai assez de fréquenter des gens comme vous.

Elle commença par ne pas réagir, mais je l'entendis respirer fort. Lorsque enfin elle reprit la parole, ce fut d'un ton morne et sans aucune émotion.

— J'aurais dû dire à Herb de vous mutiler. C'est ce que vous méritez.

Ce fut mon tour de garder le silence. Je savais de quoi elle parlait. Les frères Mack. Dahl m'avait menti en me racontant que c'était Opparizio qui avait donné l'ordre de me flanquer une raclée. Mais ça ne cadrait pas avec le reste de l'histoire. Alors que ça, oui. C'était Lisa qui l'avait voulu. Elle était prête à faire agresser son avocat si cela pouvait détourner les soupçons et l'aider dans son affaire. Si ça pouvait m'aider, moi, à croire à d'autres hypothèses.

Je réussis à retrouver ma voix pour lui dire mes derniers mots.

— Adieu, Lisa. Et bonne chance.

Je me calmai et repris mon ex.

— Désolé... C'était une cliente. Une ancienne cliente.

— Ça va ?

Je m'appuyai à la vitre. Rojas venait d'entrer dans Alvarado Street et se dirigeait vers la 101.

— Ça va, oui. Bon alors, tu veux aller quelque part ce soir et parler un peu de cette campagne ?

— Tu sais, pendant que j'étais en attente, je me suis dit : pourquoi tu ne viendrais pas chez moi ? On pourrait manger avec Hayley et après, discuter pendant qu'elle fait ses devoirs.

C'était rare qu'elle m'invite à passer chez elle.

— Et donc, il faut que le mec se présente au poste de DA pour se faire inviter chez toi ?

— N'exagère pas, Haller.

— C'est entendu. À quelle heure ?

— À 18 heures.

— À tout à l'heure.

Je coupai la communication et regardai fixement par la fenêtre.

— Monsieur Haller ? me demanda Rojas. Vous êtes candidat au poste de district attorney ?

— Oui. Ça te pose problème ?

— Non, non, patron. Mais... vous avez toujours besoin d'un chauffeur ?

— Bien sûr, Rojas. Ton boulot n'est pas en danger.

J'appelai le bureau et ce fut Lorna qui décrocha.

— Où êtes-vous ? demandai-je.

— Tout le monde est là. Jennifer a pris ton bureau pour interroger un nouveau client. Une saisie. Et Dennis fait un truc à l'ordinateur. Où t'étais passé ?

— En ville. Mais je reviens. Assure-toi que personne ne s'en aille. Je veux avoir une réunion du personnel.

— OK, je vais leur dire.

— Bien. On se retrouve dans une trentaine de minutes.

Je refermai mon portable. Nous arrivions en haut de la bretelle d'accès à la 101. Les six voies étaient bouchées, ça avançait régulièrement mais lentement. Je n'aurais pas voulu qu'il en aille autrement. C'était ma ville et c'était comme ça que c'était censé fonctionner.

Rojas au volant, la Lincoln noire commença à couper entre les voies, à m'emporter vers mon nouveau destin.

## REMERCIEMENTS

*L'auteur souhaite remercier plusieurs personnes de l'aide qu'elles lui ont accordée pendant la rédaction de cet ouvrage. À leur nombre figurent Asya Muchnick, Bill Massey, Terril Lee Lankford, Jane Davis et Heather Rizzo. Mes remerciements tout particuliers vont aussi à Susanna Brougham, Tracy Roe, Daniel Daly, Roger Mills, Jay Stein, Rick Jackson, Tim Marcia, Mike Roche, Greg Stout, John Houghton, Dennis Wojciechowski, Charles Hounchell et,* last but not least, *Linda Connelly.*

*Cet ouvrage est un roman. Toute erreur factuelle, géographique, juridique ou de procédure est à imputer à l'auteur et à lui seul.*

Dans la collection
Robert Pépin présente...

Pavel ASTAKHOV
*Un maire en sursis*

Alex BERENSON
*Un homme de silence*
*Départ de feu*

Lawrence BLOCK
*Entre deux verres*
*Le Pouce de l'assassin*
*Le Coup du hasard*

C. J. BOX
*Below Zero*
*Fin de course*

Lee CHILD
*Elle savait*
*61 Heures*

James CHURCH
*L'Homme au regard balte*

Michael CONNELLY
*La lune était noire*
*Les Égouts de Los Angeles*
*L'Envol des anges*
*L'Oiseau des ténèbres*
*Volte-Face*

Miles CORWIN
*Kind of Blue*

Martin CRUZ SMITH
*Moscou, cour des Miracles*

Chuck HOGAN
*Tueurs en exil*

Andrew KLAVAN
*Un tout autre homme*

Michael KORYTA
*La Rivière perdue*
*Mortels Regards*

Alexandra MARININA
*Quand les dieux se moquent*

T. Jefferson PARKER
*Signé : Allison Murrieta*
*Les Chiens du désert*

P. J. PARRISH
*Une si petite mort*
*De glace et de sang*

Henry PORTER
*Lumière de fin*

Sam REAVES
*Homicide 69*

Craig RUSSELL
*Lennox*
*Le Baiser de Glasgow*
*Un long et noir sommeil*

Roger SMITH
*Mélanges de sangs*
*Blondie et la Mort*
*Le sable était brûlant*

Joseph WAMBAUGH
*Bienvenue à Hollywood*

*Photocomposition Nord Compo*

*Impression réalisée en avril 2013 par CPI Brodard et Taupin*
*pour le compte des éditions Calmann-Lévy*
*31, rue de Fleurus 75006 Paris*

calmann-lévy s'engage
pour l'environnement en réduisant
l'empreinte carbone de ses livres.
Celle de cet exemplaire est de :
960 g éq. $CO_2$
Rendez-vous sur
www.calmann-levy-durable.fr

*N° d'éditeur : 5183447/01*
*N° d'impression : 72761*
*Dépôt légal : mai 2013*
*Imprimé en France.*